KB152093

치과진료 후 발생하는
골치 아픈 증례들

TOUGH CASES

김요환 조득연 김형기

Vol. 4 구강악안면감염

KOONJA

치과진료 후 발생하는
골치 아픈 증례들 TOUGH CASES
Vol.4 구강악안면감염

첫째판 1쇄 인쇄   2023년 03월 15일
첫째판 1쇄 발행   2023년 04월 05일

지 은 이   김영균 조득원 김형기
발 행 인   장주연
출 판 기 획   한수인
책 임 편 집   박은선
편집디자인   이종원
표지디자인   신지원
일 러 스 트   김경열
제   작   이순호
발 행 처   군자출판사
        등록 제 4-139호(1991. 6. 24)
        본사 (10881) **파주출판단지** 경기도 파주시 회동길 338(서패동 474-1)
        Tel. (031) 943-1888   Fax. (031) 955-9545
        홈페이지 | www.koonja.co.kr

ISBN 979-11-5955-994-5
        979-11-5955-674-6 (세트)

정가 100,000원

치과진료 후 발생하는
골치 아픈 증례들

TOUGH CASES

저자 소개

김 영 균

1986	서울대학교 치과대학 졸업
1986 - 1989	서울대학교병원 치과진료부 구강악안면외과 수련
1989 - 1992	육군 치과군의관
1992 - 1997	조선대학교 치과대학 전임강사 및 조교수
1998 - 2003	대진의료재단 분당제생병원 치과 구강악안면외과장
2009 - 2022	서울대학교 치의학대학원 치의학과 교수
2003 - 현재	분당서울대학교병원 치과 구강악안면외과 교수 대한민국의학한림원 정회원 대한구강악안면외과학회지 편집장 대한검도 공인 4단
논문실적	논문실적 "The role of facial trauma as a possible etiologic factor in temporomandibular joint disorder" 외 707편 [SCI(E) 142편, KCI 등재지 278편, 기 타 국내학술지 255편, 기타 국제학술지 32편]
저역서	"턱관절장애와 수술교정" 외 85편

2004	원광대학교 치과대학 졸업
2004 - 2008	원광대학교 치과대학 부속치과병원 인턴, 치과보철과 수련
2008 - 2011	육군 항공작전사령부 치과군의관
2011 - 2012	분당서울대학교병원 치과보철과 임상강사
2013 - 2016	분당서울대학교병원 치과보철과 진료교수
2019 - 2020	University of California at Los Angeles 연수
2017 - 현재	분당서울대학교병원 치과보철과 임상 부교수
	치의학 박사
	대한치과보철학회 정회원, 인정의, 교육지도의
	대한디지털치의학회 정회원, 자재이사
	American Academy of Implant Dentistry, Associate Fellow
논문실적	"A randomized controlled clinical trial evaluating efficacy and adverse events of different types of recombinant human bone morphogenetic protein-2 delivery systems for alveolar ridge preservation" 외 SCI(E) 논문 15편(주저자 12편), KCI 등 국내논문 4편

조 득 원

김 형 기

2012	육군사관학교 졸업
2012 - 2013	제22보병사단 GOP대대 소초장 GOP 경계작전 지휘
2013 - 2015	제1공수특전여단 특임대 정작장교 대테러작전, 특수작전
2015 - 2019	연세대학교 위탁장교 치의학
2019 - 2020	국군수도치과병원 인턴
2020 - 2023	분당서울대학교병원 구강악안면외과 레지던트

전체 머리말

약 37년간 치과의사, 구강악안면외과 전문의로서 수많은 환자들을 진료하였습니다. 한때는 내가 치과의 특정 분야에서 최고라는 자만감에 빠져 환자 및 동료들에게 거만한 자세를 취한 적도 있었습니다. 그러나 아무리 열심히 연구하고, 양질의 진료를 하려고 노력하여도 합병증과 다양한 문제점들을 끊임없이 경험하면서 좌절감과 죄책감을 느낀 적도 많았습니다. 물론 지금까지도 계속 경험하고 있습니다. 치과의사는 치아만 치료하는 기술자가 아닌, 환자의 몸을 치료하는 의료인입니다. 사람의 몸은 매우 복잡해서 개인마다 치료에 대한 다른 반응을 보이기도 하고, 다양한 의학적 전신질환들이 동반된 경우엔 치료하는 것이 더욱 어려울 수밖에 없습니다. 이제는 과거의 나를 버리고 겸손한 자세로 환자를 대하고, 선후배 및 동료 치과의사들로부터 많은 것을 배우면서 최선의 진료를 하는 치과의사가 되고자 하는 마음으로 제가 경험한 많은 문제점들을 솔직하게 책으로 엮어서 총 11권의 연속 간행물로 출판할 예정입니다.

저서는 논문이 아니기 때문에 집필자들의 사적 의견들이 많이 제시될 수 있습니다. 따라서 독자들은 책자의 내용을 전적으로 신뢰해서는 안 되며, 비판적인 시각을 갖고 필독하시면 제가 경험했던 골치 아픈 증례들을 통해 많은 교훈을 얻을 것을 확신합니다. 가급적 참고문헌들을 기반으로 근거 있게 집필하도록 노력하였지만, 저의 의견이 잘못 기술된 부분도 많이 발견될 것입니다. 본 책자는 독자들에게 현란한 술식들과 성공적인 치료 증례들을 자랑하는 것이 목적이 아닙니다. 골치 아픈 증례들을 소개하면서 문제 목록 및 해결한 과정, 참고문헌 고찰을 통한 각각의 증례들에 대한 필자의 의견들을 작성하였고, 예상하지 못한 합병증과 다양한 문제들이 발생한 사례들을 솔직하게 제시하고 제 나름대로의 의견과 잘못된 치료에 대한 반성 등을 기록하였습니다.

명의? 실력 있고 논문을 많이 쓰고 학회에서 발표를 많이 하고 강연, 연수회를 많이 개최하는 치과의사, 의사가 명의일까요? 이들의 실력을 누가 검증할 수 있을까요? 학식이 많고 경력이 뛰어나며 봉사를 많이 하고 진료하는 환자 수가 많을수록 명의인가요? 병원장, 과장, 학장, 학회장 등 주요 보직을 했다고 해서 명의가 될 수 있을까요? 명의라고 해서 합병증 없이 모든 환자들을 잘 치료하고 그들이 치료하면 모든 환자들이 다 성공적으로 치유될 수 있을까요? 모든 치과의사, 의사들은 명의가 되고 싶은 꿈과 욕망이 있을 것이고, 필자 본인도 마찬가지입니다. 그러나 37년간 임상진료를 해 오는 가운데 많은 문제가 발생하였고 지금도 계속 발생하고 있습니다. 교과서, 문헌들에 나와있는 대로 치료되지 않는 증례들도 매우 많습니다. 인용지수가 높은 SCI(E)급 학술지에 게재된 논문을 절대적으로 신뢰할 수 있을까요? 대가들이 강의한 내용을 그대로 믿어도

될까요? 사람의 몸은 매우 복잡하고 이해하기 어려운 것이 너무 많습니다. 원칙에 입각한 양질의 치료를 수행하는 것이 기본이지만, 가장 중요한 것은 환자와 치과의사, 의사의 상호 신뢰감과 좋은 유대관계라고 생각됩니다. 환자가 의료인을 신뢰하면 치료 결과가 좋고, 설사 문제가 발생하더라도 의료분쟁이 발생하는 경우는 거의 없습니다.

저는 열심히 공부하면서 진료하고 있는 모든 치과의사들에게 다음을 강조하고자 합니다. 1) 유명한 연자의 강의, 논문, 기타 학술대회 강연 내용은 참고만 해야 합니다. 저자가 언급하는 내용들도 100% 옳은 것이 아닙니다. 2) 임상가들은 스스로 공부하면서 자신의 확고한 치료 개념을 정립하고, 최대한 근거 기반의 윤리적인 진료를 수행해야 합니다. 3) 치과분야에서 행해지는 많은 연수회는 본인의 술기를 향상시키는 데 큰 도움이 됩니다. 그러나 합병증이나 문제점들에 대한 강의나 해결방안을 제시하지 않고 술기 위주로 진행하는 연수 프로그램은 가급적 피하시는 것이 좋습니다. 4) 치과의사들은 사람(환자)을 치료하는 것이지 멋있고 현란한 술식을 자랑하는 것이 아닙니다. 치과진료뿐만 아니라 의과 분야에서도 100% 완벽한 진료를 수행할 수 없습니다. 환자들도 100% 완벽 진료를 원하는 것이 아닙니다. 최근 치과의사협회에서 발간한 "Issue report"에서 치과대학에서 학생들을 대상으로 완벽 위주의 술기와 치료를 지나치게 강조하는 교육을 문제 삼은 바 있습니다. 완벽한 치과치료를 수행하려고 노력하는 것은 당연하지만, 더욱 중요한 것은 환자-치과의사의 유대관계를 돈독하게 하면서 환자들이 치과의사를 신뢰할 수 있도록 진료하는 자세입니다.

치과 전문의들이 일반의들에 비해 실력이 월등히 우수하다고 단정할 수 있을까요? 제 생각으로는 전문의는 자신의 분야에 한해서 일반의들보다 좀 더 많이 알고 진료할 수 있지만, 전공 외 타 분야에서는 일반의들의 실력에 훨씬 미치지 못할 수도 있습니다. 오히려 포괄적 지식은 더 모자라고 다른 학자들의 의견을 수용하지 않으면서 편견에 치우친 생각을 더 많이 가질 수도 있습니다. 특히 치과의 특성상 턱관절질환, 임플란트와 같은 진료 분야는 아주 특수한 경우를 제외하곤 일반의들이 더 잘 진료할 수 있습니다.

필자는 구강악안면외과 전문의로서 턱관절장애, 턱교정수술, 골절, 감염, 임플란트 수술 등의 진료를 수행하고 있고, 타 전문의나 일반의들에 비해 합병증에 대한 경험이 좀 더 많을 수밖에 없습니다. 그렇기에 본 책에는 제가 37년간 진료하면서 경험했던 다양한 합병증과 문제점들을 증례와 함께 제시하였고, comment에는 저의 개인적 의견들을 작성하였습니다. 일부러 일반의 관점에서 문제를 살펴보는 것이 중요하다고 생각하여 보철과, 치주과, 교정과, 구강내과 전문의들의 자문을 구하지 않고 집필하였습니다. 제시된 증례들을 필독하면서 나름대로의 문제점을 생각해 보고, 궁금한 부분은 문헌고찰 파트에서 찾아보시거나 관련 참고문헌들을 구해서 필독하시면 큰 도움이 될 것이라고 생각합니다.

　"모르는 것은 죄가 아니다"라는 말이 있는데, 치의학(의학) 분야에서는 "모르면 죄가 된다"가 맞는 것 같습니다. 치과의사들은 은퇴하기 전까지는 끊임없이 공부해야 하며, 국가에서도 의료인 보수교육을 필수사항으로 정하고 있는 것은 계속 공부하면서 최신 의술을 습득하고, 환자들에게 현시점에서 최선의 진료를 하라는 의미인 것 같습니다. 이 책을 집필한 주목적 중 하나는 "원인 불명"이거나 "분명히 치과의사의 잘못이 아님"에도 불구하고 환자나 보호자, 법조인들에게 잘 설명하지 못하고, 적절히 대처하지 못함으로 인해 모든 책임을 지게 되는 일들을 최소화하기 위함입니다. 중대한 잘못으로 문제가 발생하였을 경우엔 전적으로 의료진이 책임을 져야 하지만, 불가항력적이거나 원인 불명으로 인해 문제가 발생한 경우 의료진은 책임에서 벗어나야 합니다.

　아직 필자가 열정과 힘이 남아 있는 기간 동안에 37년간의 치과 임상분야에서 경험하였던 "골치 아픈 증례들"을 최대한 많이 정리하여 문헌고찰과 함께 필자 본인의 의견과 반성을 솔직하게 제시하면서 총 11권의 책을 마무리하고자 합니다.

본 책자의 구성은 다음과 같이 계획되어 있습니다.

1. 신경손상
2. 구강안면통증
3. 턱관절질환
4. 구강악안면감염
5. 상악동 관련 문제점
6. 임플란트 실패
7. 임플란트 주위질환
8. 골치 아픈 임플란트 관련 합병증 및 문제점
9. 턱교정수술 및 안면골 골절관련 문제점
10. 구강병소 및 기타 특이 질환
11. 기타 치과진료 관련 합병증 및 문제점

본 책자의 특성상 환자들의 개인정보 노출 등을 피하기 위해 일부 내용들은 사실과 다르게 수정되기도 하였습니다. 독자들이 책을 읽다 보면 "어떻게 저런 식으로 진료를 했을까? 대학교수로서 어떻게 저런 잘못된 개념을 가지고 있을까?" 등의 문제들도 발견될 것입니다. 그러나 독자들은 책을 필독하면서 문제점을 발견하고, 저자들의 치료 내용 및 기술한 의견에 대해 비판적 시각을 갖고 자신의 생각과 비교하는 것 자체가 공부에 큰 도움이 될 것임을 확신합니다. 총 11권으로 구성된 책을 읽으면서 잘못된 치료가 이루어지지 않도록 예방하고, 유사한 사례를 경험하였을 때 해결할 능력을 갖출 수 있길 희망합니다.

본 책자를 작성하는 데 가이드라인과 많은 조언을 해 주신 군자출판사 한수인 팀장님과 임직원들, 원고의 편집과 일러스트 작업을 해 주신 담당자분들께 깊은 감사의 말씀을 드립니다.

2023년 3월

대표 저자 **김 영 균**

머리말

다양한 치과 진료를 수행하다 보면 구강내 및 악안면 부위에서 예상하지 못한 감염이 발생할 수 있습니다. 일부러 감염을 유발시키는 치과의사, 의사들은 없습니다. 최선의 진료를 다했음에도 여러 가지 원인들로 인해 감염이 발생하고 적절히 처치하지 못할 경우엔 다양한 합병증을 유발하게 되고 드물게 치명적인 결과를 초래하기도 합니다.

감염이 발생하지 않도록 예방하는 것이 가장 중요하지만 일단 감염이 발생한 경우엔 조기에 진단하고 적극적으로 치료하면 대부분 큰 문제없이 완치될 수 있습니다. 따라서 감염의 병인론, 임상증상 및 징후와 진단법을 숙지해야 하며 항생제와 같은 약물치료뿐만 아니라 절개배농술 등의 외과적 처치를 숙지하고 있어야 합니다. 감염은 특정 전문의의 치료 분야가 아닙니다. 일차적으로 진료를 담당했던 치과의사, 의사들이 직접 해결해야 합니다. 그러나 잘 치료되지 않으면서 확산되는 경향을 보이면 즉시 심각성을 인지하고 관련 전문의들이 상주하고 있는 상급의료기관으로 이송할 수 있는 지식도 갖춰야 합니다. 특히 임플란트 수술은 전 세계적으로 대한민국 치과의사들이 가장 활발하게 수행하고 있기 때문에 구강악안면감염에 대한 기본적인 지식을 잘 갖춰야 합니다. 임플란트 수술을 시행한 후 감염이 발생하였을 때 본인이 직접 해결해야 함에도 불구하고 부적절하게 대처한다면 어떤 결과를 초래할까요? 설명하지 않아도 잘 아실 것입니다.

구강악안면감염에 대한 전문 서적은 찾아보기 힘듭니다. 국내외를 막론하고 모두 아주 오래전에 집필되었던 책자들이며 그나마 최근 국내에서 구강악안면외과학회와 관련 전문의들이 집필한 교과서와 서적이 출판된 것을 다행이라고 생각합니다. 본 책자를 집필하면서 가장 힘들었던 것은 최신 참고문헌들을 찾기 어려웠고 대부분 오래전에 발표된 논문들과 서적을 참고할 수밖에 없었던 점입니다. 필자가 집필한 "Tough cases Vol 4. 구강악안면감염"은 다양한 치과수술 후 발생한 골치 아픈 감염 증례들(술후감염, 골수염, 상악동염, 외상성감염, 타액선감염, 난치성감염, 감염으로 인해 사망한 증례, 임플란트 치유지대주 관련 염증 및 감염)을 수록하였으며 감염의 분류에 해당되지는 않지만 약물로 인해 발생한 다양한 악골괴사증 증례들도 포함시켰습니다. 독자들은 증례들과 관련 comments를 필독하면서 나름대로의 문제점을 파악하시고 고찰파트의 내용과 관련 참고문헌들을 찾아서 공부하시면 임상 진료에 큰 도움이 될 수 있음을 확신합니다.

2023년 3월

대표 저자 **김 영 균**

목차

CHAPTER **1**

1. 구강악안면감염 증례

CHAPTER

2. 감염 고찰

C O N T E N T S

CHAPTER 3

3. 약물 관련 악골괴사증(MRONJ) 고찰

CHAPTER 4

4. 필자의 감염 관련 논문들

구강악안면감염(Oral and Maxillofacial Infection)

치과에서 가장 많이 발생하는 질환은 치주염과 치아우식증이다. 이 질환들은 모두 세균과 관련이 있으며 구강위생상태가 불량하거나 환자의 면역기능이 저하된 경우엔 감염이 발생하면서 인접 조직으로 확산될 수 있다. 최근 임플란트 치료가 보편화되면서 대한민국 치과의사들 중 상당수가 임플란트 관련 수술을 수행하고 있으며 술후 합병증으로서 감염을 피할 수 없다. 무균처치를 엄격히 수행하고 예방적 항생제를 사용하여도 감염은 발생할 수 있으며 치료를 담당한 치과의사가 반드시 해결해야 한다. 외과적 처치와 무관한 교정치료, 보철치료, 보존 수복치료, 근관치료 등을 시행한 후에도 감염은 발생할 수 있기 때문에 모든 치과의사들이 다뤄야 하는 분야임을 강조하고 싶다.

key
points

1. 치과진료와 연관된 구강악안면 부위 감염이 많이 발생하고 있다. 감염의 병인론, 진단 및 처치에 관한 지식을 갖춰야 한다. 만약 감염에 대한 치료를 기피한다면 현재 수행 중인 치과진료 방식을 재고해야 할 것이다.

2. 감염은 조기에 진단하여 적극적으로 치료하면 대부분 특별한 문제없이 잘 치유될 수 있다.

3. 항생제 치료의 개념과 원칙을 숙지해야 한다.

4. 치과의사들은 절개배농술을 기본적으로 수행할 수 있어야 한다.

5. 임플란트 치유지대주 연결 후 발생하는 급성 부종에 대한 원인과 치료법을 숙지해야 한다.

6. 세균, 진균, 바이러스 감염을 구별할 수 있어야 한다.

7. 감염의 심각도와 진행정도를 잘 평가하여 치과의원에서 직접 해결이 가능한지 아니면 신속히 상급의료기관으로 전원해야 하는지 결정할 수 있는 능력을 갖춰야 한다.

8. 구강악안면외과 전문의들은 치명적인 감염의 종류와 예후를 숙지하고 해결할 수 있는 능력을 갖춰야 한다.

9. 골흡수 억제제, 혈관형성 억제제와 면역기능을 억제하는 약물들은 모두 악골괴사증을 유발할 수 있다. 따라서 약물 관련 악골괴사증(MRONJ: Medication Related OsteoNecrosis of the Jaw)의 발생기전, 위험요소, 진단 및 치료법과 예후를 숙지해야 한다.

1

구강악안면감염 증례

TOUGH CASES

치과진료 후 발생하는 물치 아픈 증례들

구강악안면감염 증례

1. 수술 후 감염

> **Case 1 >** 64세 여자 환자에서 골이식 4개월 후 발생한
> 지연감염(delayed infection)

2005년 1월 31일 64세 여자 환자가 상악 임플란트 치료를 목적으로 내원하였다. 상하악 구치부가 무치악 상태로 국소의치를 오랜 기간 사용하여 최근 상악 잔존치들의 동요도가 매우 심해져서 틀니를 거의 사용하지 못한다고 하였다. 의과적 병력으로 심한 위장장애가 있어서 소화기내과 진료를 받고 있었다. 보철과에서 수립한 치료계획은 #13, 14, 23, 25 발치 후 #13, 14, 16, 23, 25, 26 임플란트 식립하고 하악은 국소의치로 수복하기로 하였다(**Fig 1-1**).

2005년 3월 31일 국소마취하에서 #13, 14, 23, 25를 발치하고 #23, 25 부위에는 골이식을 시행하였다(**Fig 1-2**). **2005년 5월 11일** 의식하진정마취하에서 #23, 25, 26 부위에 임플란트를 식립하면서 주변 결손부에 골유도재생술(동종골 Regenafil + Biogide 차폐막)을 시행하였다. #13-15 부위는 치조골의 협설측 폭경이 매우 협소하여 치조골분할술(ridge splitting)과 골이식만 시행하였다. 골이식재는 동종골(Regenafil)과 이종골(BioOss)이 사용되었고 상방을 비흡수성 차폐막(TR-Goretex membrane)으로 피개한 후 봉합하였다(**Fig 1-3~5**). 술후 항생제를 Cefpodoxime 100 mg bid 1주 처방하였다. 술후 심한 종창과 피하출혈이 발생하였으나 시간이 경

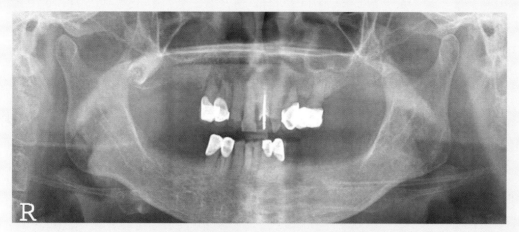

Fig. 1-1. 64세 여자 환자의 초진 시 파노라마방사선사진. #13, 14, 23, 25 발치 후 임플란트 식립을 계획하였다.

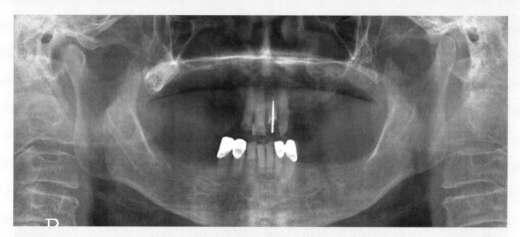

Fig. 1-2. #13, 14, 23, 25 발치 후 파노라마방사선사진. 좌측 발치창 주변에는 골이식을 시행하였다.

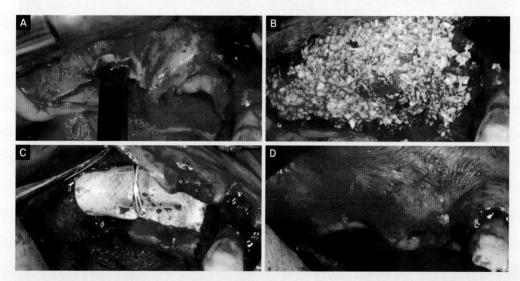

Fig. 1-3. 2005년 5월 11일 상악 우측의 골증대술을 시행하는 모습. 피판을 거상한 결과 치조골의 수평적 폭이 매우 협소하여 임플란트를 식립하기 어려운 상황이었으며 치조골분할술과 골이식(동종골과 이종골)을 시행한 후 TR-Goretex 차폐막을 덮고 봉합하였다.

과하면서 해소되었고 10일 후 봉합사를 제거하였다(**Fig 1-6**). 창상은 잘 치유되는 듯하였으나 **2005년 9월 2 일** 우측 뺨의 종창과 통증을 주소로 내원하였다(**Fig 1-7**). 문진해보니 3일 전부터 갑자기 증상이 시작되었 으며 촉진 시 압통이 심하였고 악하부까지 종창이 파급된 양상을 보였다. 구강 내부를 살펴보니 #14-17 협 측 치은의 파동성 종창이 관찰되어 즉시 국소마취하에서 절개배농술을 시행하고 Clindamycin 300 mg tid 를 4일 투여하면서 매일 drain을 통해 창상을 세척하였다(**Fig 1-8, 9**). 농배양 및 항생제감수성검사 결과 *β-streptococcus*가 다량 검출되었고 Penicillin, Erythromycin, Vancomycin, Chloramphenicol, Clindamycin 에 모두 민감한 것으로 나왔다. **2005년 9월 5일** 증상이 호전되고 농이 더 이상 배출되지 않아 Silastic drain 을 제거하였다. 당일 국소마취하에서 피판을 거상하여 TR Goretex membrane을 제거한 후 3개의 임플란트 (TiUnite #13: 4D/15L, #15: 4D/13L, #16: 5D/13L)를 식립하고 주변 결손부에 추가로 골유도재생술(BioOss + Ossix membrane)을 시행하였다(**Fig 1-10**). **2005년 9월 9일** 창상이 약간 벌어지면서 차폐막이 일부 노출되었다. 노 출된 차폐막의 유동성 부위를 일부 제거하고 창상을 세척, 소독하였다. 10일 후 봉합사를 제거하였고 이후 임 플란트 이차수술과 상부 보철치료가 완료되었다(**Fig 1-11, 12**).

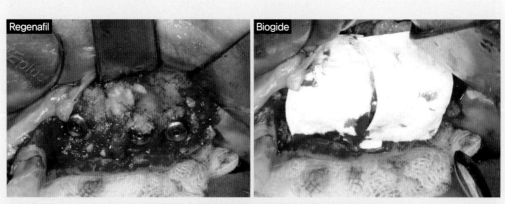

Fig. 1-4. 상악 좌측에는 3개의 임플란트를 식립하고 주변 결손부에 골유도재생술을 시행하였다.

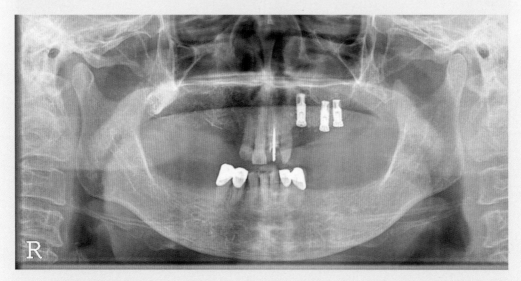

Fig. 1-5. 술후 파노라마방사선사진. 상악 좌측에 3개의 임플란트가 식립되었고 우측 구치부는 골이식술만 시행되었다.

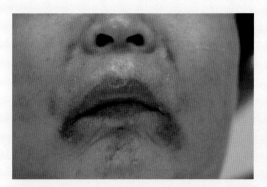

Fig. 1-6. 수술 3일 후 안모 사진. 양측 구각부와 비순구 부위의 피하출혈(ecchymosis) 소견이 관찰된다.

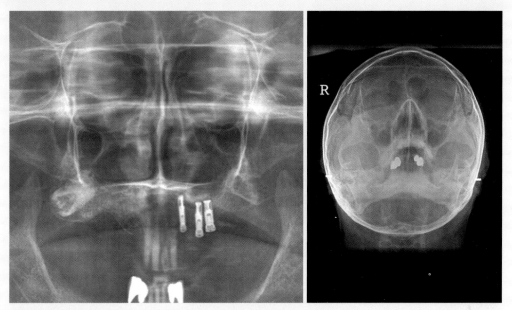

Fig. 1-7. 수술 4개월 후 방사선사진. 우측 빰과 #14-17 협측 치은의 심한 종창이 발생하였지만 상악동은 정상적 소견을 보이고 있다.

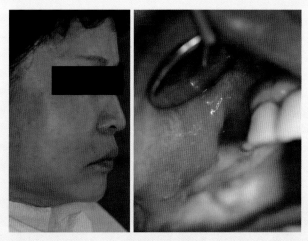

Fig. 1-8. 우측 빰과 악하부 및 구강내 협측 치은의 파동성 종창 소견이 관찰된다.

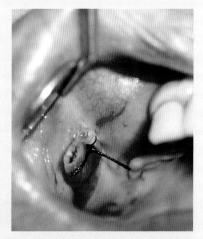

Fig. 1-9. 절개배농술을 시행한 모습. Silastic drain을 삽입하고 봉합사로 고정하였다.

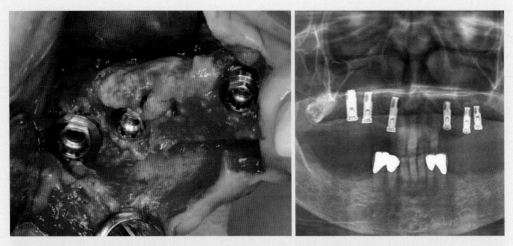

Fig. 1-10. #13, 15, 16 부위에 임플란트를 식립하였다. 주변 결손부에는 추가로 골유도재생술이 시행되었다.

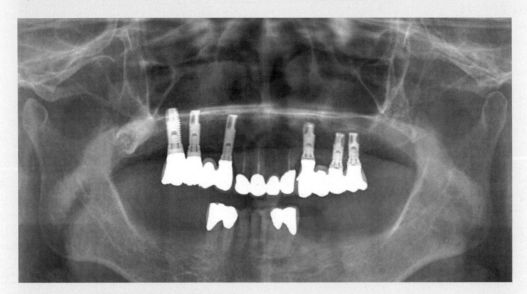

Fig. 1-11. 상부 보철물 장착 1년 후 파노라마방사선사진.

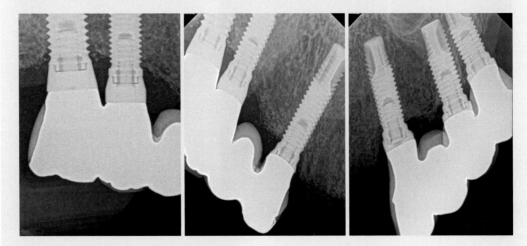

Fig. 1-12. 상부 보철물 장착 13년 후 치근단방사선사진.

1 술후 심한 종창 및 피하출혈
2 골이식 수술 4개월 후 감염

🖰 **치료 및 경과**

1 절개배농술과 항생제 치료: Clindamycin
2 경과 양호

🔊 **Comment**

● 본 증례는 골이식 수술 후 4개월이 경과한 시점에 감염이 발생하였다. **지연감염은 술후 심한 부종성 종창과 비흡수성차폐막으로 인해 발생하였을 가능성이 가장 크다.** 즉 수술 부위에 혈종이 형성되면서 창상을 압박하였고 육안으로 확인되지 않는 창상열개 부위를 통해 세균이 침투하였고 서서히 감염으로 진행되었을 가능성이 있다. 1차 골이식술을 시행할 때 비흡수성 차폐막을 봉합사로 고정(circumferential suture)하였는데 고정이 충분하지 못했을 가능성도 있다. 골이식 범위가 큰 부위에 차폐막을 고정할 경우엔 pin, screw와 같은 재료들을 사용하여 움직이지 않도록 견고하게 고정하는 것이 중요하다.

본 증례의 지연감염은 더 일찍 발생하였을 가능성이 있지만 환자 본인이 증상이 심하지 않아서 인지하지 못했을 것으로 추정된다. 여하튼 **감염은 발견하는 즉시 초기에 절개배농술을 신속히 시행하고 항생제 치료를 잘 수행하면 잘 치유될 수 있다.** 감염 부위의 골이식재들은 상당량 소실되기 때문에 임플란트 식립 시 추가적인 골이식술이 필요한 경우가 많다.

감염과는 관련성이 없는 주제이지만 본 증례에서 얻을 수 있는 유용한 교훈이 있다. #13, 14, 23, 25를 발치하고 #23-25 부위에는 골이식(발치창보존 및 재건술)이 시행되었지만 #13-14 부위에서는 시행되지 않았다. 추후 #23, 25, 26 부위는 임플란트가 쉽게 식립되었지만 #13-15 부위는 치조골의 협설측 폭경이 매우 협소하여 수평골증대술이 우선 시행되고 임플란트는 지연식립될 수밖에 없었다. 필자는 발치창보존 및 재건술을 매우 선호하는 편이지만 많은 학자들은 부정적인 생각을 가지고 있다. 그러나 발치 후 결손부를 잘 살펴본 후 골벽의 결손이 크다고 생각되면 발치창보존술을 시행하는 것이 절대로 나쁘지 않다. 즉 발치창의 흡수를 최소화하면서 형태를 잘 유지하기 때문에 추후 임플란트 식립이 수월하며 추가적인 침습적 골이식술을 최소화할 수 있는 장점이 있다. 필자는 일부 학자들이 "발치창보존술에 사용된 골이식재가 임플란트의 골유착을 방해한다는 주장"은 전혀 근거가 없다고 단언한다.

Case 2 > #35-36 부위 치조골분할술과 골이식을 동반한 임플란트 식립 후 발생한 감염

71세 여자 환자가 **2020년 6월 11일** 틀니 및 임플란트 치료 상담을 위해 내원하였다. 의과적 병력으로 뇌경색이 있어 항혈전제를 계속 복용 중인 상태였다. 상악은 국소의치 하악은 #35, 36, 44, 46 부위에 임플란트를 식립하고 #31, 41은 발치한 후 #41 부위에 mini-implant를 1개 식립하기로 계획하였다(**Fig 1-13**). **2021년 2월 22일** #31, 41을 발치하고 #31 부위에 Mini-implant (Dentium NR line 3D/9L)를 식립하였다(**Fig 1-14**). **2021년 3월 8일** #35, 36 부위에 치조골분할술과 동시에 임플란트(SIS Luna, #35: 4D/8.5L, #36: 4.5D/8.5L)를 식립하였다. 주변에 추가로 골이식(The Graft)을 하고 Ossix 차폐막을 덮은 후 봉합하였다(**Fig 1-15, 16**). 술후 투약은 Mesexin 500 mg bid, Stillen 60 mg bid for 5 days, Methylon 4 mg bid for 3 days, Naxen-F 500 mg bid for 3 days, Tantum gargle 0.15%를 처방하였다. **2021년 3월 12일** 수술 부위에서 피가 나고 설측으로 길게 나온 나일론 봉합사가 혀를 건드려서 매우 따갑다고 하였다. 좌측 구각부와 턱 주변에 피하출혈이 심한 상태였으며 긴 봉합사를 제거하고 온찜질을 열심히 하도록 안내하였다. **2021년 3월 25일** #35, 36 협측 전정부위 촉진 시 압통과 고름이 배출되어 봉합사를 제거하면서 절개부위를 통해 배농시키고 생리식염수로 세척하였다. 항생제는 Cycin 500 mg bid for 5 days으로 교체하였다. **2021년 4월 5일** #44, 46 부위에 임플란트를 식립하였고 #35 협측에 형성된 누공을 통해 소파술과 세척술을 시행하였다. 투약은 Cycin 500 mg bid, Stillen 60 mg bid for 5 days, Methylon 4 mg bid, Naxen-F 500 mg bid for 3 days, Hexamedin Solution 0.12% 가글링을 처방하였다. **2021년 4월 6일** 술후 처치와 함께 #35 협측 누공을 통해 세척술을 시행하였다. 그러나 #35-36 부위 불편감과 압통, 누공을 통한 농배출이 지속되어 **2021년 4월 9일** 국소마취하에서 협측 전정 부위에 절개배농술을 시행하였다. Silastic drain을 삽입한 후 봉합사로 고정하였으며 항생제는 Amoclan duo 1000 mg bid for 5 days로 교체하여 처방하였다. **2021년 4월 12일** 농배출과 압통 등 감염 증상들이 거의 소멸되어 drain을 제거하였다. 이후 일정 치유기간을 거친 후 이차수술과 상부 보철치료가 완료되었다(**Fig 1-17, 18**).

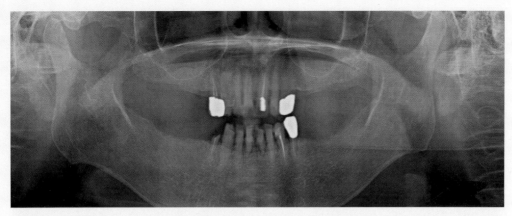

Fig. 1-13. 71세 여자 환자의 초진 시 파노라마방사선사진. 상악은 국소의치 하악은 #35, 36, 44, 46 부위에 임플란트를 식립하고 #31, 41은 발치한 후 #41 부위에 mini-implant를 1개 식립하기로 계획하였다.

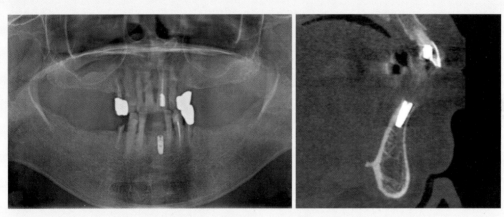

Fig. 1-14. #31, 41 발치 후 #31 부위에 임플란트를 식립하였다.

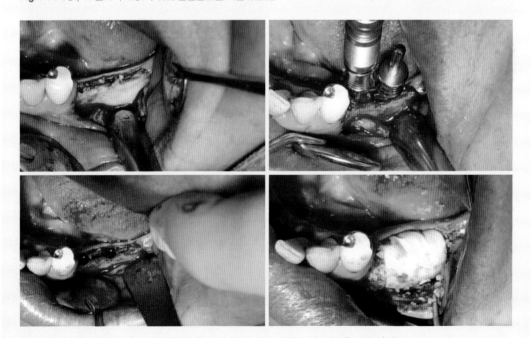

Fig. 1-15. 치조골분할술과 동시에 임플란트를 식립하였고 주변에 골유도재생술을 시행하였다.

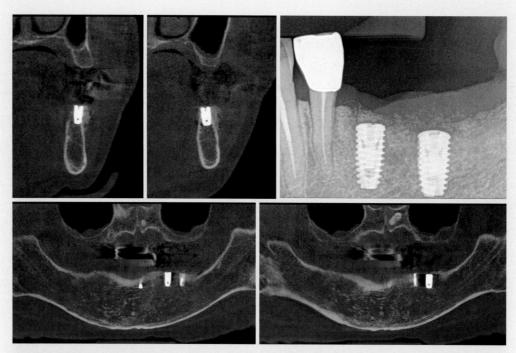

Fig. 1-16. 임플란트 식립 후 방사선사진. 임플란트를 "좀더 깊게 식립하였더라면" 하는 아쉬움이 있다.

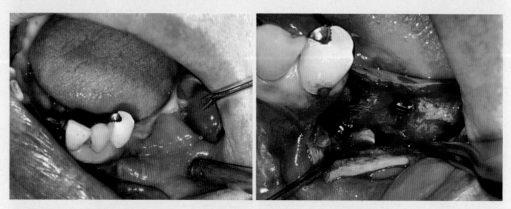

Fig. 1-17. 2021년 6월 3일 이차수술을 시행하였다. 술후 감염이 발생하여 절개배농술을 시행하였기 때문에 협측의 연조직 상태가 좋지 않았으며 피판을 거상한 결과 감염으로 인해 협측에 이식했던 골이식재가 많이 소실된 것이 관찰된다.

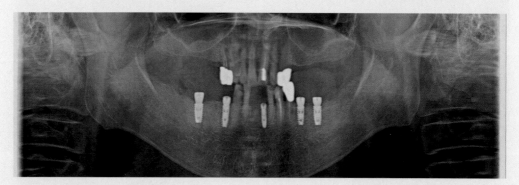

Fig. 1-18. 하악 임플란트 이차수술 후 파노라마방사선사진. 2021년 7월 13일 상부 보철물을 장착하였으며 환자의 거주지가 지방인 관계로 후속 유지관리는 거주지 근처 치과로 의뢰하였다.

1 치조골분할술과 골이식
2 임플란트 수술 후 감염
3 술후 감염에 대한 조기 처치 미흡
4 부적절한 항생제 사용

▣ 치료 및 경과

1 절개배농술
2 항생제 Mesexin → Cycin → Amoclan duo
3 경과 양호

🔊 Comment

● 본 증례의 감염 원인은 **봉합사에 의한 자극과 골이식재 오염**으로 추정되며 환자의 전신건강상태가 간접적인 영향을 미쳤을 것으로 생각된다. Biofilm과 기타 불순물들이 덜 부착된다고 하여 표면이 매끄러운 Nylon 봉합사를 사용하는 경우가 많다. 그러나 Nylon은 딱딱하기 때문에 구강점막에 자극을 많이 주고 일부 환자들은 매우 심한 불편감을 호소한다. 또한 잘 풀리는 단점이 있다. **본 증례에서는 봉합사를 너무 길게 남겨둠으로써 주변 점막의 자극과 불편감을 더욱 가중시켰다.**

치조골분할술과 동시에 임플란트를 식립하고 주변에 추가로 골이식을 시행하였다. 돼지뼈 근원의 이종골과 콜라겐차폐막을 사용하였으나 **수술 도중 혹은 술후 절개선을 통해 구강세균과 오염물들이 침투해 들어가면서 감염이 발생하였을 가능성이 가장 크다. 한편 일부 논문들에서 임플란트 고정체가 타액에 노출될 경우 조골세포의 분화와 형태를 변형시키면서 성공적인 골유착을 방해하고 감염의 원인으로 관여할 수도 있다고 보고되었다.** 본 증례에서도 임플란트 고정체의 타액에 의한 오염 가능성도 배제할 수는 없다(Jinno Y, et al; 2019, Shams N, et al; 2015).

술후 CBCT를 살펴보면 하방의 이신경과 하악관까지 가용골이 적절했음에도 불구하고 임플란트가 너무 얕게 식립된 소견이 관찰된다. 수술 당시에는 치조골분할술에 집중하면서 치조정으로부터 약간 깊게 식립했다고 생각했지만 그렇지 않았다. 치조골분할술 후 상방의 치조정골은 흡수가 불가피하다. 따라서 이와 같은 경우엔 치조정으로부터 2-3 mm 정도 깊게 식립하는 것이 적절할 것으로 판단된다.

술후 감염이 의심될 경우 조기에 절개배농술을 신속히 시행하는 것이 중요하다. 그러나 본 증례에서는 절개선을 약간 벌린 후 주변 조직을 압박하면서 고름을 짜냈고 농배양 및 항생제감수성검사도 시행하지 않았다. 항생제는 처음에 Cephalosporin 제제를 사용하다가 감염을 인지한 후 Quinolone 제제로 바꿨고 절개배농술 시행 후에는 Amoclan duo로 교체하였다. 이와 같은 방식으로 항생제를 사용하는 것은 부적절하다는 교훈을 주는 증례이다.

Case 3 > 62세 여자 환자에서 상악동골이식과 임플란트 식립 후 발생한 감염

2020년 11월 5일 #16, 17 소실로 내원한 62세 여자 환자가 임플란트 치료를 희망하였다. 5년 전 설암수술을 받은 후 완치되었으며 기능성 위장장애로 인한 역류성 식도염이 너무 심해서 소화기내과 진료를 받고 있었고 거의 모든 약을 잘 먹지 못하는 상태였으며 부비동염이나 비염 병력은 없었다. 상악동저까지 골량이 매우 부족하여 상악동점막거상술 후 임플란트 지연식립을 계획하였다(Fig 1-19). 2021년 1월 19일 수술 30분 전에 Hartman 500 mL로 IV line을 확보한 후 Fullgram 600 mg을 정맥주사하였다. #16-17 부위에 치조정절개를 시행하여 피판을 거상한 후 측방에서 골창을 제거하고 상악동점막을 거상하였다. 수술 도중에 상악동점막 천공은 없었으며 InterOss 0.75 g과 Allomix 1 g을 혼합하여 이식하고 측방창을 Ossix 차폐막으로 덮고 봉합하였다(Fig 1-20). 술후 부종방지를 위해 주변에 Dexamethasone 5 mg을 국소주사하였다. Tantum gargle을 처방하고 Ketoprofen 100 mg을 근육주사하였다. 심한 위장장애로 인하여 경구용 항생제 및 진통제는 처방하지 않았다. 수술 2일 후 극심한 통증을 호소하여 Fullgram 600 mg, Ketoprofen 100 mg, Dexamethasne 5 mg을 근육주사하고 수술 부위 주변에 Kamistad-N gel을 수시로 도포하도록 하였다. 집에서 통증이 매우 심하면 비교적 위장장애가 덜한 Tylenol을 복용하시라고 설명하였다. 2021년 1월 28일 봉합사를 제거하고 수술 부위에 10분간 레이저치료를 시행하였으며 Fullgram 600 mg, Ketoprofen 100 mg을 근육주사하였다. 2021년 1월 29일 소화기내과 진찰을 의뢰하였으며 Ganaton(Itopride) 50 mg bid, Biotop hig cap bid, Gaster(Famotidine) 20 mg bid, Gaslon M(Irsogladine) 4 mg qd, Aronamin gold 1T qd를 70일분 처방받았다.

2021년 2월 19일 수술 부위가 매우 불편하고 코에서 악취가 나면서 목으로 냄새나는 것이 넘어가며 코가 막힌다고 호소하였다. 두통도 심해서 동네 치과의원에서 약을 처방받아서 복용하였으나 위장장애는 심하지 않았다고 하여 처방받은 약물을 알아보니 Amoxicillin과 Mosapride라는 약물이었다. 진단 목적으로 #17 부위에서 18 gauge 바늘로 상악동을 관통하여 흡인한 결과 끈적끈적한 고름이 배출되었다. CBCT를 촬영한 결과 상악동골이식재의 밀도가 저하되면서 상악동으로 흩어진 양상을 보였고 상악동 전체가 방사선불투과상을 보이고 자연공 개통부가 완전히 막힌 소견이 관찰되어 급성상악동염으로 진단하였다(Fig 1-21). 상악동 내부를 생리식염수로 세척하고 Amoclan duo 1000 mg, Moprid(Mosapride) 5 mg bid 7일 처방하고 Fullgram 600 mg 근육주사와 함께 Erizas Nasal Spray(dexamethasone cipecilate)를 1일 1회 우측 비강에 분사하도록 처방하였다. 3일 간격으로 상악동세척술을 시행하면서 Fullgram 600 mg을 근육주사하였다. 농배출은 다소 감소되었지만 우측 머리, 얼굴과 목 부분이 아프고 설사 증상이 심해졌다고 하여 항생제 투약을 중단하고 이비인후과 협진을 의뢰하였다. 2021년 3월 8일 이비인후과 진찰 후 만성비부비동염(chronic rhinosinusitis)으로 진단받고 Rulid(Roxithromycin) 150 mg과 Gaster 20 mg bid를 2주 처방받았다. 2021년 4월 8일 대부분의 증상들이 현저히 감소되었지만 두통은 지속되는 상태였다(Fig 1-22). Rulid 150 mg bid를 2주 더 복용하도록 하면서 2021년 6월 7일 #16, 17 부위에 임플란트를 식립하였다(Fig 1-23). 이후 상악동염의 재발은 없었으며 2022년 2월 8일 이차수술을 시행하였고 2022년 4월 19일 최종보철물을 장착하였다(Fig 1-24, 25).

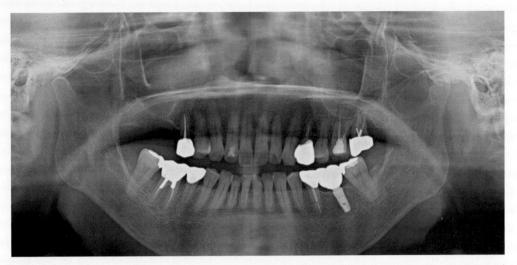

Fig. 1-19. 62세 여자 환자의 술전 파노라마방사선사진. 상악 우측 구치부 잔존골량이 매우 부족하여 상악동점막거상술 후 임플란트 지연식립을 계획하였다.

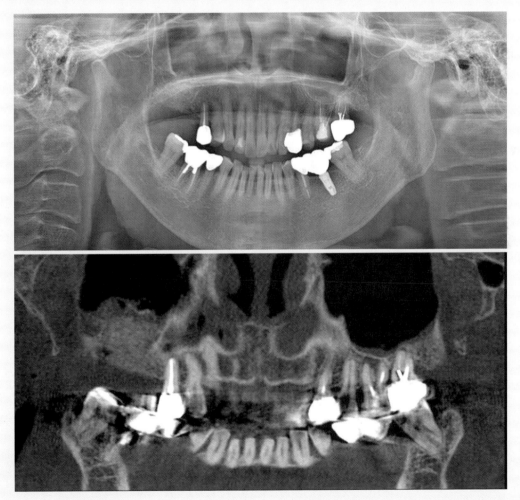

Fig. 1-20. 우측 상악동점막거상술과 골이식 후 방사선사진. 수술 도중 상악동점막 천공은 없었고 상악동골이식재는 안정적인 상태를 보이고 있다.

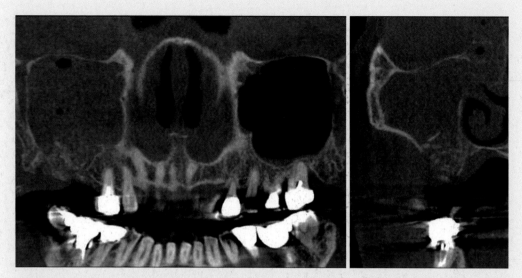

Fig. 1-21. 우측 상악동 전체가 방사선불투과상을 보이며 상악동골이식재의 밀도가 감소된 양상을 보이고 있다.

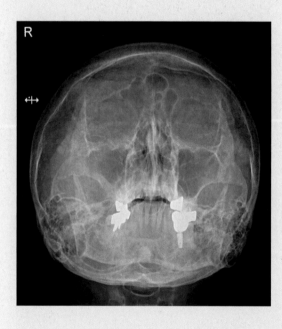

Fig. 1-22. 2021년 4월 8일 촬영한 Waters' view. 우측 상악동의 방사선불투과상이 거의 소멸된 것을 볼 수 있다.

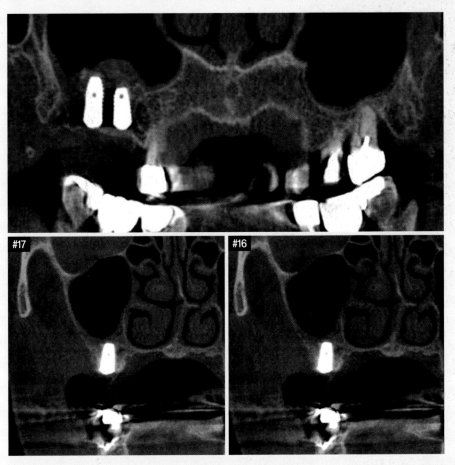

#17 #16

Fig. 1-23. 임플란트 식립 후 CBCT 사진. 상악동염은 완전히 소멸된 상태이다.

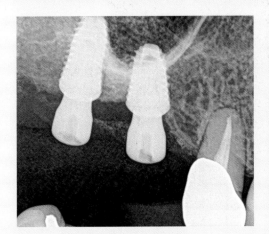

Fig. 1-24. 이차수술 후 촬영한 치근단방사선사진.

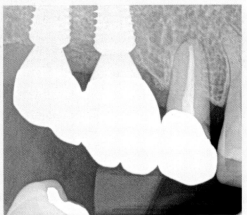

Fig. 1-25. 최종보철물 장착 1개월 후 치근단방사선사진.

1 상악동점막거상수술 후 감염

2 위장장애가 심해서 항생제를 제대로 사용하지 못함

3 농배양검사 시행하지 않음

✌ **치료 및 경과**

1 흡인 및 세척술

2 이비인후과 협진

3 경과 양호

🔊 **Comment**

● 본 증례에서 발생한 감염의 원인은 **환자의 면역기능저하**가 관련되었을 가능성이 가장 크다. 물론 상악동 점막거상술 도중에 미세한 천공이 발생하였지만 인지하지 못하고 골이식재를 충전하면서 상악동으로 이식 재가 흩어졌을 가능성도 있다. 경구용 항생제를 복용하지 않은 것이 감염의 원인이라고 단정하기 어렵다. 왜 냐하면 술전 예방적으로 Clindamycin을 근육주사하였고 외래에 내원할 때마다 근육주사를 시행하였기 때문이다. 수술 전 촬영한 CBCT에서 상악동은 정상적이었고 과거에 부비동염이나 비염 등의 병력도 없었 기 때문에 이비인후과적인 원인은 아니라고 판단된다. 그러나 술후 상악동흡인술과 적극적인 상악동세척술 에도 불구하고 감염은 해소되지 않았으며 이비인후과에서 Macrolide 제제로 항생제를 교체한 후 증상이 호전되기 시작하였다.

본 증례의 진단 및 치료과정 중의 문제에서 다음과 같은 교훈을 얻을 수 있었다.

① 처음 농이 배출되는 시점에 농배양 및 항생제감수성검사를 시행하지 않았음

② 위장장애가 덜한 Amoxicillin 계열 항생제 처방을 시도해 볼 필요가 있었음

③ 흡인 및 세척술만 시행하였으며 배농관을 삽입하지 않은 문제점

Silastic과 같은 재질의 배농관을 삽입하면 세척술이 용이하고 배농관을 통해 내부의 농이 잘 빠져나온다.

본 증례에서 다양한 종류의 약물들이 사용되었으며 각각에 대해 살펴보면 임상에서 도움이 될 것으로 생각 된다.

---

1. Kamistad-N gel

Chamomilla와 Lidocaine으로 구성되어 있 으며 경증의 구내염을 완화시키는 역할을 한다. Chamomilla는 항염 작용과 창상치유를 촉진 하는 것으로 알려져 있다. Lidocaine은 마취 효과로 통증을 경감시킨다(Seyyedi SA, et al; 2014).

2. Amoxicillin

연쇄구균, 포도상구균, 대장균, 인플루엔자균, 프 로테우스균에 효과가 있으며 치과감염, 수술 후 감염, 편도염, 인후두염, 중이염, 부비동, 림프 절염, 골수염 등의 치료에 사용된다. 또한 심내 막염이나 인공관절 감염을 방지할 예방적 항생 제로 많이 사용된다.

3. Amoclan duo

Amoxicillin과 Clavuronic acid를 혼합한 약물로서 그람양성 및 음성균과 혐기성균, 페니실린 내성균에 대한 항균효과가 우수하다. 치과감염, 호흡기감염, 만성기관지염, 골수염 치료에 많이 사용되며 소화기 부작용이 비교적 적은 항생제이다.

4. Clindamycin

병원성 감염세균. Beta-lactam계 항생제에 저항력을 나타내는 장구균, 포도상구균 등에 효과가 있으며 페니실린 알레르기 환자들에서 대체 항생제로 사용될 수 있다. 그러나 장내에 존재하는 유익균의 기능에도 큰 영향을 미치기 때문에 **clostridium difficile**이 과도하게 증식하면서 위막성 대장염이 잘 발생하는 것으로 알려져 있다(Hwang, et al; 2000). 위막성 대장염은 Clindamycin, Lincomycin, Ampicillin, Cephalosporin 등에서 발생 빈도가 높고, Aminoglycoside, Macrolide, Vancomycin, 광범위 Penicillin(Ticarcillin, Mezlocillin, Piperacillin), Fluoroquinolone 등에서는 발생 빈도가 낮다. TMP/SMX, Tetracyclin, Imipenem, Meropenem 등은 그 중간 정도라고 알려져 있다(Gorbach SL; 1999).

5. Rulid (Roxithromycin)

효능은 다른 Macrolide 계열 항생제와 유사하지만 부작용은 상대적으로 낮은 것으로 알려져 있다. 인후두염, 편도염, 급성기관지염, 세균성폐렴 등의 호흡기 감염증, 임균에 의한 생식기 감염, 중이염, 부비동염, 치과감염의 치료에 효과가 있다. 혐기성 세균들의 85%에서 항생력이 있어 급성 치성감염에 효과적이라고 보고되었다(Sasaki J; 1987).

6. Moprid (Mosapride)

세로토닌 4형 수용체에 작용하여 위장관 통과시간을 촉진시켜 기능성 소화불량(가슴쓰림, 오심, 구토)에 도움을 주는 약물이다(이오영; 2009).

7. Ganaton (Itopride)

도파민 수용체 길항 효과와 아세틸콜린 에스테라제 억제 효과에 의한 위장운동 촉진 효과가 있어 기능성 소화불량 증상 완화에 도움이 된다(이오영; 2009).

8. Erizas Nasal Spray

Dexamethasone cipecilate가 주성분이며 알레르기성 비염 치료제로 많이 사용된다. 1일 1회 각 비강에 1회씩 분무한다.

9. Aronamin

1 tab 중 Vitamin B1 50 mg, Vitamin B2 2.5 mg, pyridoxal-5-phosphate 2.5 mg, hydroxocobalamin 5 mcg, Vitamin C 70 mg, dl-a-tocopherol acetate 20 mg이 함유되어 있다. 피로회복제로서 눈의 피로, 신경통, 근육통, 관절통을 완화시키는 효과가 있다. 임신 수유기, 노년기, 병중이나 병후 체력저하 시 많이 사용된다.

10. Gaslon

Irsogladine maleate가 주성분으로서 위궤양, 급성위염 치료제로 많이 사용된다.

11. Gaster

Famotidine이 주성분으로서 위, 십이지장궤양, 문합부궤양, 상부소화관출혈(소화성궤양, 급성스트레스궤양, 출혈성위염에 의한), 역류성식도염, 졸링거-엘리슨 증후군, 급성위염, 만성위염의 급성악화기 치료 목적으로 많이 사용된다.

12. Biotop high

Clostridium butyricum TOA 150 mg, Enterococcus faecalis T-110 30 mg, Bacillus mesentericus TOA 150 mg이 주성분으로서 장내세균총 정상화 촉진 목적으로 사용된다. 변비, 묽은 변, 복부팽만감, 장내이상발효 치료에 효과가 있다.

Case 4 > 40세 여자 환자에서 상악 전치부 골이식 후 발생한 감염

2005년 1월 25일 40세 여자 환자가 상하악 임플란트 치료를 위해 내원하였다. 상악 전치부는 소실된 상태였고 하악 양측 구치부 우식증 및 다수 치아 상실 소견이 관찰되었다(Fig 1-26). 우선 상악 전치부는 임시의치를 장착해 주었고 하악 우측 구치부 발치 및 임플란트 치료가 시행되었다. 2005년 8월 8일 #34-38 bridge를 제거한 후 #38을 발치하고 #36 부위에 임플란트 1개를 식립하였다. 당일 #13-23 부위 증대술도 시행하였다. 하악골 상행지에서 채취한 블록골을 순측에 적합시킨 후 주변에 동종골(Regenaform)과 이종골(BioOss)을 혼합하여 이식하고 비흡수성 차폐막(TR-Goretex membrane)을 덮고 봉합하였다(Fig 1-27, 28). 2005년 9월 22일 상악 수술 부위가 가끔 아픈 증상이 지속되어 내원하였다. 촉진 시 압통이 있었으며 순측에 차폐막 일부가 노출되어 있으면서 누공이 존재하는 상태였다. 국소마취하에서 Goretex membrane을 제거하였으며 약물은 처방하지 않았다(Fig 1-29). 2005년 11월 3일 #36 임플란트 이차수술, 2005년 12월 2일 #13, 12, 21 부위에 임플란트(Implantium, #13: 3.8D/12L, #12: 3.4D/12L, #21: 3.8D/12L)를 식립하였다. 임플란트 주변의 골열개 부위에는 합성골(Osteon)을 이식하고 Ossix 차폐막을 덮고 봉합하였다(Fig 1-30). 이후 특별한 문제 없이 잘 치유되었고 후속 치료들이 진행되었으나 2006년 10월 12일 #21 순측 치은누공이 발생하여 Gutta-perch cone을 삽입하고 치근단방사선사진을 촬영한 결과 임플란트주위 감염으로 확인되었다(Fig 1-31). 국소마취하에서 소파술을 실시하고 Amoxapen 500 mg tid, Somalgen 370 mg tid, Phazyme complex tid를 3일 처방하였다(Fig 1-32). 이후 감염 증상들은 모두 소멸되었고 후속 치료가 완료되었으며 최근까지 정기 유지관리가 잘 이루어지고 있다(Fig 1-33, 34).

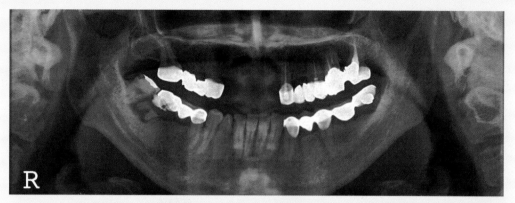

Fig. 1-26. 40세 여자 환자의 초진 시 파노라마방사선사진.

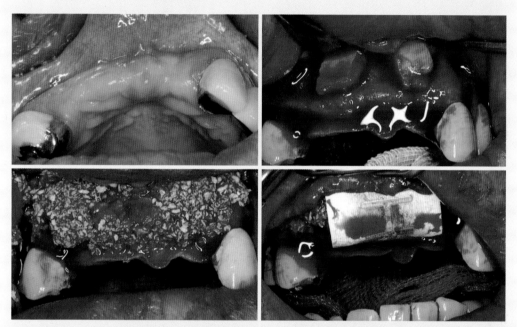

Fig. 1-27. 상악 전치부 치조골증대술을 시행하는 모습. 하악골 상행지에서 채취한 자가 블록골을 순측에 적합시킨 후 주변에 추가로 골이식(동종골 Regenaform + 이종골 BioOss)을 시행하고 비흡수성 차폐막(TR-Goretex membrane)을 덮고 봉합하였다.

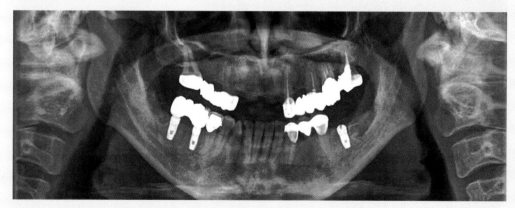

Fig. 1-28. 술후 파노라마방사선사진.

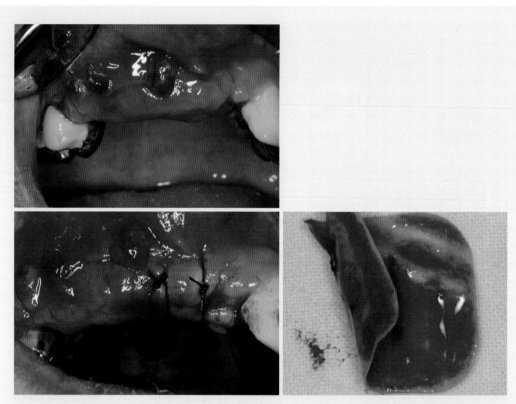

Fig. 1-29. 순측에 누공이 존재하고 있으며 탐침 시 Goretex 차폐막이 노출된 상태였다. 차폐막을 제거하고 봉합하였으며 약물은 처방하지 않았다.

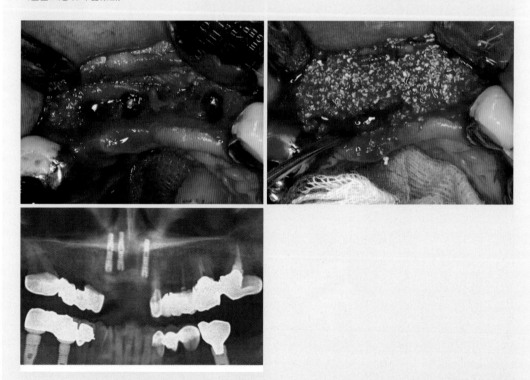

Fig. 1-30. #13, 12, 21 부위에 임플란트를 식립하였고 주변에 골유도재생술(Osteon + Ossix membrane)을 시행하였다.

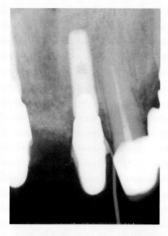

Fig. 1-31. #21 임플란트 순측에 누공이 발생하여 Gutta-percha cone을 삽입하고 치근단방사선사진을 촬영하였다. 근관치료가 시행된 인접치는 이상이 없었으며 임플란트주위 감염으로 확인되었다.

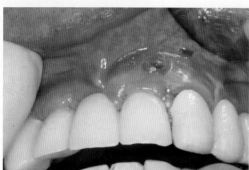 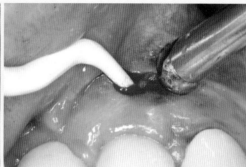

Fig. 1-32. 국소마취하에서 소파술을 시행하였다.

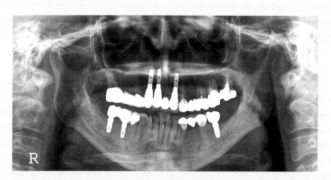

Fig. 1-33. 상하악 임플란트 보철치료가 모두 완료된 상태이다.

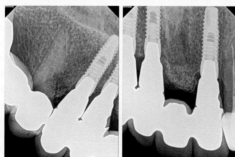 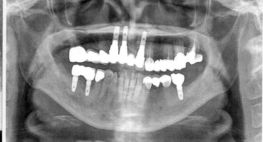

Fig. 1-34. 상악 전치부 보철물 장착 11년 후 방사선사진.

1 치조골증대술 후 감염

2 다수 누공 발생 및 비흡수성 차폐막 노출

3 누공 재발

치료 및 경과

1 Goretex 차폐막 제거

2 감염부위 소파술

3 경과 양호

◀)) Comment

● 골이식이 동반된 임플란트 주변의 염증성 화농성 병변은 3-4주째 많이 발생하기 때문에 이 시점에 임플란트 주변의 상태를 집중해서 관찰해야 한다. 이러한 조기감염은 임플란트 안정성에 문제가 없다면, 조기 이차수술을 통해 덮개나사를 치유지대주로 교체하면서 자발적 배농이 이루어지도록 하면 잘 해결될 수 있다. 덮개나사 내부의 endotoxin과 덮개나사와 상부 연조직 사이에 형성된 사강(dead space)이 감염의 주요 원인이므로 신속히 치유지대주로 교체하는 것이 치유에 도움이 된다(전인성; 2020).

본 증례에서 골이식 후 발생한 감염의 주원인은 **비흡수성 차폐막의 노출로 인한 골이식재 감염**으로 추정된다. 이차 재발의 경우는 골유도재생술 시 사용된 **합성골이식재의 오염**으로 인한 감염으로 생각된다. 기본적인 감염의 치료원칙은 원인을 제거하고 절개배농술과 항생제 치료를 하는 것이다. 본 증례에서 1차 감염은 감염원으로 추정되는 비흡수성 차폐막만 제거하였음에도 불구하고 잘 치유되었다. 2차 감염은 누공을 통해 소파술을 시행하면서 오염된 합성골이식재를 제거하고 항생제를 투여한 결과 잘 치유될 수 있었다.

Case 5 > 61세 여자 환자에서 #37 발치 후 감염

61세 여자 환자가 **2019년 4월 10일** #37, 47 치은종창 및 간헐적 통증을 주소로 치주과에 내원하였다. 전신 병력으로는 고혈압, 고지혈증 등으로 인해 아스피린을 복용 중이었다. 당시 주변 치주낭의 깊이가 5-6 mm 로 측정되었으며 탐침 시 출혈이 발생하였다(**Fig 1-35**). 전악 스케일링과 양측 하악 대구치 부위 치근활택술 을 시행한 후 정기 유지관리를 시행하면서 경과를 관찰하였으나 #37 주변의 치은종창과 통증 및 치은열구 로부터 농이 계속 배출되었으며 #36 협측에는 누공이 존재하였기 때문에 보존과에 진료를 의뢰하였다. #36 은 재근관치료, #37 치주소파술을 시행하면서 경과를 관찰하였으나 #37 주변의 통증과 치은열구 배농이 지 속되어 **2021년 6월 18일** 발치하였다. 약물은 Amoclan duo 500 mg bid, Somalgen 370 mg bid, Gaster 20 mg bid 5일분을 처방하였다. **2021년 7월 7일** #36 협측 누공과 근심치근 주변에 방사선투과상이 관찰되었 고 타진 시 통증이 존재하였다. #37 발치 부위에는 잔존치근이 남아 있는 상태였지만 일단 특별한 치료는 하 지 않고 경과를 관찰하였다(**Fig 1-36**). **2021년 8월 19일** 극도로 흥분한 상태로 구강악안면외과에 내원하였으 며 #37 발치 부위가 아물지 않고 계속 고름이 나온다고 하였다. 보름 전 #37 발치 부위에서 단단한 조각이 떨 어져 나왔으며 조각을 휴지에 싸서 가지고 내원하였다. #37 발치창 치조정 부근에 누공이 존재하여 발치창 감염으로 진단하고 국소마취하에서 발치창소파술을 시행하고 collagen plug(Ateloplug)를 삽입하였다. 술후 Mesexin 500 mg bid 5일분을 처방하고 Ketoprofen 100 mg을 근육주사하였다. **2021년 8월 23일** 창상을 소 독하였으며 염증과 통증 등의 증상들은 현저히 완화되었다(**Fig 1-37**). Auropherol(tocopherol) 100 mg, Trental SR(pentoxifylline) 400 mg bid 2주와 Mesexin 500 mg bid 5일분을 더 처방하고 경과를 관찰하였다. #37 부 위 염증 증상들은 완전히 소멸되었으나 #36 협측 치은누공은 계속 존재하였으며 **2022년 3월 28일** 의도적재 재식술을 시행하였다(**Fig 1-38, 39**).

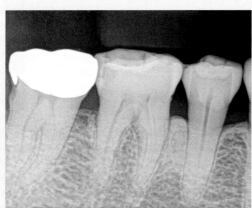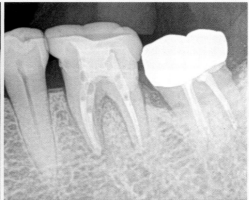

Fig. 1-35. 61세 여자 환자의 초진 시 치근단방사선사진. #37, 47 치주염 소견이 관찰되었다.

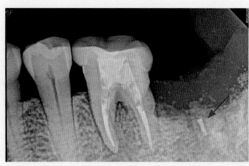
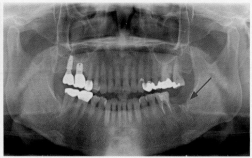

Fig. 1-36. 2021년 7월 7일 촬영한 **치근단 및 파노라마방사선사진.** #37 부위에서 잔존치근(화살표)으로 추정되는 것이 관찰되었고 #36 근심치근 주변의 방사선투과상이 관찰되었다.

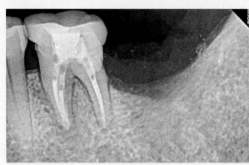
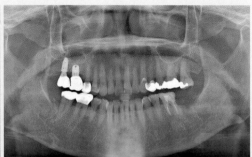

Fig. 1-37. 2021년 8월 23일 촬영한 **방사선사진.**

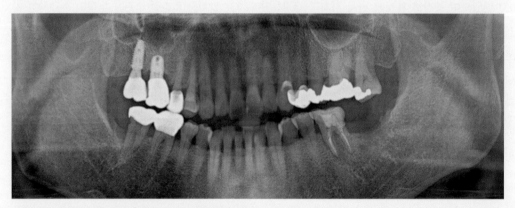

Fig. 1-38. 2022년 3월 21일 촬영한 **파노라마방사선사진.** #37 부위 통증과 염증 증상들은 완전히 소멸되었으나 #36 협측 누공은 계속 잔존하고 있었다.

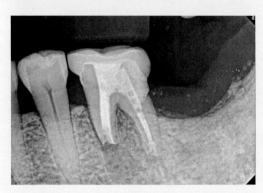

Fig. 1-39. #36 의도적재식술 시행 후 치근단방사선사진.

⊗ Problem lists

1 치근잔존으로 인한 발치창 감염

2 국소 골수염

🖊 치료 및 경과

1 발치창 소파술

2 약물치료: Mesexin, Auropherol, Trental

3 #36 의도적재식술

4 경과 양호

🔊 Comment

● 발치 후 경과관찰의 중요성을 일깨워주는 증례이다. 즉, 구강내 상태와 환자가 호소하는 증상들을 잘 파악하고 **발치 후 방사선사진을 주의 깊게 판독하면 잔존치근으로 인한 감염을 쉽게 진단할 수 있었을 것이다.** 물론 발치 후 치근이 남아있다고 해서 감염이 반드시 발생하는 것은 아니지만 이물로 작용할 가능성이 있기 때문에 주의 깊게 관찰해야 한다. 다행히 발치창소파술과 항생제 치료를 통해 잘 해결되었지만 계속 방치했다면 만성골수염으로 진행될 수도 있는 증례였다.

● 발치창소파술

발치 후 발치창에 남아있는 병적인 조직(농양, 육아종, 낭종 등)을 잘 제거해야 한다. 만약 이를 남겨두면 발치창의 치유가 불량할 뿐만 아니라 감염이나 재발의 우려가 크다. **발치 후 감염과 출혈의 원인으로 가장 빈도가 높은 것이 염증성 육아조직의 잔류이다**(대한구강악안면외과학회; 2013). 또한 국소적 골염(localized osteitis)이나 건성발치와(dry socket)가 발생한 경우 "발치창소파술"이라는 행위료가 보험수가에도 명시되어 있고 일부 임상가들이 시도하기도 한다. 그러나 이런 경우에 소파술은 적절한 용어도 아니고 골표면을 박박 긁어대는 행위 자체를 해선 안 된다. 피판을 거상하여 발치창을 노출시킨 후 잘 관찰하고 국소적인 골수염 징후가 관찰된다면 배상형성술(saucerization)이나 피질제거술(decortication)을 시행하여 출혈을 유발하면서 이차치유를 유도하는 것이 적절한 행위이다.

● Tocopherol, Pentoxifylline

Pentoxifylline은 모세혈관을 이완시켜 말초 혈액순환을 촉진시키며, Tocopherol은 항산화효과를 가지며 염증과 섬유화를 줄여준다. Pentoxifylline과 Tocopherol을 함께 사용할 때 상승효과를 가진다. 약효는 2-4주 이내에 나타나며 최소 8주간 사용할 것을 권장하고 있다. **골수염 혹은 골괴사증 수술을 시행하고 이 약물들을 투여하면 골재생에 효과적이라고 보고되었다.** 골밀도를 증가시킬 뿐만 아니라 골노출과 염증을 감소시킨다. 아직 기전은 명확하지 않으나 방사선치료 이후 골섬유화를 막는 역할도 한다고 알려져 있다. MRONJ, 골수염 치료에도 효과가 있다고 알려져 있기 때문에 본 증례에서도 발치 후 장기간 지속되는 발치창감염으로 인해 국소적인 골수염이 발생했다 생각하여 본 약물들을 투여하였다(Martos-Fernandez M, et al; 2018, Seo MH, et al; 2020).

> **Case 1 >** 하악골 골수염을 치료한 후 임플란트 수술을 진행한 증례

2017년 11월 6일 48세 남자 환자가 #37 임플란트 제거 부위 창상 치유 부전을 주소로 내원하였다. 2012년 1월 27일 타 치과의원에서 #37 부위 임플란트를 식립하였고 잘 사용하던 중 임플란트가 파절되어 2017년 9월 4일 제거하였으며 특이 전신질환은 없었다. 초진 시 하악 좌측 대구치(#36-37) 부위의 종창과 압통이 있었으며 배농이 되고 있었다. 방사선사진에서는 #37 임플란트 제거 부위에 부골화된 골조직이 방사선투과성 밴드로 둘러싸여 있으며 #36 임플란트 주변의 방사선투과상이 증가된 소견이 관찰되었다(**Fig 2-1**). 만성 하악골 골수염으로 잠정진단하고 수술을 계획하였으며 Augmentin (Amoxicillin/Clavulanate) 625 mg tid, Naxen 500 mg bid를 10일간 처방하였다.

2017년 11월 29일 전신마취하에서 #36 임플란트를 제거하면서 부골 제거 및 배상형성술을 시행하고 Bactigra를 충전한 후 창상을 개방한 상태로 유지하였다(**Fig 2-2, 3**) 술후 Augmentin 625 mg bid, Aceclofenac 100 mg bid를 5일 처방하였다. 2-3일 간격으로 창상을 세척하면서 Bactigra를 점차 크기를 줄여가면서 충전하였다. 이차치유가 양호하게 잘 이루어지면서 감염 징후가 거의 소멸되는 시점에 얇은 Omnivac으로 obturator를 제작하여 장착하고 환자가 스스로 관리할 수 있도록 하였다(**Fig 2-4**).

2018년 3월 27일 국소마취하에서 하악골 상행지에서 자가골을 채취하여 Novosis BMP-2 0.25 g과 ICB 0.5 g을 혼합하여 이식하고 비흡수성 차폐막(OpenTex TR)으로 피개하고 창상을 봉합하였다(**Fig 2-5**). 창상치유는 양호하였으며 10일 후 봉합사를 제거하였고 2018년 6월 4일 차폐막을 제거하였다.

2018년 10월 4일 하치조신경 손상을 최소화하기 위해 CAS kit drill에 stopper를 장착하여 드릴링을 시행하면서 #36, 37 부위에 짧은 길이 임플란트(Osstem TS III 4.5D/7L, 4.5D/6L)를 1회법으로 식립하였다. 오스텔멘토 (Ostell)로 측정한 임플란트 일차 안정도는 #36: 81, #37: 86 ISQ였다(**Fig 2-6, 7**). 임플란트 골유착이 성공적으로 이루어졌으며 2019년 1월 31일 최종보철물을 장착하였다(**Fig 2-8, 9**).

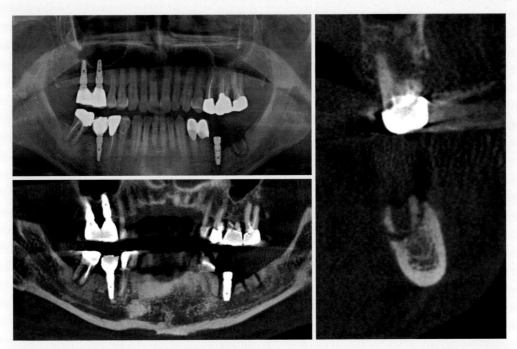

Fig. 2-1. 초진 시 방사선사진. #37 임플란트 제거 부위에 부골화된 골조직이 방사선투과성 밴드로 둘러싸여 있으며 #36 임플란트 주변에도 방사선투과상이 증가한 소견이 관찰된다.

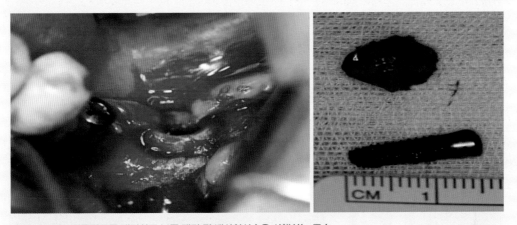

Fig. 2-2. #36 임플란트를 제거하고 부골 제거 및 배상형성술을 시행하는 모습.

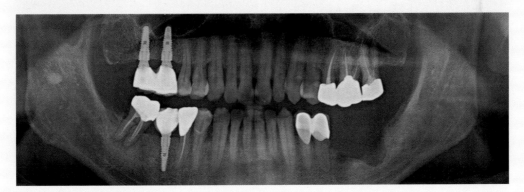

Fig. 2-3. 술후 파노라마방사선사진.

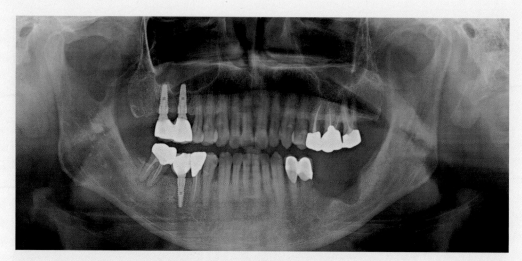

Fig. 2-4. 골수염 수술 4개월 후 파노라마방사선사진.

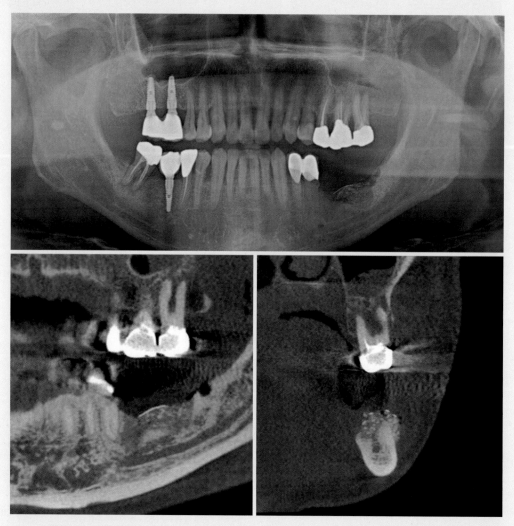

Fig. 2-5. 골이식 후 방사선사진. 하악골 상행지에서 채취한 자가골을 NOVOSIS BMP 및 동종골 ICB와 혼합하여 이식하고 비흡수성 차폐막으로 덮은 후 봉합하였다.

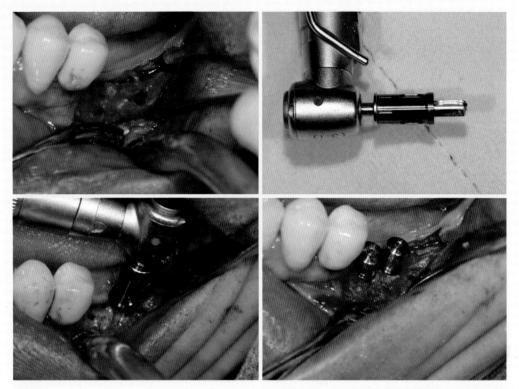

Fig. 2-6. 골이식 6개월 후 짧은 길이 임플란트를 1회법으로 식립하였다. 하악관 침범을 최소화하기 위해 CAS kit에 stopper를 연결하여 드릴링을 시행하였다.

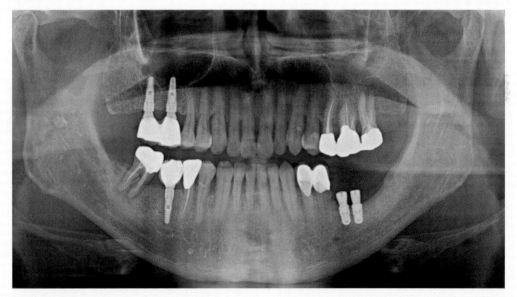

Fig. 2-7. 임플란트 식립 후 파노라마방사선사진.

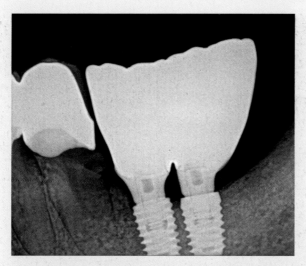

Fig. 2-8. 임플란트 상부 보철물 장착 후 치근단방사선사진.

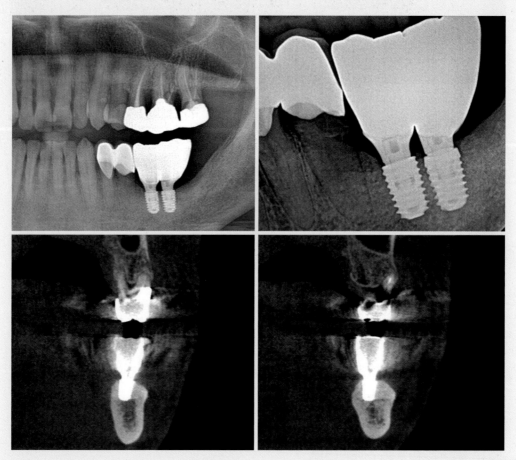

Fig. 2-9. 임플란트 상부 보철물 장착 3년 후 방사선사진.

⊗ Problem lists

1 #37 임플란트 파절
2 #37 임플란트 제거 후 골수염

치료 및 경과

1 #36 임플란트와 부골 제거 및 배상형성술
2 약물치료: Augmentin
3 골수염 수술 4개월 후 골이식
4 골이식 후 짧은 길이 임플란트 지연식립
5 예후 양호

◀ᵃ Comment

● 일정 기간 잘 사용하던 임플란트가 파절되어 제거한 병력이 있었다. 초진 시 임상 및 방사선 소견을 살펴볼 때 임플란트주위염이 진행되면서 임플란트 파절이 동반되었으며 파절된 임플란트를 제거할 때 발생한 외과적 골손상으로 인해 제거부위가 잘 치유되지 않고 골수염으로 진행된 것으로 추정된다. 본 증례와 같이 부골이 Involucrum으로 잘 둘러싸여 있는 경우엔 골수염 진단이 수월하며 부골 제거 및 배상형성술을 통해 잘 치유시킬 수 있다. 환자의 나이가 젊어서 임플란트 치료를 할 수밖에 없는 상황이었으며 하악관까지의 가용골량이 매우 부족하여 골이식 후 임플란트 지연식립을 계획하였다. 골수염 완치를 확인하기 위해 4개월 정도 기다린 후 골이식이 시행되었다. **치조골수직증대술은 1벽성 결손부를 재건시키는 매우 어려운 술식이기 때문에 가급적 자가골을 포함시켜야 하고 골치유를 극대화하기 위해 rhBMP-2를 동종골과 혼합하여 추가하였다. 치조골 수직증대술의 목표량은 3 mm로 설정하는 것이 안전하고, 충분한 치유기간(본 증례에서는 6개월 이상)을 부여한 후 짧은 길이 임플란트를 식립**함으로써 하치조신경 손상을 피하면서 성공적인 보철치료를 완료할 수 있었다. 하악관까지 가용골량이 부족한 부위에서 짧은 길이 임플란트를 식립할 때 끝부분이 뭉툭한 특수 드릴을 사용하는 것이 안전하다. 본 증례에서는 치조정접근법으로 통해 상악동점막을 거상할 때 사용하는 오스템사의 CAS drill에 stopper를 연결하여 사용하였다. 그러나 최근에는 길이 4 mm부터 8.5 mm까지 다양한 직경의 드릴이 구비된 485 kit가 출시되고 있어 매우 유용하게 사용할 수 있다.

Case 2 > 63세 남자 환자에서 #46-47 부위 부골을 제거하면서 동시에 임플란트를 식립한 증례

　　2005년 6월 24일 63세 남자 환자가 #46, 47 소실 부위에 대한 임플란트 상담을 위해 내원하였다. 약 3개월 전 발치된 #46-47 부위의 치조골 수직결손과 구강누공이 존재하고 있었으나 농배출과 통증은 없는 상태였다(Fig 2-10). 만성 골수염으로 잠정진단하고 가능하면 염증성 병변을 제거하면서 임플란트를 동시에 식립하기로 계획하였다. 2005년 7월 5일 절개 후 피판을 거상한 결과 이전 발치창 결손부에 작은 부골이 존재하여 제거하고 조직검사를 의뢰하였다. 주변의 염증성 병변을 잘 제거한 후 #46, 47부위에 임플란트(Osstem US Ⅱ 5D/10L)를 식립하고, 주변 결손부에 골이식(Regenaform, BioOss)을 시행한 뒤 Ossix 차폐막을 덮고 봉합하였다. 술후 Clindamycin 300 mg tid, Ibuprofen 200 mg/Arginine 185 mg tid를 5일 처방하였다. 오스텔멘토로 측정한 임플란트 일차 안정도는 #46: 76, #47: 72 ISQ였다(Fig 2-11, 12). 조직검사 결과는 만성 골수염으로 확진되었다. 2005년 9월 26일 이차수술을 시행하면서 피판을 거상한 결과 임플란트 주변의 골이식재가 아직 미성숙 상태임이 확인되었다. 그러나 이차 안정도는 매우 우수하여 치유지대주를 연결하고 봉합하였다(Fig 2-13). 2005년 11월 28일 최종보철물이 장착되었으며 6개월 간격으로 정기 유지관리가 잘 이루어지고 있다(Fig 2-14, 15).

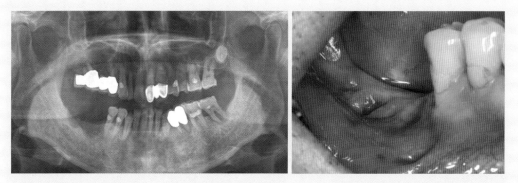

Fig. 2-10. 63세 남자 환자의 초진 시 파노라마방사선 및 구강사진. 약 3개월 전 발치된 #46-47 부위의 치유부전과 구강 누공이 관찰되었지만 농배출은 없는 상태였다.

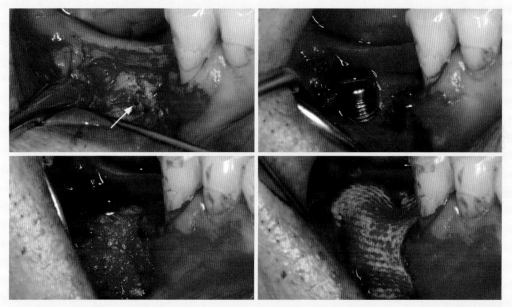

Fig. 2-11. 부골(화살표)을 제거한 후 임플란트를 식립하였다. 주변 골결손부에 골이식을 시행하고 흡수성 차폐막을 덮은 후 봉합하였다.

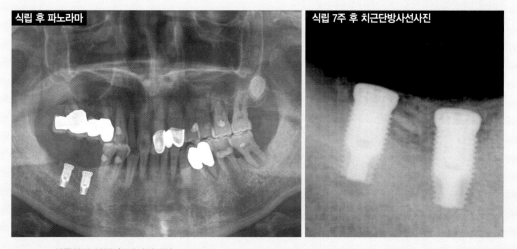

식립 후 파노라마

식립 7주 후 치근단방사선사진

Fig. 2-12. 임플란트 식립 후 방사선사진.

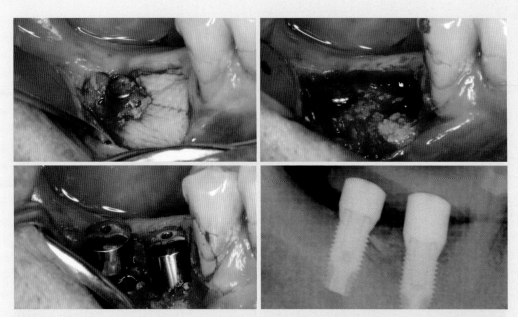

Fig. 2-13. 이차수술을 시행한 모습. 임플란트 사이의 골개조가 아직 미흡한 소견이 관찰된다.

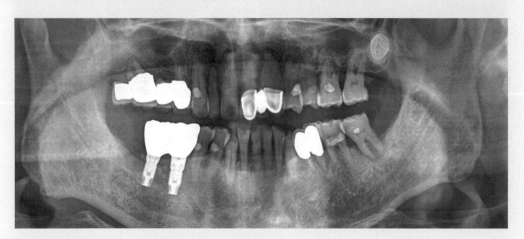

Fig. 2-14. 상부 보철물 장착 1개월 후 파노라마방사선사진.

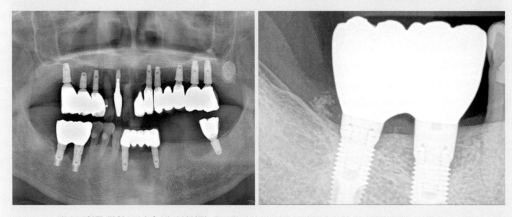

Fig. 2-15. 상부 보철물 장착 15년 후 방사선사진. 유지관리가 잘 이루어지면서 상악 및 하악에 다수 임플란트 치료가 이루어졌고 후속 임플란트 치료가 계속 진행되고 있다.

⊗ Problem lists

1 발치 후 치유부전

2 치조골 수직결손

치료 및 경과

1 부골제거술

2 약물치료: Clindamycin

3 임플란트 식립

4 골유도재생술

5 경과 양호

📢 Comment

● 본 증례는 발치창 치유부전 및 골결손이 존재하는 만성 골수염 환자였다. **병소의 크기가 작고 급성 염증이 존재하지 않을 경우엔 부골과 주변의 염증성 조직을 잘 제거한 후 임플란트 동시식립을 진행할 수 있다.** 물론 주변에 발생한 골결손부에 대해서는 골이식을 시행하고 골개조가 잘 이루어지도록 후속 관리에 주의를 기울여야 한다. 즉 술후 감염 방지를 위해 항생제 처방과 술후 처치를 철저히 시행하고 골수염 재발 여부를 세심하게 관찰해야 한다. 임플란트 식립 11주 후 이차수술을 시행하면서 피판을 거상하였을 때 임플란트 주변에 이식한 골이식재(동종골과 이종골)는 미성숙 상태였기 때문에 보철치료를 서서히 진행하였으며 이차수술 2개월 후에 최종보철물을 장착하였다. **미성숙골에 무리한 하중이 가해지거나 감염이 발생할 경우 골이식재는 거의 소실될 것이기 때문에 후속 보철치료를 신중하게 진행해야 한다.**

필자가 현시점에서 이와 같은 증례를 치료한다면 다음과 같이 치료를 진행할 것이다.

　① 부골과 염증성 조직을 제거하면서 골이식 시행: 골이식재는 자가골을 포함

　② 최소 4개월 이상의 치유기간을 부여한 후 임플란트 식립

　③ 식립된 임플란트의 일차 안정도에 따라 3-6개월 후 이차수술과 보철치료 진행

Case 3 > 37세 여자 환자에서 #37 부위 골수염 처치 후 임플란트 치료

2016년 9월 22일 38세 여자 환자가 #37 통증을 주소로 내원하였다. 좌측 턱의 이상 감각을 호소하였고 #37 주변에 깊은 치주낭 및 배농이 관찰되었다. 방사선사진에서는 #37 주변에 방사선투과성 병소가 하악관까지 연결되어 있는 소견이 관찰되었다(Fig 2-16). 타 병원에서 2013-2015년 교정 및 #18, 28, 38, 48 발치한 경력이 있었다. 초진 방사선 영상에서 #37 방사선투과성 병소가 하악관과 연결된 양상을 보여 골수염으로 진단하고 #37 발치 및 배상형성술을 계획하였다.

2016년 10월 17일 국소마취하에서 #37을 발치하고 배상형성술을 시행한 후 Bactigra를 충전하였다. 상방은 봉합하지 않고 개방 상태로 유지하였으며 Clindamycin 300 mg을 근육주사하고 Cephalexin 1g bid를 1주 처방하였다. 조직검사결과 만성 골수염으로 확진되었고 2-3일 간격으로 창상을 소독하면서 Bactigra를 교체하였다. 양호한 이차치유가 이루어지는 것을 확인한 후 Omnivac obturator를 제작하여 장착하고 환자가 스스로 집에서 관리할 수 있도록 하였다. 발치한 치아는 추후 골이식재로 사용하기 위해 블록과 분말형 자가치아뼈이식재로 제조하여 보관해 두었다.

2017년 2월 23일 내원 시 #37 부위의 창상은 정상적으로 치유되었고 감각이상 증상도 완전히 소멸된 상태였다. 국소마취하에 자가치아뼈이식재로 골이식을 시행하고 흡수성 차폐막(Ossix plus)을 덮은 후 봉합하였다(Fig 2-17, 18). 9.5개월의 충분한 치유기간을 부여한 후 2017년 12월 12일 #37 부위에 짧은 길이 임플란트(Superline 5D/7L)를 1회법으로 식립하였으며 오스텔멘토로 측정한 일차 안정도 수치는 78 ISQ였다(Fig 2-19~21) 5개월의 치유기간을 부여한 후 2018년 5월 11일 상부 보철물을 장착하였으며 6개월 간격으로 정기 유지관리가 잘 이루어지고 있다(Fig 2-22, 23).

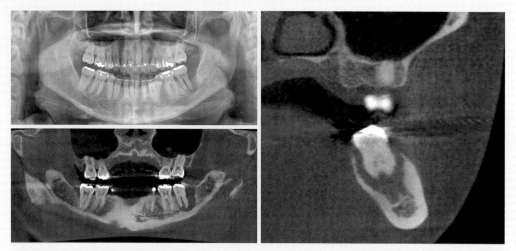

Fig. 2-16. 초진 시 방사선사진. #37 주변의 방사선투과상이 하악관을 침범한 소견이 관찰되며 환자는 좌측 턱의 이상 감각을 호소하였다.

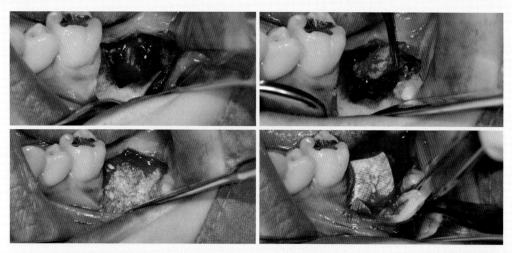

Fig. 2-17. 자가치아뼈이식재 블록과 분말을 이식하고 흡수성 차폐막을 덮은 모습.

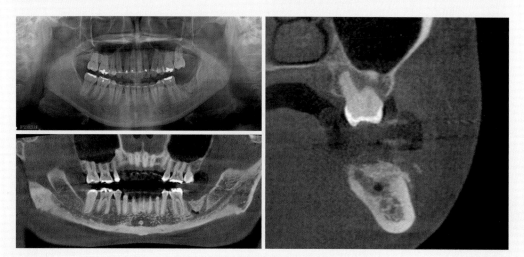

Fig. 2-18. 골이식 후 방사선사진.

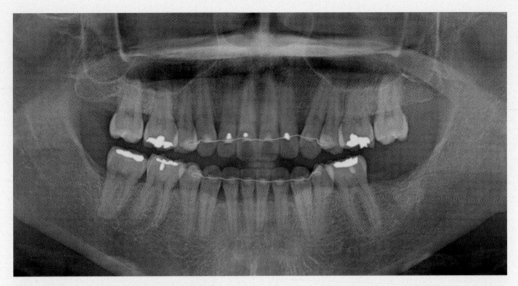

Fig. 2-19. 골이식 9.5개월 후 파노라마방사선사진.

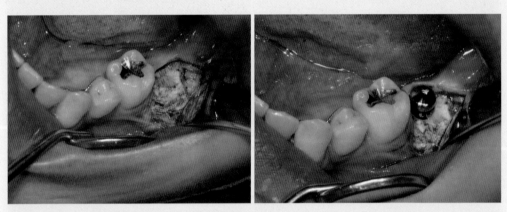

Fig. 2-20. 골이식 9.5개월 후 짧은 길이 임플란트를 1회법으로 식립하였다.

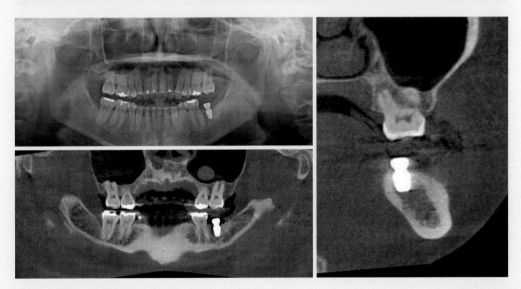

Fig. 2-21. 임플란트 식립 후 방사선사진.

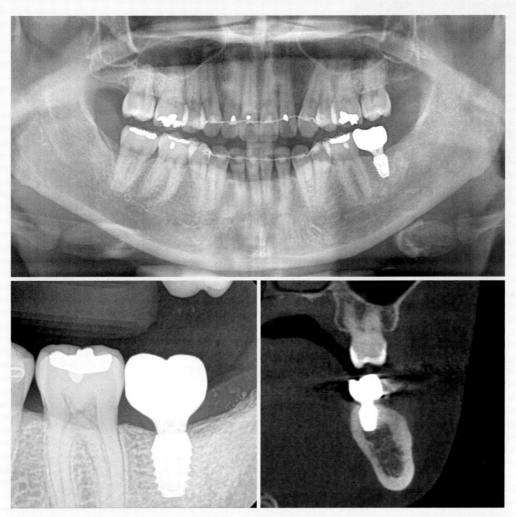

Fig. 2-22. 상부 보철물 장착 6개월 후 방사선사진.

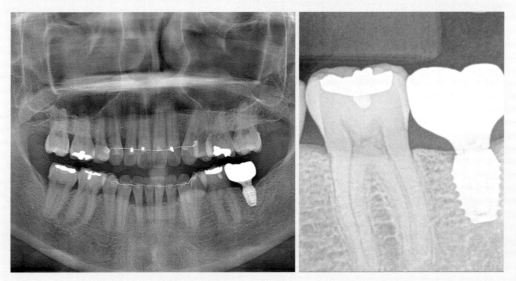

Fig. 2-23. 상부 보철물 장착 3년 9개월 후 방사선사진.

1 장기간 지속된 골수염

2 턱 이상 감각: 감염성 병소가 하악관과 연결

🗐 **치료 및 경과**

1 발치 및 배상형성술

2 약물치료: Clindamycin, Cephalexin

3 골이식

4 임플란트 지연식립

5 충분한 치유기간을 부여한 후 보철치료 진행

6 경과 양호

🔊 **Comment**

● 장기간 감염이 지속되면서 골수염으로 진행되었고 **감염성 병소가 하악관을 침범하면서 화학적 신경손상 (neurapraxic injury)이 발생한 증례이다.** 골수염의 원인은 #38 매복치(치과의원에서 발치되었음)로 인해 #37 치주염이 지속된 것으로 추정되었으며 치과의원에서 #37을 초기에 발치하지 않은 이유는 알 수 없었으나 아마 발치로 인해 신경손상이 심해질 위험성 때문이었을 것으로 추정된다.

이와 같은 증례에서는 **발치 전에 이미 존재하고 있던 간접적인 신경손상과 발치 후 주변의 염증성 병소들을 제거하는 과정에서 하악관을 불가피하게 침범할 수 있음을 잘 설명하고 동의를 득한 후 수술을 시작해야 한다.** 골수염이 치유되면서 감각이상도 완전히 정상화되었고 발치한 치아를 이용하여 제조한 자가치아뼈이식재를 사용하여 골결손부를 수복하였다. 하악관까지 잔존골량이 부족하고 이식골에서만 임플란트가 유지를 얻고 골유착이 이루어져야 하기 때문에 9.5개월이라는 긴 치유기간을 부여한 후 짧은 길이 임플란트를 식립함으로써 신경손상을 피할 수 있었다. 또한 임플란트 식립 후 골유착이 성공적으로 이루어지기 위해서 5개월이라는 긴 치유기간을 부여한 후 상부 보철치료를 완성할 수 있었다. 본 증례를 통해 얻을 수 있는 유용한 교훈은 **골수염으로 인해 골파괴가 심하고 하악관까지 잔존골이 거의 없는 경우에 골이식, 임플란트 식립, 보철치료를 아주 천천히, 충분히 긴 기간에 걸쳐 시행하여야 성공적인 결과를 얻을 수 있다는 것이다.**

Case 4 > 77세 여자 환자에서 발생한 하악 좌측 구치부 골수염

2018년 12월 10일 77세 여자 환자가 하악 좌측 구치부 종창 및 통증을 주소로 내원하였다. 내원 전 치과의원에서 2017년 12월 26일 #36을 발치하였으나 발치창 치유부전 및 통증이 지속되어, 2018년 1월 8일 발치창소파술과 약물치료를 받았다. 증상이 완화되어 2018년 2월 27일 #35, 36, 37 부위에 임플란트를 식립하였으나 #36 부위의 통증과 주변 염증이 지속되어 2018년 9월 12일 임플란트를 제거하였다. 이후에도 #36 주변 조직의 염증 및 종창과 통증이 지속되어 의뢰되었다. 전신병력은 골다공증, 뇌신경질환 관련 약을 매일 복용 중이었으며 Bisphosphonate 계열 약물은 아닌 것으로 확인되었다. 방사선사진에서 #36 부근의 골파괴가 하악관 상벽 근처까지 진행된 소견이 관찰되었다(Fig 2-24). 만성 골수염으로 잠정진단하고 2018년 12월 20일 국소마취하에서 배상형성술을 시행하였다. 제거된 부골과 육아조직의 조직검사 결과 actinomycotic colony가 다량 존재하는 만성 골수염으로 확인되었다(Fig 2-25, 26). 술후 Cephalexin 1g bid를 2주 처방하고 2–3일 간격으로 창상을 소독하면서 경과를 관찰하였다. 2019년 2월 8일 재발 징후가 보이지 않고 치유상태가 양호하여 치료를 종료하였다(Fig 2-27).

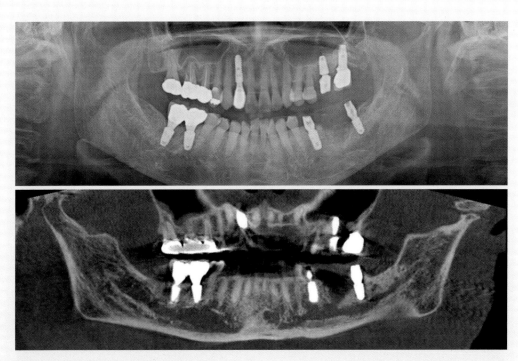

Fig. 2-24. 77세 여자 환자의 초진 시 방사선사진. 골파괴를 보이는 방사선투과상이 하악관 상벽까지 진행된 소견이 관찰된다.

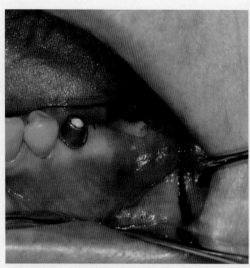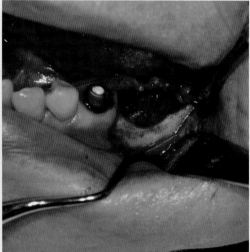

Fig. 2-25. 배상형성술을 시행하는 모습.

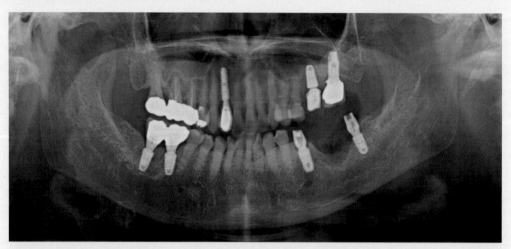

Fig. 2-26. 술후 파노라마방사선사진.

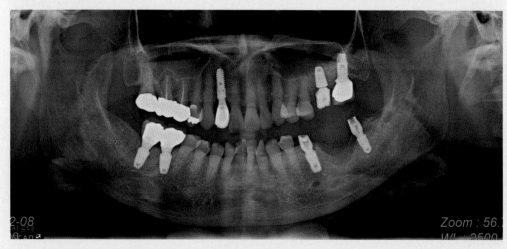

Fig. 2-27. 수술 6주 후 파노라마방사선사진.

1 발치 후 통증과 염증 지속

2 임플란트 식립 후 제거

3 임플란트 제거 부위 창상 치유부전

📋 **치료 및 경과**

1 배상형성술

2 약물치료: Cephalexin

3 경과 양호

🔊 **Comment**

● 치과의원에서 발치 후 염증과 통증이 지속되어 약물치료와 발치창 재소파술을 시행했던 것으로 보아 건성발치와(dry socket)였을 가능성이 있다. 증상이 완화된 후 #35, 36, 37 부위에 임플란트를 식립하였으나 #36 부위에 지속적인 염증과 통증이 존재하여 결국 제거하였다. 건성발치와는 표재성 치조골염으로 칭하며 골조직의 치유가 잘 이루어지지 않아 발생한다. 본 증례에서 **건성발치와 증상이 소멸되었다 하더라도 충분한 치유기간(발치 후 최소 3개월 이상)을 더 부여한 후 임플란트를 식립하는 것이 안전하였을 것으로 판단된다.** #36 임플란트 실패는 골수염에 기인한 것으로 생각되며 임플란트 제거 후에도 골수염은 점점 진행되는 양상을 보였다. 본원에서 배상형성술을 시행한 후 잘 치유되었으며 남아 있는 #35, 37 임플란트를 이용한 3-unit bridge 치료를 시행하는 것이 적절해 보인다. #36 부위에 임플란트를 다시 식립하는 것은 반복적인 실패 가능성이 크고 다시 골수염이 재발할 위험성이 크다.

본 증례에서는 조직검사 결과 방선균들이 관찰되었다. 방선균들 중 혐기성 그람양성인 *A. israelii*에 의해 주로 감염되며 과거의 상처나 외과수술, 발치와 같은 외상성 손상, 개방성 치수염에 이은 치근단 감염, 부분 매복치 주위에 발생한 지치주위염은 병원체가 조직내 혐기성 환경으로 침입할 수 있는 원인이 된다(대한구강악안면병리학회; 2021). Yenson 등(1983)은 안면골의 방선균성 골수염 증례를 보고하였다. 하악 치아를 발치한 후 하악골에서 시작하여 양측 상악골, 우측 관골까지 확산되었으며 모든 감염된 조직들과 부골을 제거하고 6개월간 항생제 치료를 시행하여 치유시켰다. 방선균(Actinomycotic bacteria)은 4-6일간의 혐기성 균배양을 통해 확인 가능하며 약 50% 정도에서는 배양이 불가능하다고 알려져 있다. 방선균 감염은 초기에 항생제 치료에 잘 반응하는 것처럼 보이나 항생제 투여를 중단하면 쉽게 재발되고 동일 부위에서 여러 번 재발되는 경향을 보인다. 악골을 파고들어가 소엽 모양의 pseudotumor를 형성하고 피부를 뚫고 나오면 multiple sinus tract이 형성되기도 하며 배출되는 삼출액은 특징적으로 sulfur granule을 가지고 있다(Peterson LJ, et al; 1999).

본 증례는 다행스럽게도 배상형성술과 Cephalosporin 항생제 치료를 통해 잘 치유되었지만 조기진단과 치료가 지연되었다면 방선균감염이 활성화되면서 만성화되고 치료는 매우 어려웠을 것으로 생각된다. **골수염, 약물관련 악골괴사증에 방선균 감염이 동반되는 경우가 많기 때문에 이에 대한 지식과 대처 능력을 잘 갖춰야 한다**(Bartkowski SB, et al; 1998). 초진 시 actinomycosis의 전형적 임상증상을 보이지 않았지만 지속적인 재발 경향과 마지막에 cephalosporin antibiotic을 투여한 후 치료가 완료된 것을 볼 때 골수염이 장기간 지속되면서 이차적으로 actinomycotic infection이 동반되었을 가능성을 추정해 볼 수 있다.

CHAPTER 1

Case 5 > 22세 남자 환자에서 #38 발치 후 발생한 골수염

　2007년 11월 13일 22세 남자 환자가 #38 발치 부위의 통증과 종창 및 화농이 지속되어 내원하였다. 2개월 전 치과의원에서 #38 매복치를 발치하였다. 발치 후 약 10일 후부터 고름이 나오면서 붓고 통증이 있었으며 항생제를 투여하여도 호전되지 않아 의뢰되었다. 좌측 협부 촉진 시 압통이 있었고 #37 협측 치은에 누공이 존재하면서 촉진 시 고름이 배출되었다. 방사선사진에서는 #48 매복치 발치창이 하악관과 중첩되어 있으며 핵의학 검사에서 하악골 좌측의 섭취율이 현저히 증가된 소견이 관찰되었다(Fig 2-28, 29). 당일 절개배농술을 시행하고 농배양 및 항생제감수성검사를 의뢰하였다. 항생제는 Clindamycin 300 mg tid를 1주 처방하였다.

　2007년 11월 19일 국소마취하에서 배상형성술을 시행하고 Vaseline gauze를 충전하였다. 창상을 개방 상태로 유지시켰으며 2-3일 간격으로 창상을 소독한 후 Vaseline gauze를 점차 크기를 줄여가면서 충전하였다. Clindamycin 복용 후 설사 증상이 매우 심하였으며 농배양 결과 *Viridans streptococcus group*이 다량 검출되었고 항생제감수성검사 결과를 토대로 Cephalexin 1 g bid를 1주 처방하였다. **2007년 11월 29일** #38 발치창에서 검체물을 채취하여 농배양검사를 시행한 결과 음성이었고 관련 증상들이 모두 소실되어 치료를 종료하였다.

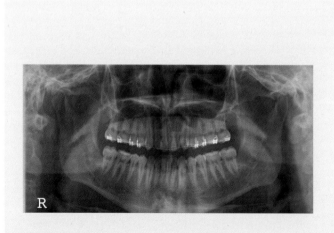

Fig. 2-28. 22세 남자 환자의 초진 시 파노라마방사선사진. #38 매복치 발치창이 하악관과 중첩되어 있는 소견이 관찰된다.

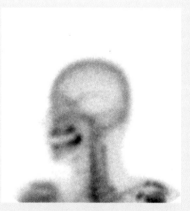

Fig. 2-29. 핵의학검사에서 좌측 하악골의 섭취율이 현저히 증가된 소견이 관찰된다.

⊗ Problem lists

1 #38 매복치 발치
2 골수염

🗐 치료 및 경과

1 절개배농술
2 배상형성술
3 약물치료: Clindamycin, Cephalexin
4 경과 양호

🔊 Comment

● 초진 시 파노라마방사선사진을 살펴보면 #38 매복치가 매우 깊게 위치하였던 것으로 추정되며 발치가 쉽지 않았을 것으로 추정된다. 즉 발치 시 심한 외상이 골수염 발생에 관여하였을 것으로 판단된다. **골수염의 진단과 치료방법을 잘 숙지하면 1차 치과의원에서 충분히 조기 처치가 가능하다. 임플란트 식립 수술을 수행할 수 있는 능력을 갖춘 치과의사라면 누구든 골수염 초기 처치를 잘 수행할 수 있다. 절개배농술과 항생제 치료, 배상형성술은 국소마취하에서 충분히 시술이 가능하고 수술 난이도도 어렵지 않다.**

Clindamycin은 골침착률이 우수하고 생체이용률이 β-lactam계열처럼 높고 *S.aureus*에 효과적이기 때문에 악골 골수염과 혐기성감염 치료에 효과가 우수하다(Norden CW, et al: 1986). 그러나 설사와 복통 등 위장관 부작용이 빈번히 발생하고 위막성대장염을 자주 유발하기 때문에 최근에는 잘 사용하지 않는다. 부득이 사용할 경우엔 환자에게 부작용에 대해 잘 설명하고 위장관 부작용이 발생하면 즉시 투약을 중단하고 다른 항생제로 교체해야 한다. 설사 및 복통이 매우 심할 경우엔 인근 내과의원에 의뢰하여 적절한 약물 치료를 받으면 잘 해결될 수 있다.

Case 6 > 50세 여자 환자에서 임플란트 주위에 발생한 골수염

2009년 4월 13일 50세 여자 환자가 #16 임플란트 주위 통증을 주소로 내원하였다. 내원 전 치과의원에서 2006년 1월 18일 #14, 15, 16, 17 부위에 임플란트를 식립하고 경과를 관찰하였다. 그러나 2008년 10월경 #15, 16 임플란트 주변의 치은 종창과 통증 및 배농이 발생하여 절개배농술 및 치은박리소파술을 시행하였으나 증상이 호전되지 않아 본원을 방문하게 되었다. 골다공증 병력은 없었고 전신질환 관련 약물을 복용하는 것도 전혀 없었다. 방사선사진에서는 #14-17 부위에 4개의 임플란트가 잘 식립된 것 이외 특이 병적 소견이 관찰되지 않았으나 핵의학검사에서는 우측 상악 구치부에서 섭취율이 약간 증가된 소견이 관찰되었다(**Fig 2-30, 31**). 구강검사 시 #16 임플란트의 협측 치은이 4-5 mm 퇴축되었고 괴사골이 노출되어 있었다. 임상증상과 전신병력을 토대로 임플란트 주변의 골수염으로 잠정진단하고 **2009년 4월 28일** 국소마취하에서 #16 임플란트와 주변의 괴사골을 제거하였다. 항생제는 Amoxicillin 500 mg tid를 5일 처방하였다. **2009년 5월 7일** 내원 시 창상 치유는 양호하였으며 조직검사 결과는 골수염에 준하는 소견을 보였다. 특이사항이 없고 임상증상들이 모두 소멸되어 치료를 종료하였다(**Fig 2-32**).

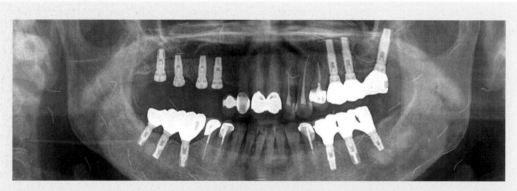

Fig. 2-30. 50세 여자 환자의 초진 시 파노라마방사선사진. 상악 우측 구치부에 4개의 임플란트가 식립된 상태이며 #16 임플란트 주변의 종창 및 통증을 호소하였다.

Fig. 2-31. 핵의학검사에서 우측 상악골의 섭취율이 약간 증가된 소견이 관찰되었다.

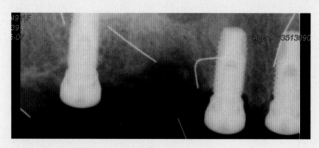

Fig. 2-32. 2009년 5월 7일 촬영한 치근단방사선사진. #16 임플란트가 제거된 상태이며 관련 임상증상들은 모두 소멸되었다.

⊗ Problem lists

1 임플란트주위염

2 절개배농술 및 치은박리소파술

3 상악 골수염

치료 및 경과

1 임플란트 제거 및 부골제거술

2 약물 치료: Amoxicillin

3 경과 양호

◀») Comment

● 초기에 원인을 제거(임플란트 제거)하면서 골수염 처치(부골 제거)를 시행하면 쉽게 치유시킬 수 있음을 상기시켜 주는 증례이다. 임플란트주위염을 일종의 골수염으로 간주하는 학자들도 있다. 치과의원에서도 절개배농술과 임플란트주위염 수술을 시행하면서 경과를 관찰하였으나 잘 치유되지 않고 임플란트 주변에 괴사골이 노출되었다. 아마 일차치료를 수행한 치과의사는 MRONJ 가능성을 의심하고 상급병원으로 의뢰하였을 것으로 생각된다. 그러나 MRONJ든 골수염이든 초기에 잘 진단하고 적절한 치료를 시행하면 완치시킬 수 있으며 치료 방법도 결코 어렵지 않다. 필자는 늘 다음과 같은 내용을 강조하고 전공의들에게 교육시키고 있다. **"치과치료 혹은 수술 후 발생하는 합병증과 각종 문제점들은 처음 치료한 치과의사들이 해결해야 한다. 원인과 대처방안 및 치료법을 잘 숙지하고 있다면 해결하는 것이 결코 어렵지 않다. 임플란트 수술을 할 정도의 실력을 보유한 치과의사들이 감염에 대한 초기 치료를 하지 못한다는 것은 결코 있을 수 없는 일이다. 만약 합병증의 초기 관리를 피하고자 한다면 수술을 해서는 안 될 것이다."**

50세 여자 환자에서 상악 우측 구치부 골이식 후
장기간 지속된 골수염

2012년 4월 2일 50세 여자 환자가 #15 부위 누공을 통해 배농이 지속되는 상태로 내원하였으며 촉진 시 압통을 호소하였다(Fig 2-33). 내원 전 치과의원에서 2011년 7월경 상악 우측 구치부 골이식을 시행하였으며 이후 2-3차례 감염이 재발된 상태였다. 파노라마방사선사진에서는 #13-16 부위 치조골에 방사선투과상의 골 파괴 양상이 관찰되었지만 워터스뷰에서는 우측 상악동은 정상이었다. 오히려 좌측 상악동염 소견이 관찰되었지만 임상증상은 없는 상태였다. CT에서는 방사선투과성 병소가 #13, 14 치근 하방부까지 확산된 소견이 관찰되었고 핵의학검사에서 우측 상악골의 섭취율이 현저히 증가된 소견이 관찰되었다. 만성 화농성 골수염으로 잠정진단하고 배상형성술과 항생제 치료를 시행한 후 병소가 치유되면 골이식과 임플란트를 식립하기로 계획하였다(Fig 2-34~36). 2012년 4월 5일 국소마취하에서 #15-17 부위 피판을 거상한 후 부골과 염증성 조직을 제거하고 배상형성술을 시행한 후 실라스틱 drain을 삽입하고 봉합하여 고정하였다(Fig 2-37). 술후 항생제는 Suprax(cefixime) 200 mg bid를 5일 처방하였다. 농배양 결과 *Viridans streptococcus group*이 다량 검출되었고 항생제 감수성 결과를 토대로 Mesexin (cephalexin) 1g bid를 1주 처방하였다. 1주일 후 배농과 임상증상들이 거의 소멸되어 드레인을 제거하고 Mesexin을 1주 더 처방하고 치료를 종료하였다.

골수염은 잘 치유되었으며 2012년 5월 22일 치조골 결손부 골이식과 측방접근법을 통한 상악동골이식술을 동시에 시행하였다. 골이식재는 이종골(Por-Oss)이 사용되었고 흡수성 차폐막(CYTOPLAST RTM collagen membrane)을 피개한 후 봉합하였다(Fig 2-38). 2012년 9월 25일 임플란트(Osstem TS III, #15: 4.5D/13L, #16: 5D/10L)를 식립하였으며 오스텔멘토로 측정한 일차 안정도는 #15: 66, #16: 70 ISQ였다. #15 임플란트 주변 골 결손 부위에 상악결절에서 채취한 자가골을 Inducera와 혼합하여 이식하고 Bio-Arm을 덮은 후 봉합하였다(Fig 2-39). 수술 2일 후 구강내 혈종이 발생하여 #21 gauge needle로 흡인하고 창상을 소독하였다. 2013년 1월 8일 이차수술을 시행하였으며 임플란트의 이차 안정도는 #15: 46, #16: 70 ISQ로 측정되었다. #15 임플란트의 이차 안정도가 낮아서 좀더 치유기간을 연장한 후 보철치료를 진행하기로 하였다(Fig 2-40). 이후 오스텔 수치는 #15: 48→49→52→57, #16: 75→75→75→76으로 증가하였다(Fig 2-41). 2013년 10월 14일 임플란트 상부 보철물이 장착되었으며 6-12개월 간격으로 유지관리가 잘 이루어지고 있다(Fig 2-42~44).

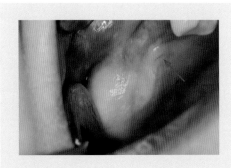

Fig. 2-33. #15-16 부위 치조정 근처에 누공(화살표)이 존재하였으며 촉진 시 고름이 배출되었다.

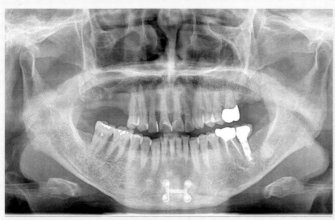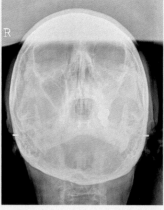

Fig. 2-34. 50세 여자 환자의 초진 시 방사선사진. #15 치조정 부위에 존재하는 누공을 통해 지속적으로 배농이 되고 있었으나 워터스뷰에서 우측 상악동은 정상 소견을 보이고 있으며 오히려 좌측 상악동에서 방사선 불투과상을 보이면서 만성 상악동염 소견이 관찰되었다.

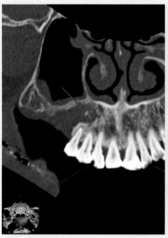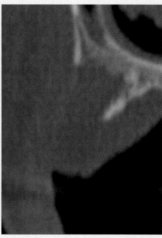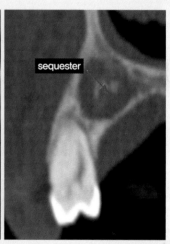

Fig. 2-35. CT에서 #13-16 부위의 골파괴 양상이 관찰되었으며 내부에 방사선 불투과상을 보이는 부골과 같은 병소가 관찰되었다.

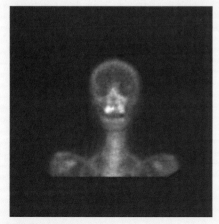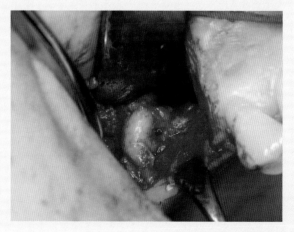

Fig. 2-36. 핵의학검사에서 우측 상악골의 섭취율이 현저히 증가된 소견이 관찰되었다.

Fig. 2-37. 피판을 거상하여 내부의 부골과 염증성 병변을 제거하고 실라스틱 드레인을 삽입한 후 봉합하여 고정하였다.

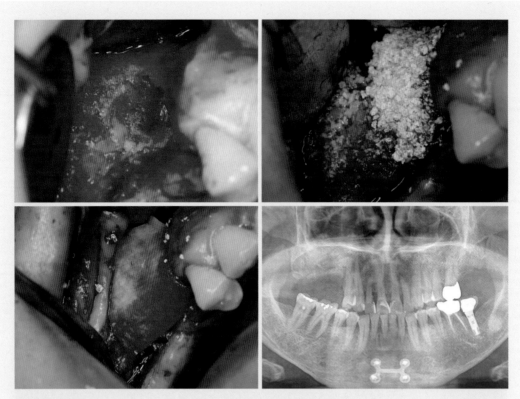

Fig. 2-38. 골수염 수술 6주 후 우측 치조골 결손부 골이식과 상악동골이식이 시행되었다.

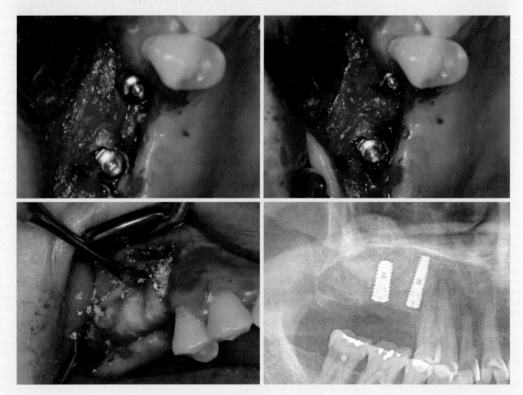

Fig. 2-39. 골이식 4개월 후 임플란트를 식립하였다. 임플란트 협측 골열개가 크게 발생하여 상악결절에서 채취한 자가골을 이종골과 혼합하여 이식하고 흡수성 콜라겐막을 덮고 봉합하였다.

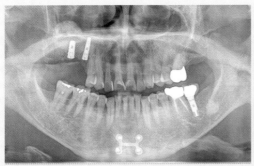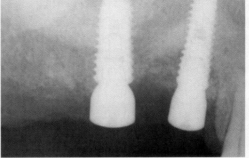

Fig. 2-40. 이차수술 후 방사선사진. 임플란트 식립 3.5개월 후 이차수술이 시행되었다.

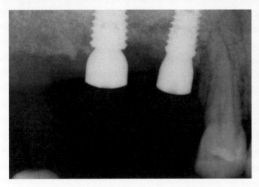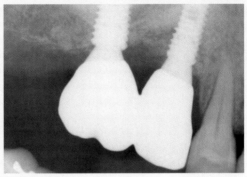

Fig. 2-41. 임플란트 식립 7개월 후 치근단방사선사진.

Fig. 2-42. 임플란트 상부 보철물 장착 5개월 후 치근단방 사선사진.

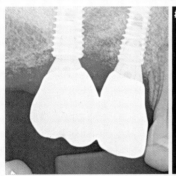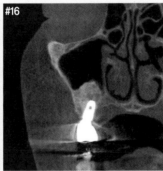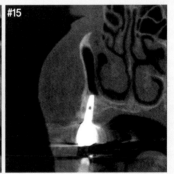

Fig. 2-43. 상부 보철물 장착 2년 후 방사선사진.

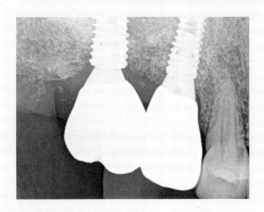

Fig. 2-44. 상부 보철물 장착 6년 후 치근단방사선사진.

1. 우측 상악 구치부 골이식
2. 우측 만성 화농성 골수염
3. 좌측 상악동염

치료 및 경과

1. 골수염 치료: 배상형성술, 실라스틱 drain
2. 약물치료: Cefixime → Cephalexin
3. 골수염 완치 후 골이식술
4. 골이식 4개월 후 임플란트 식립
5. 임플란트 이차수술 후 치유기간 연장
6. 경과 양호

🔊 Comment

● 초진 시 골수염의 범위가 비교적 컸으며 배농이 지속되고 있는 상태였다. 신속히 배상형성술을 시행하면서 내부의 부골과 염증성 조직들을 제거하고 경험적 항생제 Cefixime을 투여하였다. 농을 수집하여 배양 및 항생제 감수성검사를 시행한 결과 *Viridans streptococcus group*이 다량 배양되었고 Cephalexin으로 항생제를 교체하여 투여한 후 잘 치유시킬 수 있었다. 본 증례에서는 배상형성술 후 멸균 gauze를 충전하면서 이차치유를 유도하는 방식을 택하지 않고 실라스틱 drain을 삽입하고 창상을 봉합하였다. 그 이유는 골수염 병변으로부터 배농이 지속되고 있었으며 상악골의 특성상 하악골에 비해 골치유가 잘 이루어질 것으로 판단하였기 때문이다.

골수염이 치유된 후 골이식술을 시행하였는데 결손부가 크고 악골의 혈행상태가 불량함에도 불구하고 이종골만 단독으로 이식했던 것은 적절하지 못했다고 판단된다. 물론 상악동에는 이종골을 단독 이식하여도 전혀 문제가 없지만 본 증례와 같이 골수염이 치유된 부위의 조직 상태는 매우 불량(혈행상태 불량)하기 때문에 **자가골이식이 반드시 선택되어야 했다.** 당시 환자와의 상담이 어떻게 진행되었는지는 모르지만 환자를 설득하여 충분한 양의 자가골을 채취하고 다른 골대체재료와 혼합하여 이식하였다면 더욱 우수한 골형성과 치유기간 단축을 기대할 수 있었으리라고 생각된다.

골이식 후 임플란트를 식립할 때 #15 부위에서 골열개가 크게 발생하였다. 이종골(Por-Oss) 단독 이식 부위였기 때문에 골치유가 느릴 수밖에 없고 임플란트의 골유착에 어려움이 있을 것으로 판단하여 임플란트 나사산 부위에는 상악결절에서 채취한 자가골을 이식하고 그 상방에 이종골 Inducera를 추가로 이식한 후 흡수성 차폐막을 덮고 봉합하였다. 특히 잔존 치조골에서 임플란트 고정을 확보하기 어려웠고 골이식재 내에서만 골유착을 기대해야 했기 때문에 **임플란트 식립 후 3.5개월 만에 우수한 이차 안정도를 얻는 것은 거의 불가능했다고 판단하는 것이 좋다.** 즉 이 경우엔 임플란트 식립 후 최소 6개월 이상의 치유기간을 부여한 후 이차수술을 시행하는 것이 적절했다고 판단된다. 그러나 부득이 이차수술 시기가 빨랐다면 보철치료 시작 시기를 충분히 늦추는 것이 안전하다. 보철 시기는 1개월 간격으로 환자를 리콜하면서 오스텔 수치를 측정하고 임플란트 타진 시 경쾌한 소리가 나는 것 등을 기준으로 결정해야 할 것이다.

Case 8 > 75세 남자 환자에서 항암치료 중 발생한 하악골 골수염

    2016년 3월 25일 75세 남자 환자가 개구장애를 주소로 내원하였다. 내원 전 치과의원에서 임플란트주위염 진단하에 치료를 받고 항생제를 투여받았으나 호전되지 않았다. 임상검사 시 개구량은 30 mm 정도였고 하악 좌측 구치부 종창 및 압통, 농이 배출되면서 악취가 존재하였다. 방사선사진에서는 좌측 하악골 부위(#37-38 부위)에 방사선투과상을 보이는 골파괴가 하악관 하방까지 확장된 소견이 관찰되었으며 핵의학검사에서 좌측 하악골의 섭취율이 현저히 증가된 소견이 관찰되었다**(Fig 2-45~47)**. 의과적 병력은 4년 전 폐암과 3년 전 편도선암이 발생하여 방사선 치료를 받았다. Venoferrum이라는 철분 보충제 주사를 장기간 투여받았으며 Taxol (paclitaxel)이라는 항암제를 2013년 2월부터 4월까지 투약한 병력이 있었다. 악성종양의 악골전이를 감별하기 위해 혈액종양내과에 협진을 의뢰하였으며 기존 영상들과 비교할 때 전이암은 아닐 것이라는 회신을 받았다. 좌측 하악골의 만성 화농성 골수염으로 잠정진단하고 수술을 고려하였으나 환자의 전신건강상태가 좋지 않아 2주 간격으로 개구량 회복을 위해 레이저 물리치료를 하면서 경과를 관찰하였고 항생제는 처방하지 않았다. **2016년 4월 21일** 배농이 지속되어 1주 간격으로 창상소독 및 레이저치료를 시행하였고 집에서 구강위생관리를 철저히 하도록 지시하고 환자의 전신건강상태가 호전되는 시점에 수술을 시행하기로 결정하였다. 항생제 치료는 별 효과를 기대할 수 없고 항생제 내성만 증가시킬 가능성이 있어서 처방하지 않았다. **2016년 6월 29일** 전신마취하에서 구내접근법으로 피판을 거상한 후 배상형성술을 시행하고 Bactigra를 충전한 후 창상을 개방상태로 유지하였다. 수술 당시 소견은 골결손부 내에 육아조직이 가득 차 있었고 하악관과 접촉되어 있는 섬유성 조직들이 전방으로 하악관을 따라 확산되어 있는 양상을 보였으며 하악관의 피질골이 연골양 조직으로 약해진 상태를 보였다**(Fig 2-48)**. 술후 항생제는 입원기간 동안에는 Cefazolin 1g tid로 5일 동안 정맥주사하였고, 퇴원하면서 Amoxicillin/clavulanate 625 mg tid를 5일 처방하였다. 술후 2-3일 간격으로 창상을 소독하고 Bactigra를 점차 크기를 줄여가면서 교체하였다. 조직검사 판독 소견은 다음과 같았으며 만성 화농성 골수염으로 확진할 수 있었다. 1) dense lymphoplasmacytic and neutrophilic infiltration, 2) degeneration and fibrosis, 3) regenerating atypia of squamous epithelium, 4) lamellated bone fragments ("bone") 창상의 이차치유가 양호하게 이루어지는 것을 확인하고 인상채득 후 얇은 omnivac으로 obturator를 제작하여 장착해 주었으며 집에서 환자 스스로 창상을 소독할 수 있도록 교육하였다. **2016년 9월 5일** 증상이 많이 호전되었고 통증 및 농배출은 없었으며 개구량은 35 mm를 회복하였다. **2016년 11월 7일** 최종 내원 시 골수염은 거의 치유되었으나 개구장애(25-30 mm)는 계속 남아있는 상태였다**(Fig 2-49)**.

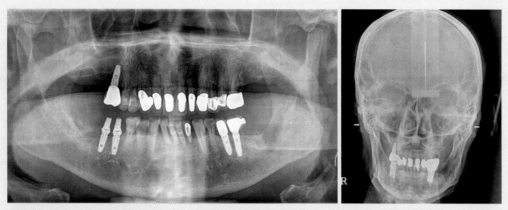

Fig. 2-45. 75세 남자 환자의 초진 시 방사선사진. #37-38 부위에 방사선투과상의 골파괴 소견이 관찰된다.

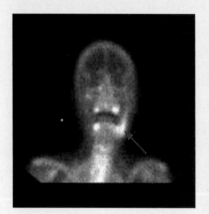

Fig. 2-46. 핵의학검사에서 좌측 하악골 후방부 섭취율이 현저히 증가된 소견이 관찰된다.

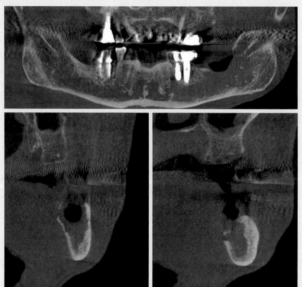

Fig. 2-47. CBCT에서 좌측 하악골 후방부의 골파괴 소견이 관찰되며 하악관 하방까지 진행된 것을 볼 수 있다.

Fig. 2-48. 배상형성술을 시행하는 모습.

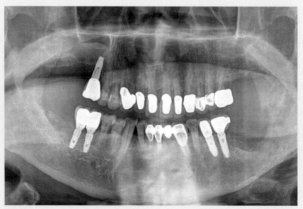

Fig. 2-49. 2016년 11월 7일 촬영한 파노라마방사선사진. 좌측 하악골 골수염 수술 후 양호한 이차치유가 이루어지고 있는 것을 관찰할 수 있다.

⊗ Problem lists

1 임플란트주위염 치료

2 개구장애, 종창, 화농 및 악취 지속

3 폐암, 편도선암: 방사선치료 및 항암치료

치료 및 경과

1 만성 골수염과 악성종양의 악골전이 감별

2 배상형성술

3 약물치료: Cefazolin, Amoxicillin/Clavulanate

4 개구장애는 지속되는 상태이지만 골수염은 완치됨

◀)) Comment

● 본 증례는 골다공증과는 무관하지만 악성종양의 항암치료가 시행되었을 가능성이 있으며 관련 약물로 인한 MRONJ를 의심해 볼 필요가 있다. 또한 환자의 병력과 방사선사진에서 관찰된 광범위한 골파괴 양상을 참고할 때 악성종양의 악골전이 가능성도 의심해 보아야 한다. 종양내과 협진 결과 MRONJ와 악성종양의 악골전이는 배제할 수 있었고 추후 시행된 조직검사에서 골수염을 확진할 수 있었다. 초진 시부터 존재하던 **개구장애는 악골골수염이 장기간 지속되면서 내측익돌근과 교근의 기능에 영향을 미침으로 인해 발생한 것으로 생각된다. 개구장애는 골수염이 치유된 후에도 지속되었는데 만성감염으로 인해 주변 근육의 섬유화증이 발생한 것으로 생각되며 적극적인 개구운동과 물리치료를 통해 회복시키는 것 외 다른 방법은 없다.** 본 증례에서 살펴볼 중요한 사항은 항생제 사용을 자제하였다는 것이다. 즉 오랜 기간 골수염이 지속되었지만 통증과 배농이 심하지 않았으며 환자의 전신건강상태가 불량하였기 때문에 수술 전까지 경과만 관찰하고 창상소독 및 개구장애 개선을 위한 물리치료만 시행하였다. **만성 골수염 치료 시 항생제만 사용하는 것은 큰 의미가 없고 오히려 항생제 남용으로 인한 부작용만 초래할 가능성이 크다.**

Case 9 > 59세 남자 환자에서 임플란트 제거 후 장기간 지속된 골수염

2016년 2월 25일 59세 남자 환자가 좌측 하악골 주변의 주기적 종창 및 통증을 주소로 내원하였다. 내원 전 치과의원에서 **2014년 1월 13일** #36 임플란트 제거, **2015년 11월 25일** #37 발치 병력이 있었으며 이후 #36-37 부위의 종창과 통증이 3개월 간격으로 발생한다고 호소하였다. 파노라마방사선사진에서 #35 치근단 병변과 주변에 경계가 불명확한 방사선투과성 병소가 관찰되었고 CT에서는 골파괴가 심하여 설측 피질골이 얇게 남아 있는 소견이 관찰되었다**(Fig 2-50)**. 전신병력으로는 고혈압과 뇌경색증으로 항혈전제를 복용 중이었다. 만성 골수염으로 잠정진단하고 핵의학검사를 시행하였으며 좌측 하악골의 섭취율이 현저히 증가된 소견이 관찰되었다**(Fig 2-51)**.

2016년 5월 4일 전신마취하에서 #35 발치 및 #36-37 부위 배상형성술을 시행하였고 제거된 병변조직은 조직검사를 의뢰하였다. 수술 부위를 Bactigra로 충전하고 입구를 개방상태로 유지하였다. 술후 항생제는 Augmentin (Amoxicillin/Clavulanate) 625 mg tid를 8일 처방하였으며 조직검사 결과 만성골수염으로 확진되었다**(Fig 2-52)**. 2-3일 간격으로 창상 소독 및 레이저치료를 시행하였고 Bactigra를 크기를 줄여가면서 충전하였다. 창상은 양호한 치유를 보였으며 **2016년 5월 26일** 치료를 종료하였다.

.**2016년 9월 22일** 창상치유는 양호하였고 구강내 수술 부위는 이차치유가 잘 이루어졌으나 좌측 악하부와 뺨 종창 및 통증을 호소하였다**(Fig 2-53)**. 림프절염과 통증조절을 위해 Mesexin 500 mg bid 2주, Ultracet ER qd 2주를 처방하고 경과를 관찰하였다. **2016년 10월 10일** 좌측 악하부 종창이 심해져서 내원하였으며 촉진 시 압통과 국소열이 존재하고 있었다. Contrast CT를 촬영한 결과 좌측 악하부 림프절이 다수 비대해진 소견이 관찰되어 이비인후과 협진을 의뢰하였고 Mesexin 500 mg bid, Ultracet ER Semi qd 1주를 더 처방하였다**(Fig 2-54)**. 환자가 적어 온 증상들은 다음과 같았다.

Box 1-1	환자가 적어 온 증상들
2016. 8. 6	왼쪽 하악 하방 림프선 아프기 시작
2016. 9. 1	약간 부었다. 울트라셋 3일간 복용. 입 벌리기 불편하다.
2016. 9. 4	왼쪽 약간 부었다.
2016. 9. 5	추가로 3일간 울트라셋 복용, 세파메칠정 복용
2016. 9. 17	9월 17일까지 상기약을 계속 복용
2016. 10. 4	처방전 약 복용 끝났다.
2016. 10. 5	왼쪽 입안이 불편해서 탁센 복용
2016. 10. 6	저녁부터 처방전 약과 동일한 약을 내과에서 처방받아 추가 복용 시작함
2016. 10. 7	턱이 붓기 시작함

2016년 11월 29일 이비인후과에서 초음파 검사 결과 특이 소견은 없었다. 2016년 12월 9일 이비인후과에서 좌측 악하부 림프절염 진단하에 Omnicef (Cefdinir) 100 mg tid, Varidase (Streptokinase/Streptodornase) 1T tid를 1주 처방 후 치료를 종료하였다(Fig 2-55). 2017년 8월 22일 좌측 하악 골체부 종창 및 압통, 좌측 교근 부위 통증이 있어 다시 내원하였으며 파노라마방사선사진에서 골수염 재발 소견은 관찰되지 않았고 치과의원에서 임플란트 치료가 잘 완료된 상태였다(Fig 2-56). Mesexin 500 mg bid를 2주 처방 후 다시 증상이 완화되었으며 추후 재발할 경우 MRI 등 정밀검사를 시행하기로 하였으나 이후 내원하지 않았다.

이비인후과에서 처방했던 약물은 다음과 같다.

Box 1-2 　**처방약**

Streptokinase: 　연쇄상구균이 생산하는 효소단백질로서 플라스미노겐을 분해하여 활성형-플라스민으로 변환시킴으로써 혈전용해작용을 일으킨다.

Streptodornase: 연쇄상구균이 분비하는 핵산가수분해효소이다.

Varidase: 　호흡기 질환에 수반되는 담객출 곤란증상과 외상에 의한 급성 염증성 부종의 완화 목적으로 사용한다.

Cefdinir: 　제3세대 cephalosporin

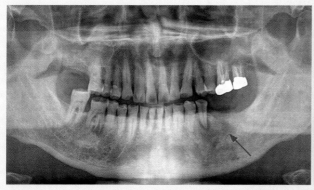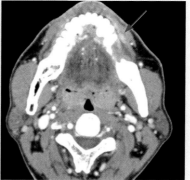

Fig. 2-50. 59세 남자 환자의 초진 시 파노라마 및 CT 방사선사진. 좌측 하악골에 방사선투과상을 보이는 골파괴성 병소가 관찰된다.

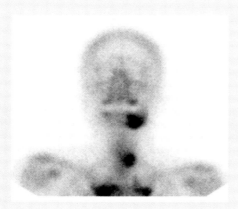

Fig. 2-51. 핵의학검사에서 좌측 하악골의 섭취율이 현저히 증가된 소견이 관찰된다.

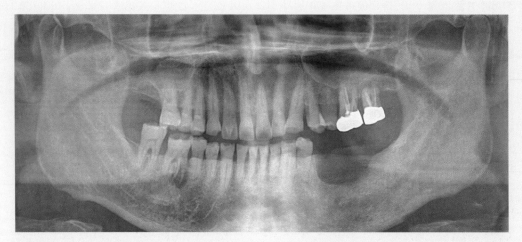

Fig. 2-52. 술후 파노라마방사선사진.

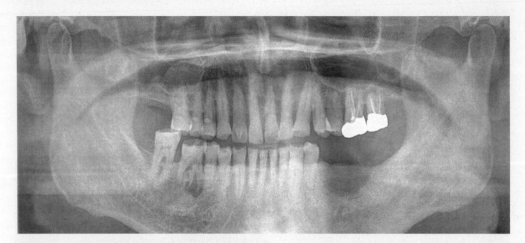

Fig. 2-53. 2016년 9월 22일 촬영한 파노라마방사선사진. 골수염 수술 부위는 이차치유가 잘 이루어졌다.

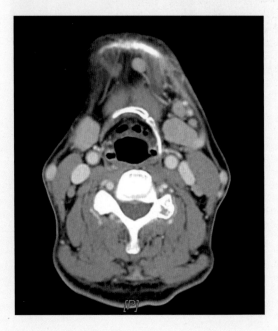

Fig. 2-54. 좌측 악하부 림프절이 비대해진 소견이 관찰된다.

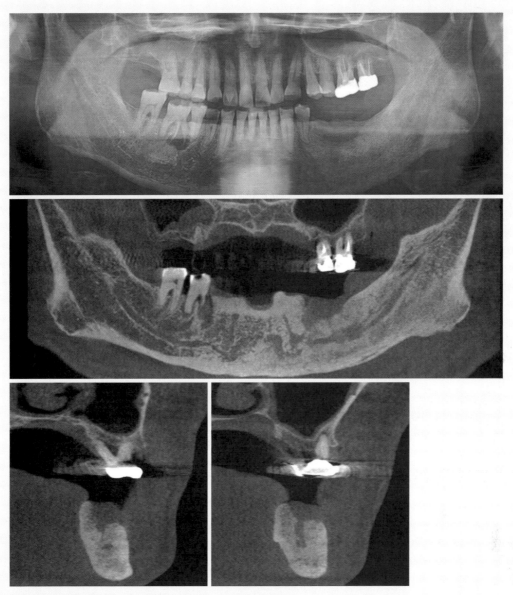

Fig. 2-55. 2016년 12월 23일 촬영한 파노라마 및 CBCT 방사선사진.

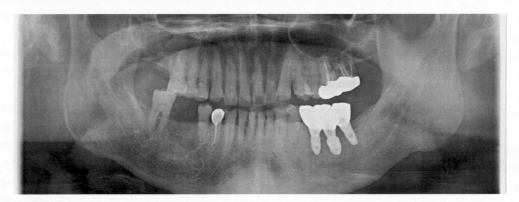

Fig. 2-56. 2017년 8월 22일 촬영한 파노라마방사선사진. 골수염 수술부위에 임플란트가 식립되어 있다.

⊗ Problem lists

1 #36 임플란트 제거, #37 발치

2 #35 치근단농양 및 만성 골수염

📋 치료 및 경과

1 발치 및 배상형성술

2 림프절염

3 약물치료: Mesexin, Omnicef, Varidase (streptockinase/Streptodornase), Exoperin (Eperisone), Stogar (Lafutidine)

4 이비인후과 협진 치료

5 경과: 림프절염 재발이 반복됨

🔊 Comment

● #36 임플란트 제거 및 #37 발치 후 만성 골수염이 발생한 증례이다. 골수염의 원인은 외과적 외상이나 이미 존재하고 있는 감염성 병소에 의한 것일 수도 있지만 #35 치근단병변이 원인이었을 수도 있다. 처음 치료를 담당했던 치과의원에서 #35를 발치하였다면 치료기간이 좀더 단축되었을 가능성이 있다. 본 증례에서의 특이점은 수술과 항생제 치료를 통해 골수염은 잘 치유되었지만 **림프절염이 장기간 지속되었다. 이비인후과 협진과 다양한 약물치료를 시행하였음에도 불구하고 통증과 종창, 압통이 지속되면서 치료가 잘 되지 않고 의료진을 매우 힘들게 했다.**

본 증례에서 발생한 림프절염의 일차원인은 골수염으로 생각되었으나 골수염이 치료된 이후에도 재발이 반복되어서 다른 감염성질환이나 악성종양 감별을 위해 이비인후과 협진을 시행하고 약물치료를 시행하였다. 그러나 이후에도 계속 재발되는 경향을 보였고 항생제를 투여하면 소멸되는 양상을 보였다. **이비인후과에서 처방했던 항생제 Cefdinir는 3세대 cephalosporin이며 투여 후에도 재발되었기 때문에 필자에게 다시 내원하였을 때는 1세대 cephalorporin인 Mesexin을 처방하였다.** 최종 관찰 이후 내원하지 않고 있으나 차후 재발될 경우 MRI 검사 및 림프절 절제와 조직검사를 시행할 예정이다.

Case 10 > 45세 남자 환자에서 하악골 골수염 치료 후 짧은 길이 임플란트를 식립한 증례

2011년 4월 2일 45세 남자 환자가 우측 하악 구치부 골결손 부위에서 농이 계속 배출되는 증상을 주소로 내원하였다. 3개월 전 치과의원에서 골수염 수술을 받은 병력이 있었다. 임상검사 시 우측 하악 구치부 잇몸에서 촉진 시 고름이 나오면서 압통을 호소하였다. 방사선사진에서는 골결손이 심하면서 골수염 관련 병소가 하악관 근처까지 확산되는 듯한 소견이 관찰되었다(Fig 2-57). 2011년 5월 6일 우측 하악 구치부 염증 소견이 지속되어 국소마취하에서 절개배농술을 시행하고 Unasyn (sultamicillin tosylate) 375 mg tid를 5일 처방하고 경과를 관찰하였다. 이후 6월 초까지 창상을 소독하면서 Unasyn 375 mg tid를 2주 투여하였다. 그러나 #47 치조정에 존재하는 누공을 통해 고름이 계속 나오고 있었고 촉진 시 통증이 지속되었다. 2011년 12월 5일 국소마취하에서 부골제거술과 배상형성술을 시행하였으며 염증성 병변이 하악관과 직접 연결되어 있는 소견이 확인되었다. 신경손상을 피하기 위해 하악관 근처의 염증성 병변은 제거하지 않았으며 Vaseline gauze를 충전한 후 창상을 개방한 상태로 놔두었다(Fig 2-58). 2~3일 간격으로 창상을 소독하면서 Vaseline gauze를 교체하였으며 조직검사 결과 만성 골수염으로 확진되었다. 이차치유가 잘 이루어지면서 임상증상들이 거의 소멸된 것을 확인한 후 얇은 Omnivac obturator를 제작하여 장착하고 집에서 환자 스스로 창상세척 및 소독을 할 수 있도록 조치하였으며 2012년 1월 6일 골수염 치료가 종료되었다.

2012년 3월 15일 짧은 길이 임플란트(Superline #46: 5D/8L, #47: 5D/7L)를 식립한 후 자가치아뼈이식재(환자의 #18을 발치하여 제조하였음)를 이식하고 BioArm을 덮은 후 봉합하였다(Fig 2-59, 60). 2012년 6월 4일 이차수술을 시행하고 보철치료가 진행되었다(Fig 2-61, 62). 이후 6-12개월 간격으로 정기 유지관리가 잘 이루어지고 있다(Fig 2-63, 64).

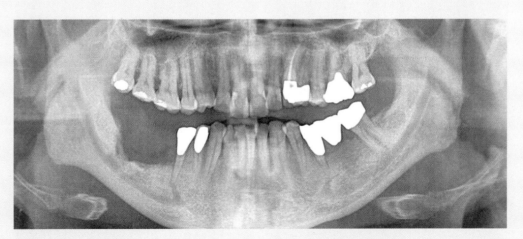

Fig. 2-57. 45세 남자 환자의 초진 시 파노라마방사선사진. 3개월 전 치과의원에서 하악 우측 구치부 골수염 수술을 받았으나 재발된 소견을 보이고 있다.

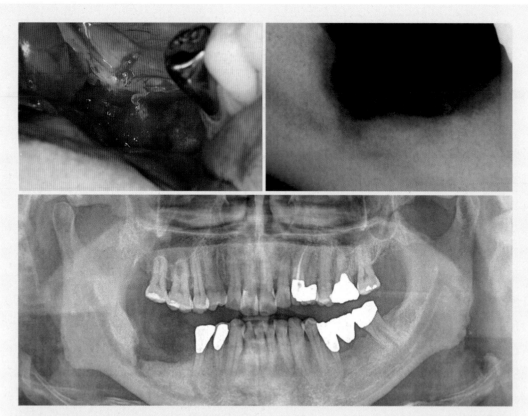

Fig. 2-58. 부골제거 및 배상형성술이 시행되었다. 골수염이 하악관을 침범한 상태였기 때문에 하악관 근처의 염증성 병변을 완전히 제거할 수 없었다.

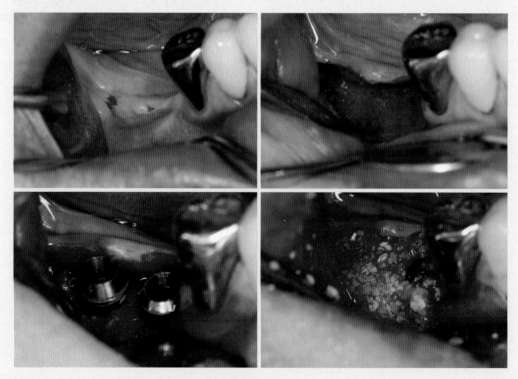

Fig. 2-59. 골수염 수술 3.5개월 후 임플란트를 식립하고 주변 결손부에 자가치아뼈이식재를 이식하였다.

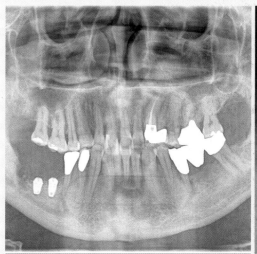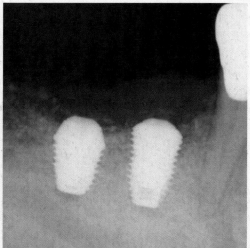

Fig. 2-60. 임플란트 식립 후 방사선사진.

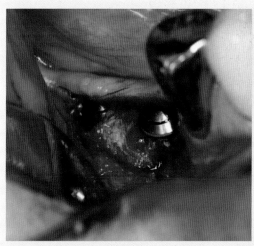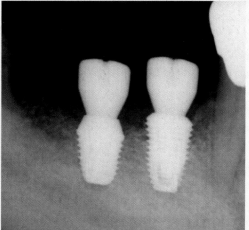

Fig. 2-61. 임플란트 식립 2.5개월 후 이차수술이 시행되었다.

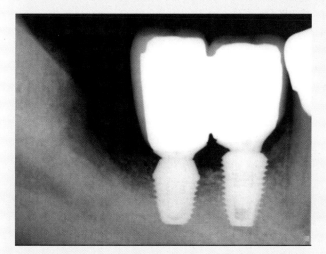

Fig. 2-62. 임플란트 상부 보철물 장착 4개월 후 치근단방사선사진.

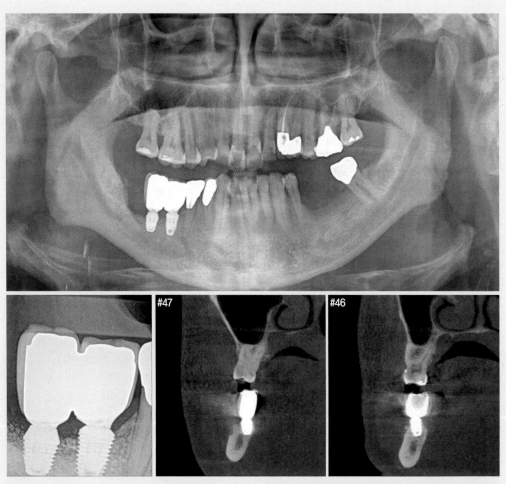

Fig. 2-63. 상부 보철물 장착 3년 2개월 후 방사선사진.

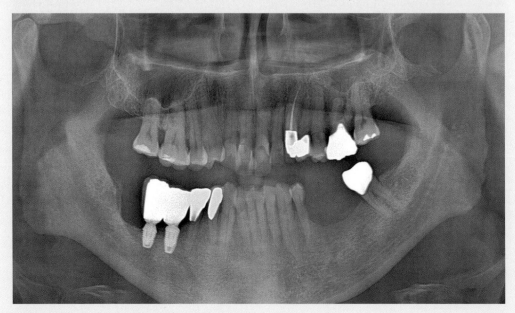

Fig. 2-64. 2021년 5월 7일 촬영한 파노라마방사선사진.

⊗ Problem lists

1 골수염 수술 후 재발

2 배상형성술 시행 시 하악관 노출

3 임플란트 식립을 위한 치조골량 부족

📋 치료 및 경과

1 골수염 수술: 부골제거 및 배상형성술

2 약물치료: Sultamicillin tosylate

3 임플란트 식립과 골유도재생술: 자가치아뼈이식재 사용

4 짧은 길이 임플란트 식립

5 예후 양호

🔊 Comment

● 골수염 수술 시 배상형성술을 시행하는 주된 이유는 골수염의 범위를 육안으로 식별하기 어렵기 때문이다. 완벽히 병소를 제거하는 것이 불가능하기 때문에 육안으로 확인되는 염증성 병소들을 제거하고 이차치유를 유도하면서 스스로 골수염이 치유되길 기다리는 것이다. 특히 본 증례와 같이 **하악관과 골수염이 직접 연결되어 있는 경우엔 절대로 하악관 근처의 병소를 완벽히 제거하려 해선 안 된다.** 영구적인 신경손상을 초래할 위험성이 크기 때문에 배상형성술을 시행하는 것이 원칙임을 명심해야 한다. 본 증례에서 사용된 항생제 Sultamicillin tosylate는 Ampicillin에 내성을 가진 포도구균, 연쇄구균, 장내구균, 폐렴연쇄구군, 임균, 대장균 등에 효과가 있으며 중이염, 부비동염, 인후농양, 편도주위염, 치주염 치료에 유효하다고 알려져 있다. 골수염이 완치되면 골이식 및 임플란트 치료를 수행할 수 있다. 그러나 수평 및 수직적 골결손이 심하기 때문에 통상적인 임플란트 식립 수술이 불가능한 경우가 대부분이다. 골결손의 크기에 따라 골이식과 임플란트 동시식립 혹은 지연식립을 결정한다. **치조골증대술이나 수용부의 상태가 매우 불량(외과적 수술, 외상, 골수염 병력 등으로 인해 혈행상태가 매우 불량한 경우)한 경우엔 반드시 자가골이식을 우선적으로 선택해야 한다.** 만약 자가골이식이 불가능한 상황이라면 자가골에 버금가는 치유능력을 보유한 골이식재(자가치아뼈이식재 혹은 양질의 동종골)를 차선책으로 선택하는 것이 좋다. 본 증례에선 골수염 수술 3개월이 경과한 시점에 자가치아뼈이식을 동반한 임플란트 식립술이 시행되었다.

하악에서 하악관까지 잔존골량이 부족할 경우 치조골증대술, 치조골신장술, 하치조신경전위술과 같은 침습적 수술을 고려할 수도 있지만 잔존골량을 잘 파악한 후 길이 5-7 mm의 짧은 길이 임플란트를 식립하는 것도 매우 좋은 방법이다. 특히 하악에서 짧은 길이 임플란트의 유효성과 안정성은 검증된 상태이다. 특히 2개를 식립한 후 서로 연결하는 형태의 보철물을 제작하는 방법은 매우 안전하다.

Case 11 > 타 병원에서 골이식과 임플란트 식립 후 발생한 하악 골수염

2012년 6월 14일 64세 남자 환자가 하악 좌측 구치부 임플란트 변위를 주소로 내원하였다. 갑자기 보철물이 움직여서 음식을 씹을 수 없으며 통증은 없다고 하였다(Fig 2-65). 과거 타 치과병원에서 2005년 12월 16일 #35, 36, 37 발치 후 골이식이 시행되었고 2006년 11월 13일 #35, 37 부위에 임플란트가 식립되었다(Fig 2-66).

초진 방사선사진에서 #35 임플란트 주변에 방사선투과상이 증가된 양상을 보이고 있으며 CT에서 #35 임플란트가 협측으로 변위되어 있고 #35-37 임플란트 주변에 거대한 골결손부가 존재하며 골이식술이 시행되었던 것으로 추정되는 영상이 관찰되었다. #37 임플란트는 특별한 문제가 없었으며 #35 임플란트는 주변 골조직이 완전히 파괴된 것으로 판단되었다(Fig 2-67, 68). 2012년 8월 14일 국소마취하에서 피판을 거상한 후 #35 임플란트를 제거하였다. 제거 부위를 통해 탐침해 본 결과 이전의 골이식재로 추정되는 괴사된 조직(푸석푸석하면서 악취가 나고 있었음)이 다량 존재하여 모두 제거하고 창상을 세척하였다. ExFuse 1 cc, PEDI-STICK 1 cc와 Endobon 0.5 cc를 혼합하여 이식하고 BioArm을 피개한 후 봉합하였다. 술후 Cephalexin 1 g bid, Methylprednisolone 8 mg bid, Meloxicam 7.5 mg bid, Eupatilin 60 mg bid를 5일 처방하였다. 제거한 시편의 조직검사 결과를 토대로 만성 골수염으로 확진하였다(Fig 2-69, 70).

골이식 5개월 후 촬영한 CT에서 골이식 부위의 치유상태가 미흡한 것으로 판단되어 치유기간을 충분히 연장하기로 하였다(Fig 2-71). 골이식 11개월 후 2013년 7월 11일 #35 부위에 임플란트(Osstem TS II 4.5D/10L)를 식립하였다. 오스텔멘토로 측정한 임플란트 일차 안정도는 80 ISQ로 매우 우수하였다(Fig 2-72).

임플란트 식립 4개월 후 상부 보철치료가 진행되었고 보철물 장착 이후부터 6개월 간격으로 유지관리가 이루어지고 있다(Fig 2-73).

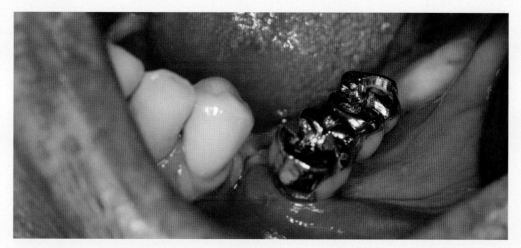

Fig. 2-65. 64세 남자 환자의 초진 시 구강사진. #35-37 임플란트 보철물이 협측으로 이동된 모습을 볼 수 있다.

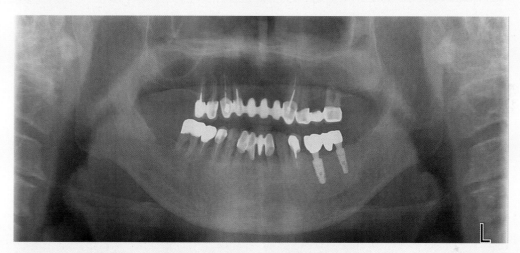

Fig. 2-66. 과거 타 치과의원에서 임플란트 보철치료가 완성된 후 촬영한 파노라마방사선사진. #35, 37 임플란트 주변에 골이식이 시행된 듯한 소견이 관찰된다.

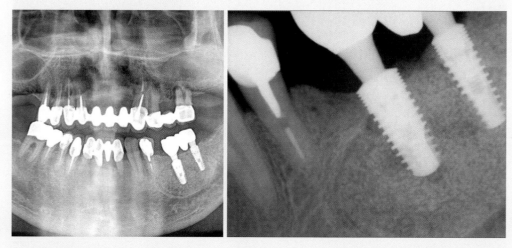

Fig. 2-67. 초진 시 방사선사진. #35, 37 임플란트 주변에 골이식이 시행된 소견과 #35 임플란트 주위 방사선투과상이 증가된 듯한 소견이 관찰된다.

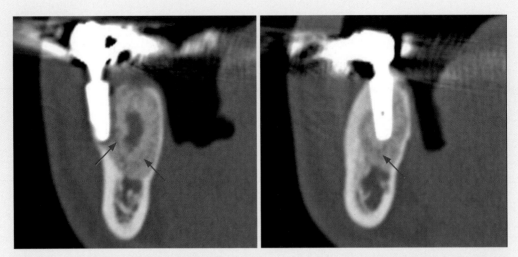

Fig. 2-68. #35 임플란트가 협측으로 치우친 모습이 관찰되며 #35-37 임플란트 주변에 골이식이 시행된 것(화살표)으로 추정되는 영상이 관찰되고 있다.

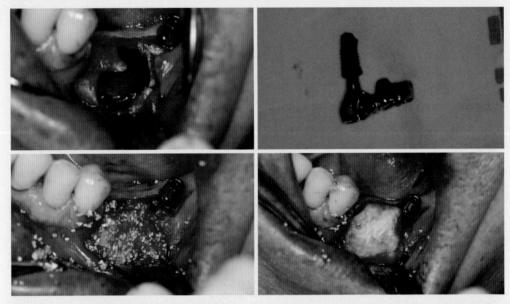

Fig. 2-69. #35 임플란트와 상부 보철물을 제거한 후 내부의 괴사된 염증성 조직들을 모두 제거하였다. 창상을 세척한 후 동종골과 이종골을 혼합하여 이식하였으며 흡수성 콜라겐막을 덮고 봉합하였다.

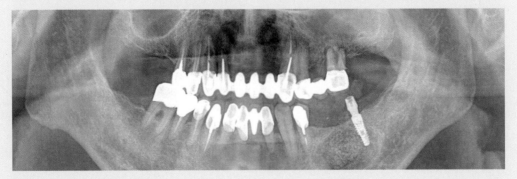

Fig. 2-70. 술후 파노라마방사선사진.

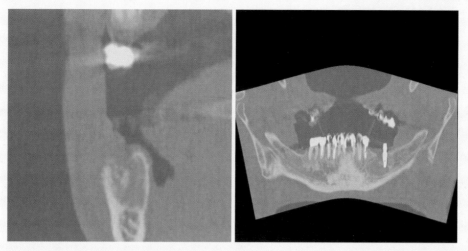

Fig. 2-71. 골이식 5개월 후 CT. 골이식 부위의 치유상태가 미흡한 소견을 보이고 있으며 치유기간을 충분히 길게 연장하기로 결정하였다.

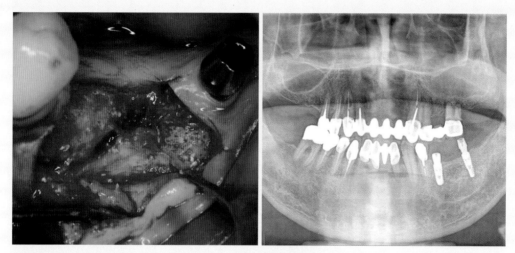

Fig. 2-72. 골이식 11개월 후 #35 부위에 임플란트를 1회법으로 식립하였다.

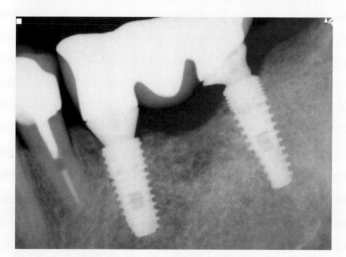

Fig. 2-73. 상부 보철물 장착 1년 후 치근단방사선사진.

1 임플란트 보철물의 위치 변화

2 임플란트주위염 및 골수염

3 골이식술 실패

치료 및 경과

1 임플란트 제거 및 소파술

2 약물치료: Cephalexin

3 골이식술

4 임플란트 지연식립

5 경과 양호

◀)) Comment

● 3-unit bridge 형태로 제작된 임플란트 상부 보철물이 변위되는 것은 매우 특이한 증례이다. 본 증례에서는 #35 임플란트가 협측으로 변위되면서 상부 보철물이 협측으로 이동되었고 음식을 씹지 못하는 상황이 되었다. 이전 치과에서 시행된 치료에 대해 자세한 내용을 알 수는 없지만 아마도 임플란트주위염이 진행되면서 주변에 큰 골결손이 발생하였고 이를 해결하기 위해 골이식술을 시행했던 것으로 추정된다. 그러나 사용된 골이식재는 불량한 치유를 보였으며 골화되지 못하고 괴사된 양상을 보였다(임플란트 제거 시 심한 악취가 나면서 푸석푸석한 상태였고 모두 긁어내니 매우 심한 골결손이 발생하였음).

본원에서 다시 골이식술을 시행할 때 자가골을 우선적으로 선택하는 것이 바람직했지만 환자가 자가골 채취에 대한 거부감을 표명하여 부득이 양질의 동종골을 선택하게 되었다. 양질의 동종골은 골유도 및 골전도성 치유가 우수하며 필자는 DBM 함량이 높은 ExFuse와 골전도능력이 우수한 Pedi-Stick이라는 동종골을 선택하였으며 골밀도 강화 및 골전도능력을 더욱 보강하기 위해 이종골 Endobon(소뼈)을 혼합하여 사용하였다. 그러나 **큰 결손부 재건을 위해 자가골이 사용되지 않았기 때문에 치유기간을 11개월까지 길게 연장하였다.**

임플란트는 건전한 잔존골에서 초기고정을 얻을 수 있어야 한다. 본 증례와 같이 골이식이 시행된 부위에서만 초기고정을 얻어야 한다면 치유기간을 매우 길게 연장해야 한다. 그러나 상부 보철물이 장착되고 기능을 수행하면서 임플란트 골유착이 다시 파괴될 위험성이 크기 때문에 보철적 과부하가 가해지지 않도록 정교하게 보철물을 제작하고 보철 기능 1년 후까지는 딱딱하고 질긴 음식을 금해야 한다. 가급적 Night guard와 같은 장치를 착용하여 구강악습관에 의한 과부하를 예방하는 것도 적극 고려할 필요가 있다.

Case 12 > 임플란트 주변 골수염 수술과 동시에 골이식을 시행한 증례

2014년 7월 10일 59세 남자 환자가 좌측 하악 구치부의 지속적인 염증을 주소로 내원하였다. 1979년 총상으로 좌측 하악골에 손상을 받은 후 뼈이식을 이용한 하악골재건술이 시행되었으며 2010년경 하악 전치부와 좌측 구치부에 임플란트가 식립되었다. 상부 보철물이 완성된 후 1년 이후부터 좌측 구치부 임플란트 주변의 염증과 통증이 지속되었으며 상부 보철물을 철거하고 적극적인 치료를 받았음에도 불구하고 호전되지 않아 본원을 방문하게 되었다. 임상검사 시 좌측 하악 무치악 부위 주변 촉진 시 압통이 존재하였지만 자발통과 농 배출은 거의 없었으며 방사선사진에서는 잔존 임플란트 주변의 골파괴가 매우 심하여 하악골 골절 위험성이 큰 상태였다(Fig 2-74). 만성 골수염으로 진단하고 임플란트 제거 및 골수염수술과 동시에 골이식술을 계획하였으며 Mesexin 500 mg bid를 1주 처방하고 Hexamedin 0.1% solution으로 하루 1회 구강 가글링을 하도록 지시하였다.

2014년 8월 13일 전신마취하에서 좌측 하악 임플란트 2개를 제거하고 배상형성술을 시행하였다(Fig 2-75). InduCera와 ExFuse를 혼합하여 이식하고 BioArm을 피개한 후 봉합하였다. 하악골 골절 방지를 위해 SAS screw 4개를 식립하고 악간고정술 시행하였으며 Cefazolin 1 g을 하루 3회 1일간 정맥주사하였다(Fig 2-76). 이후 입원 기간 동안에는 Tiramox (amoxicillin clavulanate) 1,200 mg을 하루 3회 정맥주사하였다. 2014년 8월 18일 퇴원하면서 악간고정을 제거하였고 1주일 간격으로 경과를 관찰하였다. 창상은 잘 치유되었고 하악 잔존골이 매우 부족하고 환자가 침습적인 하악골재건술에 대한 거부감이 매우 큰 상태였기 때문에 국소의치 치료를 진행하기로 하고 치료를 종료하였다(Fig 2-77).

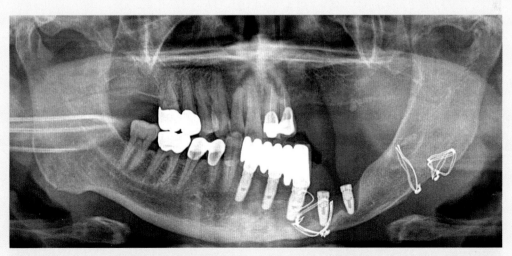

Fig. 2-74. 59세 남자 환자의 초진 시 파노라마방사선사진. 총상으로 인한 좌측 하악골 수술 흔적이 관찰되며 2개 임플란트 주변의 골파괴가 매우 심한 것을 볼 수 있다.

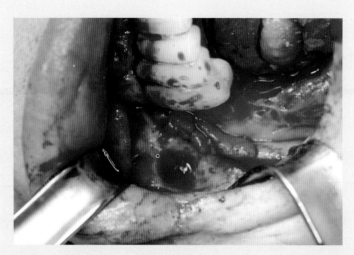

Fig. 2-75. 임플란트 제거 및 배상형성술을 시행한 모습. 화농이 없는 상태여서 골이식술을 시행하고 골수염 재발을 방지하기 위해 적극적인 항생제 치료를 시행하였다.

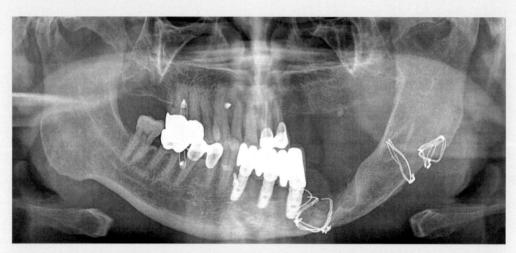

Fig. 2-76. 수술 후 파노라마방사선사진. 우측에 4개의 미니스크류가 식립되어 있으며 입원 기간 중에 악간고정이 시행되었다.

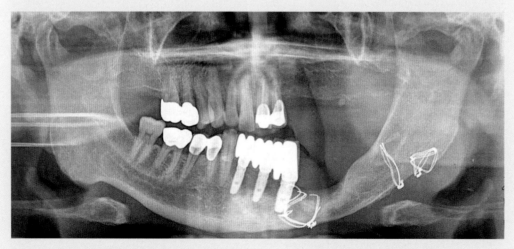

Fig. 2-77. 수술 1년 후 파노라마방사선사진. 골수염은 잘 치유되었으며 상하악 국소의치를 착용하고 있다.

⊗ Problem lists

1 총상으로 인한 심한 하악골결손

2 임플란트주위염

3 골수염

치료 및 경과

1 임플란트 제거, 배상형성술 및 골이식

2 악간고정

3 약물치료: Amoxicillin clavulanate

4 경과 양호

🔊 Comment

● 총상으로 인해 심한 하악골결손이 발생하였던 환자로서 당시에 안면과 구강연조직 손상에 대한 수술과 광범위한 하악골재건술이 시행되었을 것으로 추정된다. 이후 하악에 다수 임플란트를 식립한 후 보철치료가 완성되었지만 하악 좌측 구치부 임플란트 염증이 지속되었다. 아마 임플란트주위염이 발생하였을 것으로 추정되며 해당 병원에서 적극적인 임플란트주위염 치료를 시행하였음에도 불구하고 환자의 구강위생불량과 하악골의 혈행 불량으로 인해 골수염으로 진행되었을 것이다. 필자가 처음 진찰할 당시 촬영한 방사선사진에서는 하악골 하연 근처까지 골파괴가 진행된 상태였으며 방치할 경우 병적골절(pathologic fracture)이 발생할 위험성이 매우 큰 상황이었다.

골수염 수술은 임플란트를 제거하고 배상형성술을 시행한 후 경과를 관찰하는 것이 원칙이지만 잔존골량이 매우 부족해서 하악골 골절이 발생할 가능성을 소홀히 할 수 없었다. 임플란트와 주변의 염증성병변을 제거한 후 배상형성술을 시행하였다. 화농이 없는 만성감염 상태였기 때문에 골이식을 시행한 후 적극적인 항생제 치료(하루 3회 정맥주사)를 시행하였다. **이와 같이 수용부의 상태가 불량한 증례에서는 자가골 이식을 포함하는 것이 원칙이지만 침습적인 수술을 피하기 위해 골대체재료를 사용할 수밖에 없었다.**

초기 치유 기간 중에 하악골 골절이 발생하는 것을 방지하기 위해 악간고정을 시행하였으나 환자가 매우 고통스러워했기 때문에 퇴원하면서 악간고정을 제거하였다. 악간고정은 최소 4주 정도를 하는 것이 안전하지만 환자가 정상적인 저작을 하기 어려운 상황이기 때문에 최소 4주간 유동식만 섭취하도록 하고 안면부에 충격이 가해지지 않도록 주의하면서 경과를 관찰하였고 골수염은 완치되었다.

Case 13 > #48 발치 후 발생한 만성 골수염

2008년 11월 17일 45세 여자 환자가 #48 발치창 치유부전을 주소로 내원하였다. 타 치과의원에서 2006년 12월 26일 #48 발치 후 치조골염이 발생하여 발치와 재소파술을 시행하고 항생제를 투여하였으나 지속적인 통증과 치유부전 소견을 보여 의뢰되었다. 초진 평가 시 우측 하순과 턱 부위 감각이상이 존재하였으나 하악 우측 치아들의 감각은 정상이었다. 발치창이 움푹 파인 상태로 염증성 육아조직으로 채워져 있었으며 일부 골조직이 노출되어 있었으나 발치창 주변의 통증은 거의 없는 상태였다. 한편 우측 하순 부위를 촉진하면 하순과 턱이 찌릿한 증상이 발생하였다(Fig 2-78). 환자가 내원 시 소지한 외부 방사선사진에서는 #48 발치 전 치근단 부위에 방사선투과성 병소가 존재하고 있었으며 발치 후 염증성 병변이 하악관 근처까지 확산되는 소견이 관찰되었다(Fig 2-79, 80). Skull PA, Mandible CT에서 하악골 우측의 골괴사성 병소가 관찰되었고 bone scan에서는 우측 하악골의 섭취율이 증가된 소견이 관찰되어 만성 골수염으로 진단하고 수술을 계획하였다 (Fig 2-81~83).

2008년 11월 25일 국소마취하에서 피판을 거상한 후 소파술을 시행하면서 1 cm 크기의 부골을 제거하고 조직검사를 의뢰하였다. Vulcanite bur로 배상형성술을 시행한 후 Vaseline gauze를 충전하고 창상을 개방상태로 유지하였다(Fig 2-84, 85). 술후 Fullgram 600 mg, Ketoprofen 100 mg을 근육주사하고 Fullgram 300 mg tid, Somalgen 370 mg tid를 2주 처방하였다. 조직검사 결과는 만성 골수염으로 확진되었다. 3일 간격으로 창상 소독 및 Vaseline gauze 교체를 시행하였으며 2008년 12월 22일 모든 증상이 소멸되고 창상의 이차 치유가 잘 이루어져서 치료를 종료하였다.

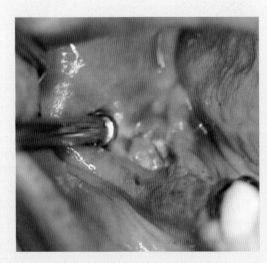

Fig. 2-78. 초진 시 구강사진. 발치창이 염증성 육아조직으로 채워져 있으면서 일부 골조직이 노출된 상태였다.

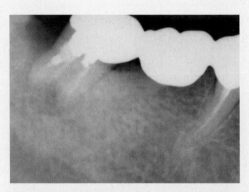

Fig. 2-79. 외부 치과의원에서 발치 전 촬영한 치근단방사선사진. #48 치근단 부위와 원심측에 경계가 불명확한 방사선투과상이 관찰된다.

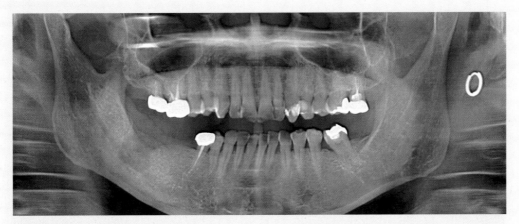

Fig. 2-80. 발치 1년 6개월 파노라마방사선사진. 방사선투과성 병소가 하악관을 침범한 소견이 관찰된다.

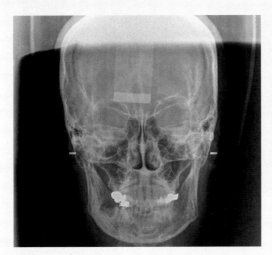

Fig. 2-81. 초진 시 촬영한 Skull PA에서 우측 하악골의 골괴사성 병소가 관찰된다.

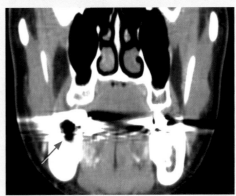

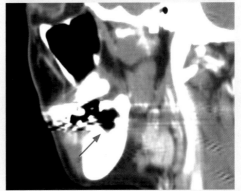

Fig. 2-82. 초진 시 촬영한 CT 사진. 금속물로 인해 영상이 불명확하지만 하악골 우측의 골괴사성 병소가 관찰되고 있다.

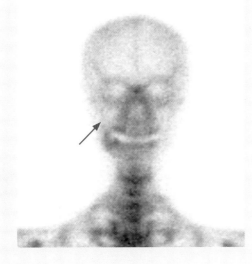

Fig. 2-83. Bone scan에서 우측 하악골의 섭취율이 약간 증가된 소견이 관찰된다.

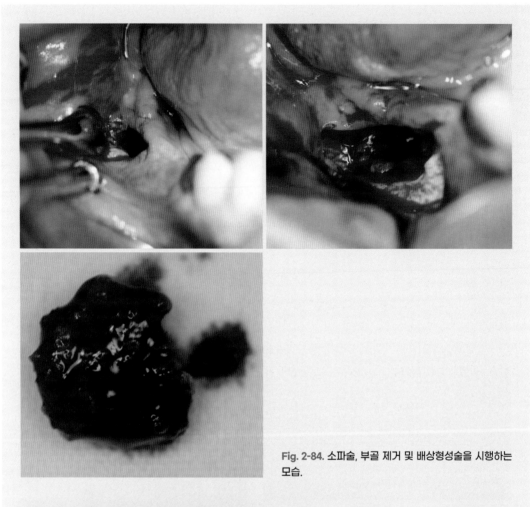

Fig. 2-84. 소파술, 부골 제거 및 배상형성술을 시행하는 모습.

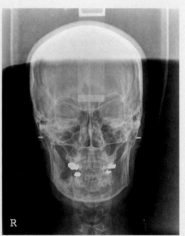

Fig. 2-85. 술후 방사선사진.

⊗ Problem lists

1 발치 전부터 치근단 부위 염증성 병변 존재

2 발치 후 창상 치유부전

3 하순과 턱의 감각이상

치료 및 경과

1 소파술, 부골제거술 및 배상형성술

2 약물치료: Clindamycin

3 예후 양호

◀)) Comment

● 본 증례는 #48 치근단 부위에 경계가 불명확한 방사선투과성 병소가 존재하고 있었던 것으로 보아 발치 전부터 이미 골수염이 진행 중이었음을 추정할 수 있다. 치과의사는 증상 완화를 위해 발치를 시행하였으나 이후 치유가 잘 이루어지지 않으면서 **염증성 병변이 하악관까지 확산되는 양상을 보였다.** 이 때문에 하순과 **턱의 감각이상이 존재하였던 것으로 생각되며 사전에 충분한 설명을 하지 않고 발치가 시행되었다면 의료 분쟁은 불가피했을 것으로 보인다.**

골수염의 치료원칙대로 수술이 시행되었고 항생제는 골침착률이 우수한 Clindamycin이 사용되었으며 좋은 치료결과를 보였다. Clindamycin은 심한 설사와 복통을 동반한 pseudomembranous colitis 발생률이 높기 때문에 잘 사용되지 않는 약제이지만 건강한 젊은 환자들의 골수염 치료에는 좋은 효과를 보인다. 그러나 투여하면서 위장관 부작용 발생 여부를 세심히 관찰해야 한다.

3. 상악동염

> ## Case 1 > 56세 여자 환자에서 좌측 상악동골이식과 임플란트 식립 후 발생한 만성 상악동염과 구강상악동누공

2006년 10월 23일 56세 여자 환자가 좌측 상악 구치부 통증과 고름이 나온다는 주소로 내원하였다. 내원 시 좌측 상악동 부위 종창 및 압통을 호소하였고 물을 마시면 코로 흘러나오며 두통이 심한 상태였다. 내원 전 치과의원에서 2006년 4월 4일 좌측 상악동 골이식 수술, 2006년 9월 4일 임플란트 식립 수술이 시행되었고 이후 상악동염이 발생하였다. 이비인후과와 협진하면서 항생제 치료를 시행하였고 상악동골이식재와 임플란트 제거 및 감염치료를 시행하였음에도 불구하고 증상은 해소되지 않아 의뢰되었다. 구강검사 시 구강상악동누공이 존재하고 있었으며 좌측 안와하부의 통증이 지속된다고 호소하였다. 방사선사진에서는 좌측 상악동의 방사선불투과상이 증가된 소견이 관찰되었다(Fig 3-1, 2). 1주일 간격으로 누공을 통해 상악동 세척술을 시행하면서 Augmentin 625 mg tid, Carol-F tid를 3주 처방하고 0.1% Hexamedin solution으로 하루 3회 구강 가글링을 하도록 지시하였다. 그러나 증상이 호전되지 않았으며 2006년 11월 22일 전신마취하에서 상악동염 수술을 시행하였다. 누공 주변에 절개를 시행하여 피판을 거상한 후 Bone rongeur를 사용하여 상악동 측벽을 확장시키면서 상악동에 접근하였다. 내부의 염증성 조직들을 세척하면서 제거하고 비상악동절개술(nasoantrostomy)을 직경 1 cm 크기로 시행한 후 Foley catheter 삽입하였다. 식염수 10 cc를 주입하여 부풀림으로써 상악동 내부 공간에 압박을 가하였고 코를 통한 배농 통로를 확보하였다. 누공의 완벽한 폐쇄를 위해 유경협지방대를 채취하여 결손부를 덮은 후 상방점막을 견고하게 봉합하였다. 술후 인상을 채득하여 모형을 제작하고 얇은 Omnivac으로 창상 보호용 스텐트(wound protection stent)를 제작하여 착용시켰다(Fig 3-3~5). 술후 Unasyn (Sultamicillin tosylate) 375 mg bid, Naxen-F 500 mg bid, Actifed (Pseudoephedrin/Triprolidin) 1 tab bid를 5일 처방하였다. 4일 후 Foley catheter를 제거하였고 2주 후 봉합사를 제거하였다. 수술 3주 후 만성 상악동염 증상들은 거의 해소되었으나 구강상악동누공은 약 8 mm 크기로 재발되었다. 인상을 채득한 후 Omnivac stent를 다시 제작하여 착용시키고 항시 착용을 권고하였다. 2007년 2월 12일 내원 시 이차치유가 잘 이루어지면서 구강상악동누공은 완전히 폐쇄되었다(Fig 3-6).

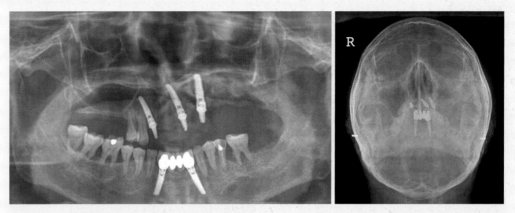

Fig. 3-1. 56세 여자 환자의 초진 시 방사선사진. 좌측 상악동의 방사선불투과상이 증가되어 있으며 거대한 구강상악동누공이 존재하는 상태였다.

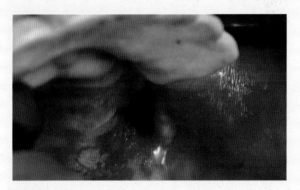

Fig. 3-2. 초진 시 구강사진. 거대한 구강상악동누공이 관찰된다.

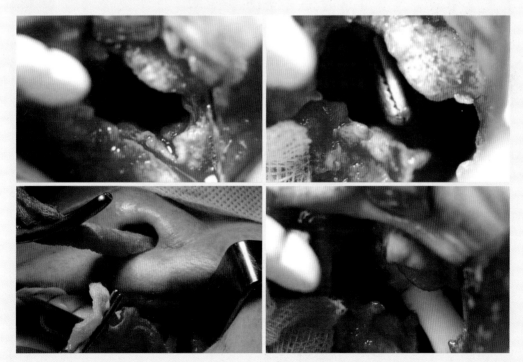

Fig. 3-3. 상악동에 접근하여 염증성 병변을 제거하고 nasoantrostomy를 시행하는 모습.

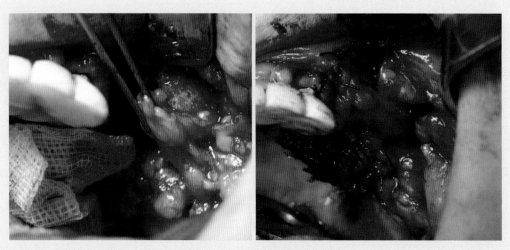

Fig. 3-4. 유경협지방대를 채취하여 결손부를 덮고 그 위에 점막피판을 봉합하였다. 술후 창상 보호를 위해 Omnivac stent를 장착하였다.

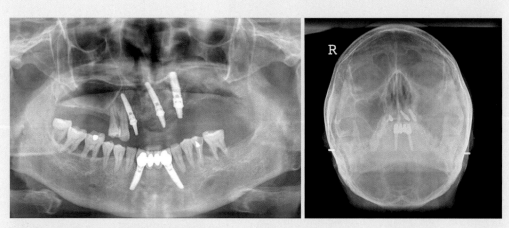

Fig. 3-5. 수술 1주 후 방사선사진.

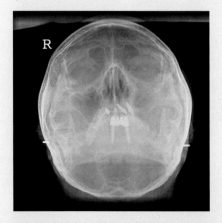

Fig. 3-6. 2006년 11월 28일 촬영한 Waters' view. 좌측 상악동의 점막 비후 소견은 여전히 남아 있으나 상악동염 증상들은 완전히 소멸되었고 구강상악동누공도 완전히 폐쇄되었다.

1 만성 상악동염

2 거대한 구강상악동누공

🗐 **치료 및 경과**

1 상악동감염에 대한 외과적 처치 및 구강상악동누공 폐쇄술

2 유경협지방대

3 Omnivac stent

4 경과 양호

🔊 **Comment**

● 2006년 당시에는 치과 내에 CBCT가 없어서 상악동염에 대한 진단을 위해 CT를 일상적으로 촬영하지 않았다. 상악동병변이 잘 치유되지 않거나 상악동 주변의 골파괴가 심할 경우엔 의과용 CT를 촬영하였다. CT 촬영을 하지 못한 경우에 Waters' view에서 상악동의 방사선불투과상의 범위를 기준으로 염증의 정도와 치료 후 반응에 대한 평가를 하였다.

만성상악동염의 수술적 처치는 상악동에 직접 접근하여 이물과 염증성병변을 제거하는 것이다. 과거에는 상악동점막을 모두 제거하는 침습적 수술, 일명 Caldwell-Luc 수술을 시행하였으나 술후 합병증이 많고 술후낭종이 발생하는 경향을 보여 더 이상 사용되지 않는다. 이 술식은 상악동내 종양이 존재할 경우에 한해서 적용된다. 필자는 상악동의 측벽을 제거하여(가급적 2 cm 이상으로 넓게 형성) 충분히 시야를 확보하고 상악동내를 식염수로 충분히 세척하면서 고름, 이물 및 염증성 조직들을 제거하고 잔존 상악동점막은 최대한 보존한다. 잔여 골이식재 등의 이물을 제거하기 위해 curette과 같은 기구로 박박 긁어내는 방법은 피해야 한다. 이후 상악동내의 혈액이나 잔여 염증성 산물들이 외부로 배출될 수 있는 통로를 만들기 위해 nasoantrostomy (inferior nasal meatus 부근에 직경 1 cm 크기로 형성)를 시행하고 Foley catheter를 삽입한다. 적정량(식염수 5-10 cc)을 주입하여 풍선을 부풀리면 catheter가 잘 고정되며 상악동내를 압박함으로써 출혈 등을 방지하는 효과도 있다. Catheter는 2-3일 후 제거하고 nasoantrostomy hole을 통해 식염수로 상악동세척술을 시행한다.

구강상악동누공의 폐쇄는 결코 쉽지 않다. 수술 후에도 재발되는 경향이 매우 많기 때문에 단순 봉합술은 절대로 시도해선 안 된다. 반드시 주변의 유경피판(구개회전피판, 유경협지방대 등)을 사용하여 견고하게 층별로 봉합해야 한다. 그래도 창상이 일부 벌어지면서 누공이 재발될 수 있는데 누공의 크기가 지나치게 크지 않다면 상악동염증이 소멸되면서 잘 폐쇄될 수도 있다. 이때 창상을 보호하고 누공을 통해 이물이 상악동으로 들어가는 것을 방지하기 위해 적절한 형태의 스텐트를 장착하는 것이 좋다.

CHAPTER 1

Case 2 > 상악동점막 거상술 후 발생한 급성 상악동염

    2008년 2월 25일 60세 남자 환자가 우측 안면 통증을 주소로 내원하였다. 1980년과 1990년경에 이비인후과에서 2회 축농증 수술을 받은 병력이 있었고 **2008년 1월 18일** 치과의원에서 우측 상악동점막 거상술 도중에 낭종을 제거한 병력이 있었다. **2008년 2월 17일**부터 통증이 시작되었고 본원 내원 2일 전에는 고름이 터져 나왔다고 호소하였다. 우측 안면부 부종성 종창을 보이면서 안와하부 촉진 시 압통이 심하였다. 방사선사진에서는 우측 상악동의 방사선불투과상이 증가한 소견을 보였다(**Fig 3-7**). 급성 상악동염으로 잠정진단하고 Clindamycin 300 mg tid를 5일 처방하였다.

    약물치료 후에도 증상이 개선되지 않아서 **2008년 3월 4일** 국소마취하에 우측 상악 구치부 절개 및 배농술을 시행하였다. 절개 후 Mosquito로 상악동에 접근한 결과 다량의 농이 배출되었으며 채취된 고름은 농배양 및 항생제감수성검사를 의뢰하였다. 상악동 내부를 생리식염수로 충분히 세척한 후 Silastic drain을 삽입하고 봉합하여 고정하였다. 술후 항생제는 경험적으로 Clindamycin 300 mg tid를 7일 처방하고 2일 간격으로 상악동세척술을 시행하였다. 농배양검사 결과 *Klebsiella pneumonia*, *Staphylococcus epidermidis*가 다량 배양되었으며 Penicillin과 Clindamycin 계열의 항생제에는 저항성이 있어서 감수성이 있다고 판별된 Ciprofloxacin 500 mg bid를 10일 처방하였다. drain은 **2008년 3월 6일** 제거하였다(**Fig 3-8~12**).

    2008년 4월 17일 우측 뺨 종창과 통증이 재발하여 내원하였다(**Fig 3-13**). Waters' view에서 우측 상악동의 방사선불투과상이 여전히 존재하고 있었으며 국소마취하에서 절개배농술을 다시 시행하고 상악동을 생리식염수로 충분히 세척하였다. 재차 시행한 농배양검사 결과 *Viridans streptococcus group*이 다량 배양되었고 항생제감수성검사를 토대로 Amoxicillin/clavulanate 625 mg tid를 2주 처방하였다. 그러나 증상이 호전되지 않고 만성화되는 경향을 보였으며 **2008년 6월 11일** 전신마취하에서 Caldwell-Luc 접근법을 통한 상악동염 처치를 시행하였다. 상악동 내부를 충분히 노출시킨 후 염증성병변을 제거하고 생리식염수로 충분히 세척한 후 nasoantrostomy를 시행하였다. Foley catheter 삽입한 후 식염수 8 cc를 주입하여 풍선을 부풀려서 고정하고 창상을 봉합하였다. 술후 Banan (Cefpodoxime) 100 mg bid를 5일 처방하고 2-3일 간격으로 상악동세척술을 시행하였다. 이후 임상증상들이 거의 소멸되었으며 **2008년 10월 9일** 치료를 종료하였다(**Fig 3-14**).

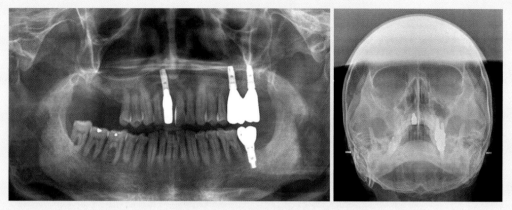

Fig. 3-7. 60세 남자 환자의 초진 시 방사선사진. #16, 17이 소실된 상태이며 우측 상악동의 방사선불투과상이 증가한 소견을 보이고 있다.

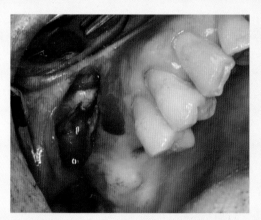

Fig. 3-8. 전정부에 2 cm 정도의 절개를 시행한 모습.

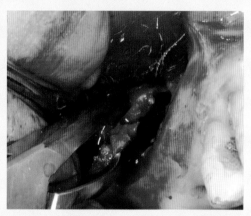

Fig. 3-9. 상악동 측벽을 노출시킨 후 골창을 제거하였다.

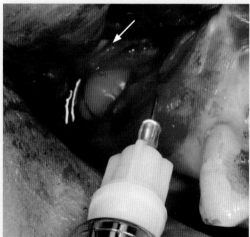

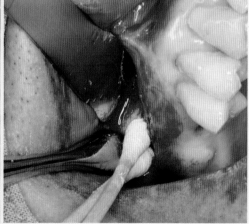

Fig. 3-10. 상악동내에서 배농되는 농(화살표)을 채취하여 농배양검사와 항생제감수성검사를 의뢰하였다.

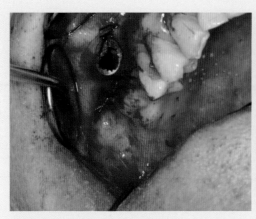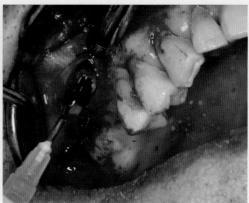

Fig. 3-11. Silastic drain을 상악동 내부에 삽입하고 봉합하여 고정한 모습.

Fig. 3-12. 생리식염수로 충분히 상악동을 세척하는 것이 중요하다.

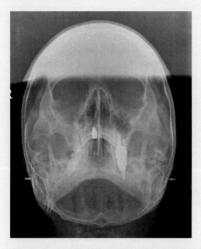

Fig. 3-13. 2008년 4월 17일 촬영한 Waters' view.

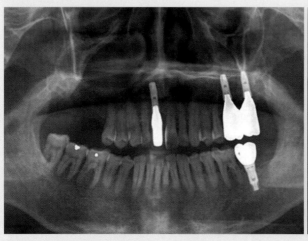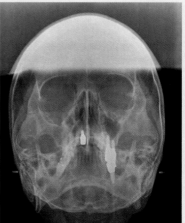

Fig. 3-14. 2008년 10월 9일 촬영한 방사선사진.

⊗ Problem lists

1️⃣ 과거에 이비인후과에서 2회 축농증 수술

2️⃣ 치과에서 임플란트 식립을 위한 상악동점막 거상술 시행

3️⃣ 급성 상악동염

4️⃣ 절개배농술과 항생제 치료 후에도 계속 재발됨

📋 치료 및 경과

1️⃣ 절개배농술 및 항생제 치료: Clindamycin → Ciprofloxacin → Amoxicillin/clavulanate → Cefpodoxime

2️⃣ 상악동염에 대한 수술적 치료: Caldwll-Luc 접근법

3️⃣ 경과 양호

🔊 Comment

● 본 증례를 살펴보면 독자들은 왜 CT를 촬영하지 않았는지 의아해할 것이다. 굳이 변명한다면 2008년 당시에는 치과 내에 CBCT가 없었으며 상악동염 환자들에게 의과용 CT를 촬영하는 것도 건강보험으로 잘 인정되지 않는 등의 많은 문제가 있었다. 그러나 **2회 절개배농술과 항생제 치료에도 불구하고 재발되어 수술적 처치를 결정하였다면 당연히 PNS CT를 촬영했어야 했다. Waters' view만을 토대로 치료 경과를 파악하였지만 만약 진균감염이나 악성종양으로 진단되었다면 심각한 의료분쟁이 발생하였을 것이다.**

독자들이 본 증례에서 시행된 절개배농술 과정을 잘 살펴보면 임상적으로 큰 도움이 될 것이다. 상악동염의 1차 처치도 일반적인 감염처치와 동일하다. 경험적 항생제(본 증례에서는 Clindamycin을 사용하였음)를 투여하면서 경과를 살펴보다가 호전되지 않으면 신속히 절개배농술을 시행하고 여건이 허락된다면 농배양검사와 항생제감수성검사를 토대로 적절한 항생제를 선택하여 처방한다. 절개하여 상악동의 측벽을 노출시킨다. 이전의 상악동 관련 수술로 인해 골창이 제거된 상태라면 그 부위로 mosquito를 삽입하여 상악동 내부로 접근한다. 그러나 골벽이 그대로 남아있다면 외과용 바를 사용해서 최소 1 cm 이상 크기로 골창을 형성한 후 상악동 내부로 접근해야 한다. **Rubber 혹은 silastic drain을 삽입하고 반드시 주위 조직과 봉합하여 고정해야 한다.** 그렇지 않으며 음압으로 인해 상악동 내부로 drain이 들어가는 경우가 많기 때문이다. **Drain은 절대로 gauze (예: Nu-gauze) 재질을 사용해선 안 된다.** gauze는 피나 고름으로 적셔지는 순간부터 drain의 역할을 상실하며 오히려 감염원으로 작용할 수 있기 때문이다. drain 삽입 후 상악동 내부를 생리식염수로 충분히 세척한다. 즉 고름이나 오염된 이물이 나오지 않을 때까지 세척하면 된다.

수술 후 관리도 매우 중요하다. 2-3일 간격으로 내원시켜서 drain 삽입 부위나 nasoantrostomy site를 통해 상악동세척술을 시행하는데 역시 고름이나 오염물이 나오지 않을 때까지 충분히 세척해야 한다. 환자를 직립 자세로 유지하고 턱 밑에 농반을 대고 세척술 전에 다음과 같이 연습시킨다. "숨을 들이키세요. 이후 제가 아--- 하고 소리를 내면 따라하시면 됩니다." 2회 정도 환자에게 연습시킨 후 18 gauze needle(바늘 끝을 뭉툭하게 다듬어서 사용)을 삽입하고 생리식염수로 세척술을 시행한다. 항생제감수성검사를 토대로 적절한 항생제를 투여하고 세척술 시 고름이나 이물이 나오지 않고 깨끗한 식염수만 배출되는 것이 관찰되면 배농관을 제거한다. 이후 항생제를 5일 이상 추가로 처방한 후 치료를 종료한다.

본 증례는 2회 절개배농술을 시행하였음에도 불구하고 계속 재발되면서 만성 상악동염으로 진행되었다. 이러한 경우엔 좀더 근치적 치료를 고려하는 것이 좋다.

즉 Caldwell-Luc 접근법을 통해 상악동 내부를 충분히 노출시킨 후 염증성병변을 제거한다. 그러나 **상악동내 점막을 "박박" 긁어내선 안 된다.** 상악동 내부를 충분히 세척하고 nasoantrostomy를 시행한 후 통상적인 상악동세척술을 시행하면 좋은 치료결과를 얻을 수 있다. 항생제는 농배양검사결과를 토대로 Amoxicillin/clavulanate으로 교체하여 처방한 후 감염이 완화되었다. 그러나 다시 재발한 감염에서는 *Viridans streptococcus group*이 다량 배양되었고 Cephalosporin 계열의 항생제로 교체하여 처방하였다. Banan (cefpodoxime proxetil)은 Cephalosporin 계열의 항생제로서 포도구균, 연쇄구균, 폐렴연쇄구균, 임균, 펩토연쇄구균, 모락셀라 카타랄리스, 대장균, 시트로박터, 클레브시엘라, 엔테로박터, 프로테우스(프로테우스 미라빌리스, 프로테우스 불가리스, 프로비덴시아 레트게리, 프로비덴시아 인콘스탄스), 인플루엔자균 등에 효과가 있기 때문에 중이염, 부비동염, 치성감염 등의 치료에 많이 사용된다.

Case 3 > 좌측 만성 상악동염으로 이비인후과 수술 예정인 환자를 원인치아 #26을 발치하고 발치창을 통한 상악동세척술을 통해 치유시킨 증례

36세 남자 환자가 이비인후과에서 부비동염 수술 전 치성감염으로 인한 원인을 확인하기 위해 의뢰되었다. 초진 시 #26에서 타진 시 통증과 치은 종창이 있었고 방사선사진에서 좌측 상악동 전체가 방사선불투과상을 보이면서 #26 치근단병소가 존재하는 것이 확인되었다(Fig 3-15). **2019년 2월 18일** 국소마취하에서 #26을 발치하고 의도적으로 발치창에 Mosquito를 삽입하여 구강상악동을 개통시킨 결과 다량의 농이 배출되었다. 농배양과 항생제감수성검사를 의뢰하고 발치창을 통해 생리식염수로 세척술을 시행하였다. 술후 Cephalexin 1g bid를 5일 처방하였다. 농배양검사 결과 *Viridans streptococcus group, Candida albicans, Staphylococcus aureus*가 다량 확인되었다. 항생제감수성검사에서 Panicillin 계열에 저항성을 보여 Ciprofloxacin 500 mg bid를 7일 처방하였다. 이후 2주 간격으로 구강상악동누공을 통해 상악동세척술을 시행하면서 경과를 관찰하였고 **2019년 3월 7일** 상악동세척술을 시행할 때 농이 현저히 감소되는 양상을 보였다. **2019년 3월 18일** 좌측 상악동염이 완전히 소멸된 것을 확인하고 치료를 종료하였으며 이비인후과 수술은 취소되었다(Fig 3-16).

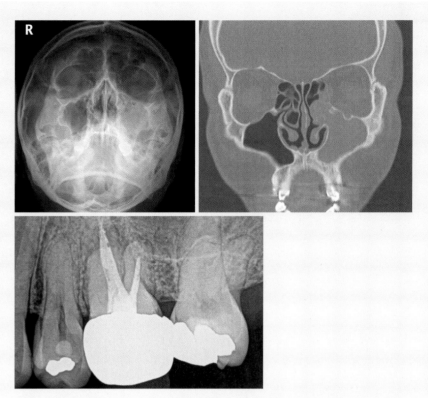

Fig. 3-15. 36세 남자 환자의 초진 시 방사선사진. #26 치근단병변으로 인한 좌측 상악동염으로 진단되었다. PNS CT에서 좌측 상악동 전체가 방사선불투과상을 보이며 사골동으로 확산된 소견이 관찰되었다.

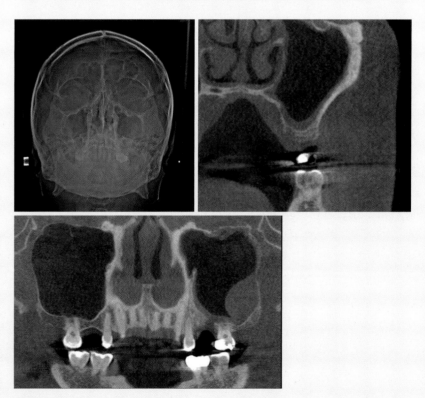

Fig. 3-16. #26 발치 1개월 후 방사선사진. 좌측 상악동의 방사선불투과상이 거의 소멸된 소견을 볼 수 있다.

1 만성 상악동염

2 이비인후과 수술 예정

3 #26 치근단병변

📋 **치료 및 경과**

1 #26 발치 후 발치창을 통한 상악동세척술

2 항생제: Cephalexin → Ciprofloxacin

3 경과 양호

🔊 **Comment**

● 이와 같은 증례를 개원의들이 유심히 살펴볼 필요가 있다. 상악동염 진단 시 CT를 반드시 촬영해 보아야 한다. 그러나 보험 삭감 등의 문제가 걱정된다면 최소한 panorama와 함께 Waters' view를 촬영하고 의심되는 치아들이 존재하면 periapical view를 촬영해서 잘 확인해 보아야 한다. **치아가 원인이라고 확신된다면 근관치료를 다시 시도해 볼 수도 있지만 필자는 발치를 적극 권장한다.** 왜냐하면 근관치료를 통해 원인치의 감염을 완전히 해소하기 어려우며 설사 가능하다 하더라도 치료기간이 너무 길게 소요되고 재발 가능성도 매우 높기 때문이다.

상악동염의 원인치가 분명히 확인되면 발치를 시행한 후 의도적으로 발치창 첨부를 관통하여 상악동을 노출시킨다. 이때 발치창을 통해 농이 배출되는 경우가 많으며 배출된 농은 수집하여 농배양검사와 항생제감수성검사를 의뢰하는 것이 좋다. 이 검사는 대학병원에서만 가능한 것이 아니며 개원의들이 마음만 먹으면 충분히 관련검사기관과 접촉해서 쉽게 검사할 수 있다. 농이 나오지 않더라도 상악동을 관통시켜서 확인해 보는 것은 절대 나쁘지 않다.

농배양검사 결과를 토대로 적절한 항생제를 선택하여 처방하고 주기적으로 발치창을 통해 상악동세척술을 시행하면 본 증례와 같이 좋은 결과를 보이는 경우가 매우 많다. 그러나 환자에게 치료 시작 전에 다음과 같이 충분히 설명을 해야 한다.

"발치 후 항생제 치료를 약 1개월 정도 해 본 후 증상이 개선되지 않으면 이비인후과 치료 혹은 수술을 받아야 합니다.", "발치 후 물을 마시거나 양치질을 할 때 코로 나오는 증상이 있고 발음이 새는 등 불편감이 있을 것입니다. 그러나 상악동염이 잘 치유되면 저절로 막힐 수도 있습니다."

상악동세척술을 시행할 경우엔 환자를 직립자세로 앉게 한 후 발치창을 통해 생리식염수를 강하게 주입한다. 사전에 환자의 정면에 에이프론을 착용하고 턱 밑에 농반을 받은 상태에서 Case 2에 설명한 방법대로 세척술을 시행하면 된다.

Case 4 > 40세 여자 환자에서 발생한 좌측 상악동염이 안와벽까지 확산된 증례

2013년 5월 9일 40세 여자 환자가 입에서 나는 심한 악취를 주소로 내원하였다. 환자는 두통과 콧물, 목으로 무엇인가 넘어간다고 호소하였다. 환자는 **2012년 11월 7일** 타 치과의원에서 좌측 안면 종창과 상악 좌측 구치부 통증에 대한 치료를 위해 #26, 27, 28을 발치하고 절개배농술을 시행하였으며 증상이 호전되지 않아 **2012년 12월 28일** #25 발치 및 절개배농술을 시행 받은 병력이 있었다. 의과적 병력은 간질 치료를 받고 있었다. 방사선사진에서 좌측 상악동의 경계가 불분명하고 방사선불투과상을 보이는 소견이 관찰되었다(**Fig 3-17**). 만성상악동염으로 잠정진단하고 혈액검사와 PNS CT 촬영을 의뢰하였다. 검사 결과 CRP 1.77 (정상 0–0.5)을 보였고 CT에서는 좌측 상악동의 불투과상과 상악동저와 안와저의 다발성 골결손 소견을 보이면서 골수염과 침습적 진균감염이 동반된 만성상악동염으로 진단되었다(**Fig 3-18**). 이비인후과에 협진을 의뢰하였고 **2013년 7월 8일** Endoscopic pansinus surgery가 시행되었다. 술후 Kmoxilin (Amoxicillin 500 mg + Clavula 125 mg) 625 mg tid, Selbex (Teprenone) 50 mg bid, Tacenol ER 650 mg tid, Xyzal (Levocetirizine) 5 mg qd, Stillen 60 mg tid로 5일, 좌측 코에 분사하는 Encle nas. 0.65% 50 mL와 Nasonex nasal 140 dose (mometasone furoate)이 처방되었다. 수술 중 채취한 시편을 조직검사한 결과 actinomycotic colonies이 다량 존재하는 만성 상악동염으로 진단되었다. 이후 이비인후과와 구강악안면외과 외래에서 경과를 관찰하였으나 **2013년 7월 29일** 구강상악동누공이 발생한 것이 확인되었다. Actinomycotic infection과 진균감염 가능성에 대해 감염내과에 협진을 의뢰하였고 Amoxicillin 계열의 항생제 사용을 추천 받아 Amoclan duo 500 mg (Amoxicillin/clavulanate 7:1) 2T tid를 1개월 처방하였다. **2013년 8월 12일** 내원 시 구강상악동누공은 거의 소멸되었다. **2013년 8월 22일** 입과 코에서 심한 악취가 나서 이비인후과를 방문하였으며 Amoclan duo를 1개월 처방하고 경과를 관찰하였으나 호전되지 않고 재발 징후(콧물, 악취)를 보였다. 이비인후과와 감염내과 진료를 받으면서 항생제 치료를 총 9개월 시행 받았음에도 불구하고 이전과 유사한 증상이 발생하여 **2014년 4월 3일** 전신마취하에서 좌측 상악동에 대한 내시경수술과 inferior turbinectomy가 시행되었다. 술후 Kmoxilin 625 mg 1T tid, Xyzal 5 mg qd, Tacenol ER 650 mg tid를 1주 처방하였다. 퇴원 후에는 Augmentin 625 mg tid 3주 더 처방하였고 **2014년 8월 5일** 치료가 종료되었다.

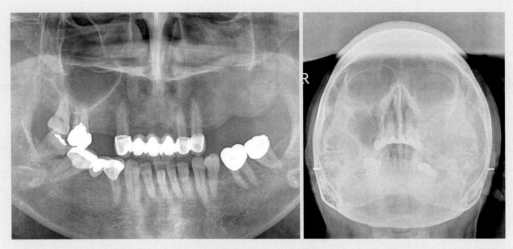

Fig. 3-17. 40세 여자 환자의 초진 시 방사선사진. 파노라마방사선사진에서는 #14, 15, #24-27 부위가 소실된 상태이며 좌측 상악동의 경계가 불분명한 소견을 보이고 있다. Waters' view에서는 좌측 상악동 전체가 방사선불투과상을 띠고 있었다.

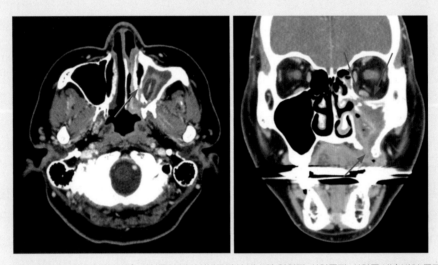

Fig. 3-18. PNS CT에서 좌측 상악동의 방사선불투과성 병소와 안와저, 상악동저, 상악동 내측벽의 골파괴(화살표) 소견이 관찰된다.

⊗ Problem lists

1 만성 상악동염

2 Actinomycotic infection

3 재발 및 장기간의 치료

🖐 치료 및 경과

1 수술적 치료 2회: 이비인후과 부비동내시경수술 및 septoturbinoplasty

2 감염내과 협진

3 장기간의 항생제 치료

4 경과 양호

🔊 Comment

● 본 증례는 **치과의원에서 발치 등의 치료를 하기 전부터 만성 부비동염이 존재하고 있었을 것이 분명하다.** 이런 증례들을 치과에서 많이 접할 수 있으며 CT 등을 촬영하지 않고 치료를 시행할 경우 치과의사의 잘못으로 인해 부비동염이 발생하였다는 누명을 쓸 가능성이 크다. CT가 없다면 최소한 Waters' view를 촬영하고 **상악동벽과 안와저의 골파괴 소견이 의심된다면 절대로 손을 대지 말고 이비인후과 전문의와 협진을 하거나 상급의료기관으로 의뢰해야 한다.**

본 증례에서 초진 시 촬영한 Waters' view를 잘 살펴보면 안와저와 상악동 골벽의 형태가 불분명한 것이 관찰되며 골파괴를 의심할 수 있다. PNS CT에서 확실하게 골파괴 및 침습적 병소가 확인되었다. 이런 경우엔 진균감염이나 악성종양을 의심하고 감별진단을 확실히 수행해야 한다. 이비인후과에 협진을 의뢰한 후 수술 및 약물처치가 시행되었다. 그러나 이비인후과에서도 치료에 몹시 어려움을 겪었으며 장기간의 항생제 치료가 시행되었다.

이비인후과에서 사용된 약물들 중 Teprenone과 Eupatilin는 위궤양과 위염 치료제로 위장관점막 혈류촉진과 점막보호 역할을 한다. Levocetirizine은 항히스타민제로 알레르기성 비염 증상을 완화한다. Enclenas은 비점막에 수분을 공급하여 증상을 완화시킨다. Mometasone furoate은 항염증 작용이 있는 스테로이드 계열의 약물이다. 주로 외용으로 사용되며 비강 분무제는 비염, 비용종, 급성부비동염의 치료에 사용되고, 크림, 연고 및 로션제는 피부의 가려움증과 염증을 완화시키는 데 사용된다.

Case 5 > 67세 남자 환자에서 상악동골이식과 임플란트 식립 후 발생한 만성 상악동염

2005년 9월 8일 67세 남자 환자가 물을 먹으면 코로 샌다는 증상을 주소로 내원하였으며 하루 1갑 반 정도의 담배를 피는 심한 흡연가(Heavy smoker)였다. 타 치과의원에서 2004년 9월경 양측 상악동골이식술을 시행 받은 후 2005년 2월 말경에 임플란트가 식립되었으나 실패하였다. 이후 상악 우측 구치부 구강상악동누공이 발생하여 3-4차례 폐쇄술을 시도하였으나 계속 재발되었다. 2005년 9월 7일경 상악 좌측 코막힘과 귀막힘 증상이 동반된 급성 상악동염이 발생하여 이비인후과에서 치료(코를 통한 세척술을 받았다고 함)를 받고 약처방을 받았다. 이후 치과에서 작성한 진료의뢰서를 소지하고 본원에 내원하였다. 파노라마방사선사진에서 양측 상악 구치부에 3개의 임플란트가 잔존하고 있으며 후방에 식립한 임플란트들은 모두 실패하여 제거된 상태였다. Waters' view에서는 우측 상악동의 방사선불투과상의 증가와 좌측 상악동의 air-fluid level의 영상이 관찰되었다(Fig 3-19). 구강검사 시 #16 부위에 작은 크기(약 2-3 mm)의 누공이 존재하고 있으며 고름 유출은 없는 상태였다. 임상 및 방사선 소견을 토대로 우측 만성 상악동염과 좌측 급성 상악동염으로 진단하였다. 현재 이비인후과에서 처방받은 약을 그대로 복용하도록 하고 2005년 9월 12일 국소마취하에서 우측 상악동 소파술 및 세척술을 시행하였다. 누공 주변으로 절개하여 피판을 거상한 후 상악동을 노출시켰다. 이전에 상악동골이식을 시행하면서 형성된 골창이 남아있어서 상악동으로 쉽게 접근할 수 있었다. 눈에 보이는 염증성 육아조직(점액성과 섬유성 육아조직들이 혼재되어 있었음)을 제거하여 조직검사와 조직배양검사를 의뢰하였다(Fig 3-20). 유경협지방대를 채취하여 누공 부위를 덮고 그 상방 점막을 견고하게 봉합하였다(Fig 3-21). 술후 투약은 Augmentin 625 mg tid, Carol-F 1T tid 5일분과 Clindamycin 300 mg, Topren 100 mg을 근육주사하였다. 환자가 심한 흡연가여서 금연을 강력히 권고하였다. 조직배양검사 결과 *Klebsiella pneumoniae*가 다량 검출되었고 항생제감수성검사에서는 Cephalosporin과 Amoxicillin 계열의 항생제에 민감성을 보여서 술후 처방했던 약물을 1주 더 처방하였다. 조직검사 결과는 만성 상악동염으로 진단되었다. 2005년 9월 22일 봉합사를 제거하였고 임상증상들은 현저히 완화되었다. 2005년 10월 6일 내원 시 구강상악동누공은 완전히 폐쇄되었고 좌측 상악동염 증상들도 완전히 소멸되어 치료를 종료하였다(Fig 3-22).

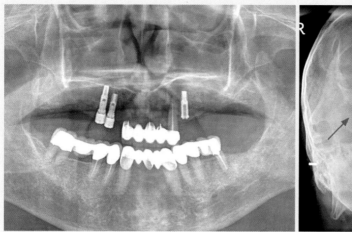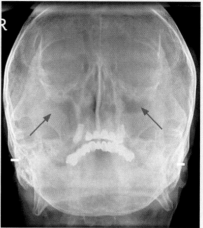

Fig. 3-19. 67세 남자 환자의 초진 시 방사선사진. 파노라마방사선사진에서 양측 상악 구치부에 3개의 임플란트가 잔존하고 있으며 후방에 식립한 임플란트들은 모두 실패하여 제거된 상태였다. Waters' view에서는 우측 상악동의 방사선불투과상의 증가와 좌측 상악동의 air-fluid level의 영상이 관찰되었다.

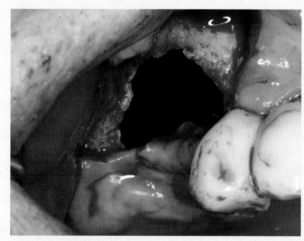

Fig. 3-20. 상악동을 노출시킨 후 내부의 염증성 육아조직들을 제거한 모습. 기존에 상악동거상술이 시행되었기 때문에 피판을 거상하여 상악동을 노출시키는 것은 매우 용이하였다.

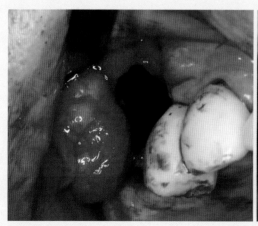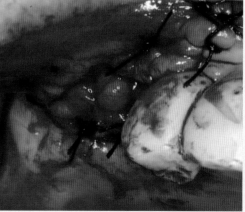

Fig. 3-21. 유경협지방대를 이용하여 누공을 폐쇄하는 모습.

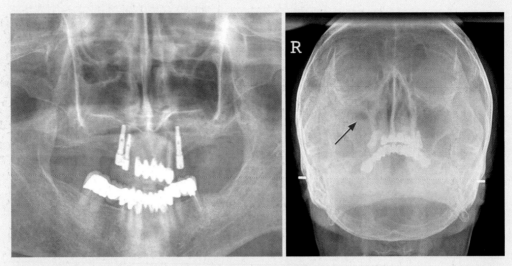

Fig. 3-22. 2005년 10월 6일 촬영한 Sinus panorama and Waters' view. 좌측 상악동염은 완전히 소멸되었으나 우측 상악동에서는 air-fluid level(화살표)이 관찰되고 있다. 감염이 아니고 수술 중 발생한 혈병이 남아있는 것으로 추정되었으며 임상증상이 없어서 치료를 종료하였다.

⊗ Problem lists

1 양측 상악동골이식 후 임플란트 지연식립

2 임플란트 실패

3 양측 상악동염

4 치과의원에서 우측 구강상악동누공에 대한 치료를 수차례 시행하였으나 실패함

🗐 치료 및 경과

1 좌측 급성상악동염에 대한 이비인후과 치료

2 우측 만성상악동염과 구강상악동누공에 대한 외과적 처치

　 염증성 조직 소파술 후 구강상악동누공 폐쇄술: 유경협지방대

3 경과 양호

🔊 Comment

● 우측 상악동염은 수차례 치료 실패로 인해 만성화되면서 구강상악동누공이 발생한 상태였다. 치과의원에서 시행된 치료 내용을 정확히 알 수는 없지만 항생제 치료와 단순 봉합술이 시행되었을 것으로 추정된다. **구강상악동누공은 상악동 내부의 염증성 병변이 소멸되지 않으면 절대로 폐쇄되지 않는다.** 설사 국소피판 등을 이용하여 견고히 봉합한다 해도 결국 재발하는 경향을 보인다. 이와 같은 상황에 접한다면 상악동을 노출시킨 후 내부의 염증성 조직들을 제거해야 한다.

이후 충분히 식염수로 세척한 후 항생제를 처방하고 경과를 관찰하면 양호한 치유를 보이는 경우가 많다. 상악동 내부의 염증성 조직을 완벽히 제거할 수는 없기 때문에 눈에 보이는 것들만 제거하고 식염수로 충분히 세척하면 된다. 잔여 염증들은 natural ostium을 통해 배출되고 항생제 치료에 효과를 보이면서 소멸된다. **상악동 내부의 염증과 이물(이전의 골이식재)을 완전히 제거하기 위해 상악동골벽을 "빡빡" 긁어대는 행위는 절대로 해선 안 된다.** 염증은 외과적으로 완전히 제거할 수도 없으며 잔존하고 있는 건강한 상악동점막에 손상을 줌으로써 술후낭종과 같은 합병증이 발생할 수 있기 때문이다. 제거된 염증성 조직들도 가급적 조직검사와 조직배양검사를 의뢰하는 것이 좋다. 치과의사들이 마음만 먹는다면 충분히 가능한 일이므로 대학병원에서나 가능한 검사라고 포기할 필요는 없다. 특히 기존에 상악동골이식술이 시행된 상태라면 상악동에 대한 외과적 접근이 매우 쉽다. 이미 골창이 형성되었고 염증으로 인해 파괴되면서 충분히 넓어진 상태일 것이다. **상악동거상술 및 골이식술을 시행하는 치과의사가 상악동염에 대한 외과적 처치를 하지 못한다는 것은 문제가 있다. 반드시 수술한 당사자가 일차적으로 해결해야 한다. 만약 해결할 자신이 없다면 시간을 끌지 말고 신속히 관련 전문의에게 의뢰해야 할 것이다.** 좌측 상악동은 급성염증 소견을 보였으며 이비인후과에서 치료를 받고 항생제를 처방받은 후 잘 치유되었다. 또한 본원에서 우측 만성상악동염에 대한 외과적 처치 후에도 항생제가 처방되었기 때문에 완치될 수 있었다. 급성상악동염의 일차치료는 항생제이다. 대부분 경험적 항생제를 사용하면 잘 조절되는 경향을 보인다. 1차 약물로 Amoxicillin/clavulanate 또는 Cephalosporin 계열 항생제를 사용하고 2차 약물로는 Macrolide, Quinolone 계열 항생제를 선택할 수 있다. 짧게는 10일, 길게는 3주간 투여한다. 안와(orbital cavity)와 두개강(cranial cavity)까지 감염이 확산되었다면 BBB (Blood Brain Barrier)를 통과할 수 있는 항생제인 Ceftriaxone과 같은 약물을 사용한다.

최종 경과관찰 시 촬영한 Waters' view에서 좌측 상악동은 방사선투과상을 보이면서 완전히 치유된 소견을 보였다. 그러나 우측 상악동은 air-fluid level의 급성상악동염에 준하는 소견을 보였으나 임상증상은 전혀 없었다. 즉 외과적 수술 후 발생한 혈병과 점막의 비후로 인해 air-fluid level을 보이고 있는 것으로 판단되며 임상증상이 완전히 소멸되어 별다른 처치는 시행하지 않았다. 본 증례에서 PNS CT를 촬영하지 않았던 것이 아쉽다. 굳이 변명한다면 일차치료 후 치료효과가 좋았고 Waters' view와 임상증상으로 진단이 가능했으며, 상악동염 진단하에 PNS CT를 촬영할 경우 보험에서 인정되지 않는 경우가 많았기 때문인 것 같다. **상악동염이 잘 치료되지 않고 만성상태로 진행되거나, 상악동골벽의 파괴가 심한 경우엔 반드시 CT를 촬영해야 한다.** 그러나 임상의 판단하에 반드시 필요하다면 촬영하는 것이 옳으며 보험 청구 시 내역설명을 아주 상세히 해야 할 것이다.

Case 6 > 50세 여자 환자에서 #26 근관치료 후 발생한 급성 상악동염

2008년 3월 13일 50세 여자 환자가 좌측 눈 주위, 관골 주위 통증, 코, 목에서 고름이 나오는 것을 주소로 내원하였다. 치과의원에서 1주일 전에 #26 근관치료를 받은 이후 좌측 관골 부위에 통증이 시작되었으며 인근 병원에서 상악동염으로 진단되었다. 심한 두통이 동반되면서 좌측 코 측방을 촉진하면 심한 압통을 호소하였다. #26 타진 시 통증이 있었고 방사선사진에서 #26 치근단 부위를 넘어간 방사선불투과성 물질과 좌측 상악동의 방사선불투과상이 현저히 증가한 소견이 관찰되었다(Fig 3-23). 급성 상악동염으로 잠정진단하고 Augmentin 625 mg tid 1주, Carol-F 1T tid 5일, Dexamethasone 0.5 mg tid 2일, Hexamedin solution 0.1% 100 mL 하루 3번 가글링 하도록 처방하였다. 2008년 3월 20일 내원 시 증상이 전혀 개선되지 않아 국소마취하에 절개배농술을 시행하였다. 좌측 상악 구치부 전정부에 수평절개를 시행하여 상악골을 노출시키고 직경 1 cm 정도 크기의 원형 골창을 형성하면서 #26 치근단절제술도 동시에 시행하였다(Fig 3-24). Mosquito로 상악동점막을 관통시킨 결과 악취가 나는 다량의 고름이 배출되었다. Silastic drain을 삽입하고 봉합사로 고정한 후 다량의 생리식염수로 상악동을 세척하였다(Fig 3-25, 26). 채취된 고름의 일부를 수집하여 농배양 및 항생제감수성검사를 의뢰하고 초진 시 처방한 약물을 동일하게 처방하였다. 1-2일 간격으로 상악동세척술을 시행하였으며 2008년 3월 24일 내원 시 농배출은 없었고 관련 증상들이 거의 소멸되어 drain을 제거하였다. 농배양검사 결과 다량의 *viridans streptococcus group*이 배양되었으며 Cephalosporin 계열 항생제에 감수성이 있어서 Mesexin 500 mg bid를 5일 처방하였다. 2008년 3월 27일 방사선사진에서 좌측 상악동의 방사선불투과상이 현저히 감소되었으나 환자는 장기간 약물 복용으로 인해 속이 매우 쓰리고 설사를 한다고 호소하였다. Mesexin을 1회 1 capsule로 감량하고 Almagel을 처방하였다. 2008년 4월 14일 내원 시 모든 증상들이 소멸되어 치료를 종료하였다(Fig 3-27).

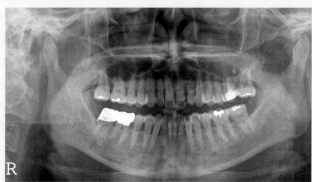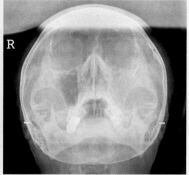

Fig. 3-23. 50세 여자 환자의 초진 시 방사선사진. 파노라마 영상에서 상악동저에 방사선불투과성 물질이 관찰되며 Waters' view에서는 좌측 상악동 전체가 방사선불투과상을 보이고 있다.

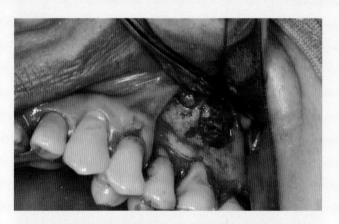

Fig. 3-24. 피판을 거상한 후 상악동골창을 제거하여 상악동점막을 노출시킨 모습.

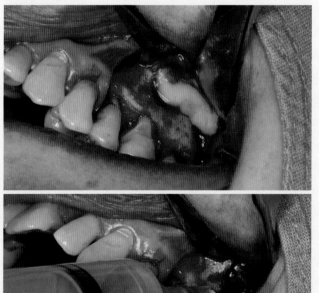

Fig. 3-25. 상악동 점막을 관통하여 상악동을 개방한 결과 다량의 농이 배출되었다. 농을 흡인한 후 농배양 및 항생제감수성검사를 의뢰하였다.

CHAPTER 1

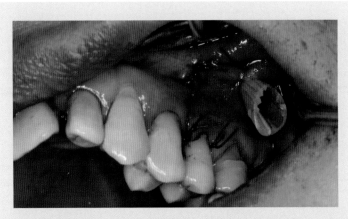

Fig. 3-26. Silastic drain을 삽입한
후 봉합하여 고정하였다.

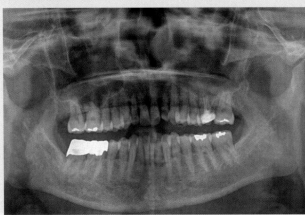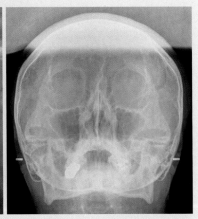

Fig. 3-27. 절개배농술 1개월 후 방사선사진. 좌측 상악동의 방사선불투과상이 거의 소멸된 것을 볼 수 있다.

⊗ Problem lists

1 #26 근관치료 후 급성 상악동염
2 두통과 안면통, 코와 목에서 고름이 나옴

치료 및 경과

1 절개배농술과 항생제 치료
2 장기간 약물 치료 후 위장장애
3 경과 양호

🔊 Comment

● #26 근관치료 시 사용된 재료로 추정되는 물질이 상악동을 침범하면서 급성 상악동염이 발생한 것으로 추정된다. 그러나 치과치료 전부터 무증상의 상악동염이 존재하고 있었을 가능성을 배제할 수는 없다. 임상 증상과 병력, Waters' view를 토대로 충분히 진단이 가능하였기 때문에 PNS CT는 촬영하지 않았다.
본 증례에서 약물 처방 방식을 주목할 필요가 있다. 일상적으로 항생제와 진통제 등을 묶어서 5-10일 처방하는 것은 좋지 않다. 항생제는 5-10일 이상 꾸준히 처방해야 하지만 소염진통제와 스테로이드는 급성 증상 완화를 위해 단기간 사용해야 한다. 이 약물들을 장기간 사용할 경우 심각한 위장장애를 초래할 수 있다. 그러나 항생제를 거의 1개월 정도 투여하면서 위장장애와 설사 증상이 발생하였다. NSAID는 prostaglandin 생성을 억제하는데 이 prostaglandin은 dinoprostone의 전구물질이다. dinoprostone은 위장보호에 관여하는 물질로 결과적으로 NSAID를 복용하면 dinoprostone이 억제되어 위장보호효과가 떨어지게 된다. 또한 NSAID 자체가 산성이므로 위장에 좋지 않다. 항생제는 장기간 사용할 경우 유해균은 물론 유익한 세균까지 사멸시켜 소화기관의 정상세균총의 균형을 깨트려 소화기 장애가 발생할 수 있다. 정상세균총의 균형이 깨지면 유해균 특히, *Clostridium difficile*가 증식하여 pseudomembranous colitis를 발생시킨다. 이럴 경우에는 항생제 복용을 중단하는 것이 최선의 치료이며 필요시 Metronidazole 또는 Vancomycin을 투여한다. **치과수술 후 약물치료 관련 부작용으로 위장장애가 빈번히 발생하기 때문에 항생제, 소염진통제와 함께 위장보호제를 함께 처방하고 가급적 투여 기간을 최소로 하는 것이 좋다.**

Case 7 > 50세 남자 환자에서 우측 상악동골이식과 동시에 임플란트를 식립한 후 상악동염이 발생한 증례

2013년 12월 23일 50세 남자 환자가 #16 임플란트 주변 통증을 주소로 내원하였다. 2주 전 치과의원에서 우측 상악동골이식과 동시에 #14, 16 부위에 임플란트를 식립하였다. 술후 창상이 일부 벌어졌고 수술 부위의 파동성 종창과 압통, 농배출, 우측 귀 주변 통증과 두통이 지속되어 응급실을 방문하였다. PNS CT에서 우측 상악동에 골이식재로 추정되는 재료들이 흩어져 있으면서 상악동에 방사선불투과상이 현저히 증가된 소견을 보였다(Fig 3-28). 급성상악동염으로 진단하고 Augmentin 625 mg tid, Somalgen 370 mg tid, Stillen 60 mg tid로 5일 처방하고 Somelon 4 mg (Methyl prednisolone) tid 1일분을 처방하였다.

2013년 12월 26일 국소마취하에 절개 및 배농술을 시행하고 Silastic drain을 삽입한 후 봉합하여 고정하였다. 다량의 농이 배출되었으며 상악동 내부를 생리식염수로 충분히 세척하였다. 농배양 검사 결과 *Enterococcus faecalis*가 다량 배양되었으며 항생제감수성검사를 토대로 Augmentin 625 mg tid를 2주 더 처방하였다. 매일 상악동세척술을 시행하였고 2013년 12월 30일 drain을 제거하였다. 2014년 1월 16일 내원 시 임상증상은 모두 소멸되었으며 PNS CT를 촬영한 결과 우측 상악동의 방사선불투과상이 현저히 감소되었으며 자연공의 개통(natural ostium patency)이 정상으로 회복된 것을 확인하고 치료를 종료하였다(Fig 3-29, 30).

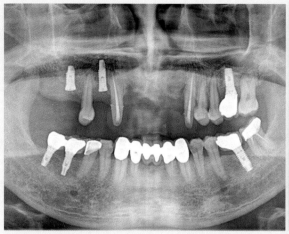
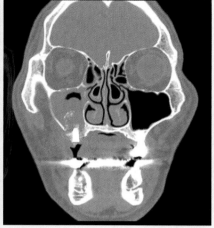

Fig. 3-28. 50세 남자 환자의 초진 시 방사선사진. PNS CT에서 우측 상악동의 전체가 방사선불투과상을 보이고 있다.

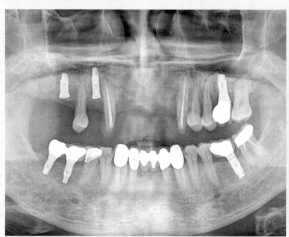
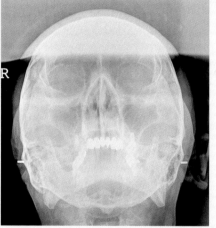

Fig. 3-29. 절개배농술 10일 후 방사선사진. Waters' view에서 우측 상악동의 방사선불투과상이 많이 감소된 소견이 관찰된다.

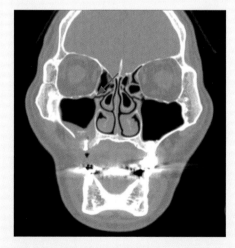

Fig. 3-30. 2014년 1월 16일 촬영한 방사선사진. 우측 상악동의 방사선불투과상이 현저히 감소되었고 natural ostium patency(화살표)가 회복된 소견이 관찰된다.

1 상악동골이식과 임플란트 식립

2 급성 상악동염

治 치료 및 경과

1 절개 배농술

2 항생제 치료: Augmentin

3 경과 양호

◀)) Comment

● 상악동점막 거상 및 골이식술을 시행하는 과정에서 상악동점막이 천공되었고 이식재가 상악동으로 들어가면서 급성 상악동염이 발생한 것으로 추정된다. 치과의원에서 수술 전 CT를 촬영했는지 여부를 확인할 수 없었다. **상악동 관련 수술을 할 때 반드시 CT를 촬영하여 natural ostium patency와 비중격(nasal septum)의 형태, 상악동 내부에 무증상의 상악동염이나 특이 병변이 존재하는지를 반드시 확인해야 한다.** Natural ostium이 건전한 상태이고 상악동내 병변이 없다면 수술 도중 상악동점막이 천공되고 이물이 상악동 내로 들어갔더라도 상악동염이 발생하는 경우는 매우 드물다.

본 증례는 신속히 절개배농술을 시행하고 적절한 항생제를 사용함으로써 단기간에 잘 치유되었다. 즉 **초기 진단과 적극적인 외과적 배농술의 중요성을 일깨워 주는 증례이다.**

Case 8 > 45세 여자 환자에서 #16 치근단농양으로 인해 발생한 급성 상악동염

2012년 5월 17일 45세 여자 환자가 두통과 코에서 피가 나는 것을 주소로 내원하였다. 1주 전부터 #16의 심한 통증이 시작되었다고 하였다. 임상검사 시 우측 상악골 주변의 심한 통증, 우측 코에서 고름이 나오는 상태였으며 #15, 16 동요도가 심하였고 우측 안와하부 촉진 시 압통이 있었다. 파노라마 방사선 및 Water's view에서 #16 치근단병변과 우측 상악동의 방사선불투과상이 현저히 증가된 소견이 관찰되었다(Fig 3-31). PNS CT에서는 우측 상악동과 사골동(ethmoidal sinus)의 방사선불투과상과 자연공 개통 부위가 완전히 폐쇄된 소견이 관찰되었다(Fig 3-32). #16 치근단농양 원인의 급성 부비동염으로 진단하고 Yucla 625 mg tid, Somalgen 370 mg tid, Stillen 60 mg tid를 5일, Methylon 4 mg tid 3일분을 처방하고 Fullgram 300 mg과 Ketoprofen 100 mg을 근육주사하였다. 2012년 5월 21일 #16을 발치하고 발치창을 통해 의도적으로 상악동을 관통시켰다. 이후 고름이 많이 배출되었으며 발치창을 통해 생리식염수로 상악동을 충분히 세척하였다. 농배양 및 항생제감수성 검사 결과 *Viridans streptococcus group*이 다량 배양되었고 항생제는 Augmentin을 추가로 처방하였다(Fig 3-33). 그러나 2012년 5월 22일 위경련과 위통증이 매우 심하여 약물 복용을 중단하였으며 2–3일 간격으로 발치창을 통한 상악동세척술을 충분히 시행하면서 Fullgram 300 mg을 근육주사하였다. 2012년 6월 14일 임상증상이 완전히 소멸하였고 방사선 사진에서도 방사선불투과상이 완전히 없어지면서 natural ostium patency가 정상으로 회복되었다(Fig 3-34).

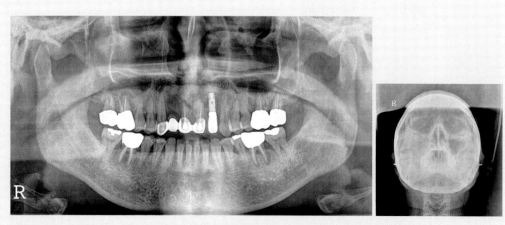

Fig. 3-31. 초진 시 방사선사진. #16 치근단병변과 우측 상악동의 방사선불투과상이 현저히 증가된 소견이 관찰된다.

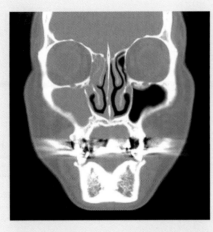

Fig. 3-32. 초진 시 PNS CT. 우측 상악동과 사골동 전체가 방사선 불투과상을 보이고 있다.

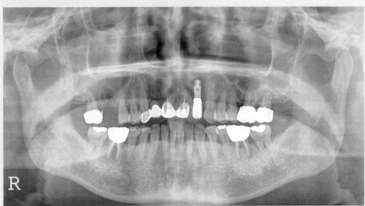
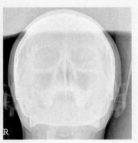

Fig. 3-33. #16 발치 및 배농술 시행 2주 후 방사선사진.

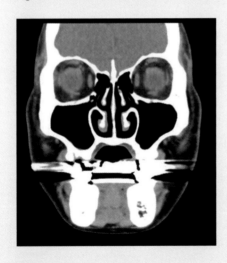

Fig. 3-34. #16 발치 및 배농술 1개월 후 PNS CT.

⊗ Problem lists

1 #16 치근단 농양

2 급성 상악동염

📋 치료 및 경과

1 원인치 발치: #16

2 발치창을 통한 배농술과 상악동세척술

3 항생제 치료: Yucla, Augmentin, Fulgram

4 경과 양호

🔊 Comment

● 급성 상악동염은 적절한 항생제 투여와 조기 절개배농술을 통해 치료되어야 한다. **원인치 #16을 신속히 발치하고 발치창을 통한 상악동세척술을 적극적으로 시행하여 완치시킬 수 있었다.** 그러나 Yucla, Augmentin을 복용하면서 심한 위장관 부작용이 발생하였기 때문에 부득이 경구용 항생제 투여를 중단하고 Clindamycin 근육주사를 시행하였다. 경구용 항생제를 복용할 경우 광범위한 항생효과로 소화기관 내 정상세균총의 균형을 깨트려 소화기관에 부작용을 자주 발생시킨다. 한편 주사용 항생제를 매일 1회 근육주사 혹은 정맥주사하는 것은 경구 복용에 비해 위장관에 대한 부작용이 적은 편이지만 매일 내원하여 주사를 맞아야 하는 등 불편감이 매우 클 수밖에 없다(Matthew E. Falagas, et al; 2015). 외래 통원치료의 특성상 매일 내원하면서 항생제 주사를 할 수 없는 한계가 있었기 때문에 간헐적으로 항생제를 근육주사하였는데 이러한 치료는 사실상 큰 의미가 없다고 생각된다. **본 증례가 잘 치료된 것은 발치창을 통한 조기 배농술과 적극적인 상악동세척술이었으며 항생제 치료는 큰 영향력이 없었다고 생각된다.**

Case > 뺨 씹힘으로 인한 감염

 2021년 7월 22일 60세 남자 환자가 우측 상순 및 뺨 종창과 통증을 주소로 내원하였다. 약 3일 전부터 증상이 시작되었으며 우측 안면부의 국소적 열감과 통증을 호소하였다. 우측 협점막에 씹힌 듯한 상처가 관찰되었고 촉진 시 Stensen's duct에서 배농이 되고 있었다(Fig 4-1, 2). 혈액검사결과 백혈구는 6.73 CRP 4.15, ESR 29였으며 CT에서는 특이 소견이 관찰되지 않았다. Mesexin (Methylol cephalexin lysinate) 1,000 mg bid를 1주 처방하였고 2021년 7월 26일 초음파검사 결과 ill-defined hypoechoic lesion (2.12 x 0.95 cm)이 관찰되었으나 분명한 농양 소견은 확인되지 않았다(Fig 4-3). 타액선 감염, 협점막의 외상성 감염 등을 감별하기 위해 2021년 7월 27일 타액선 핵의학검사와 CT를 촬영하였으며 이상 병변은 관찰되지 않았고 농배양 검사에서는 *Klebsiella pneumoniae*가 다량 검출되었다(Fig 4-4). 2021년 7월 28일 증상이 호전되기 시작하였으며 Cephalosporin계 항생제에 감수성이 확인되어 Mesexin을 1주 더 처방한 후 치료를 종료하였다.

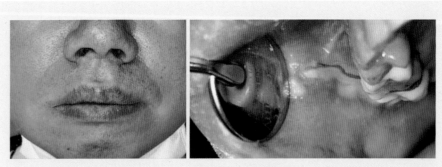

Fig. 4-1. 60세 남자 환자의 초진 시 안모 및 구강사진. 우측 상순과 협점막 부위의 종창, 뺨이 씹힌 듯한 궤양성 병소, 뺨 촉진 시 Stensen's duct에서 농이 배출되는 소견이 관찰되었다.

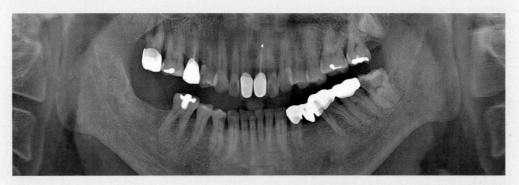

Fig. 4-2. 초진 시 파노라마방사선사진. #15 치근단 방사선투과성 병소가 관찰되었으나 임상증상은 없었으며 치성감염과는 관련성이 없다고 판단되었다.

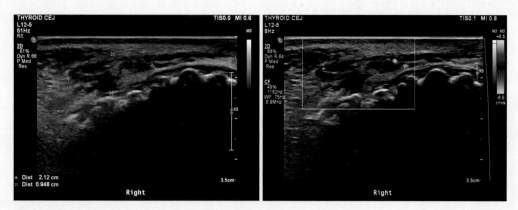

Fig. 4-3. 우측 안면 종창 부위에 대한 초음파 검사를 시행하였다. 판독 결과는 다음과 같았다.
ill -defined hypoechoic lesion (2.12×0.95 cm), but no definite abscess formation at right upper gingiva
- suggestive of inflammatory lesion or swelling.

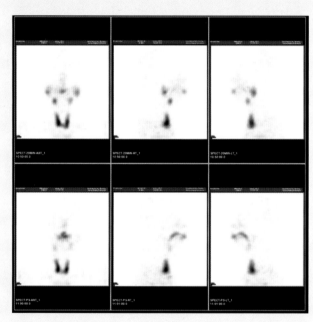

Fig. 4-4. Salivary gland scan. 양측 이하선과 악하선에서 특이 병적 소견은 관찰되지 않았다.

1. 뺨 통증 및 종창, 궤양성 병소
2. 이하선 도관 부위에서 배농

📑 **치료 및 경과**

1. 약물치료: Mesexin
2. 초음파검사, 타액선 핵의학검사
3. 경과 양호

◀)) **Comment**

● 3일 전부터 우측 뺨 종창 및 통증이 심해지고 이하선 도관에서 배농이 관찰되어, 급성 화농성 타액선염을 의심하고 핵의학검사, 초음파 영상 촬영을 시행하였다. CT, 핵의학검사에서는 특이 소견이 관찰되지 않았고 초음파검사에서는 경계가 불명확한 hypoechoic lesion이 관찰되었다. 임상증상과 여러 검사 결과들을 토대로 구강내 뺨 씹힘으로 인한 외상성 감염으로 추정하였다. 초음파 영상은 CT와 비교 시 영상의 대조도가 상이하고 해부학적 구조의 재현에 한계가 있으나 영상을 획득하는 소요 시간과 검사비용이 적다는 장점이 있어서 타액선질환, 안면부 감염 진단에 유용하게 쓰일 수 있다. 급성 타액선염이 존재할 경우 타액선이 확장되어 저에코 상태로 관찰될 수 있고 내부 혈류가 증가하는 소견을 보인다(오송희 & 최용성; 2019). 본 증례에서도 저에코성의 병소(2.12 x 0.95 cm)의 초음파 영상이 관찰되었지만 표층에 존재하였기 때문에 타액선병변은 아니고 연조직의 국소적인 감염으로 추정되었다. 타액선 스캔은 타액선염 및 종양성 병소, 타액선의 기능을 평가하는 데 유용하다(이상래 & 황의환; 1996). 본 증례에서는 타액선에 이상 병변이 관찰되지 않았고 CT에서도 특이 소견이 발견되지 않았다. 따라서 **뺨이 씹히면서 궤양이 발생하였고 주변 연조직의 감염과 이하선 도관으로 감염성 세균이 역류하면서 도관 입구 근처에 국소적인 감염이 발생하였을 것으로 추정되었다.** 특별한 외과적 치료 없이 Cephalosporin 계열의 항생제를 투여하여 잘 치유될 수 있었다.

외상과 연관된 감염(Fig. 4-5~8)

구강과 턱얼굴 부위에 심한 외상이 가해질 경우 열창, 골절 등이 발생하며 외부로부터의 세균들과 구강내에 상주하던 세균들이 외상 부위에 침투해 들어가면서 감염이 발생할 수 있다. 특히 상하악골 골절 부위가 구강내 혹은 구강외부로 노출되면 감염 위험성은 더욱 증가한다. 음식을 씹을 때 혀, 뺨, 입술 등을 씹는 경우가 종종 있으며 심한 궤양과 감염이 동반될 수 있고 내부의 조직간극이나 타액선도관으로 침투해 들어가면서 농양, 봉와직염, 타액선염 등이 발생하기도 한다. 하악골절 부위에 대하여 관혈적 골정복술을 시행한 경우가 비관혈적 정복술을 시행한 경우에 비해 술후 감염이 많았다는 보고가 있다. 즉 골편의 전위가 심한 경우는 구강내외로 골절부가 노출되는 경우가 많으며 이때 구강내 혹은 구강외 절개를 통해 골절 부위를 접근하게 되기 때문에 감염 발생률이 더 높은 것은 당연할 것이다(Schmidt B, et al; 1995). 치료 방법뿐만 아니라 환자의 기저질환도 술후 감염에 영향을 주는 것으로 알려져 있는데 HIV 양성 환자는 음성인 환자보다 술후 감염 발생률이 2배 높았다(Martinez-Gimeno, et al; 1992). 알코올중독 환자의 경우 알코올이 조골세포의 활성과 증식에 악영향을 미침으로써 술후 골형성이 저하되고 술후 감염 발생률이 높았다(Senel FC, et al; 2007).

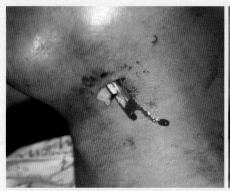
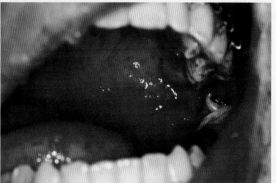

Fig. 4-5. 40세 남자 환자에서 좌측 하악골우각부 골절 후 발생한 감염. 골절편이 구강내(#38 주변)로 노출되면서 감염이 발생하였다. 구강내와 구강외 절개배농술이 시행된 것을 볼 수 있다.

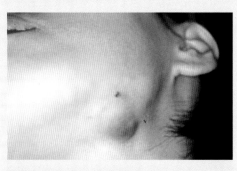

Fig. 4-6. 25세 여자 환자에서 좌측 하악골 우각부 골절 수술 후 발생한 감염.

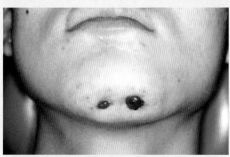

Fig. 4-7. 26세 남자 환자에서 하악골 정중부 골절 수술 후 발생한 감염. 턱으로 누공이 형성된 것이 관찰된다.

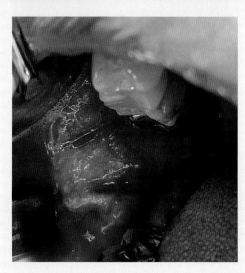

Fig. 4-8. 65세 여자 환자의 우측 뺨에 발생한 궤양과 감염. 반복적으로 뺨 씹힘으로 인해 발생하였다.

Case > 21세 여자 환자에서 발생한 좌측 세균성 이하선염

2021년 7월 12일 21세 여자 환자가 3일 전부터 좌측 턱관절 주변 종창 및 통증과 고열이 지속되어 내원하였다. **2021년 7월 7일** 치과의원에서 #25, 36, 37 인레이 수복치료가 시행된 병력이 있었으나 현재 증상과는 큰 관련성이 없었다. 목을 좌우로 움직일 때 아프고 개구량은 32 mm 정도였으며 연하 시 통증과 좌측 외측 익돌근 촉진 시 압통을 호소하였다. 파노라마 및 턱관절 파노라마방사선사진에서는 특이 소견이 관찰되지 않았으나 당일 시행한 Contrast CT상에서 좌측 이하선 크기가 현저히 증가되었으며 목의 림프절들의 비후 소견이 관찰되었다(**Fig 5-1~3**). 이하선염으로 잠정진단하고 Fullgram 300 mg, Ketoprofen 100 mg을 근육주사하고 Mesexin 500 mg bid 5일분을 처방한 후 타액선 핵의학검사와 혈액검사를 시행하였다. 핵의학검사에서는 좌측 타액선의 섭취율이 현저히 증가된 소견이 관찰되었다(**Fig 5-4**). 다음 날 내원 시 통증은 더욱 심해졌으며 개구량은 10-15 mm로 현저히 감소되었고 38.5℃의 고열이 존재하는 상태였다. 혈액검사상에서 백혈구 수치가 10.17 × 10^3/uL, CRP가 18.66, ESR이 49로 매우 높았으며 적극적인 감염치료를 위해 입원치료를 시작하였다. 나이가 젊고 기저질환이 없는 환자들에서 바이러스성 혹은 타액선도관 폐쇄로 인한 타액선염이 잘 발생하기 때문에 바이러스 감염 등 다른 전염성 질환에 대한 감별을 위해 감염내과에 진찰을 의뢰하였고 바이러스 7종에 대한 분자유전학적 검사를 시행하였다. CT에서 타액선과 경부 농양이 관찰되는 것으로 보아 세균성감염도 배제할 수 없었으며 경험적 항생제로 Unasyn (ampicillin/sulbactam) 3 g을 6시간 간격으로 정맥주사하면서 추가로 Pilocarpine 5 mg tid을 경구 복용시켰다. 4일간의 입원치료 후 백혈구 6.66 × 10^3/uL, CRP 2.18, ESR 15로 호전되어 퇴원하였다(**Fig 5-5**). 임상증상들과 방사선, 핵의학 및 혈액검사 결과를 토대로 세균성 이하선염으로 최종 진단하였다.

Box 1-3 \ **분자유전학적 검사와 Mumps IgG 혈청검사 결과**

Negative for Adenovirus

Negative for Respiratory syncytial virus

Negative for Influenza virus A

Negative for Influenza virus B

Negative for Parainfluenza virus 1

Negative for Parainfluenza virus 2

Negative for Parainfluenza virus 3

Mumps Ig G positive 1.84, Mumps Ig M negative

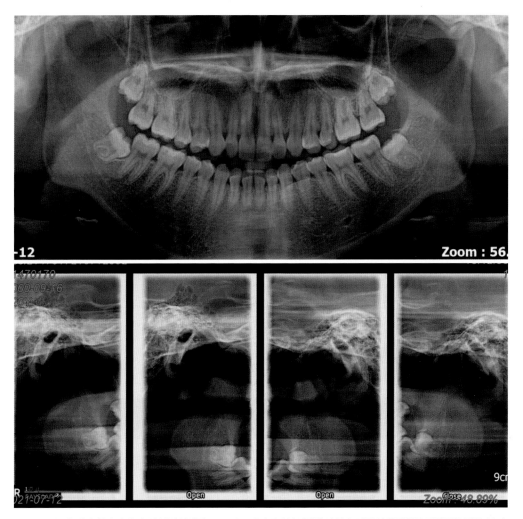

Fig. 5-1. 21세 여자 환자의 초진 시 방사선사진. TM 파노라마방사선사진에서 양측 과두의 움직임이 제한적인 것을 볼 수 있다.

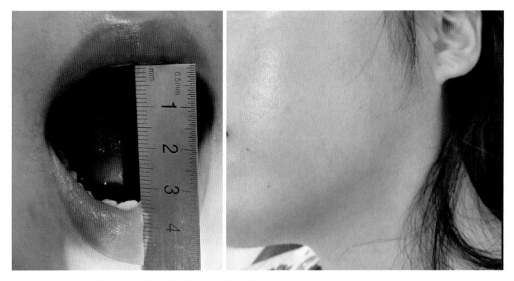

Fig. 5-2. 개구량은 32 mm 정도였으며 좌측 안면부의 종창이 심한 상태였다.

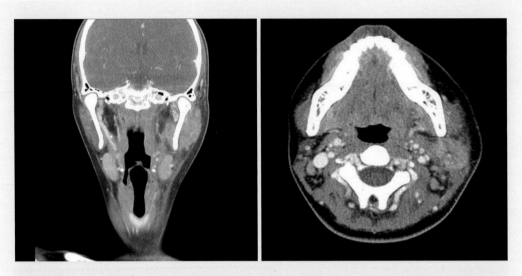

Fig. 5-3. CT에서 좌측 이하선과 경부 림프절들의 비대 소견이 관찰되었다. 영상의학과 전문의에 의한 판독 소견은 다음과 같았다. Marked enlargement of the left parotid gland with enhancement and multifocal nonenhancing foci.

- perilesional infiltration including the left parapharyngeal space.

- fascial thickening and infiltration along the left lateral neck.

→ Probable left parotitis with abscess. Several, prominent reactive lymph nodes in the left neck

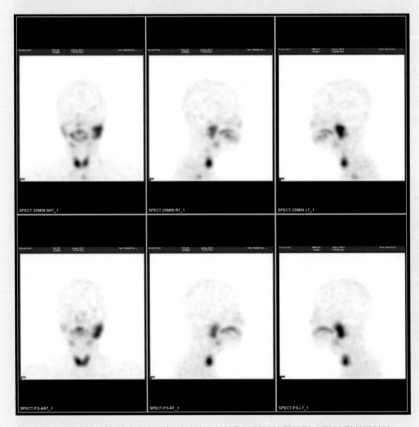

Fig. 5-4. 타액선 핵의학 검사에서 좌측 이하선의 섭취율이 현저히 증가된 소견이 관찰되었다.

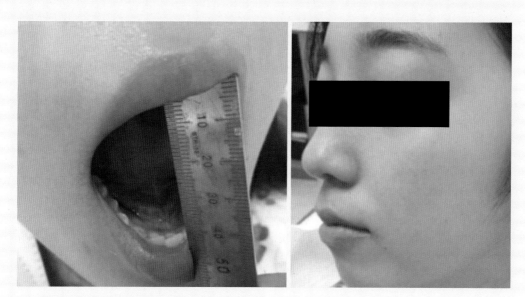

Fig. 5-5. 개구량이 40 mm 이상으로 회복되었고 좌측 안면부 종창도 거의 소멸되었다.

⊗ Problem lists

1 턱관절장애
2 유행성 이하선염
2 급성 세균성 이하선염

치료 및 경과

1 입원치료: 약물 및 보조적 치료
2 Ampicillin/sulbactam, Pilocarpine
3 경과 양호

🔊 Comment

● 유행성 이하선염은 바이러스에 노출되고 2-3주 뒤 전신적인 불쾌감, 두통, 발열, 식욕저하, 전신피로감이 발현되며 강한 전염성을 갖는 것이 특징이다. 이하선 주변이 부어오르고 극심한 통증이 발생하기 때문에 음식을 씹고 삼키는 것이 매우 어려워진다. 혈액검사 또는 스왑검사로 진단하며 치료는 증상을 완화시키기 위한 대증요법이 시행된다. 충분한 휴식과 수분 공급, 소염진통제 및 해열제를 투여한다. 타액분비를 최소화할 수 있도록 음식을 조절하고 부드러운 음식을 씹도록 한다. 과일 주스와 신맛이 나는 음식은 침샘을 자극하여 통증을 악화시키기 때문에 피하는 것이 좋다. 이하선염 발생 후 5일까지는 타인에게 전염시키는 것을 막기 위해 격리 조치를 시행한다(Dara Grennan; 2019). 본 증례에서는 바이러스성 감염을 감별하기 위해 분자유전학적검사와 혈청검사를 시행하였으며 Mumps Immunoglobulin 검사결과 Ig G(+), Ig M(-)로 나타난 소견은 이전 감염이나 예방접종으로 인한 면역반응으로 판단되었다.

세균성 이하선염은 타액분비 저하 또는 도관의 폐쇄 등으로 입안의 세균이 타액선까지 침범한 것이 대표적인 원인이다. 발열과 함께 통증이 나타나며 도관을 통해 배농되기도 한다(Scoggins L, et al; 2010). *Staphylococcus aureus*가 전체 케이스의 약 50%를 넘을 정도로 대표적인 원인균이다(Mandel L & Surattanont F; 2002). **경험적 항생제와 수액을 투여하면서 증상을 완화시키고 타액분비를 촉진하기 위해 Pilocarpine을 투여하거나 타액선 주변을 마사지해 주는 것이 좋다고 한다**(Witt RL; 2005). 경험적 항생제로는 페니실린+베타락탐 분해효소 억제제가 1차 항생제이며 Clindamycin을 사용하기도 한다(Brook I; 2003). 항생제 투여 후 3-5일 이내에 증상이 호전되지 않거나, 안면신경 기능에 영향을 미치는 경우, 측방인두간극과 심부근막간극으로 감염이 확산되는 경우, 타액선 실질에 농양이 형성되는 경우에는 즉시 절개배농술을 시행하여야 한다. 타석이 타액선 입구 근처나 도관 중간 부분에 존재하면 도관으로 probe를 삽입하거나 도관 상방을 절개하여 제거하는 수술이 필요할 수 있다. 타액선염이 만성화되거나 타석이 타액선 실질이나 도관 심부에 위치하는 경우엔 타액선적출술과 같은 외과적수술이 필요할 수도 있다(Fattahi TT, et al; 2002)**(Fig 5-6~10)**. 본 증례는 세균성 이하선염으로 확진하였고 입원한 상태에서 Ampicillin/scubactam과 Pilocarpine을 투여하면서 완치시킬 수 있었다.

본 증례는 초진 시 목을 좌우로 움직일 때 아프고 개구량은 32 mm였으며 연하 시 통증과 좌측 외측익돌근 촉진 시 압통을 호소하였다. 이런 경우엔 턱관절장애 혹은 Eagle 증후군을 감별진단에 포함시켜야 한다. 고열과 종창 등은 감염의 전형적 징후이기 때문에 턱관절장애는 충분히 배제할 수 있었다.

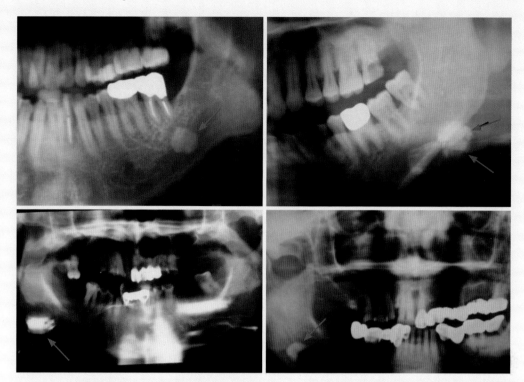

Fig. 5-6. 타석으로 인해 악하선염이 발생한 다양한 증례들.

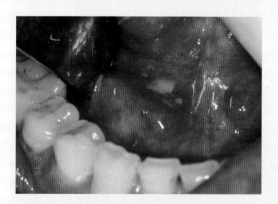

Fig. 5-7. 악하선 도관에 타석이 존재하면서 화농성악하선염이 발생한 증례. 구강저 종창과 함께 도관으로부터 농이 배출되고 있는 상태였다.

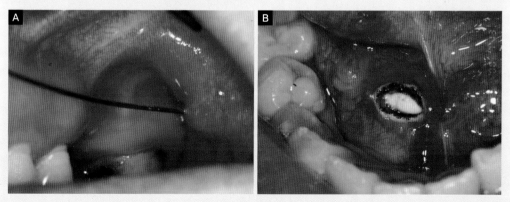

Fig. 5-8. 도관으로 probe를 삽입하거나 도관 상방에 절개를 시행하여 타석을 제거할 수 있다. **A:** Stensen's duct에 probe를 삽입한 모습 **B:** Wharton's duct 상방을 레이저로 절개하여 타석을 제거하는 모습.

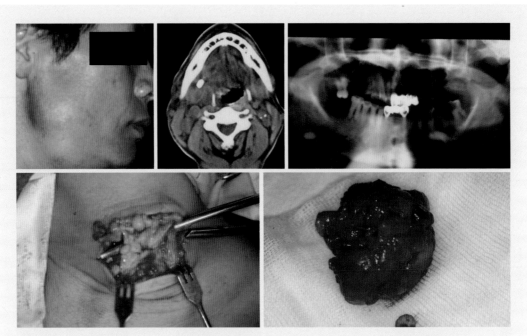

Fig. 5-9. 악하선 심부에 존재하는 타석으로 인해 만성 타액선염이 지속되고 있는 증례로서 악하절개를 통해 접근하여 악하선을 절제하였다.

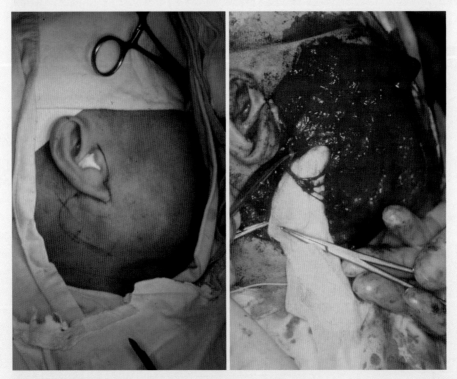

Fig. 5-10. 만성이하선염이 존재하던 환자로서 이하선적출술을 시행하였다.

6. 난치성 감염

구강악안면 부위의 감염성 질환은 대부분은 국소화면서 통상적인 치주 처치나 발치, 절개 및 배농술, 약물치료 등으로 잘 치유된다. 하지만 근막간극을 따라 감염이 확산되면 기도 폐쇄로 인한 호흡 곤란을 유발하거나 종격동염을 발생시킬 수도 있고, 림프절과 혈행을 따라 확산되면서 패혈증이나 뇌농양, 해면정맥동혈전증, 감염성 심내막염 등을 야기하여 생명을 위협할 수도 있다(Kim GW, et al; 2007, Park MY, et al; 2018, Peterson LJ; 1993, Tavakoli M, et al; 2013). 구강악안면 부위에서 감염이 발생하는 원인은 치성감염이 대부분이며, 상악동염, 인두염, 이염, 편도선염, 외상, 타액선염, 감염성 낭종 등에 의해 발생하기도 한다(Baker KA & Fotos PG; 1994, Joo HH, et al; 2000, Sayd S, et al; 2018, Thukral R, et al; 2017). 감염은 조기진단이 매우 중요한데 우선 환자의 활력징후를 잘 살펴보고, 전신무력감, 열감, 피곤한 느낌, 부종, 파동성 종창(fluctuation), 이환된 부위의 경결감, 혀의 거상 여부, 연하 장애, 개구제한, 통증, 탈수 증상 여부, 감염의 원인 등을 면밀히 관찰하여 감염의 심각성 정도를 파악해야 하고 환자의 병력이나 숙주의 방어기전(Host Defense Mechanism)을 평가해야 한다(Flynn TR; 1991, Flynn TR, et al; 2006). 감염에 대한 치료는 가능하면 조기에 절개 및 배농술을 시행하여 감염이 해소될 수 있는 통로를 확보하고 농이 나오지 않더라도 감압의 효과를 통해 통증을 감소시키고 감염의 확산을 방지할 수 있다. 또한 고농도의 항생제 및 수액 영양 요법이 병행되어야 한다(Lee WH, et al; 2004, Walia IS, et al; 2014).

Case 1 > 다양한 전신질환을 보유한 74세 남자 환자에서 발생한 난치성 감염(Kang DW, et al; 2019)

2016년 10월 29일 74세 남자 환자가 5일 전부터 우측 치아 통증이 있었고 4일 전부터 우측 악하간극, 우측 안와 부위까지 심한 종창이 발생하여 응급실에 내원하였다. 전신질환은 고혈압, 당뇨, 통풍 및 신장질환을 앓고 있었다. 또한 3년 전 우측 천부 대퇴동맥(superficial femoral artery)이 폐쇄되어 혈관성형술을 시행 받은 병력이 있었다. 내원 당시 혈압은 144/90 mmHg, 맥박은 86회/분, 호흡수는 18회/분, 체온은 36.7℃였다. 극심한 개구제한을 보였고, 하악 우측 제3대구치를 지대치로 한 가철성 의치가 환자의 요구에 따라 고정된 상태로 장착되어 있었다. 혈액검사상 WBC 15,200/㎕, CRP 21.9가 관찰되었고, 즉시 하악 우측 전정 부위에 국소마취하에 절개배농술을 시행하고 Amoclan duo 500 mg 2T bid, Flasinyl 250 mg 2T tid, Gaster 20 mg bid를 처방하였다. 당시 파노라마방사선사진에서 #16 부위의 치주병소와 #17 캔틸레버 보철물을 관찰할 수 있으며, #48 부위에 치근단 병소가 관찰되었다**(Fig 6-1)**. CT 사진에서는 #48과 #16의 치근단 병소 기원으로 추측되는 농양 소견이 관찰되었고, 우측 협부간극, 악하간극, 설하간극, 익돌하악간극, 교근간극, 측두간극까지 농양이 확산되었다**(Fig 6-2)**. 다음 날 우측 귀 부위로 종창이 확대되었고 혈액검사는 WBC 14,900, CRP 24.9

로 매우 높은 소견을 보였으며, 3회 측정한 혈당이 214, 316, 280 등으로 조절되지 않는 양상을 보였다. 국소 마취하에서 상악 우측 구치부 전정부에 추가로 절개배농술을 시행하였고, 하악 국소의치는 제거한 후 입원치 료를 시작하였다. 수액용법을 시행하면서 8시간 간격으로 Clamoxin 1.2 g (Amoxicillin clavulanate)을 투여하였 고, 혈당 조절을 위해 내분비내과에 의뢰하여 Alberti's regimen을 시행하였다. 감염은 계속 확산되는 양상을 보였으며 **2016년 11월 3일**부터 항생제를 Triaxone 1 g 하루 1회 정주, Clindamycin 600 mg을 8시간 간격으 로 정주하였다. **2016년 11월 7일** 전신마취하에서 우측 악하부와 구강내 우측 후삼각대 부위에 절개배농술을 시행하고 Silastic drain을 삽입하였으며 #48을 발치하였다. 배출된 농을 수집하여 배양 및 항생제감수성검사 를 시행하였으며 *alpha-streptococcus, coagulase negative staphylococcus*가 다량 배양되었고 Ofloxacin, Amoxicillin, Vancomycin, Cephalosporin에 감수성을 보였다. 수술을 마치고 기도확보를 위해 삽관을 유지 한 상태로 중환자실에 입실하였고 진정 상태를 유지하였다. 수술 직후 혈액검사상 WBC는 28,700, CRP는 14.8을 보였다. 술후 Chest CT상에서 폐혈성 폐렴(septic pneumonia), 진균감염(fungal infection) 혹은 결핵 의 심 소견이 있어 호흡기내과에 의뢰하였다. 호흡기내과에서는 증상이 미약한 상태이고 전신적인 상태를 고려 했을 때 3회 가량 결핵균 배양 검사(AFB)를 시행한 후에 재평가하기로 하였다. 입원기간 내내 하루에 2회씩 창상 소독을 시행하면서 수액과 고농도 항생제 요법 치료를 시행하였고, 혈액검사상 CRP는 12-16, WBC는 11,000-15,000 정도를 보였다. 입원 8일 차에 추가로 Neck CT를 촬영한 결과 우측 안와벽까지 봉와직염이 확산되었고 측두근 쪽으로 새로운 농양이 형성되었다**(Fig 6-3)**. 안과에 의뢰하여 산동 후 검진한 결과, 양안에 안구 침범 소견은 없다는 답변을 받았다.

입원 9일째 인두주위 및 악하부 종창이 매우 심한 상태여서 Midazolam으로 진정시킨 후 Bedside Tracheostomy를 통해 기도를 확보하였다**(Fig 6-4)**. 입원 10일째에는 WBC 17,500, CRP 20.4, hypoalbuminemia 상태를 보였다. 영양공급을 원활하게 하기 위해 영양집중지원팀에 의뢰하여 Total parenteral nutrition (TPN) 제작하여 투여하였다. 혈당 조절을 위해 continuous IV insulin therapy를 지속하였 다. 입원 11일째 생체징후가 안정됨에 따라 일반 병동으로 전동하였다. 입원 12일 차(전신마취 수술 후 4일 차)부 터 증상이 많이 호전되면서 감염이 조절되기 시작하였고 CRP 9.69, WBC 12,700을 보이며, CT 소견상에서도 기도는 아직 좁은 상태이나 농양의 크기는 많이 작아진 것을 확인할 수 있었다**(Fig 6-5)**. 그 이후 CRP 수치도 점차 낮아지면서 입원 20일째부터는 CRP가 2 미만을 유지하였다**(Table 1-1)**. 총 1개월가량 입원한 후 증상이 호전되어 T-cannula를 제거하고 창상을 봉합한 후 퇴원하였다. 퇴원 3개월 후 개구량은 38 mm가량으로 회 복되었다.

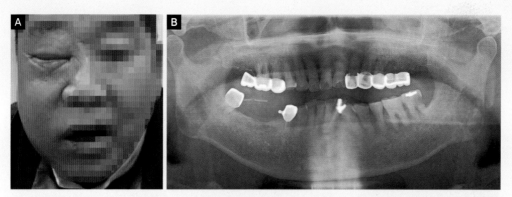

Fig. 6-1. 초진 시 안모 및 파노라마방사선사진. A: 우측 안와주변과 뺨의 심한 종창 소견이 관찰된다. **B:** 파노라마방사선 사진에서 하악 우측 구치부가 소실된 상태이며 #16, 48 치근단 및 치주농양 소견이 관찰되었다.

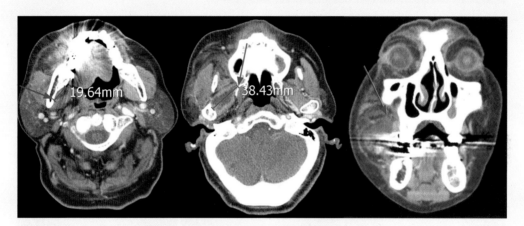

Fig. 6-2. CT에서 협부, 악하부, 설하부 및 인두주변간극 농양 소견이 관찰되었다.

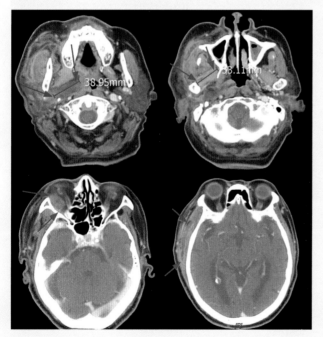

Fig. 6-3. Neck CT에서 측두부까지 농양이 확산된 소견이 관찰되었다.

Fig. 6-4. Bedside tracheostomy가 시행된 모습(구강악안면외과 레지던트가 시행하였음).

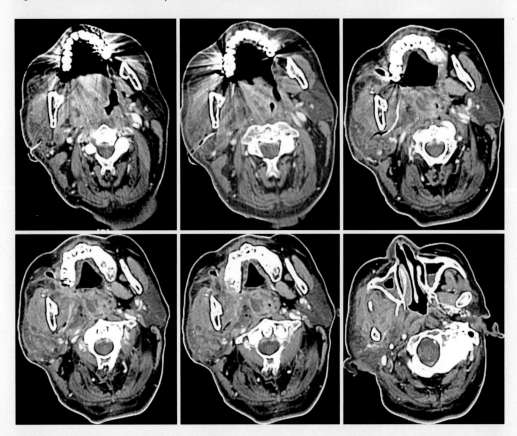

Fig. 6-5. CT에서 농양의 크기가 점차 감소되고 있는 소견이 관찰되었다.

Table 1-1 입원치료 기간 중에 시행된 혈액검사 변화

Lab	10월 29일	10월 30일	10월 31일	11월 01일	11월 02일	11월 03일	11월 04일
WBC	15.2	14.9	15.33	14.13	11.9	12.6	13.6
CRP	21.9	24.9	27.11	17	13.3	12.6	14.7
BST	234	214/316	200/324	221/284	92/314	92/300	119/201
Albu	3.2					2.3	2.4
Na/K/Cl	133/4.7/99					135/4.1/101	
pH							
Fibrinogen	1137	I&D, #48 발치 under G/A → EICU2 입원		PDT under midazolam		52 병동으로 이동	
Lab	11월 05일	11월 06일	11월 07일	11월 08일	11월 09일	11월 10일	11월 11일
WBC	13.3	12.8	8.9	28.7	17.5	16.5	15.84
CRP	16.5	14.1	14.9	14.8	20.4	21.6	14.3
BST	97/163	93/149	113/176	147/263	165/221	119/165	150
Albu	2.7	2.8	3	2.5	2.5	3.2	3.3
Na/K/Cl			132/3.5/99	130/4.1/97	131/3.7/100	134/3.4/101	133/4.0/100
pH			7.486	7.39	7.567	7.426	
Fibrinogen			944	786	801	772	822

Normal value: WBC $4-10 \times 10^3/\mu\ell$ CRP 0–0.5 mg/dL BST 70–110 mg/dL Albu 3.3–5.2g/dl Na/K/Cl 135–145/3.5–5.5/98–110 pH 7.38–7.46 Fibrinogen 200–400 mg/dL

⊗ Problem lists

1. 다양한 전신질환 보유: 고혈압, 당뇨, 통풍 및 신장질환
2. #48 치근단 병소
3. 다발성 간극감염

치료 및 경과

1. 입원치료: 중환자실 집중치료
2. 구내외 절개 및 배농술
3. 기관절개술
3. 경과 양호

◀)) Comment

● 본 증례와 같이 **각종 기저질환이 많은 고령의 환자들은 치과치료 혹은 수술 후 감염에 각별히 주의를 기울여야 한다.** 당뇨병이 존재할 경우 백혈구의 기능이 저하되고 신체 방어, 면역 기전이 약화되어 감염 발생율이 높고, 진행속도가 빠르며, 치료를 해도 창상 치유가 원활하지 않아 치명적인 결과를 초래하기도 한다 (Laskin DM; 2001). 따라서 내분비내과와 협진하여 혈당을 잘 조절하는 것이 감염 치료에 필수적이다. 다발성 전신질환 환자에서 난치성 치성감염이 진행될 경우 국소마취하에서 절개배농술을 시행하는 행위 자체가 출혈과 통증을 증가시키면서 매우 위험한 상황을 초래할 수 있으며, 환자가 극심한 통증을 호소하기 때

문에 완벽한 배농술이 어려운 경우가 많다(Little JW & Falace DA; 2002). 감염조직의 과도한 충혈과 혈관의 미란(erosion) 등으로 인해 다량의 출혈이 발생할 경우, 저혈량성 쇼크가 발생하여 생명을 위협하기도 한다(Kim MK, et al; 2011). 따라서 저자 등은 **심한 진행성감염의 절개배농술은 응급상황이 발생하여도 즉각 대처가 가능하고 확실한 배농을 시행하기 위해 전신마취하에 수술을 진행하는 것을 추천하고 싶다.** 그러나 구강악안면부위 감염은 10 mm 내외의 극심한 개구제한이 동반되는 경우가 많으며, 이런 경우 전신마취를 위한 삽관술이 매우 어렵기 때문에 마취과 전문의들은 awake fiber optic intubation을 시도하거나, 전신마취하 수술을 꺼리기도 한다. 전신마취 수술 전에 기도 평가를 위한 면밀한 검사가 필요하며, 감염의 확산정도와 기도폐쇄의 위험성을 평가한 후 예방적으로 기관절개술을 시행한 후 수술을 진행하는 것도 고려해 볼 필요가 있다.

본 증례는 감염 증상이 심해져서 응급실에 내원한 날 배농이 많이 되지 않았음에도 불구하고 감압(decompression)을 위해 조기에 절개배농술을 시행하고 적극적인 입원처치를 시행하였다. 전신마취하에서 절개배농술을 시행하였음에도 불구하고 감염은 계속 진행되었고 인두주위 및 악하부 종창이 매우 심하여 기도 폐쇄 위험성이 있어서 Bedside Tracheostomy를 통해 기도를 확보하고 생명을 위협하는 상황에 적절히 대처하였다. 이처럼 **다발성 간극의 난치성 감염에서는 종종 응급 상황이 발생할 수 있으며, 다른 전신질환들의 관리 및 영양 보충, 활력징후들을 면밀하게 관찰하면서 타과와의 협진이 필수적이다.**

Alberti's regimen

수술을 받은 490명의 당뇨병환자를 대상으로 시행한 후향적 코호트 연구에서 수술 전 당화혈색소가 7%를 넘는 당뇨병 환자는 당화혈색소가 7% 미만인 환자에 비해 수술 후 감염 확률이 높다는 연구 결과가 보고된 바 있다(Dronge AS, et al; 2006). 많은 연구들에서 수술 전 공복 혈당을 110-180 mg/dL 정도로 조절할 것을 권유하고 있다. 공복 혈당이 200 mg/dL 이상이면 혈당 조절을 위해 Alberti's regimen을 실시한다. 먼저 1일 인슐린 용량을 결정한다. 공복 혈당이 140-200mg/dL이면 하루 총 인슐린 용량을 0.4 U/kg으로 결정한다.

입원 당시 혈당이 201-400 mg/dL일 경우는 하루 총 인슐린 용량을 0.5 U/kg으로 결정한다. 연령이 70세 이상이거나 추정 사구체 여과율이 60 mL/min/1.73 m^2 미만일 경우는 저혈당 위험성을 고려하여 하루 총 인슐린 용량을 0.2-0.3 U/kg으로 결정한다. 하루 총 인슐린 용량의 절반을 일정한 시각에 기저 인슐린(basal insulin)으로 주사한다. 하루 총 인슐린 용량의 절반을 1/3씩 나누어서 매 식전에 bolus insulin으로 식전에 주사한다. 환자가 식사를 하지 못하는 상황이라면 주사를 하지 않는다. 아침 공복 혈당이나 하루 평균 혈당이 140 mg/dL를 초과하고 저혈당이 없는 경우는 basal insulin의 용량을 전일 대비 하루에 20%씩 증량한다. 환자가 저혈당(<70 mg/dL)을 일으킬 경우, 하루 basal insulin 용량을 전일 대비 20% 감량한다(문선준 & 조영민; 2018, Dagogo-Jack S & Alberti GM; 2002, Goldmann DR; 1987, Hirsch IB, et al; 1991, Marks JB; 2003).

본 증례에서는 다음과 같은 다양한 항생제들이 사용되었다.

1) Amoclan duo

구강악안면영역 감염에서 많이 검출되는 연쇄상구균과 혐기성 세균이 β-lactam을 분해할 수 있는 β

–lactamase를 보유함으로써 항생제에 대한 내성을 갖게 되는데 Amoclan duo는 β–lactamase inhibitor 인 clavulanic acid를 첨가하여 Penicillin 계열 항생제들에 대한 내성에 대응할 수 있다. 특히 치성감염, 상악동염, 난치성치주염의 치료에 효과적이고 진행성 치주질환으로 인한 치조골 소실을 최소화하는 효 과가 있다는 보고가 있다(Newman MG, et al; 2019).

2) Triaxone (Ceftriaxone)

Ceftriaxone은 반합성 제3세대 Cephalosporin제제로 조직과 뇌척수액으로 침투력이 좋고 반감기가 길 며 그람양성과 음성균뿐만 아니라 혐기성 세균 일부에 효과가 있기 때문에 뇌막염, 담도계감염 등의 중 증 감염성 질환의 치료에 많이 사용되고 있다(Cleeland R & Squires E; 1984, Richards DM; 1984). 이 약물은 calcium salt와 친화력이 강하며 투여 후 체내에서 대사가 되지 않는 특성이 있다. 배설은 신장과 간을 통 해서 이루어지는데, 정상적인 신장 및 간 기능을 가진 사람의 경우 약 40% 정도가 비대사형으로 담즙을 통하여 배설되며 고용량으로 장기간 투여할 경우 담즙내의 calcium salt와 결합하여 담낭에서 침전물을 형성하여 가성 담석증을 유발할 수 있다(Avidsona A, et al; 1982, Meyboom RHB, et al; 1988, Schaad UB, et al; 1988, Schfman ML, et al; 1990).

3) Clindamycin

Clindamycin은 세균의 단백질 합성을 억제하고 고농도로 사용할 경우엔 살균효과를 갖는 광범위항생제 이다(Peedikayil FC; 2016). 또한 골조직에 친화력이 높은 약제로서 그람양성균 및 Penicillin 내성균과 혐 기성세균에 대해서도 높은 감수성을 나타낸다고 보고된 바 있다(Mehrhof AI; 1976). 다른 항생제로 치료 가 실패할 경우 혹은 페니실린 알레르기가 있는 감염 환자들에게 사용할 수 있다. 발치 후 건치와 예방 효과가 있으며 악골골수염에 좋은 효과를 보인다고 알려져 있다. 미국심장협회는 심내막염 예방을 위 해 Penicillin 알레르기 환자에게 Erythromycin보다는 Clindamycin을 권장한다(Lewis MA; 2008, Peedikayil FC; 2016).

난치성 다발성 안면간극감염과 하악골골수염이 장기간 지속된 증례(Kang DW, et al; 2019)

52세 남자 환자가 좌측 안면부 심한 종창과 통증을 주소로 응급실에 내원하였다. 기저질환은 알코올성 간경화 및 B형 간염이 있었고, 1주 전부터 좌측 하악 구치부 치은 종창이 발생하여 치과의원에서 절개배농술을 시행하고 항생제를 처방받았지만 종창이 더욱 심해지고 있었다. 내원 당시 혈압은 146/84 mmHg, 맥박은 82회/분, 호흡수는 14회/분, 체온은 36.1℃였고 심한 개구제한과, 좌측 악하부 및 협부 종창이 관찰되었다. 혈액검사상 백혈구 16,090, CRP 11.10을 보였고, 국소마취하에 좌측 구치부 전정부위에 절개배농술을 시행하고 경구항생제 Augmentin 625 mg tid를 투여하면서 경과를 관찰하였다. 당시 파노라마방사선사진에서는 근관치료된 #37 치아의 치근단 병변과 #28 잔존치근 및 치근단농양이 관찰되었다(Fig 6-6). 4일 후 종창과 통증이 더욱 심해졌으며, 개구제한, 연하곤란, 호흡곤란 등의 증상을 호소하면서 응급실에 재내원하였다. 내원 당시 혈압은 162/82 mmHg, 맥박은 98회/분, 호흡수는 17회/분, 체온은 39.1℃였으며 혈액검사는 백혈구 12,480, CRP 10.1을 보였다. CT상에서는 악하간극, 교근간극, 설하간극, 이하간극, 익돌하악간극, 인두주위간극의 농양이 관찰되었다(Fig 6-7). 좌측 악하부위에 추가로 절개배농술을 시행한 후 감염에 대한 집중치료를 위해 입원하였다. 입원 1일 차에 위혈관 출혈로 인한 심한 토혈(hematemesis)이 발생하여 중환자실로 옮긴 후 단위동맥(short gastric artery) 출혈이 의심되어 수혈과 함께 경동맥혈관색전술을 시행하였다. 위장관출혈과 심한 개구제한으로 인해 기관삽관술이 어려운 상태여서 Midazolam을 투여한 후 응급 기관절개술을 시행하였다. 입원 2일 차에 전신마취하 좌측 측인두부, 악하부, 협부간극에 절개배농술을 시행하여 다량의 농을 배출시켰다. 전신마취 상태에서는 술후 최대 개구량이 35 mm를 보였다. 감염내과와 협진하에 항생제는 Ceftriaxone, Metronidazole을 함께 투여하였다. 수술 후 중환자실에서 회복 중에 갑작스러운 고열, 탈수, 의식혼탁(Clouding of Consciousness), 호흡 부전 등을 보여, 환기(ventilation)를 유지하여 의식과 호흡이 호전되었고, 2일 후 종합내과로 전과하였다. 흉부방사선사진에서 폐부종(pulmonary edema) 소견이 관찰되어 경피적 도관배액술(percutaneous catheter drainage) 혹은 복수천자(Paracentesis)를 계획하고 환자 및 보호자에게 설명하였으나 환자 측에서 거부하여 이뇨제 약물로 치료하면서 경과를 관찰하였다. 구강악안면외과에서는 하루 2회씩 지속적인 창상 소독 및 항생제 치료를 시행하였다. 내과 입원 10일 후 상태가 호전되어 구강악안면외과로 다시 전과되었으며 입원 21일 차까지 적극적인 드레싱과 항생제요법으로 증상이 호전되어 T cannula를 제거한 후 퇴원하였다. 퇴원 1개월 후 폐구 시 3 mm가량 전치부 개방교합이 관찰되었고, 수동적 최대 개구량은 15 mm로 제한되었다. 턱관절증상이 의심되어 턱관절 cone beam computed tomography (CBCT)를 촬영한 결과 좌측 과두부의 병적골절, 과두흡수 및 하악골 골수염 소견이 관찰되었다. bone single photon emission computed tomography (SPECT)를 촬영한 결과 좌측 하악골의 섭취율[maximum standardized uptake value(SUVmax), 우측: 2.98, 좌측: 13.4]이 현저히 증가된 소견을 보였다. 다발성 간극감염이 장기간 지속되면서 좌측 하악골 골수염과 과두의 병적골절이 발생한 것으로 최종 진단하고 항생제 치료와 함께 적극적인 턱관절 개구운동을 시행하였다(Fig 6-8). 1주 단위로 3회 내원하여 물리치료 및 개구 운동을 시행하면서

Clindamycin과 Metronidazole을 3주간 투약하였다. 퇴원 3개월가량 되었을 때 수동적 최대 개구량은 24 mm 까지 확보되었다. 지속적인 치료가 필요한 상황이었으나, 환자와 연락이 두절되면서 내원하지 않았다. 이후 수술 30개월 경과한 시점에 환자와 연락이 닿아 치과 외래에 내원하였다. 그동안 치과치료는 받지 못한 상태로, 자가 개구운동만을 단기간 시행하고 방치된 상태였다. 최대 개구량은 29 mm까지 확보된 상태로, 전치부 개방교합은 어느 정도 회복되었으며, CBCT를 촬영한 결과 좌측 과두는 골개조(bony remodeling)가 잘 이루어진 상태였다. 골수염의 진행 양상도 정지된 것으로 보이며, 환자도 일상생활에 특별한 불편감 없이 지내고 있다고 하여 치료를 종결하였다(Fig 6-9).

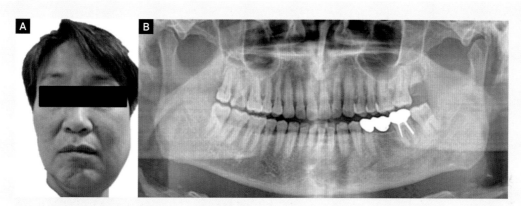

Fig. 6-6. 52세 남자 환자의 안모 및 파노라마방사선사진. **A:** 좌측 뺨과 악하부의 종창이 심하였고 개구장애가 존재하고 있었다. **B:** 파노라마방사선사진에서 #28 잔존치근 및 치근단농양과 #37 치근단농양 소견이 관찰되었다.

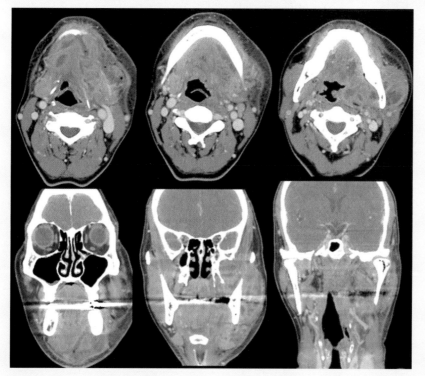

Fig. 6-7. CT에서 좌측의 다발성 농양(악하간극, 교근간극, 익돌하악간극, 설하간극, 이하간극, 인두주위간극)과 하악 골체부 주변의 기종(emphysema) 소견이 관찰되었다.

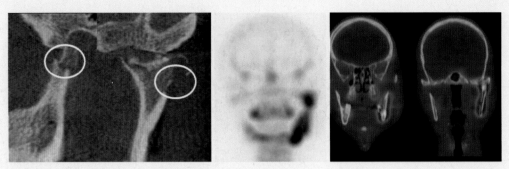

Fig. 6-8. 턱관절 CBCT와 Bone SPECT. CT에서 좌측 과두의 골절 및 흡수 소견이 관찰되었고 핵의학검사에서 좌측 하악골 상행지와 과두의 섭취율이 현저하게 증가된 소견이 관찰되었다.

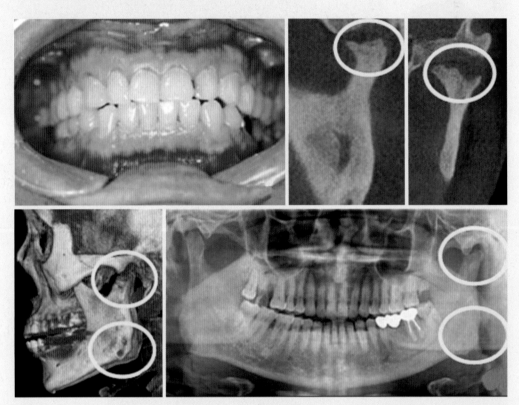

Fig. 6-9. 최종 관찰 시 구강사진과 방사선사진. 교합은 안정적으로 회복되었으며 하악과두 병적골절은 유합되었고 과두는 골개조가 이루어진 소견이 관찰되었다(Donw-Woo Kang, Pil-Young Yun, Young-Kyun Kim. Treatment of intractable orofacial infection: Case reports. Oral Biol Res 2019;43(4):327-334).

1 다발성 간극 농양: 악하간극, 교근간극, 설하간극, 이하간극, 익돌하악간극, 인두주위간극

2 개구제한

3 위장관출혈

🖐 치료 및 경과

1 절개배농술

2 약물치료: Ceftriaxone, Metronidazole, Clindamycin

3 입원치료: 집중치료실 및 내과 협진

4 응급기관절개술(구강악안면외과 레지던트가 시행)

5 물리치료

6 경과 양호

🔊 Comment

● 본 증례는 적극적인 치료(입원치료, 절개배농술 및 항생제 치료)로 일차 감염이 해소되어 퇴원하였지만 장기간 지속된 침습적인 다발성 간극감염이 하악골 골수염을 유발하면서 병적골절과 턱관절염이 발생한 아주 특이한 증례이다. 개구제한과 함께 과두흡수가 진행되어 최후방 대구치만 교합되는 심한 개방교합이 발생하였다. 턱관절염 및 과두흡수로 인한 턱관절증상과 부정교합에 대한 치료도 보존적 치료가 우선적으로 시행되는 것이 원칙이다. 개구량 회복을 위해 Therabite 등의 기구로 적극적인 하악 개구운동을 시행하였고, soft laser 물리치료와 함께 항생제 치료를 병행하였으나, 도중에 환자가 내원하지 않으면서 연락이 두절되어 후관리가 이루어지지 않았다. 최종적으로 감염 발생 30개월 뒤에 관찰했을 때는 개구량이 29 mm 정도를 보였고 하악과두의 골개조가 관찰되었으며 교합도 안정적인 양상을 보였다. **병적골절과 과두흡수증이 양호한 방향으로 골개조가 이루어진 것이 다행이었지만 반대로 더욱 악화되었다면 턱관절 및 턱교정수술이 필요한 상황이 되었을 것이다.**

본 증례는 위장관출혈로 인해 토혈이 발생하고 개구장애 및 호흡곤란 위험성이 있어서 중환자실에서 응급 기관절개술이 시행되었다. 위장관출혈의 원인은 확실히 알 수 없지만 장기간의 약물치료와의 관련성을 배제할 수는 없다. 본원에서 운영하는 SAFER team (SNUBH medical Alert First respond Emergency Room)이 실시간으로 환자 상태를 관찰하여, 다섯 차례의 설사, 두 차례의 토혈(hematemesis)로 A4 용지 2장 크기 가량을 배출하였고, Hb은 5.9로 저하, PT 연장 등의 징후를 보여 응급으로 경동맥혈관색전술 (embolization) 및 수혈을 통해 생명을 유지할 수 있었다. **치과적으로도 조기에 일차 절개배농술을 시행하였고, 추가로 전신마취하에서 절개배농술을 시행하여 확실한 배농로를 확보한 것이 감염 치유에 큰 도움이 된 것으로 생각된다.** 퇴원 후에도 간혹 지연성 감염이 발생하여 골수염을 초래하거나, 개구제한 및 턱관절장애를 유발할 수 있기 때문에 정기적으로 내원시키면서 집중 관찰하는 것이 중요하다는 점을 일깨워주는 증례이다.

Case 3 > 술후 감염조절이 어려웠던 증례(김수민 등; 1997)

  53세 남자 환자가 **1996년 5월 30일** 경운기 전복사고로 응급실에 내원하였으며 뇌좌상으로 인한 혼수상태로 신경외과 중환자실에 입원하고 하악골 분쇄골절로 인하여 호흡곤란이 있어 기관절개술을 시행하였다. 우측 과두하골절과 하악골 정중부 분쇄골절이 있었으며, 해당 부위에 심한 연조직 결손을 동반한 심부 열창이 발생하였다(**Fig 6-10**). 신경외과 입원 3일째 악간고정을 시행하였으나 알코올중독 금단현상인 심한 경련과 이갈이로 인하여 악간고정이 풀어졌다. 입원 6일째, 전신마취하에 구내 및 후하악(retromandibular) 접근을 통해 골절편을 정복 고정하였고 악간고정은 시행하지 않았다(**Fig 6-11**). Cefazoline과 Netromycin을 투여하였으나 술후 6일째부터 하악 정중부에 농이 형성되기 시작하였고, 술후 7일째부터는 후하악지 부위에서 농이 형성되어 절개배농술을 시행하였다. 농배양검사 결과 황색포도상구균과 녹농균이 검출되어 즉시 항생제를 Cefoperazone + Sulbactam으로 바꾸고 하루에 2회 창상소독을 시행하였다. 술후 16일째 농배출이 감소되지 않아 다시 검사를 하니 녹농균, 황색포도상구균, 장구균이 검출되어 항생제를 Ciprofloxacin으로 바꾸었다. 그러나 증상은 호전되지 않고 금속판이 노출되고 동요가 발생하여 술후 35일째 하악골 정중부에 이차수술을 시행하였다. 이때 우측 장골에서 자가골을 채취하여 골이식하고 부족한 연조직 피개를 위해 설피판(tongue flap)을 형성하여 재건하였다(**Fig 6-12**). 그러나 이차수술 4일째부터 하악골 정중부와 우측 우각부에서 다시 농이 형성되고 6일째부터는 자가골을 채취한 우측 장골부위에서 다량의 농이 배출되었다(**Fig 6-13**). 다시 농배양검사를 하였더니 녹농균, 황색포도상구균, 대장균이 검출되었다. 항생제를 Sulfamethoxazole + Trimethoprim으로 바꾸어 경구투여하면서 하루에 과산화수소와 생리식염수로 2회 창상을 소독하였으나 농배출은 전혀 줄지 않았다. 이차수술 16일째, 항생제를 Clindamycin 경구투여로 바꾼 결과 하악골의 농은 현저히 감소하였으나 장골부위에서는 농이 계속 배출되었다. 입원 76일째 통원치료로 전환하였으며 주기적인 드레싱과 Sulfamethoxazole + Trimethoprim을 경구투여한 결과 배농이 줄어들면서 양호하게 치유되었다(**Fig 6-14**).

Table 1-2 항생제감수성검사 및 원인균: 우측 후하악지 배농부위

원인균	Amc[1]	Cz[2]	GM[3]	OX[4]	P[5]	TSX[6]	Va[7]	Cip[8]
S. aureus	R	R	R	R	R	S	S	R

[1]Amoxicillin, [2]Cefazoline, [3]Gentamycin, [4]Oxacillin, [5]Penicillin, [6]Trimethoprim, [7]Vancomycin, [8]Ciprofloxacin, R: resistant, S: susceptible, S. aureus: staphylococcus aureus

Table 1-3 항생제감수성검사 및 원인균: 하악정중부 배농부위

원인균	GM[1]	CFP[2]	Tsx[3]	Va[4]	P[5]
S. aureus(some)	R	–	S	S	R
Pseudomonas(many)	R	S	R	–	–
Acinobacter(a few)	R	–	–	–	–
Streptococcus(a few)	–	–	–	S	–

[1]Gentamycin, [2]Cefoperazone, [3]Trimethoprim, [4]Vancomycin, [5]Penicillin, R: resistant, S: susceptible, S. aureus: staphylococcus aureus, – : not tested

Table 1-4 항생제감수성검사 및 원인균: 우측 장골이식 배농부위

원인균	Amc[1]	Cz[2]	GM[3]	OX[4]	P[5]	TSX[6]	Va[7]	Cip[8]
S. aureus	R	R	R	R	R	S	S	R
Pseudomonas	S	R	R	–	R	–	–	R

[1]Amoxicillin, [2]Cefazoline, [3]Gentamycin, [4]Oxacillin, [5]Penicillin, [6]Trimethoprim, [7]Vancomycin, [8]Ciprofloxacin, R: resistant, S: susceptible, S. aureus: staphylococcus aureus, – : not tested

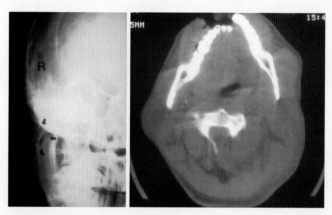

Fig. 6-10. 초진 시 방사선사진. Modified Towne's view에서 우측 과두하골절, CT에서 하악 정중부 분쇄골절 소견이 관찰된다.

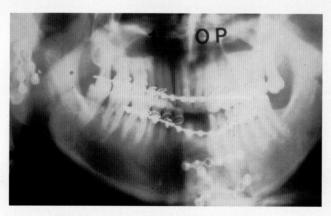

Fig. 6-11. 관혈적 정복고정술을 시행한 후 촬영한 파노라마방사선사진. 악간고정은 시행되지 않았다.

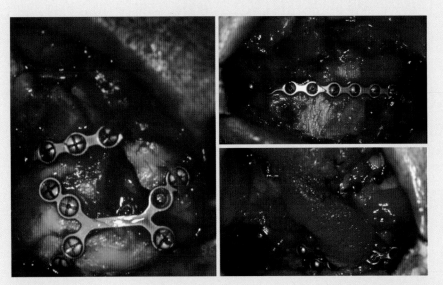

Fig. 6-12. 감염이 발생한 하악 정중부를 노출시킨 후 금속판과 나사를 모두 제거하였다. 장골에서 채취한 블록골을 이식하고 소형금속판과 나사로 다시 고정하였다. 이후 부족한 연조직 피개를 위해 설피판을 형성하여 재건하였다.

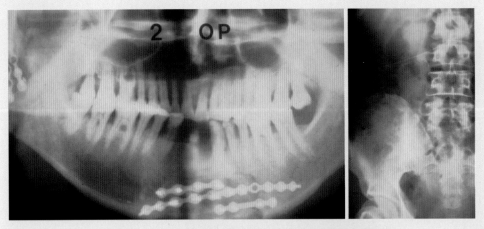

Fig. 6-13. 이차 재건술을 시행한 하악골 정중부와 장골을 채취한 공여부에서 감염이 발생하였다.

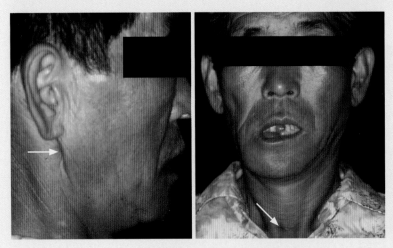

Fig. 6-14. 최종 치유된 후 촬영한 안모 사진. 기관절개술과 절개배농술을 시행하였던 흉터(화살표)가 관찰된다.

⊗ Problem lists

1 하악 과두하골절, 하악골 분쇄골절, 연조직 결손

2 신경외과 입원처치

3 외상 후 6일이 지난 후 늦게 수술 시행

4 알코올중독 금단현상, 이갈이

5 악간고정 시행하지 못함

6 골절 부위의 지속적인 동요

7 병원성 감염: 녹농균, 황색포도상구균, 대장균

치료 및 경과

1 1차 관혈적 정복고정술

2 하악골정중부 이차 재건술: 장골이식, 설피판

3 병원성 감염 장기간 지속

4 절개배농술과 다양한 항생제 치료: Cefazoline, Netromycin, Cefoperazone + Sulbactam, Sulfamethoxazole + Trimethoprim, Clindamycin, Ciprofloxacin

5 통원치료 후 증상 개선됨

6 예후 양호

🔊 Comment

● 본 증례에서 부위별로 나눈 3회의 미생물검사에서 후하악지 부위는 단일 종류의 황색포도상구균이 검출되었지만, 하악정중부의 골절부위에서는 많은 수의 녹농균이 분리되었고 약간의 황색포도상구균, 그리고 적은 수의 연쇄상구균이 분리되어 혼합균감염 및 전형적인 병원성 감염의 양상을 보였다. 황생포도상구균은 Aminoglycoside 제제인 Gentamycin과 Penicillin 유도체에 대해 높은 내성을 갖고 있었으나, Vancomycin이나 Sulfonamide 계통의 약물인 Septrim에는 감수성을 보였다. 그람음성균인 녹농균 역시 Penicillin과 Gentamycin에는 내성을 보였으나 Cefoperazone에는 감수성을 보였다.

이차수술 후 배농이 되는 우측 장골부위에서 농배양검사를 시행한 결과 하악정중부에서 동정된 황색포도상구균 및 녹농균이 검출되었으며 항생제 감수성 결과도 비슷한 양상을 보였다. 따라서 **이차수술 시 골편을 채취하는 과정 중에 악안면 부위로부터의 감염원이 장골부로 이차감염된 것을 의심해 볼 수 있다.** 총 75일간의 입원 동안 사용한 항생제는 Ciprofloxacin (Cycin) 22일, Clindamycin 9일, Aminoglycoside (gentamycin, isepacin) 7일, Sulferazone 9일, Septrim 6일이었으며 항생제감수성검사를 토대로 투여하였다. 그러나 **치료기간 중에 항생제를 자주 바꾼 것은 항생제 사용 원칙에서 벗어나며, 더욱 항생제에 대한 저항성 세균을 양성했을 가능성이 있었다.** 장기간의 항생제 투여 및 절개배농술, 적극적인 창상세척과 소독을 시행하였음에도 불구하고 증상은 호전되지 않았다. 따라서 **퇴원시킨 후 통원치료를 하면서 창상세척 및 소독을 열심히 하였고 Sulfamethoxazole + Trimethoprim을 경구투여한 결과 오히려 감염이 잘 조절될 수 있었다.**

Cefazolin은 1세대 세파스포린계 항생제로 대부분의 그람양성균과 일부 그람음성균에 효능이 있다. 임신이나 모유 수유시 사용가능하며 주로 봉와직염, 요로감염, 폐렴, 예방적 항생제로 사용된다. 부작용으로는 알레르기반응, *C. difficile*-associated diarrhea 등이 발생할 수 있다(Ayub G, et al; 2008, Bratzler DW, et al; 2013, Starks I, et al; 2008, Unger NR & Stein BJ; 2014).

Netromycin은 *E.coli, K. pneumonia* 감염증을 치료하기 위해 Aminoglycosides 중에 Amikacin에 이어 두 번째로 자주 사용되는 약물이다(Leroux S, et al: 2015). 주로 요로감염, 기관지염, 패혈증, 복부 내 감염증 등의 치료에 쓰인다. 경구투여는 불가능하며 정주 혹은 근주만 가능하다. 부작용은 이독성이 있으며 임산부 및 수유부에서 사용하는 것은 금기이다. Cefoperazone + Sulbactam는 3세대 세파스포린계 항생제인 Cefoperazone에 β-lactamase inhibitor인 Sulbactam을 추가한 것으로 주로 요로감염, 호흡계 감염에 사용한다. 근주 및 정주만 가능하고 알레르기반응, 간기능 저하, 빈혈 등의 부작용이 있다. TS (Sulfamethoxazole + Trimethoprim)는 세균의 엽산대사에 영향을 주어 효능을 갖는다. 용법은 경구 혹은 정주로 투여한다. 주로 요로감염, 호흡계 감염에 사용된다. 부작용으로는 위장장애, 피부 발진이 일반적이며 알러지, 빈혈 등이 있다(Choi SM & Lee DG: 2019, Su J, et al: 2018, Williams JD: 1999).

Clindamycin은 세균의 단백질 합성을 억제하고 고농도로 사용할 경우엔 살균효과를 갖는 광범위항생제이다(Peedikayil FC: 2016). 또한 골조직에 친화력이 높은 약제로서 그람양성균 및 Penicillin 내성균과 혐기성세균에 대해서도 높은 감수성을 나타낸다고 보고된 바 있다(Mehrhof AI: 1976). 다른 항생제로 치료가 실패할 경우 혹은 페니실린 알레르기가 있는 감염 환자들에게 사용할 수 있다. 발치 후 건치와 예방효과가 있으며 악골골수염에 좋은 효과를 보인다고 알려져 있다. 미국심장협회는 심내막염 예방을 위해 Penicillin 알레르기 환자에게 Erythromycin보다는 Clindamycin을 권장한다(Lewis MA: 2008, Peedikayil FC: 2016).

Ciprofloxacin은 2세대 Quinolone으로 세균의 DNA gyrase을 억제하여 효능을 발휘한다. 넓은 스펙트럼을 가지고 있고 특히 대부분의 그람 음성균에 매우 잘 작용하며 많은 그람 양성균에도 효과적이다. 경구, 정주 투여가 가능하다. 요로감염, 임질, 피부, 뼈, 관절, 소화계 감염, 하기도감염 등에 쓰인다. 부작용은 상대적으로 경미하여 구역감, 설사가 주이며 말초신경병증, QT 간격 연장 등이 심각한 부작용이다. 근육경련에 쓰이는 Tizanidine과 병용투여는 금기이다.

Case 4 > 59세 남자 환자에서 턱관절강직증 수술 후 발생한 Methicillin-resistant staphylococcal infection(김인수 & 김영균; 2001)

59세 남자 환자가 약 30년간 입을 못 벌리는 것(개구량 0 mm)을 주소로 입원하여 진성 골성턱관절강직증 (true bony TMJ ankyloses) 진단하에 양측 과두절제술(condylectomy) 및 오훼돌기절단술(coronoidotomy)을 시행 받고 퇴원하였다. 환자는 당뇨병의 병력이 있어 내과의원에서 혈당강하제로 지속적인 치료를 받고 있었다. 환자는 퇴원 후 감염 증상이 발생되었으나 타 병원에서 치료를 받았고, 약국에서 임의로 약물을 구입(당시에는 의약분업이 시행되지 않았던 시절이어서 환자가 자유롭게 약국에서 항생제를 처방받을 수 있었음)하여 계속 투여해 왔으며 감염 증상이 전혀 호전되지 않고 악화되어 본원을 재방문하게 되었다. 우측 눈 주위와 전이개부의 통증 및 종창, 눈물이 계속 흐르는 것과 구강내로 진한 농이 흐르는 증상이 있고 CT에서 우측 저작간극 (masticatory space)과 우측 후안와간극(retro-orbital space)의 감염 소견이 관찰되어 다시 입원처치를 시행하였다(Fig 6-15, 16). 절개배농술과 약물치료 그리고 적극적인 창상처치를 시행하면서 증상 개선이 없으면 전신마취하에 감염 부위에 대한 exploratory operation을 시행하기로 계획하였다. 구강내 절개배농술 후 농배양검사와 항생제감수성검사를 시행하였다. 항생제는 처음 Fluoroquenolone (Peflacin, 비씨월드제약, 대한민국)을 투여하다가 첫 번째 감수성 검사 후 Clindamycin을 추가하였다. 입원 당시 눈 부위에서 배농되는 농을 배양한 결과 Methicillin resistant staphylococcus epidermis와 Corynebacterium species들이 배양되었고, 우측 저작간극에서 채취한 농을 배양한 결과 약간의 candida albicans와 Penicillin 및 Erythromycin에 저항성이 있는 staphylococcus salivarius와 staphylococcus viridans가 다량 배양되었다. 항생제를 Vancomycin으로 교체하고 하루 2회 창상을 소독하면서 약 5일 간격으로 농배양과 항생제감수성검사를 시행하였다. 증상은 전혀 호전되지 않고 지속되어 입원 27일 째 전신마취하에 전이개부를 통해 감염부 심부에 접근한 결과 심부에 괴사된 커다란 덩어리가 관찰되었는데(Fig 6-17), 이것들이 이물로 작용한 것으로 생각되었으며 협지방대의 측두엽(temporal lobe of buccal fat pad)으로 추정되었다. 술후 증상이 점차 호전되어 수술 5일 후부터 항생제 투여를 중단하고 창상소독만 시행하였다(Fig 6-18). 농배양 결과 혐기성 감염균이 지속적으로 존재하여 항생제 투여를 중단한지 10일 후 다시 Chloramphenicol로 교체하여 투약하였다. 감염 증상이 점차 호전되어 2차 입원한지 52일만에 퇴원하였다.

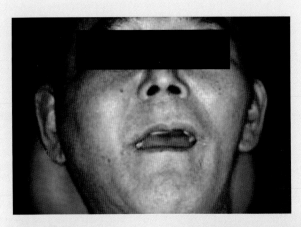

Fig. 6-15. 우측 눈 주위와 전이개부의 종창과 눈물이 계속 흐르는 증상이 존재하였다.

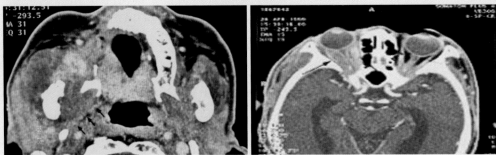

Fig. 6-16. CT에서 우측 저작간극과 후안와간극의 감염 소견이 관찰된다.

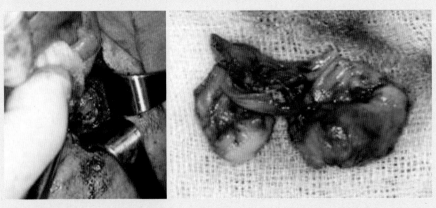

Fig. 6-17. 우측 전이개부를 통해 감염부 심부에 접근하여 괴사된 덩어리 조직을 제거하였다.

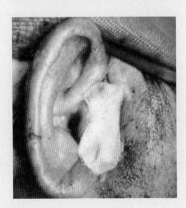

Fig. 6-18. 수술 부위에 소독액이 묻은 Vaseline gauze를 충전하고 창상을 봉합하지 않았다. 매일 창상을 소독하면서 이차치유를 유도하였다.

⊗ Problem lists

1 저작간극 농양, 후안와간극 농양

2 MRSI

3 장기간의 입원치료

🖹 치료 및 경과

1 절개배농술

2 농배양 및 항생제감수성검사를 토대로 항생제 치료 진행: Fluoroquenolone (Peflacin), Clindamycin, Vancomycin, Chloramphenicol

3 탐침수술: 괴사된 조직 제거

4 예후 양호

🔊 Comment

● 환자가 1차 입원 당시부터 장기간의 영양섭취 불량과 당뇨병이 잘 조절되지 않는 등 전신적인 쇠약 및 면역기능저하가 감염의 소인으로 작용하였고 퇴원 후 발생한 술후 감염이 적절히 조기에 조절되지 못하고 장기간 지속되었다. 또한 약국에서 임의로 처방받은 항생제의 오남용이 MRSE 감염을 유발시켰을 가능성이 있다. **입원하여 절개배농술과 적극적인 항생제치료를 시행하였음에도 불구하고 감염조절이 잘 안된 이유는 수술 부위 심부의 조직이 괴사되면서 이물로 작용하였던 것으로 생각되었다.**

Fluoroquinolone (Pefloxacin)은 생체이용범위가 넓고 반감기가 길며, 조직에 침투력이 좋다. 주로 호흡계, 비뇨계, 뼈와 관절 감염 및 면역저하자 등 난치성 감염에 사용된다. 그람음성균 및 *staphylococci*, 페니실린계열 항생제에 내성이 있는 세균에 잘 작용한다. 경구 및 정주 투여가 모두 가능하다. 만성골수염 치료 시 좋은 효과가 보고되고 있으며 부작용은 경미한 편이지만 소화계 부작용이 대부분이다. 그 외에 구토, 구역감, 피부 발진, 광과민성 등이 있다(Gonzalez JP & Henwood JM; 1989). Vancomycin은 그람양성균에 효과가 매우 좋으며 MRSA (*Methicillin-resistant Syaphylococcus aureus*) 감염 시 우선적으로 선택되는 약물이다. 저혈압, 빈맥, 신경독성, 정맥염, 이독성, 알레르기반응 등과 같은 부작용이 심한 편이기 때문에 1차 항생제로 선택되지 않는다. 경구흡수율이 매우 낮기 때문에 정주로 투여해야 한다(Marsot A, et al; 2012). Chloramphenicol은 세균의 단백질 합성을 막음으로써 항생 효과를 발휘한다. 그람양성 및 음성균 그리고 혐기성균에 넓은 항균범위를 갖고 있다. *ampicillin-resistant H. influenza* 감염, *S. pneumoniae, N. meningitides* 감염 치료에 사용되며 정주로 투여해야 한다. 부작용은 골수에 악영향을 미침으로써 재생불량성 빈혈 발생 위험도가 높고 회색 아기 증후군을 일으킬 수 있기 때문에 적응증이 되는 경우에만 제한적으로 사용해야 한다(McGowan JE, et al; 1976, Shukla P, et al; 2011, Westenfelder GO & Paterson PY; 1969).

Case 5 > 59세 남자 환자에서 턱관절개방수술 후 발생한 Methicillin-resistant staphylococcal infection

59세 남자 환자가 낙상에 의한 다발성 외상으로 입원하여 중환자실, 신경외과와 정형외과를 거쳐 입원 88일 만에 좌측 턱관절 잡음과 청각 장애를 주소로 치과에 의뢰되었다. 임상 및 방사선검사상 외상성 턱관절염 및 외이도전벽 골절의 임상진단 하에 턱관절개방수술을 계획하였고 특이 전신질환은 없었다(Fig 6-19). 수술 중 관절원판이 후방으로 심하게 전위되어 있었으며 외이도 전벽의 파괴 양상이 관찰되었고, 폐구 시 관절원판의 압박에 의해 외이도가 폐쇄되고 개구 시 외이도가 개방되는 경향이 관찰되어 관절원판복위술 및 턱관절성형술을 시행하였다(Fig 6-20). 술후 5일째 감염 증상을 보여 절개배농술을 시행하였으며 농배양 및 항생제 감수성검사를 시행한 결과 대부분의 Cephalosporin과 Penicillin계 항생제에 저항성이 있고 TS (Trimethoprim/Sulfamethoxasol), Vancomycin에 감수성이 있는 *Methicillin-resistant staphylococcus aureus*가 배양되었다(Fig 6-21). 항생제감수성 결과를 토대로 술후 투여해 오던 Cephalosporin 항생제를 TS 경구 복용으로 교체하였다. 증상이 전혀 개선되지 않아 5일 후 항생제를 Vancomycin으로 교체하고 지속적인 드레싱을 시행하며 정기적인 농배양과 항생제감수성검사를 시행하였다. Vancomycin 사용 9일 후 농배출이 현저히 감소되었고 감염 증상이 완화되는 소견이 관찰되어 TS 경구 복용제로 항생제를 교체하였고 술후 104일 만에 감염증이 완전히 소멸되어 퇴원하였다.

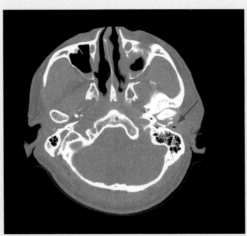 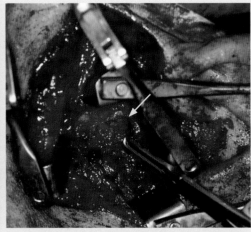

Fig. 6-19. 59세 남자 환자의 초진 시 CT 사진. 좌측 외이도 전벽이 파괴된 소견이 관찰된다.

Fig. 6-20. 후방으로 전위된 관절원판(화살표)을 원위치시키고 과두성형술을 시행하였다.

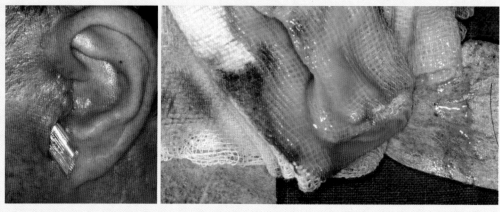

Fig. 6-21. 절개배농술을 시행하고 Silastic 드레인을 삽입하였다. 농은 진한 누런색을 띠면서 끈적끈적한 상태였고 심한 악취를 풍겼다.

⊗ Problem lists

1 술후 감염
2 MRSI
3 장기간의 입원 치료

치료 및 경과

1 절개배농술
2 항생제 치료: TS (Trimethoprim/Sulfamethoxasol), Vancomycin
3 예후 양호

◄)) Comment

● 수상 후 중환자실, 신경외과 및 정형외과에서 장기간의 입원 생활을 하면서 환자의 면역기능이 저하되었고 장기간의 항생제 치료로 인한 내성균이 출현하면서 턱관절 수술 후 MRSI가 발생한 것으로 추정된다. **감염이 잘 치료되지 않고 장기간 지속되는 경우엔 항생제 내성균에 의한 감염을 의심해야 한다.** 반드시 농배양 및 항생제감수성검사를 시행하면서 적절한 항생제를 투여해야 한다. **그러나 더욱 중요한 것은 절개배농술을 시행하고 적극적으로 감염부위를 세척하고 소독하는 물리적 치료이다.** 내성균에 대한 항생제는 장기간 사용할 경우 관련 부작용들이 많기 때문에 환자의 전신상태와 알레르기 반응 등을 면밀히 관찰하면서 치료에 임해야 한다.

7. 악성종양과 감별이 어려웠던 악안면영역의 감염

원인이 불명확하며 극심한 경결성 종창과 통증이 수반되면서 계속 진행되는 양상을 보이고, 항생제와 절개배농술 등 적극적인 치료에도 불구하고 잘 치유되지 않는 감염은 악성종양과 감별이 어려울 수 있다. 절개생검, CT, MRI 검사에서도 명확히 감별하는 것이 어려울 수 있으며 오진으로 인해 불필요한 과잉수술을 시행할 오류를 범할 수 있다(서재훈 등; 1995).

> ## Case 1 > 3개월간 치료가 이루어진 26세 여자 환자의 좌측 악하부 및 협부 감염

26세 여자 환자가 1994년 6월경부터 좌측 협부에 부종이 발생하였으나 임신 중이어서 별다른 치료를 받지 않고 지냈다. 그러나 **1994년 8월 8일** 해당 부위의 심한 통증과 경결성 종창이 발생하였으며 **1994년 8월 10일** ○○대학교 구강악안면외과에 내원하였다. 8×10 cm 크기의 경결성 종창과 촉진 시 압통이 있었으며 개구량이 2 mm에 불과하였고 38.5℃의 고열을 보였으나 연하곤란이나 호흡곤란은 없었다. 혈액검사상 백혈구수치가 10,070인 것 이외에는 특이사항이 없었고 #38이 부분 매복된 상태였다. 이를 토대로 #38 치관주위염에 기인한 협부농양으로 잠정진단하고 경험적 항생제를 투여하면서 좌측 악하 부위에서 절개배농술을 시행하고 농배양 검사를 실시하였다. 2일이 경과한 후에도 농배출은 거의 없었고 농배양 결과는 음성이 나왔으며 체온도 37.8℃로 비교적 낮아 치성감염에 의한 협부농양이 아닌 이하선염을 의심하고 **1994년 8월 12일** MRI 검사를 시행한 결과 교근에 발생한 육종 또는 기타 종양의 소견이 의심되었다. **1994년 8월 13일** 종양의 실질로 추정되는 부위에서 조직검사를 시행하였으나 검사결과 육아조직 및 농양으로 판명되어 **1994년 8월 18일** 국소마취하에서 전이개부 절개배농술을 시행하였으나 농의 배출이 거의 없었고 환자가 심한 통증을 호소하여 시술을 중단하였다. **1994년 8월 23일** 전신마취하에서 하악 우각부 및 악하부에 절개배농술을 시행하였으며 소량의 농이 배출되었다. 입원 상태에서 적극적으로 감염부위를 세척하였으며 점차 농배출량과 개구량이 증가하였다. **1994년 9월 3일** 32 mm의 개구량을 보였으며 백혈구 수치가 4,680로 감소하여 **1994년 9월 9일** 퇴원하였다.

1 협부농양, 개구장애
2 이하선염 의심
3 악성종양 의심

🗨 치료 및 경과

1 절개배농술 및 항생제 치료
2 조직검사
3 전신마취하에서 절개배농술
4 예후 양호

🔊 Comment

● 본 증례와 같이 항생제 치료에도 반응을 보이지 않으면서 절개배농술을 시행하여도 농이 배출되지 않고 딱딱한 종창이 지속될 경우 악성종양을 의심할 수 있다. 또한 혈액검사상 백혈구 수치가 높지 않고 체온도 그다지 높지 않았기 때문에 감염이 아니라고 진단할 가능성이 매우 크다. MRI 검사에서도 종양과 같은 소견이 보인다고 판독되었기 때문에 조직검사를 시행하였지만 감염성 병변 소견들만 관찰되었다. **임상증상, 정밀영상검사 및 조직검사를 시행하여 감별진단을 확실히 해야 한다. 섣불리 악성종양으로 진단할 경우 불필요한 침습적 치료를 시행하는 치명적인 오류를 범할 수 있다.**

CHAPTER 1

Case 2 > 64세 여자 환자에서 좌측 이하선 악성종양으로 의심할 만한 소견을 보였던 이하선염

64세 여자 환자가 1994년 9월부터 좌측 전이개 부위의 통증을 동반한 부종이 시작되어 이비인후과에서 부종 부위에 대한 흡인과 약물치료를 받았으나 증상이 개선되지 않아 **1994년 12월 19일** ○○대학병원 구강악안면외과에 내원하였다. 초진 시 심한 통증과 좌측 안면부의 경결성 종창, 1 mm의 개구장애를 보였으며 좌측 이하선의 급성감염으로 잠정진단하고 입원한 상태에서 검사 및 치료를 진행하였다. 혈액검사에서 백혈구 수치가 9,890인 것 외에 특이 사항들이 없었으며, 혈압 140/90 mmHg, 체온 37.8℃, 두통과 오한 증상을 보였으며 방사선검사와 타액선 조영술을 시행한 결과 특이 소견을 발견할 수 없었다. MRI 검사에서 좌측 이하선 부위의 악성종양으로 의심되는 종물이 측두하 부위, 교근 그리고 하악지를 침범한 소견이 관찰되었다. 항생제를 투여하면서 전이개 부위에서 흡인생검을 시행하였고 농이 축적되었으리라 여겨지는 측두간극 부위에서 절개배농술을 시행하였다. 농배양검사 결과 세균은 검출되지 않았으며 감염이 아닌 악성종양을 의심하고 광범위한 절제수술을 계획하였다. 절개배농술을 시행한 부위에서는 괴사성의 농배출과 다량의 출혈이 발생하였으며 절개배농술 2일 후부터 종창이 감소되기 시작하였으며, 측두간극 부위의 통증도 많이 감소되었다. 조직검사 결과에서 좌측 이하선의 염증으로 판명되었고 이를 토대로 치료계획을 변경하여 항생제와 근이완제를 투여하면서 온찜질과 개구운동을 동반한 물리치료를 적극적으로 시행하였다. 입원 10일째인 **1994년 12월 29일** 개구량은 약 10 mm 정도로 약간 증가하였고 백혈구 수치는 4,280으로 높지 않았으나 경결성 종창은 여전히 남아 있었다. 항생제와 근이완제를 계속 투여하면서 물리치료를 시행하였으나 더 이상의 증상 개선은 없었고 **1995년 1월 4일** 퇴원하였다. 1주일 간격으로 내원하면서 물리치료를 계속하였고 퇴원 6개월 후 개구량은 약 25 mm 정도로 증가하였지만 좌측 전이개 부위에 작은 경결성 종창은 남아 있었다.

1 이하선 급성감염

2 장기간의 개구장애

3 MRI 검사에서 악성종양으로 추정되는 종물 관찰됨

📋 치료 및 경과

1 절개배농술과 항생제 치료

2 흡인생검

3 개구량 회복을 위한 근육이완제 투여 및 물리치료

4 경과: 중등도의 증상 개선은 있었지만 경결성 종창과 개구장애가 지속됨

🔊 Comment

● Case 1과 유사하게 타액선 감염과 악성종양에 대한 감별이 어려웠으며 MRI 검사에서 악성종양을 의심할 만한 소견이 관찰되었다. 특히 백혈구 수치와 체온이 높지 않았고 절개배농술을 시행하여도 농이 잘 배출되지 않아 감염이 아닌 것으로 오진할 가능성이 매우 큰 증례였다. 그러나 조직검사를 통해 감염성 병변을 확진하였고 절개배농술과 항생제 치료를 시행하였다. **감염이 만성화될 경우엔 저작근을 침범하면서 섬유화가 진행되고 장기간의 개구장애를 초래할 수 있다.** 이와 같은 경우엔 적극적인 물리치료와 약물치료를 시행하여도 개구량 회복이 잘 안되는 경향을 보인다. 또한 **악성종양으로 섣불리 진단할 경우 불필요한 치료와 침습적 수술을 하게 되는 심각한 오류를 범할 수 있으므로 주의해야 한다.**

CHAPTER 1

Case 3 > 61세 여자 환자에서 악성종양으로 의심할 만한 소견을 보였던 안와주위감염

   61세 여자 환자가 **1995년 2월 1일**경부터 좌측 안와하부의 통증을 동반한 종창이 발생하여 이비인후과와 치과의원을 방문하여 약물치료를 받고 증상이 개선되었으나 **1995년 2월 26일**부터 심한 통증과 종창이 재발되어 정밀검사 및 치료를 위해 내원하였다. 내원 당시 좌측 견치간극과 안와주위의 심한 경결성 종창으로 인해 눈을 뜨기 어려웠으며 종창 부위의 압통과 국소적인 발열이 존재하였고, 상악 좌측 견치 및 소구치의 치아 우식증이 존재하여 치성감염에 의한 견치간극농양으로 판단하고 입원치료를 진행하였다. 혈액검사에서 백혈구 수치는 8,400이었다. **1995년 2월 28일** 종창 부위에서 흡인술을 시행하였으나 농배출은 없었고, 경결성 종창이 안와주위로 넓게 확산되어 있고 종물과 같은 양상을 보였으며 극심한 통증을 호소하여 임상적으로 악성종양을 의심하고 절개생검술을 시행하고 CT를 촬영하였다. CT에서 연조직 덩어리가 좌측 상악골까지 침범하고 있었으며, 골파괴 양상을 보여 봉와직염 또는 골파괴를 동반한 연조직 악성종양이 의심되었다. 그러나 조직검사 결과에서 농이 형성되어 있는 섬유성 조직으로 판명되었으며 **1995년 3월 7일** 절개생검술을 다시 시행하였고 동일한 소견이 확인되었다. 감염의 원인으로 추정되는 상악 우측 견치와 제1소구치를 발치하였으며 이후부터 증상이 서서히 완화되기 시작하였고 **1995년 3월 16일** 퇴원하였다.

⊗ Problem lists

1 안와주위 통증

2 견치간극과 안와주위 종창

3 흡인술을 시행하였을 때 농이 배출되지 않음

4 임상검사 및 CT 검사에서 악성종양을 의심할 만한 소견들이 관찰됨

5 백혈구 수치 높지 않았음

치료 및 경과

1 절개배농술 및 항생제 치료

2 조직검사 2회 시행

3 원인치 발치

4 예후 양호

🔊 Comment

- 임상증상과 CT 소견만을 참고할 때 악성종양을 충분히 의심할 만한 소견들이 관찰되었다. 파동성, 농배출, 백혈구 수치 증가와 같은 감염의 특징적 소견들도 관찰되지 않았고 절개배농술과 항생제 치료에도 불구하고 뚜렷한 증상 개선을 보이지 않았다. 그러나 **조직검사를 2회 시행한 후 감염성 병소로 확진할 수 있었고 원인치들을 발치한 후 증상이 완화되기 시작하였다.**

상기 3증례 모두 혈액검사에서 백혈구 수치가 정상 범위에 있었고 절개배농술과 항생제 치료에도 불구하고 통증과 종창의 정도가 개선되지 않는 양상을 보였다. 또한 CT, MRI 검사에서 모두 악골 파괴, 인접한 주위 골조직을 침범하는 확장성 병소 소견이 관찰되어 악성종양을 강하게 의심할 수밖에 없었지만 절개생검 혹은 흡인생검을 시행하여 감염성 병소로 확진할 수 있었다. 만약 이러한 증례들을 악성종양으로 간주하고 광범위한 외과적 절제술, 항암치료 등을 시행하였다면 어떤 결과를 초래하였을지 끔찍하다. **환자를 진료하는 의료인들은 항상 교과서적인 환자들만 접할 수 없으며 지금까지 배운 지식에 부합되지 않는 다양한 환자들을 계속 만나게 될 것이다. 끊임없이 공부하면서 정확히 진단할 수 있는 능력을 배양하는 것이 매우 중요함을 일깨워주는 증례들이다.**

Liston 등(1981)은 뚜렷한 원인이 없이 협부에 커다란 경결성 종창이 발생하였고, 백혈구 수치가 정상 범주에 있거나 약간 상승되어 있으면서, 방사선사진에서 연조직의 종양 또는 육종과 유사한 소견을 보이고, 감염으로 확진할 만한 임상증상들이 없는 3명의 소아환자 증례들을 보고하였다. 조직검사를 시행한 결과 염증세포침윤을 동반한 섬유성 조직의 과도한 증식이 병소 중심부에서 보였지만 혈관이나 육아조직 반응은 관찰할 수 없었으며 이러한 질환을 **Inflammatory pseudotumor**로 진단하였고, 이들 병소들은 시간이 경과하면서 점차 소멸되었고 재발 없이 치유되었다고 보고하였다. 이후에도 많은 학자들에 의해 유사한 병변들에 대한 증례보고가 발표되었으며 반드시 조직검사를 시행하여 악성종양 등으로 섣불리 진단하는 오류를 범하지 말 것을 경고하였다(Earl PD, et al; 1993, Inui M, et al; 1993, Isaacson G, et al; 1991, Moskovic E, et al; 1991, Shapiro MJ, et al; 1986, Som PM, et al; 1994, Takimoto T, et al; 1990, Williams SB, et al; 1992). 그러나 Som 등(1994)은 Inflammatory pseudotumor는 원인을 알 수 없는 만성 염증성 병소이며 임상소견과 방사선사진 소견상 확장성과 침윤성을 보이는 악성종양과 유사하기 때문에 이 용어를 도입하였지만 Inflammatory pseudotumor에서 실재 종물이 발생하지 않기 때문에 이런 용어를 사용하는 것은 적절하지 못하다고 언급하였다. 또한 **세균과 진균 배양검사에서 비록 음성으로 나온다고 하더라도 원인을 알 수 없는 어떤 감염원에 의해서 나타난 면역반응일 수 있다. 따라서 이런 질환의 치료 시 항생제보다는 스테로이드 치료를 우선 시행해 보는 것도 좋다고 언급하였다.** Inflammatory pseudotumor의 호발 부위는 폐, 소화관, 간장, 신장, 방광, 척수 등이며 악안면 영역에서는 거의 안와 주변에 발생하는 경향을 보인다. 그러나 갑상선, 치주조직, 편도선, 안면신경, 뇌경막 등에서도 발생하였다는 보고가 있다. Earl 등(1993)은 악안면부에 발생한 이런 병소를 절제할 경우 근육에 흉터 및 섬유화증이 형성되면서 심한 개구장애가 지속될 수 있다. 따라서 일부 병변만을 제거하고 약물치료를 병행하면 질환이 치유되는 과정 중에 염증반응이 사라지면서 정상으로 회복될 수도 있다고 언급하였다.

> **Case 1 >**   51세 여자 환자에서 발생한 원인불명의 파상풍
> (이병준 등; 1993)

51세 여자환자가 개구제한과 연하곤란을 주소로 **1992년 6월 13일** ○○대학교 부속치과병원 외래로 내원하여 진단과 치료를 위해 입원하였다. 약 10 mm 정도의 개구제한과 연하곤란으로 침을 계속 뱉어 내었으며 안면근육의 강직과 혀의 강직이 존재하면서 촉진 시 매우 단단한 감각이 느껴졌다. 혈액 및 방사선검사상 특이소견은 관찰되지 않았다. 턱관절장애, 안면부 봉와직염, 파상풍 등에 대한 감별진단을 시행하였으며 병력검사 시 외상 병력을 확인하지 못하였으나 신경과 협진 결과 파상풍으로 최종 진단되었다. 입원 5일째 파상풍 면역글로불린 3,000 단위를 근육주사하였고 호흡곤란이 더 심해지고 사지의 근강직 상태를 보였기 때문에 Diazepam 10 mg을 정주한 후 응급 기관절개술을 시행하고 산소를 공급하였다. 계속적인 입원 관리를 위해 신경과로 전과시켰다. 신경과에서 입원 6일째 Levin tube를 삽입하여 식사와 영양공급을 하였으며 16일간 항생제를 정주하였다. Diazepam 20 mg, Phenytoin Sodium 300 mg을 45일간 투여하고, Chlorpromazine 75 mg을 39일간 투여하였다. 환자는 성공적으로 치유되어 입원 후 49일째 퇴원하였다.

⊗ Problem lists

1 개구제한 및 연하곤란
2 파상풍

치료 및 경과

1 신경과 협진
2 약물치료: 항생제, 면역글로불린, Diazepam, Phenytoin, Chlorpromazine
3 경과 양호

◀ Comment

● 본 증례의 경우 손상병력이나 감염부위를 찾을 수 없었고 환자 자신이 정확한 수상일을 기억하지 못하였다. 임상증상에 의존하여 파상풍(generalized tetanus)으로 진단하였고 **치료 도중에 심한 근육경직과 호흡곤란을 보여 응급 기관절개술이 시행되었다.** 49일간의 긴 입원치료 후 완치되었으며 치과에 예상하지 못한 다양한 환자들이 내원할 수 있음을 일깨워주는 증례이다.

Case 2 > 64세 남자 환자가 넘어지면서 발생한 손바닥 열상에 의해 초래된 파상풍 사례
(임현대 & 이유미; 2011)

64세의 남자 환자가 **2010년 11월 3일** 개구제한을 주소로 ○○대학교 치과대학병원 구강내과에 내원하였다. 내원 2일 전 환자는 술을 많이 먹고 잔 후 입이 안 벌어진다고 하였으며 시간이 지남에 따라 증상이 점점 심해지고 목 부위 근육도 붓는 것 같다고 호소하였고, 개구 시와 저작 시에 따끔거리는 통증이 존재한다고 하였다. 환자는 양쪽 턱의 통증 정도를 10 cm 시각아날로그척도(visual analogue scale, VAS) 8에 표시하였다. 관절잡음, 과두걸림 등은 없었고 처음 내원 당시 악안면 부위에 특이한 외상의 병력이나 흔적은 없었다. 최대 개구량은 23 mm였고 개구 시 하악의 편향이나 편위는 보이지 않았다. 두통은 없었으나 턱이 아픈 이후로 목과 어깨의 통증이 발생하였다고 하였다. 내원 당일 구강이나 인두부 감염이 의심되어 구강악안면외과에 의뢰하였으나 감염 소견은 발견되지 않았으며 술을 마시면 이를 꽉 무는 습관이 있다고 하여 근육성 턱관절장애로 잠정진단한 후 이에 대한 치료계획을 세웠다. **2010년 11월 5일** 내원 시에는 개구량이 20 mm로 더 감소하였고 목 통증이 더 심해지고 있으며 이로 인해 식사는 물론 물을 삼키는 것이 힘들다고 호소하여 이비인후과에 의뢰하였다. 고열은 없었으나 오한 증상이 있었고 정신상태는 명료하였고 활력징후는 정상 범위였다. 당일 이비인후과에서는 급성인후염으로 진단하고 관련 약물을 처방하였다. **2010년 11월 8일** 개구량은 10 mm로 현저히 감소되었고 목 통증, 교근, 흉쇄유돌근 및 세모근 촉진 시 압통이 존재하였으며, 경부근육의 경직(stiffness)이 확인되어 구강악안면외과에 입원하여 치료를 진행하면서 재활의학과와 신경과 협진을 의뢰하였다. 환자의 과거병력을 세심히 조사한 결과 **2010년 10월 23일** 넘어져서 돌조각에 왼쪽 손바닥의 열상이 발생하였으나 특별한 불편감이 없어서 치료를 받지 않았다고 하였다. 파상풍으로 잠정진단하고 감염내과로 전과한 후 면역글로블린, Metronidazole, Midazolam 등으로 치료받은 후 **2010년 11월 26일** 퇴원하였다.

1️⃣ 개구제한

2️⃣ 외상 병력에 대한 파악이 늦었음

3️⃣ 파상풍

📋 **치료 및 경과**

1️⃣ 약물치료: 면역글로블린, Metronidazole, Midazolam

2️⃣ 경과 양호

🔊 **Comment**

● 본 증례는 손바닥 열상으로 인해 발생한 파상풍으로 확진되었으며 초진 이후부터 총 치료기간은 23일이 소요되었다. 점점 개구량이 감소하면서 근육통, 경부근육 경직증이 발생하였다. 호흡곤란과 같은 응급상황은 발생하지 않았지만 **파상풍 진단과 치료가 지연될 경우 치명적 결과를 초래할 수도 있다.**

개구장애와 연하곤란을 주소로 치과에 내원한 환자가 파상풍으로 진단되는 경우가 종종 발생한다. 즉 특별한 외상이나 원인을 정확히 파악할 수 없는 상황에서 발생할 수도 있으며 환자가 수상 일을 정확히 기억하지 못하는 경우도 많다. 파상풍의 진단은 주로 임상증상에 기초하여 이루어지며 개구장애가 가장 흔한 주소이다(이병준 등; 1993).

파상풍은 오염된 상처에서 혐기성의 그람양성균인 *Clostridium tatani* 감염으로 인하여 발생하며 tetanolysin과 tetanospasmin과 같은 신경독소를 방출하면서 근육경련을 유발한다. 파상풍을 일으키는 세균은 전 세계적으로 흙에 존재하며, 동물이나 사람의 대변에서 발견되기도 한다. 안면부의 근육에 증상을 보이는 경우가 약 75% 정도로 보고되었으며 이 경우 환자가 병원을 찾게 되는 주소가 개구제한 및 저작근 통증일 수 있다(Hedderson SO, et al; 1988). 신동현(2003) 등은 파상풍 발생 시 일차적으로 경부강직증(Neck stiffness: 82.3%)과 함께 개구제한(100%)이 가장 흔하면서도 조기에 나타나는 증상이라고 언급하였다. 파상풍의 잠복기는 보통 7일 이내로 알려져 있다(임현대 & 이유미; 2011).

파상풍은 전신형(generalized), 국소형(local), 두개형(cephalic), 그리고 신생아형(neonatal)의 4가지로 분류되며 이중에 전신형 파상풍이 제일 흔하다(Hedderson SO, et al; 1998, St-Hilaire H, et al; 2004, Wakasaya Y, et al; 2009). 전신형 파상풍은 손상부위가 중추 신경계에서 얼마나 떨어져 있느냐에 따라 잠복기가 7일에서 21일로 나타나며 잠복기가 짧을수록 치사율이 높다. 근육경직과 경련의 지속이 전신형 파상풍의 전형적인 임상증상이다. 경직성 개구불능은 약 75% 정도에서 호소하며 처음에 환자는 개구장애를 주소로 치과를 방문하게 된다. 개구장애 외에 다른 초기 증상으로는 짜증을 많이 내고, 안절부절하며, 땀이 나며, 연하곤란으로 침을 흘리고 물 마시는 것을 두려워하게 된다. 안면근 경련에 의한 경련성미소(risus sardonicus)나, 등 근육 경련에 의한 활모양 강직(opisthotonos)이 대표적 증상으로 나타난다. 말기에는 자율신경의 기능장애가 발생하여 불안정한 고혈압, 심계항진과 심부정맥, 발열, 말초혈관 수축과 갑작스런 심정지 등이 발생할 수 있다(Hedderson SO, et al; 1998). 국소형 파상풍은 상처가 있는 사지 부위에 나타나며 심한 경우는 통증을 동반한 경련이 전신으로 확산되기도 한다. 대부분의 경우 전신적으로 진행되기보다는 국소화된 형태로 남아 있으며 예후가 양호한 편이다(St-Hilaire H, et al; 2004). 두개형 파상풍은 두경부 손상이나 중이염이 발생한 후 *C.tetani*에 이차로 감염되면서 발생하며 문신, 귀나 구강의 피어싱 이후 발생하기도 한다.

잠복기는 1-2일로 매우 짧으며 뇌신경의 운동신경, 특히 안면신경장애가 동반되며 약 2/3 정도가 국소형이나 전신형 파상풍으로 진행될 수 있고 예후는 좋지 않다. 두개형 파상풍의 가장 주된 증상은 개구제한이며 그 외에는 뇌신경 특히 안면신경부전, 안면통, 연하곤란, 구음장애, 경련성미소, 목과 등의 뻣뻣함, 경련 등을 포함한다(Wakasaya Y, et al; 2009).

파상풍 백신을 투여하여 예방하는 것이 가장 중요하다. 치료법은 첫째, 비결합된 독소를 중화하는 방법으로 파상풍 면역글로부린을 근육주사한다. 둘째, 감염원을 제거하기 위하여, 명확한 상처는 외과적으로 제거하고, 항생제를 투여한다. 셋째, 근육경직을 완화시키기 위해 불필요한 근육자극을 피하고 진정제와 항경련제, 그리고 근신경차단제 등을 투여한다. 호흡곤란과 발작성 경련이 지속되는 환자들에선 기관절개술이 필요할 수 있다(손유동 등; 2004).

개구제한을 주소로 내원한 환자들을 진단할 때 파상풍을 포함한 감염성질환, 턱관절장애 등 다양한 감별진단을 철저히 수행해야 한다. 파상풍에 대한 인식이 부족하여 조기진단을 하지 못하면 치명적인 결과를 가져올 수 있다. 그러므로 개구제한, 연하곤란 또는 호흡곤란과 같은 증상을 진단할 때는 감별진단을 위해 철저한 병력조사와 신체검사의 중요성이 다시 한번 더 강조된다(임현대 & 이유미; 2011).

Box 1-4 ＼ **파상풍 예방접종** ─────────────

● DPT(diphtheria, pertussis absorbed, tetanus toxoid)

  2, 4, 6, 15개월, 4-6세에 접종하며, 이후 10년마다 15, 25, 35세 등에 Td (tetanus and diphtheria toxoids absorbed for adult)를 접종한다.

● 기초 예방접종이 안 된 사람들

  Td 접종 → 4-8주 후에 2차 접종, 그 후 6-12개월에 3차 접종하고 이후 10년마다 접종한다.

9. 중증 치성감염으로 사망한 증례

구강악안면 부위의 치성감염은 초기 진단 및 치료가 잘 이루어지는 편이며 신체의 다른 부위와 비교할 때 국소적 방어기능이 우수하고 감염이 치료되지 않고 남아 있을지라도 저절로 배농이 이루어지는 경우가 많아 치명적 결과를 초래하는 경우는 극히 드물다. 그러나 어떤 원인으로 인해 환자의 전신 면역기능이 현저히 감소된 경우엔 적극적인 외과적 처치와 항생제 투여에도 불구하고, 근막 간극을 따라 급속히 감염이 파급되면서 궁극적으로 패혈증 등에 의한 사망을 초래하기도 한다(Chong YS; 1998).

Case 1 > 패혈증으로 사망한 증례(김지홍 & 김영균; 2000)

2000년 5월 12일, 89세의 여자 환자가 눈을 뜨지 못할 정도의 심한 우측 안면부 종창으로 본원 응급의학과를 거쳐 본과에 입원하였다. 환자는 내원 3일 전부터 증상이 발생하였으며 내원 당시 우측 안면부의 종창과 통증, 피부발적, 개구장애 등이 관찰되었고 구강위생 상태는 아주 불량하였다. 수개월 전부터 전반적인 치은 종창 및 치통이 주기적으로 반복되었으나 치과치료는 전혀 받지 않았다. 활력징후는 혈압 177/103 mmHg, 맥박 88회/분, 호흡수 26회/분, 체온 36.1℃로 측정되었고 PNS CT상에서는 우측 안와하부에 종괴성 병소가 존재하면서 상악동 전벽을 압박한 양상이 관찰되었고 상악동염 소견을 보였다(**Fig 9-1**). **2000년 5월 13일** 우측 안와주위의 종창이 더욱 심해지면서 눈을 뜨지 못하게 되었고, 우측 협부, 안와하부 및 악하부 종창이 심화되었고 파동감과 경결감을 보였다. 증상은 더욱 악화되면서 호흡곤란 및 의식장애, 반혼수상태(semi-coma state)가 발생하여 즉시 내과계 중환자실(MICU)로 이송하였다. 하악 구치부에서 기인한 것으로 추정되는 감염이 상악 견치간극(canine space), 협부간극(buccal space), 안와간극(orbital space), 측두하간극(infratemporal space)까지 파급된 봉와직염(cellulitis)에 의해서 유발된 패혈증 가능성이 의심되었고 SIADH (syndrome of inappropriate antidiuretic hormone)의 증상도 발현되었다. 감염 확산의 방지와 감압(decompression) 및 배농 (drainage)을 위해서 우측 악하부 및 이하부에 응급으로 절개술을 시행하였고 추출된 농은 배양검사를 의뢰하였으며 silastic drain을 2개 삽입하였다. 그러나 절개부에서는 심한 정맥성 출혈이 발생되었고 조직을 박리할수록 출혈은 더욱 심해지는 양상을 보여 패혈증의 합병증인 DIC (disseminated intravascular coagulopathy)가 의심되었으며 3-0 black silk로 출혈부를 깊숙이 봉합하고 압박을 가하여 지혈처치를 시행하였다. 5월 13일 실시한 혈액검사에서 나트륨이 123.4 mmol/L로 저나트륨증의 소견을 보였으며 동맥혈 검사에서는 pH 7.04, pCO_2 51.8 mmHg, pO_2 78.2 mmHg, O_2 saturation 88.8% 등으로 대사성산증(metabolic acidosis) 소견을 보였고 혈당은 120이었다. 농배양 및 혈액배양 검사(blood culture)에서 그람양성균인 *Streptococcus pyogenes* 가 다량 검출되었다. 수축기 혈압은 50에서 60 사이로 유지되면서 쇼크 소견을 보였고, 체온은 35℃, 호흡수는 26회 전후, 맥박수는 120회 전후로 측정되었다. 검사 결과에 따라서 3세대 Cephalosporin 계열의 항생제와 Clindamycin을 병용투여하였고 호흡곤란 증상이 심해져서 기관삽관술(orotracheal intubation)을 시행하였다(Fig 9-2). 혈압 회복을 위해 Norepinephrine, Dopamine 등을 투여하였고 산증을 해소하기 위해 Sodium bicarbonate를 투여하였다. 중환자실에서의 적극적인 처치에도 불구하고 감염은 양측 악하부, 이하부, 구강저, 안와부로 파급되었으며 개구장애와 혀의 거상이 더욱 심해졌고 경부간극(neck space)을 통하여 감염이 폐까지 전파되는 양상을 보였다. 혈압 유지를 위해서 많은 양의 생리식염수를 빠르게 정주하였고 Dopamine 투여에도 불구하고 회복되지 않았다. 5월 15일 동맥혈 검사에서 pH 6.875, pCO_2 57.4, pO_2 46.2, O_2 saturation 52%로 심한 대사성산증 소견을 보였으며 Glucose 422 mg/dL, Fibrinogen 408 mg/dL, FDP 양성 반응을 보였다. 더 이상 말초에서의 혈압이 측정되지 않았고 체온은 35℃, 호흡수는 30회 내외였으며, 안면, 목, 가슴부위의 종창, 보라색의 피부변색 등이 관찰되었다. 중환자실에서의 집중적인 처치에도 불구하고 환자의 상태는 개선되지 않았고 혼수 상태가 지속되었다. 흉부 방사선진상에서는 우측 폐에 pneumonic consolidation이 관찰되었다(Fig 9-3) 2000년 5월 15일 오후 1시 20분경 직접사인은 심폐부전, 중간사인은 패혈증, 선행사인은 안면부 봉와직염으로 심장이 정지하였고 가족들의 합의하에 심폐소생술을 시행하지 않았다.

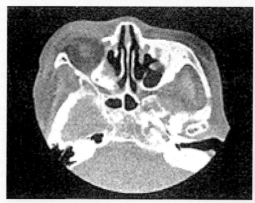
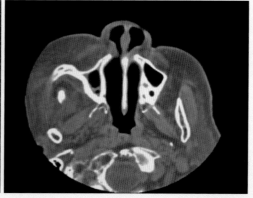

Fig. 9-1. PNS CT에서 우측 안와하부의 종괴성 병소. 우측 상악동점막의 비후 및 전벽이 내측으로 밀린 소견이 관찰된다.

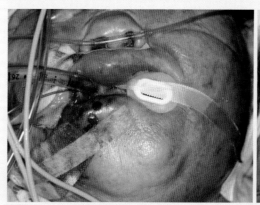
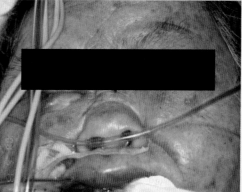

Fig. 9-2. 양측 안와주위 종창으로 인해 눈을 뜰 수 없으며 양측 협부 및 악하부 종창이 매우 심한 것을 볼 수 있다. Oral airway가 삽입되어 있으며 기관삽관술이 시행되었다.

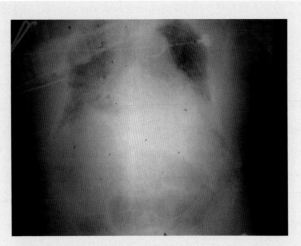

Fig. 9-3. 삽관튜브가 삽입되어 있으며, 심장의 크기가 증가되어 있고 우측 폐 하부에 경계가 불명확한 방사선 불투과성 병소가 관찰된다.

⊗ Problem lists

1️⃣ 89세 고령
2️⃣ 치주염 등의 증상이 존재하였으나 치과치료를 받지 못함
3️⃣ 봉와직염의 신속한 확산
4️⃣ 패혈증

📋 치료 및 경과

1️⃣ 입원치료
2️⃣ 절개배농술 및 항생제 치료
3️⃣ 기관삽관술
4️⃣ 패혈증 치료
5️⃣ 사망

🔊 Comment

● 패혈증은 감염이 혈류를 통해 전신적으로 파급된 상태를 말한다. 패혈증에 이환된 환자는 발열, 오한, 권태, 쇠약감 등의 증상을 보이고 가장 치명적인 증상은 패혈성 쇼크(septic shock)를 유발하는 확산성 말초혈관의 확장(diffuse peripheral vasodilation)이다. 패혈증은 숙주 면역계의 손상과 숙주 방어기전을 파괴시키는 세균성 요인, 또는 두 요인 모두에 의하여 발생한다. 치료는 혈압, 체온, 맥박수 및 호흡수 등의 생징후를 측정하면서 수액 보충, 농배양검사 결과가 나오기 전까지 고용량의 경험적 항생제 투여, 산소공급 등이 적극적으로 수행되어야 한다. 본 증례는 **치주 감염에서 기인된 것으로 추정되는 안면부 봉와직염이 발생한 고령의 환자에서 환자 자신 및 보호자의 무관심으로 인해 적절한 치료 시기를 놓쳤고** 그람양성균에 의한 패혈증으로 진행되면서 적극적인 약물 및 외과적 처치를 시행하였음에도 불구하고 결국 사망하였다.

패혈증의 진단은 임상증상과 징후, 혈액검사, 방사선검사 등으로 이루어진다. 환자의 임상증상과 징후는 고열, 오한, 경직, 빈맥, 근육통, 피부의 발적, 빈혈, 정신상태의 변화, 쇼크 등을 들 수 있다. 하지만 고령의 환자에서는 체온의 상승이 없으면서 패혈증이 발생하기도 한다. 이 중에서 쇼크는 두 단계로 이루어지는데, 초기 쇼크는 warm shock라고도 하며 심박출량의 증가, 말초 저항의 감소, 발한, 말초혈관 확장의 상태로 이루어지고, 두 번째 단계는 cold shock라고 하는데 정상적 또는 증가된 말초 저항, 혈관이 수축된 피부에 의해서 심박출량의 감소 등의 상태로 이루어진다. 패혈증 진단의 중요한 요소인 실험실 검사는 혈액배양검사(positive blood culture) 양성, 단백뇨(proteinuria), 고혈당증(hyperglycemia), 대사성산증(metabolic acidosis), 감소된 동맥혈 산소분압, 혈장 K+의 증가, DIC (disseminated intravascular coagulopathy)의 징후 등이 나타난다(Campbell JW & Frisse M; 1983, Condon RE & Nyhus LM; 1985, Hypp JR, et al; 1996, Meyers BR, et al; 1989, Richardson JP; 1993). 그러나 최근엔 기존에 언급되었던 패혈증의 정의, 진단 및 치료 기준들이 폐기되고 현실에 맞게 수정되었다. 자세한 내용은 Chapter 2 감염 고찰의 "패혈증" 내용을 잘 살펴보길 바란다.

본 증례의 환자는 특이 전신질환은 보유하고 있지 않았지만 89세의 고령의 환자로서 면역기능이 저하된 상태에서 불량한 구강위생 관리, 정기적인 치과진료 소홀 및 가족들의 무관심으로 인해 하악 구치부 치주감염이 봉와직염으로 급속히 확산되면서 패혈증으로 진행되었다고 판단되며, 심한 감염에도 불구하고 체온은 높지 않았다. 그러나 대사성산증, 그람양성균의 혈액배양, 고혈당증 및 DIC의 임상증상들이 관찰되었다. 항생제 치료는 그람양성균인 *Streptococcus pyogens*에 민감성을 보이는 항생제로서 제3세대 Cephalosporin과 Clindamycin을 병용투여하였으며 감염의 파급 억제 및 농배출을 위해 조기에 절개배농술을 시행하였지만 감염은 조절되지 않았고 절개술 시 심한 출혈 양상을 보이면서 DIC가 의심되었다. 2가지 항생제를 사용할 때 협동작용과 길항작용을 일으키는 약물들이 있기 때문에 항생제 조합을 잘 선택해야 한다. 일반적으로 **살균성과 정균성 항생제를 함께 사용할 경우 길항작용을 유발하는 것으로 알려져 있지만 Clindamycin은 예외 약물이다. 즉 Penicillin 계열 항생제와 Clindamycin을 함께 사용할 경우 상승작용을 발휘하는 것으로 알려져 있다.** 따라서 본 증례에서도 3세대 Cephalosporin과 Clindamycin을 함께 사용하였다.

Case 2 > 성인호흡장애증후군으로 사망한 증례

(김수관 등; 1993)

1992년 6월경, 20세 여자 환자가 하악 좌측 지치 발치 후 연하곤란과 개구장애가 발생되어 내원하였으며 초진 시 양측 하악골 하부와 양측 이하부의 심한 종창과 압통을 보이고 있었고 오한을 동반한 심한 고열 (39.2℃)과 구취가 존재하였다. 혈액검사 소견에서 백혈구증가증(26,400)이 있었으며 방사선학적으론 특기할 만한 사항이 없었다. Ludwig's angina의 임상진단하에 **1992년 7월 1일** 입원하여 항생제 치료(Cephazolin + Amikacin)가 시작되었으며 국소마취하에서 7월 2일, 3일 구강외 절개배농술, 4일과 8일에 구강내로 절개배농술을 시행하였으나 지속적인 고열과 약물투여에 의한 혈소판감소증(97,000)이 발생하였다. Clindamycin으로 약물을 바꾸고 내과에 자문 치료(구두 자문)하에 항생제 치료를 계속하면서 감염부위 세척술을 적극적으로 시행하여 증상이 현저히 개선되었다. 그러나 7월 7일 고열과 상기도 감염 증상이 발생하였으며 7월 9일 호흡곤란과 빈호흡을 보인 후 계속적인 감염 치료와 내과 자문치료에도 불구하고 증상이 개선되지 않았으며 Blood gas analysis에서는 pCO_2가 36.6 mmHg, pO_2 58.2 mmHg를 보여 산소공급을 시행하였다. 폐혈증 진단을 위해 blood culture, fibrinogen, FDP (fibrin degradation products), prothrombin time, partial thromboplastin time 검사를 시행한 결과 모두 정상 범주를 보였다. **1992년 7월 12일** 흉부 방사선사진검사에서 폐부종의 소견을 보여 내과로 전과하여 폐부종에 대한 처치와 지속적인 항생제 투여 및 산소공급에도 불구하고 7월 15일 성인 호흡장애증후군의 최종 진단하에 사망하였다.

1 하악지치 발치 후 감염

2 전신질환이 없는 건강한 젊은 여자 환자

3 성인호흡장애증후군

🔖 치료 및 경과

1 입원치료

2 항생제 치료 및 절개배농술

3 내과 협진

4 사망

🔊 Comment

● 성인호흡장애증후군은 급성 저산소혈증을 동반한 호흡부전증으로서 동의어는 adult respiratory failure, shock lung, diffuse alveolar damage, acute alveolar injury, traumatic wet lung, Da Nang lung이 있다. 대개 유발인자들에 노출된 후 24시간 이내에 호흡부전의 증상을 보이며 90% 의 환자들이 72시간 내에 발생한다. 심한 호흡곤란과 청색증을 보이며, 빈호흡, 호흡의 어려움(labored breathing), 난치성 저산소증, PaO_2의 증가, 저탄산혈증의 소견을 보이며, 흉부방사선사진에서 미만성의 폐포음영과 같은 특징적인 소견이 관찰된다. 또한 저산소증이 심해지면서 중추신경계와 신장기능 장애를 초래한다. 감염을 포함한 모든 스트레스가 소인으로 관여할 수 있으며, shock, 패혈증 등이 복합적으로 관련된다. 진단은 임상증상들과 흉부방사선사진, 산소요법에 반응을 보이지 않는 저산소혈증, 폐순응도(lung compliance) 감소, 기능적 잔여용적(functional residual capacity) 감소 등을 기반으로 진단할 수 있다. 사망률이 40-70%에 달한다고 알려져 있으며, 그람음성균에 의한 폐렴, 폐부종, 심박출량 감소, 위장관 출혈, 패혈증이 동반되면서 사망한다(Cotran RS, et al; 1989, Rose LF & Kaye D; 1983). 본 증례는 **하 악 제3대구치 발치 후 Ludwig's angina가 발생하여 적극적인 입원처치를 시행하였으나 상기도감염에 의한 심한 호흡곤란과 청색증, 빈호흡, labored breathing, 난치성 저산소증, 저탄산혈증의 소견을 보인 성인호흡장애증후군으로 최종 진단되었다.**
성인호흡장애증후군은 다수의 소인들이 관여되며 사망률이 매우 높기 때문에 조기에 발견하여 적극적으로 치료하는 것이 최선의 방법이다.

> ## Case 1 >　88세 여자 환자의 #35-36 임플란트 주위에 발생한 MRONJ

　2019년 10월 17일 88세 여자 환자가 좌측 하악 구치부 잇몸이 부었다는 증상을 주소로 내원하였다. #35, 36 임플란트 주위의 잇몸 종창과 탐침 시 출혈이 관찰되었으며 방사선사진에서 임플란트 주위의 심한 골소실이 관찰되었지만 임플란트 동요도는 없었다(Fig 10-1). 환자는 2016년 1월 26일 임플란트(TS III: 4.5/8.5, 5.0/8.5) 식립 및 수술과정에서 수집된 자가골과 ICB 0.25 g을 이식하고 치유지대주를 연결하였으며 2016년 5월 27일 PFM으로 최종수복하였다. 이후 심한 골다공증이 진단되어 2016년 9월부터 2019년 1월까지 3개월 간격으로 Bonviva (Ibandronate 3 mg) 주사치료를 받았으며 2019년 4월에는 Prolia (Denosumab, 암젠코리아) 60 mg 주사치료를 받은 병력이 있었다. 초진 당일 국소마취하에서 임플란트주위소파술을 시행하고 chlorhexidine (Hexamedine Soln, 부광약품)으로 세정한 후 Minocure(minocline oint, 나이벡, 대한민국)를 주입하였다. 증상은 해소되지 않고 점점 더 심해지는 양상을 보였으며 2019년 11월 4일 국소마취하에서 #35, 36 임플란트 주위 소파술, iBrush와 Key 레이저, chlorhexidine을 이용한 임플란트 표면세척술을 시행하고 Mesexin 500 mg bid를 5일간 처방하였다. 2019년 12월 26일 치주탐침 결과 #35 임플란트 주위는 5-10 mm, #36 임플란트 주위는 4-10 mm의 탐침 깊이를 보였으며 국소마취하에 피판을 거상하여 수술을 시행하였다. 임플란트 주변의 괴사된 골조직을 제거하여 조직검사를 의뢰하였고 ibrush를 이용하여 오염된 임플란트 표면을 세척한 후 Tetracycline과 레이저를 이용하여 탈독소처리를 하였다. 주변 결손부에 NOVOSIS BMP bone 0.25 g을 이식하고 CollaGuide로 피개한 후 주변에 Minocline oint를 주입하고 봉합하였다(Fig 10-2). 2020년 1월 3일 봉합사를 제거하였으며 조직병리검사에서 Sclerotic bone fragments with neutrophilic exudate and bacterial colonies 소견들이 관찰되어 MRONJ로 최종 진단하였다(Fig 10-3). 이후 3개월 간격으로 유지관리를 시행하면서 경과를 관찰하였다(Fig 10-4). 2020년 9월 28일 탈락된 임플란트를 소지하고 내원하였는데 내원 수일 전 #35-36 임플란트가 저절로 탈락되었고 탈락된 임플란트에 부골이 붙어있었다. 창상을 세척하고 레이저치료를 시행한 후 Tocopherol 100 mg bid, Pentoxifylline 400 mg bid를 4주 처방하였다 (Fig 10-5).

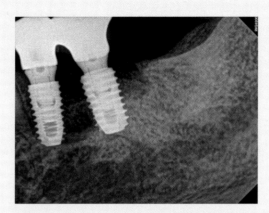

Fig. 10-1. 88세 여자 환자의 **치근단방사선사진.** #35, 36 임플란트 주변의 방사선투과상이 증가된 것을 볼 수 있다. 당일 국소마취하에 임플란트 주위 소파술을 시행하였다.

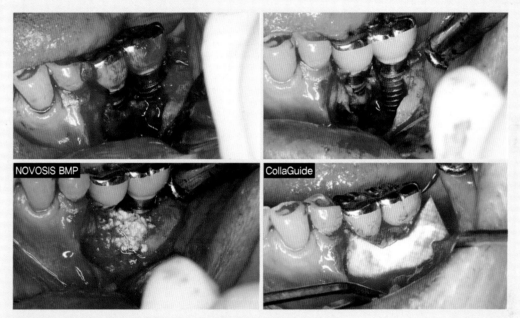

NOVOSIS BMP

CollaGuide

Fig. 10-2. **치은박리소파술을 시행하는 모습.** 임플란트 주변의 염증성 조직과 괴사골을 제거하고 오염된 표면을 세척 및 탈독소처리한 후 골이식을 시행하였다.

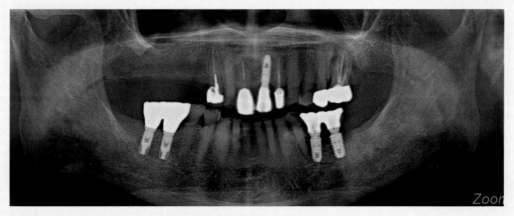

Fig. 10-3. 치은박리소파술 8일 후 파노라마방사선사진.

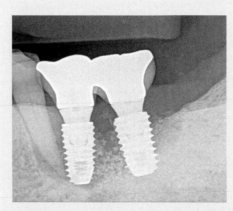

Fig. 10-4. 치은박리소파술 6.5개월 후 치근단방사선사진. 인접한 #34 치근단 주변으로 방사선투과상이 확산된 소견이 관찰된다.

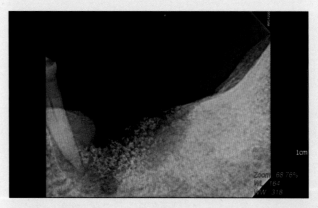

Fig. 10-5. 2020년 9월 28일 촬영한 치근단방사선사진. #35, 36 임플란트는 수일 전 저절로 탈락되었다.

1 임플란트 치료 후 주사용 Bisphosphonate와 Denosumab 치료

2 임플란트 주위 염증

3 임플란트 저절로 탈락

4 MRONJ

📋 **치료 및 경과**

1 임플란트 주위 소파술 및 치은박리소파술(재생형 치료 시도)

2 임플란트 탈락 후 레이저치료, Tocopherol, Pentoxifylline 투여

3 경과관찰 중단됨

🔊 **Comment**

● 임플란트 치료 종료 후 상당 기간이 지난 후 임플란트 주위염과 유사한 증상이 발생하였다. 환자의 병력을 참조할 때 MRONJ가 강하게 의심되었지만 임플란트 동요도가 전혀 없어서 일단 보존적 치료를 시행한 후 재생형 임플란트주위염 수술을 시도해 보았다. 골재생을 기대하면서 rhBMP-2를 이식하였고 레이저치료를 병행하면서 골치유를 은근히 기대해 보았지만 결국 실패하고 임플란트는 저절로 탈락되었다(Cicciu M, et al; 2012, Jeong SY, et al; 2018, Min SH, et al; 2020). MRONJ에 이환된 임플란트들이 제거되고 Tocopherol과 Pentoxifylline을 투여하여 치유가 이루어지긴 했지만 여러 가지 교훈을 일깨워 주는 증례이다. 이와 같은 증례를 처음 접하면 환자에게 병인론과 향후 치료법을 상세히 설명하고 다음과 같이 치료를 진행하는 것이 적절하다고 판단된다.

① MRONJ에 수반된 임플란트들을 신속히 제거

② Tocopherol, Pentoxifylline, Antibiotic 투여

③ 경과를 관찰하면서 레이저치료를 시행하는 것은 창상 치유에 도움이 될 수 있다(Li FL, et al; 2020, Vescovi P, et al; 2006).

④ **주사용 Bisphosphonate 장기간 투여 후 Denosumab을 투여할 경우 악골괴사증 발생 위험이 매우 크다**(Higuchi T, et al; 2018, Pichardo SEC & Richard van Merkeseyn JP; 2016).

임플란트 장기 경과관찰 기간 중에
발생한 MRONJ

2007년 12월 27일 68세 여자 환자가 다수치아상실과 우식증을 주소로 내원하였다. 환자는 2008년 #15, 16, 26, 27, 35-37, 46 부위에 골이식을 동반한 임플란트 식립술이 시행되었다. 상부 보철물이 장착된 후 6-12개월 간격으로 정기 유지관리가 시행되었다(Fig 10-6, 7). 2012년 3월 8일 #25-27 부위 잇몸이 자주 붓고 피가 난다는 증상을 호소하면서 내원하였으며 #27 임플란트 주위에 5-6 mm 치주낭이 존재하였고 탐침 시 화농성 출혈이 발생하였지만 방사선사진에서 골소실 소견은 관찰되지 않았다(Fig 10-8). 임플란트 주위 점막염으로 진단하고 국소마취하에 임플란트 주위 소파술을 시행하고 minocycline ointment 주입 및 Azithromycin (zithromax, 한국화이자, 서울, 대한민국) 250 mg qd를 14일간 투약하였다. 이후 환자의 개인적 사유로 2014년부터 2018년까지 내원하지 않았으며 2018년 11월 22일 #25-27 부위 잇몸 출혈과 간헐적 통증을 호소하면서 내원하였다. #26 임플란트의 치주낭 깊이 8-12 mm, #27 임플란트 치주낭 깊이가 3-7 mm로 측정되었고 방사선사진에서 임플란트 주변의 방사선투과상 및 골소실 소견이 관찰되어 임플란트 주위염으로 진단하였다(Fig 10-9, 10). 당일 피판을 거상하여 임플란트 표면을 충분히 노출시키고 주변의 염증성 조직들을 제거하였다. I-brush와 chlorhexidine으로 임플란트 표면을 세척한 후 KEY 레이저와 Tetracycline으로 탈독소처리를 시행하였다. 임플란트 주변 결손부에 Novosis BMP와 The graft를 섞어서 이식하고 상방에 minocline oint를 주입한 후 창상을 봉합하였다(Fig 10-11). 이후 내원하지 않다가 2021년 2월 19일 임플란트가 저절로 탈락(9일 전 탈락)된 상태로 내원하였으며 탈락된 임플란트 고정체에는 부골이 부착되어 있었다. 환자의 병력을 자세히 확인한 결과 2년 전부터 Bisphosphonate로 추정되는 약물을 처방받아 복용 중인 상태였으며 임상증상과 병력을 기반으로 MRONJ로 확진하였다. 파노라마방사선사진에서 우측 상악구치부 임플란트 주변에서도 골소실 소견이 관찰되고 있었으며(Fig 10-12), 환자가 느끼는 자각증상은 없었지만 MRONJ에 이환되었을 가능성이 매우 높음을 설명하고 정기적인 유지관리에 잘 따라주도록 요청하였으며, Tocopherol 100 mg bid for 28 days, Pentoxifylline 400 mg bid for 28 days을 처방하고 #16-17 임플란트도 탈락할 가능성이 매우 높기 때문에 철저한 구강위생관리와 정기점검의 중요성을 강조하였다. 2021년 3월 25일 마지막으로 내원 시 확인 결과 골다공증 관련 약은 중단했다고 하였다.

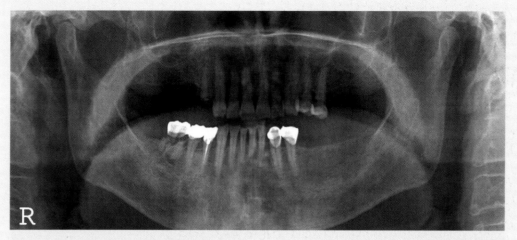

Fig. 10-6. 68세 여자 환자의 초진 시 파노라마방사선사진.

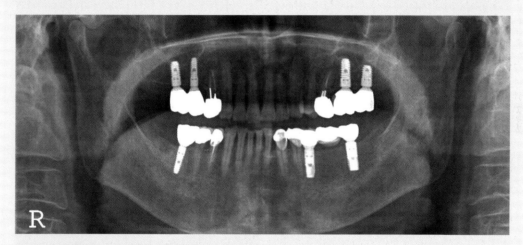

Fig. 10-7. 임플란트 상부 보철물이 모두 완성된 후 촬영한 파노라마방사선사진.

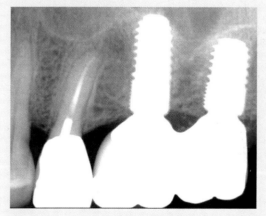

Fig. 10-8. 2012년 3월 8일 촬영한 #26, 27 부위 치근단방사선사진.

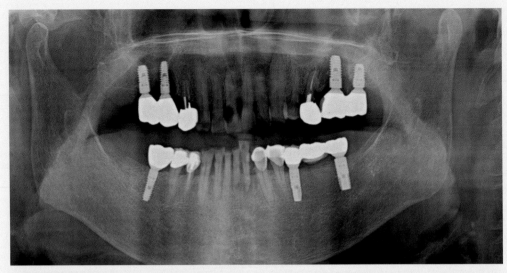

Fig. 10-9. 상악 임플란트 보철 9년 후 파노라마방사선사진. #26 임플란트 주변 골파괴가 첨부까지 진행된 상태이며 #15-16 임플란트 주변 골흡수도 진행되고 있는 소견이 관찰된다.

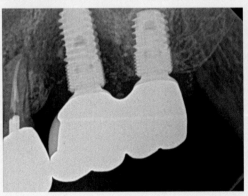

Fig. 10-10. 치근단방사선사진에서 #26 임플란트 주위의 골파괴가 심한 것을 볼 수 있다.

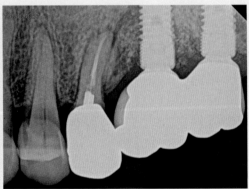

Fig. 10-11. 2019년 4월 4일 촬영한 치근단방사선사진.

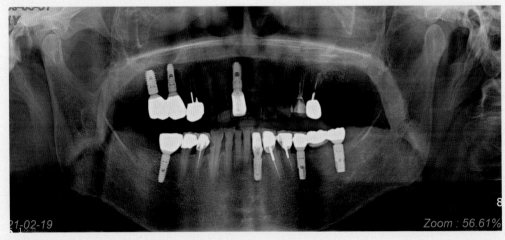

Fig. 10-12. 2021년 2월 19일 촬영한 파노라마방사선사진. #26-27 부위 악골괴사증과 #15, 16 임플란트 주변 골파괴가 많이 진행된 것을 볼 수 있다.

① 임플란트 유지관리가 잘 이루어지지 않음

② 임플란트주위점막염 및 임플란트주위염

③ 뒤늦게 MRONJ로 진단됨

🖉 **치료 및 경과**

① 임플란트주위염 처치 및 수술

② 임플란트 저절로 탈락

③ 약물치료: Tocopherol, Pentoxifylline

④ 예후: 내원하지 않아서 경과를 알 수 없음

◀ᴺ **Comment**

● Case 1과 마찬가지로 임플란트 치료가 아주 오래전에 끝나고 유지관리 기간 중에 MRONJ가 발생하였으며 유지관리의 중요성을 일깨워 주는 증례이다. 앞으로 치과에서 이와 같은 증례들을 계속 접하게 될 것이며 치과의사들은 올바른 개념을 갖고 설명 및 치료를 진행해야 할 것이다. **MRONJ에 대한 지식이 없다면 환자 측에서 항의하거나 질문할 때 적절히 답하지 못함으로 인해 좋지 않은 문제가 발생할 수 있다.**

정기 내원이 잘 이루어졌다면 임상증상과 방사선사진을 통해 초기 진단과 치료를 통해 골소실이 진행되는 것을 최대한 방지할 수 있었을 것이다. 갑자기 증상이 심해져서 내원하는 시점에는 이미 돌이킬 수 없을 정도로 골소실이 진행된 경우가 많으며 임플란트 제거 외에 다른 치료법이 없는 경우가 대부분이다. 본 증례도 2018년 내원하였을 때 #26 임플란트 첨부까지 골소실이 거의 진행되었지만 골소실이 덜한 #27 임플란트에 의해 유지됨으로 인해 유동성이 없고 저작 기능도 잘 이루어지고 있었다. 이런 상황에서는 일단 최대한 유지시킬 목적으로 재생형 임플란트주위염 수술을 시도해 보지만 예후는 좋지 않은 경우가 대부분이다. 수술 이후에도 잘 내원하지 않았으며 결국 저절로 탈락된 임플란트를 소지하고 내원하게 되었다.

2018년 내원 당시 정확한 문진을 통해 골다공증과 관련 약물 복용에 대해 잘 파악하지 못한 것은 적절하지 못하였다. **환자는 2년째 Bisphosphonate 추정 약물을 복용하고 있다고 언급하였지만 그전부터 복용했을 가능성이 있으며 임플란트주위염 수술을 시행하는 시점부터 악골괴사증이 시작되었을 수 있다.** #15-16 임플란트 주변의 골소실도 진행되고 있으며 조만간 탈락될 가능성이 매우 높다고 판단된다.

50-70대 환자들에서 오랜 기간 동안 잘 사용하던 임플란트 주변의 골흡수 및 심한 골파괴 소견이 관찰될 경우 MRONJ 가능성을 의심하고 환자의 병력을 잘 평가해야 한다. 임플란트주위염이 MRONJ와 함께 발생할 경우 악골괴사증과 골소실은 더욱 진행될 것이며 다른 부위까지 확산될 가능성이 있다.

Case 3 > 62세 여자 환자의 하악골에 발생한 MRONJ 처치 후 overdenture 치료 증례

2009년 9월 14일 #43-44 부위 통증을 주소로 내원하였다. 환자는 5년 전부터 골다공증 치료를 위해 Fosamax를 복용하고 있었으며 4개월 전 #43, 44를 발치하였으나 발치창 주변의 염증과 종창이 지속되고 있었다. 발치창은 골이 노출된 상태 그대로 남아있었고 방사선사진에서 하악정중부에 거대한 방사선투과상과 불투과상이 혼재된 병소가 관찰되었다(Fig 10-13). 2009년 9월 16일 골스캔 영상에서 하악 정중부의 섭취율이 현저히 증가된 소견을 보였으며 CT에서 방사선 불투과상을 띠는 거대한 부골이 관찰되었다(Fig 10-14). 2009년 9월 30일 전신마취하에서 하악골 하연을 보존한 상태로 부분절제술을 시행하고 잔존 하악골의 골절을 방지할 목적으로 재건용금속판(reconstruction plate)을 장착하였다. 입원기간 중에 1주일 동안 Ceftizoxime 1 g을 8시간 간격으로 정맥주사하면서 매일 창상 소독 및 식염수 세척을 시행하였다(Fig 10-15, 16). 조직검사 결과 부골과 만성염증이 혼재된 골수염 소견이 관찰되었으며 Bisphosphonate 장기 복용 병력을 고려하여 BRONJ로 확진하였다. 퇴원 후에는 3일 간격으로 vasline gauze 교체하면서 드레싱하였다. 병소는 재발 없이 정상적인 치유를 보였으며 2010년 1월 20일 전신마취하에서 좌측 장골에서 피질해면골블록을 채취하여 이식하고 소형 금속판으로 고정하였다(Fig 10-17). 10일 후 봉합사를 제거하였으며 2010년 7월 26일 국소마취하 #33, 43 위치에 임플란트(CMI 4.0/11.5)를 식립하고 3개월 후 이차수술을 시행한 후 overdenture를 제작하여 장착하였다(Fig 10-18~20). 이후 6-12개월 간격으로 유지관리를 시행하고 있으며 최근까지 별다른 합병증 없이 정상적인 기능을 유지하고 있다(Fig 10-21).

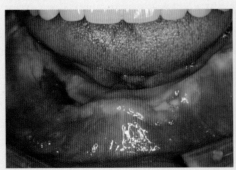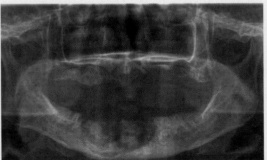

Fig. 10-13. 63세 여자 환자의 초진 시 구강 및 파노라마방사선사진. #43-44 발치창 부위가 치유되지 않은 상태로 골조직이 노출되어 있었고 방사선사진에서 방사선투과상 및 불투과상이 혼재된 거대 병소가 관찰된다.

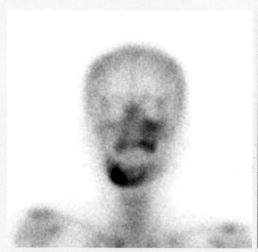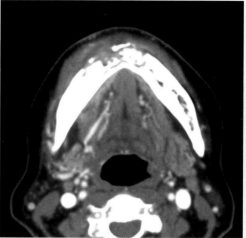

Fig. 10-14. 핵의학검사 및 CT 사진.

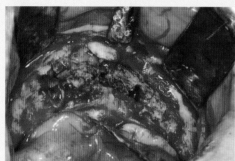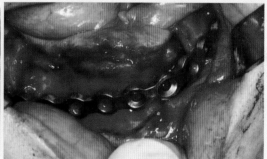

Fig. 10-15. 하악골 부분절제술을 시행한 후 재건용금속판을 고정한 모습.

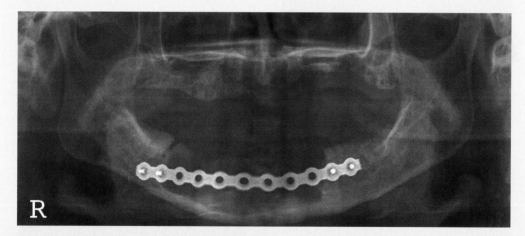

Fig. 10-16. 일차수술 1개월 후 파노라마방사선사진.

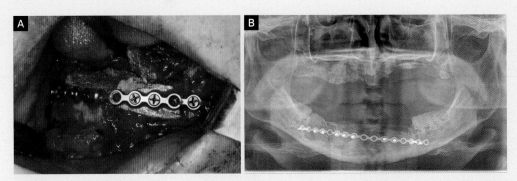

Fig. 10-17. 자가장골이식을 이용하여 2차 재건술을 시행하였다. **A:** 피질해면골블록을 이식하고 소형 금속판으로 고정한 모습 **B:** 술후 파노라마방사선사진.

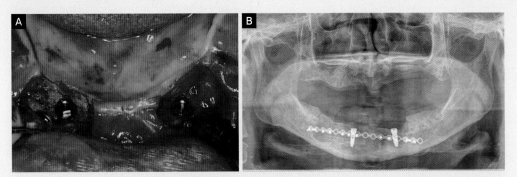

Fig. 10-18. 2차 재건술 6개월 후 임플란트 2개가 식립되었다. **A:** 임플란트를 식립한 구강사진 **B:** 임플란트 식립 후 파노라마방사선사진.

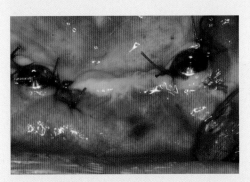

Fig. 10-19. 이차수술을 시행한 모습.

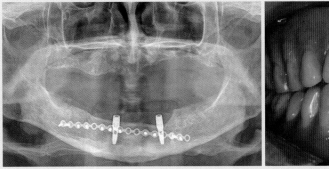

Fig. 10-20. 하악은 overdenture, 상악은 총의치가 장착되었다.

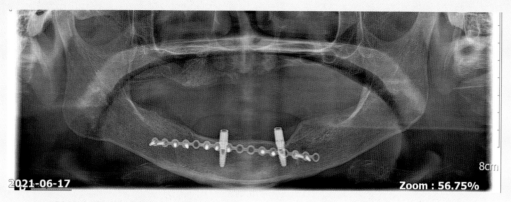

Fig. 10-21. 2021년 6월 17일 촬영한 파노라마방사선사진. 별다른 합병증 없이 정상적인 기능이 유지되고 있다.

⊗ Problem lists

1 Bisphosphonate 장기복용
2 휴약기 없이 발치
3 하악골에 광범위한 BRONJ 발생

치료 및 경과

1 하악골 부분절제술
2 자가장골을 이용한 2차 재건술
3 임플란트 2개 식립 후 overdenture
4 예후 양호

🔊 Comment

● 대부분의 연구에서 Bisphosphonate 경구제제가 주사제보다 BRONJ 발병 위험이 낮다고 알려져 있지만 장기복용 시에는 발병 위험률이 증가하는 것은 분명하다. 대표적인 Bisphosphonate 주사제인 Pamidronate (Aredia; Novartis, East Hanover, NJ, USA)와 Zoledronate (Zometa; Novartis, East Hanover, NJ, USA)에 의한 BRONJ의 발병률은 6.7%로 꽤 높게 보고되고 있다(Bamias A, et al; 2005). Bisphosphonate 경구제제에 있어서는 BRONJ 발병률이 0-0.04%로 주사제에 비해 낮다고 알려져 왔고 2008년 미국치과의사협회의 권고사항에서도 Bisphosphonate 경구제제 복용 시 임플란트 식립을 포함한 전반적인 치과치료에 있어 특별히 보존적인 치료를 선택할 필요가 없다고 하였다 (Boonyapakorn T, et al; 2008, Cartsos VM, et al; 2008, Edwards BJ, et al; 2008, Grbic JT, et al; 2008). 하지만 이는 계속 논란이 되고 있는 실정이며 Sedghizadeh 등 (2009)은 Bisphosphonate 경구제제를 투여받는 환자 중 약 4%에서 악골괴사가 발생하였다고 보고하였다. 본 증례에서도 **장기간 경구용 Bisphosphonate를 투여한 환자에서 발치 후 악골괴사증이 발생하였으며 많은 다른 연구들에서도 상당수의 BRONJ 환자가 발치 병력을 가지고 있었다고 보고하면서 발치의 위험성을 지적하고 있다** (Hansen T, et al; 2006, Sedghizadeh PP, et al; 2009, Walter C, et al; 2007).

따라서 **경구제제라 할지라도 3년 이상 투여 시에는 발치나 임플란트 식립 전에 골괴사나 임플란트 식립 실패에 대한 사전 고지가 필요할 것이다**(Korean Endocrine Society; 2009). 또한 외과적 처치 전 Bisphosphonate 제제의 중단 여부에 대해서는 미국 구강악안면외과학회와 국내 학회들의 공동 position statement에 따르면 3년 이상 투여하였거나 3년 미만이라도 스테로이드를 동시 투여하고 있는 경우에는 외과적 처치 전 3개월 간 Bisphosphonate 투약 중단을 권유하였다(American Association of Oral and Maxillofacial Surgeons; 2009). 그러나 본 증례에서는 휴약기 없이 발치가 진행되었던 것으로 추정된다.

 BRONJ의 치료는 보존적 치료가 우선적으로 고려되어야 하지만 최근에는 Stage 2, 3에서는 초기의 외과적인 치료가 더 효과적이고 유리할 수 있다고 보고되기도 하였다. 본 증례는 Stage 3에 해당되기 때문에 초진 후 즉시 광범위한 외과적 절제술을 계획하였고 성공적인 치료 결과를 얻을 수 있었다(American Association of Oral and Maxillofacial Surgeons; 2009, Pautke C, et al; 2011, Stockmann P, et al; 2010).

 본 증례에서 상악은 총의치, 하악은 임플란트 2개를 식립한 후 피개의치를 장착하였다. BRONJ 재발 위험성을 고려하여 하악에도 총의치를 고려할 수도 있었지만 하악 총의치는 유지력을 얻기 어려워서 장착 후 마찰로 인해 하방의 연조직 궤양 등이 잘 발생하고 이로 인해 이차감염 및 골조직 노출 위험성이 더 클 수도 있다.

Case 4 > 75세 여자 환자의 하악 좌측 구치부에 발생한 MRONJ

2014년 4월 14일 75세 여자 환자가 #36-37 부위 통증을 주소로 내원하였다. #36-37 주변의 치은 부종, 누공, 심한 통증과 더불어 #27 부위에도 통증이 있었고 #45 임플란트 주위 방사선투과성 병소, #36-37 및 #27 골파괴 양상이 관찰되었다(Fig 10-22). **2010년 4월 21일** 동네 치과의원에서 #35, 37 부위에 임플란트를 식립하였고 수술 전부터 Bisphosphonate로 추정되는 약물을 1년 정도 복용하였다고 하였다. 임상 소견과 병력을 바탕으로 BRONJ로 진단하고 Facial bone CT와 핵의학검사를 시행하였다. Facial CT상에서 부골이 Involucrum으로 둘러싸여 있는 소견과 핵의학 검사에서 좌측 하악골의 섭취율이 현저히 증가된 소견이 관찰되어 Stage 3 BRONJ로 확진하였다(Fig 10-23, 24).

2014년 4월 15일 국소마취하에서 #36-37, 27 배상형성술을 시행하고 Surgicel로 지혈처치를 한 후 vaseline gauze를 충전하고 창상의 상부는 의도적으로 개방시켰다(Fig 10-25). 제거한 검체를 조직검사와 농배양 검사를 의뢰하였으며 농배양 결과 다량의 α-streptococcus가 검출되었고 조직검사 결과 만성골수염에 부합되는 소견들이 관찰되었다. 수술 후 2-3일 간격으로 창상을 소독하고 vaseline guaze를 점차 작은 크기로 교체하여 충전하였다. 그러나 **2014년 5월 29일** 증상이 다시 재발하였고 CT를 촬영한 결과 좌측 하악 구치부 설측 피질골과 주변으로 골파괴가 더욱 확산되는 소견이 관찰되었다(Fig 10-26).

2014년 6월 25일 전신마취하에서 #35 임플란트를 제거하고 배상형성술과 부골제거술을 좀더 광범위하게 시행하고 Vaseline gauze를 충전한 후 Cefazolin 1 g q8h 1day, Augmentin 625 mg tid for 5 days 항생제를 투여하면서 2-3일 간격으로 경과를 관찰하였지만 2개월 후에도 증상이 전혀 호전되지 않았다. 좌측 턱의 협측과 하방부위 종창과 압통이 심하였고 구강내 결손부에 존재하는 누공을 통해 고름이 계속 배출되고 있었으며 환자와 다시 상담한 후 하악골 부분절제술을 시행하기로 결정하였다(Fig 10-27~29).

2014년 10월 8일 전신마취하에서 악하절개를 통해 병소에 접근한 후 하악골 분절골절제술(segmental osteotomy)을 시행하였다. 절제된 악골의 내측 함몰을 방지하기 위해 골편을 제거하기 전에 미리 재건용 금속판을 구부려서 적합시켜본 후 악골을 절제하여 나사로 견고하게 고정하였다. 술후 교합안정을 위해 소형 나사를 상하악 전치부에 4개 삽입한 후 2주간 악간고정을 시행하였다(Fig 10-30, 31).

3차 수술 후 정상적인 치유가 잘 이루어졌으며 **2015년 5월 20일** 좌측 장골에서 자가골을 채취하여 좌측 하악골재건술을 시행하였다(Fig 10-32, 33). 충분한 치유기간을 부여한 후 **2016년 2월 11일** #35 부위에만 임플란트를 1개 식립한 후 보철치료를 완료하였다. 최근까지 유지관리가 잘 이루어지고 있으며 악골괴사증 재발 없이 정상적인 기능이 잘 유지되고 있다(Fig 10-34).

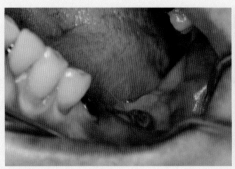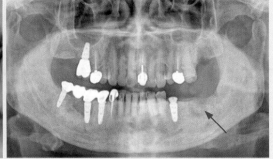

Fig. 10-22. 75세 여자 환자의 초진 시 구강 및 파노라마방사선사진. 오랜 기간 지속된 구강누공과 방사선사진에서 부골로 추정되는 병소가 관찰되었다.

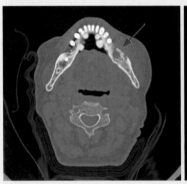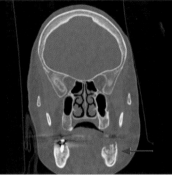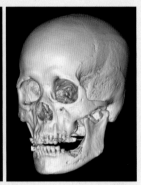

Fig. 10-23. CT에서 부골로 추정되는 방사선 불투과성 병소가 방사선투과성 밴드(Involucrum)로 둘러싸여 있는 소견이 관찰되었다.

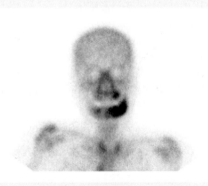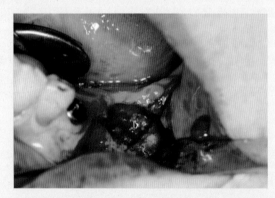

Fig. 10-24. 핵의학검사에서 좌측 하악골과 좌측 상악 구치부에서 섭취율이 현저히 증가된 소견이 관찰되었다.

Fig. 10-25. 배상형성술을 시행한 모습. Vulcanite bur와 bone rongeur를 사용하여 괴사골과 주변의 정상골을 일부 제거하고 상방의 입구를 넓게 형성한 후 vaseline gauze를 충전하고 창상을 개방상태로 유지한다.

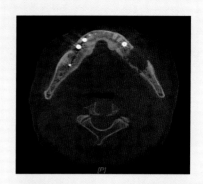

Fig. 10-26. 좌측 하악골의 골파괴 소견이 더욱 확산되는 양상을 보였다.

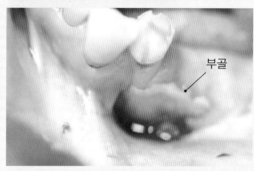

부골

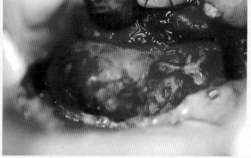

Fig. 10-27. 2차 배상형성술과 부골절제술을 시행하는 모습.

이차수술 직후

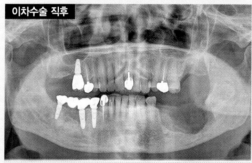

이차수술 2개월 후

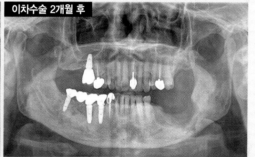

Fig. 10-28. 2차 배상형성술 후 파노라마방사선사진.

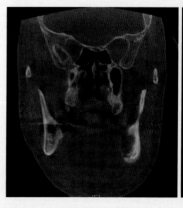

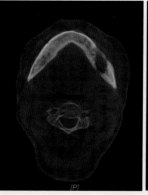

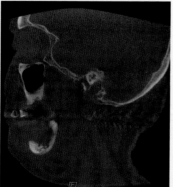

Fig. 10-29. 2014년 9월 11일 촬영한 CT 사진. 좌측 하악골의 골파괴가 설측 및 하연까지 확산된 소견이 관찰된다.

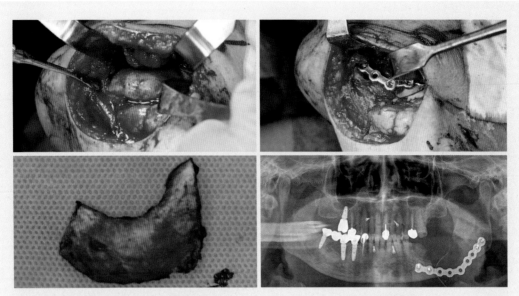

Fig. 10-30. 하악골 분절골절제술을 시행한 모습.

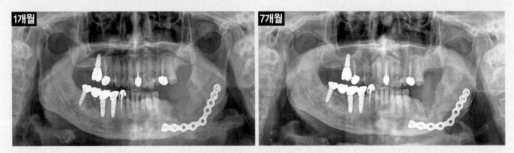

Fig. 10-31. 하악골 분절골절제술 후 경과관찰 기간 중에 촬영한 파노라마방사선사진.

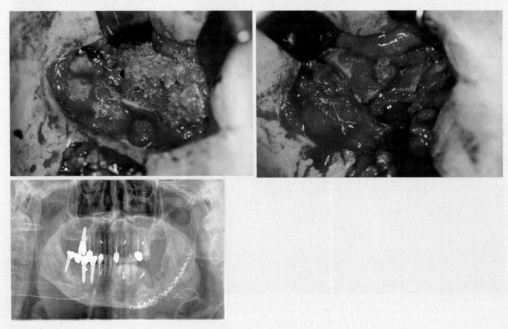

Fig. 10-32. 장골에서 피질해면골블록을 채취하여 하악골재건술을 시행한 모습.

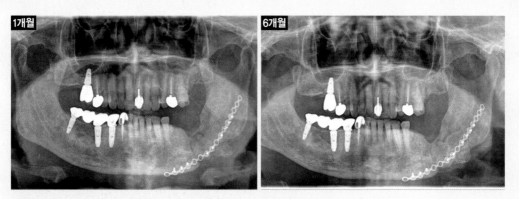

Fig. 10-33. 4차 수술 후 경과관찰 기간 중에 촬영한 파노라마방사선사진.

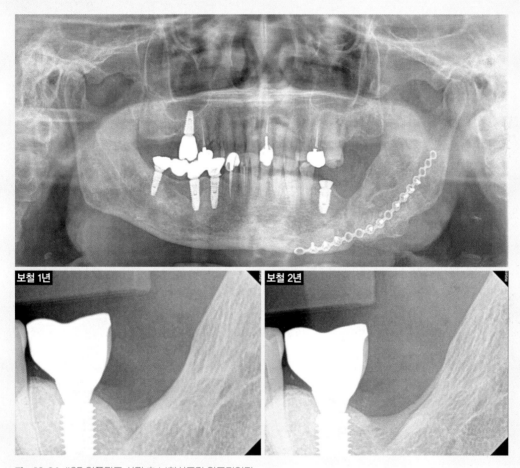

Fig. 10-34. #35 임플란트 식립 후 보철치료가 완료되었다.

1 Bisphosphonate를 1년간 복용하고 있는 상태에서 임플란트 식립 수술 진행

2 2회 보존적 수술 후 치유되지 않고 병소가 더욱 확산됨

📋 **치료 및 경과**

1 악골절제술 후 재건술

2 임플란트 치료

3 경과 양호

🔊 **Comment**

● 경구용 Bisphosphonate로 추정되는 약물을 약 1년간 복용하였으며 휴약기를 부여하지 않고 임플란트 수술이 진행되었다. 즉 복용 기간이 3년 이하이고 스테로이드와 같은 다른 약물들이 사용되지 않았더라도 치과수술 후 악골괴사증이 발생할 수 있음을 일깨워주는 증례이다. 예방적 차원에서 임플란트를 비롯한 모든 치과수술을 시행하기 전에 **최소 3개월 이상의 휴약기를 부여하고 환자에게 악골괴사증 발생 가능성과 치료방법에 대해서도 미리 설명해 두는 것이 중요하다**(Park W, et al; 2011).

1, 2차 보존적인 외과수술이 시행되었음에도 불구하고 치유되지 않았으며 결국 침습적인 악골절제술을 시행한 후에 완치될 수 있었다. 본 증례의 초진 시 소견을 살펴보면 노출된 괴사골이 치조골 범위를 넘어 하방으로 확산되었고 구강으로 누공이 존재하는 상태였기 때문에 **Stage 3였고 처음부터 근치적 외과수술을 시행하였다면 치료기간이 훨씬 단축되었을 것이라는 아쉬움이 있다**(Ruggiero SL, et al; 2014, zhang, et al; 2020).

악골괴사증이 완치되고 하악골재건술이 성공적으로 시행되긴 하였지만 #35-37 부위에 임플란트를 식립하고 고정성 보철물을 제작하는 방법은 본인뿐만 아니라 환자에게도 큰 부담이 되었다. 그러나 국소의치 치료는 환자가 몹시 거부감을 표명하였기 때문에 비교적 골량이 적절하고 악골괴사증의 영향을 덜 받았던 #35 부위에만 임플란트를 1개 식립하여 보철치료를 완성하였으며 환자는 치료결과에 만족하였다.

Case 5 > 47세 여자 환자의 하악 좌측 소구치 부위에 발생한 MRONJ

2018년 3월 20일 47세 여자 환자가 치통과 턱끝 통증을 주소로 내원했다. 환자는 유방암의 골전이로 인해 수년간 Tamoxen (Tamoxifen, 한국유나이티드), Taxotere (Docetaxel, 사노피아벤티스코리아), Zometa (Zolendronate, 한국노바티스) 등 항암제 치료를 받고 있었다. 방사선사진에서 좌측 하악 견치와 소구치부위에 거대한 방사선투과성 병소가 관찰되며 CT에서는 하악골 하연의 병적골절 소견이 관찰되었다(Fig 10-35). 환자는 통증이 매우 심해서 발치 등 적극적인 치료를 희망하였으나 침습적 치료 후 MRONJ 위험성이 크기 때문에 종양내과와 협진하에 수술 시기를 결정하기로 하였다. 종양내과 협진 결과 Zometa는 2019년 6월 28일 마지막으로 투여한 후 중단하였다.

2019년 12월 11일 전신마취하에서 부골 제거 및 배상형성술을 시행하였다(Fig 10-36). 병적골절 부분은 2 mm 티타늄금속판과 나사를 이용하여 고정하였고 추가로 상방에도 금속판을 고정하였다. 출혈 조절과 창상치유 촉진을 위해 하방에 rhBMP-2 (Novosis BMP, CGBio Inc., Seongnam, Korea)를 적신 Rapi-plug (atelocollagen plug: Dalim Tissen, Seoul, Korea)를 충전하고 그 상방에 Bactigra (Smith & Nephew, New South Wales, Australia)를 덮어주었으며 수술 부위를 봉합하지 않고 노출시킨 상태로 수술을 종료하였다(Fig 10-37, 38). 2019년 12월 13일 퇴원 후 처음에는 3일 간격으로, 나중에는 2주 간격으로 2020년 2월 말까지 창상을 세척하면서 Bactigra를 교체하였다. 2020년 6월 8일 경과관찰 결과 양호한 치유소견을 보여서 치료를 종료하였다(Fig 10-39~41).

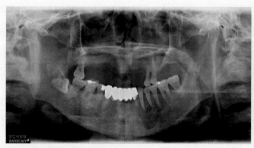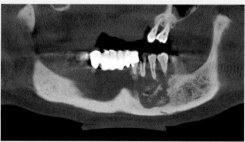

Fig. 10-35. 47세 여자 환자의 술전 방사선사진. #33-35 부위 하방에 방사선투과성 병소가 존재하며 CT에서 하악골 하연의 병적골절 소견이 관찰된다.

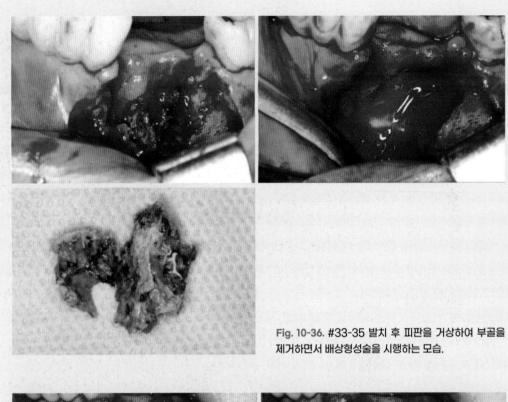

Fig. 10-36. #33-35 발치 후 피판을 거상하여 부골을 제거하면서 배상형성술을 시행하는 모습.

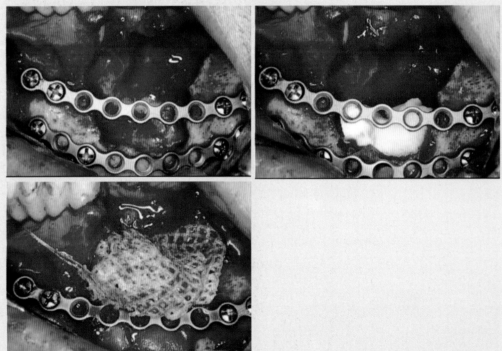

Fig. 10-37. 하악골 하연의 병적골절 부위를 티타늄금속판과 나사로 고정하였고 상방에도 추가로 금속판을 적합시켰다. rhBMP-2를 적신 collagen sponge를 결손부 하방에 적합시키고 그 상방을 Bactigra로 덮고 창상을 노출시킨 상태로 수술을 종료하였다.

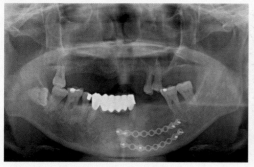
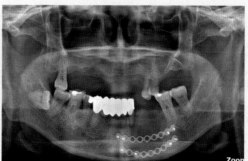

Fig. 10-38. 술후 파노라마방사선사진.

Fig. 10-39. 2020년 1월 28일 파노라마방사선사진.

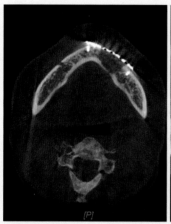
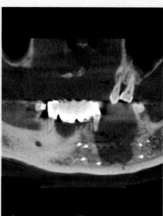
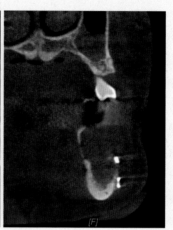

Fig. 10-40. 2020년 1월 28일 촬영한 CT.

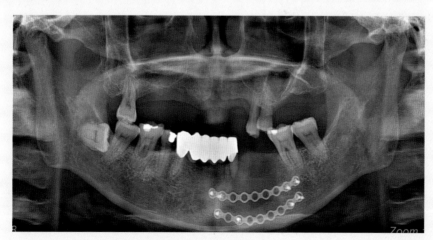

Fig. 10-41. 2020년 6월 8일 촬영한 파노라마방사선사진.

1 #33-35 부위 거대한 방사선투과성 병소 및 병적골절

2 항암제 치료

3 치아와 턱끝 부위의 극심한 통증

치료 및 경과

1 보존적 치료 및 종양내과 협진

2 배상형성술, 부골제거술, 병적골절 정복 및 고정술

3 예후 양호

◀)) **Comment**

● 본 증례는 유방암의 골전이 치료를 목적으로 장기간 항암치료를 받은 후 MRONJ가 발생한 증례이다 (Bagan JV, et al: 2016, Sahin O, et al: 2019). #33-35 부위에 골파괴성 병소가 존재하면서 극심한 치통과 턱끝 통증을 호소하였다. 환자의 고통이 매우 심하여 신속히 수술을 해야 하지만 약물로 인한 악골괴사증에 대한 진단을 확실히 하고 종양내과와 사용 중인 항암제 치료 중단 여부를 확인한 후 수술을 진행할 수밖에 없었다.

또한 **골파괴가 진행되면서 병적골절이 발생하였으며 이와 같은 증례는 치료가 매우 어렵고 수술 후에도 심각한 합병증이 발생할 소지가 크다.** 따라서 금속판 2개로 악골을 견고하게 고정한 후 골재생을 최대한 촉진시킬 목적으로 rhBMP를 적용하였으며 악골괴사증이 완치된 후 골이식을 통한 하악골재건술 혹은 고전적인 하악 부분틀니 치료 여부를 결정할 예정이다(Kwon KH; 2014).

Case 6 > MRONJ 수술 후 완치된 것을 확인하고 골이 식을 시행한 뒤 임플란트를 식립한 증례

2020년 6월 19일 66세 여자 환자가 우측 하악 구치부 통증을 주소로 내원하였다. 10일 전 #46, 47을 동네 치과에서 발치하였고 6개월 전까지 골다공증 주사치료를 3회 받은 병력이 있었다. #46-47 발치창 주변의 치조골이 노출된 상태였으며 진통제를 복용하여도 통증이 전혀 조절되지 않았다. CT 영상에서 우측 하악골체부에 골파괴상이 관찰되어 MRONJ를 의심하고 Mesexin, Kamistad N gel, Tocopherol, Pentoxifylline을 처방하였다(Fig 10-42). 2020년 6월 23일 국소마취하에서 배상형성술 및 피질골절제술을 시행한 후 Bactigra를 충전하였다. 창상을 개방상태로 유지하면서 2-3일 간격으로 창상을 소독하고 Bactigra의 크기를 서서히 줄여가면서 충전하고 경과를 관찰하였다(Fig 10-43). 2020년 7월 3일 얇은 Omnivac으로 obturator를 제작하여 수술 부위에 음식물과 이물들이 들어가지 않도록 장착하였다. Bactigra를 처방하여 환자에게 주고 집에서 매일 스스로 교체하고 생리식염수로 세척하도록 설명하였다. 창상치유는 양호하였으며 2020년 12월 1일 국소마취하에 피판을 거상한 후 Novosis BMP와 ICB 0.5 g을 혼합하여 이식하고 Ossix 차폐막을 덮고 봉합하였다(Fig 10-44). 2021년 4월 13일 디지털가이드를 이용하여 임플란트(#46, 47: CMI 5D/8.5L)를 1회법으로 식립하고 치유지대주를 연결하였다(Fig 10-45, 46). 이후 2021년 8월 23일 PFM으로 최종 수복하였다(Fig 10-47, 48).

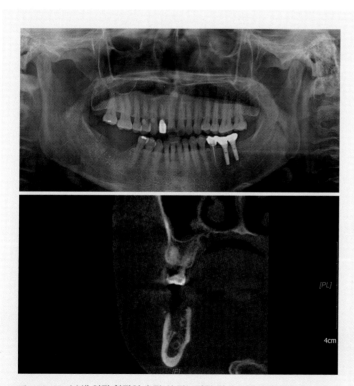

Fig. 10-42. 66세 여자 환자의 초진 시 파노라마 및 CT 방사선사진. #46, 47이 발치된 상태이며 발치창 주변의 치조골이 노출되어 있었고 극심한 통증이 지속되고 있었다.

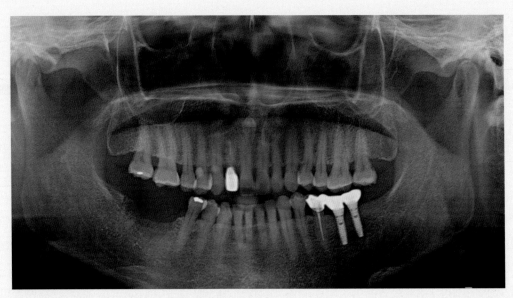

Fig. 10-43. 배상형성술과 피질골절제술 후 촬영한 파노라마방사선사진.

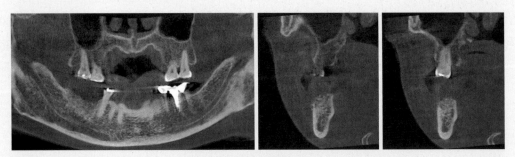

Fig. 10-44. #46-47 부위 골이식을 시행하고 촬영한 CBCT 사진.

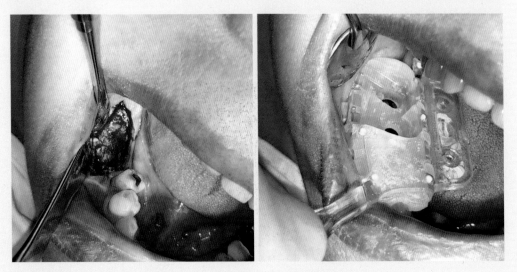

Fig. 10-45. 골이식 4개월 후에 Digital guide stent를 이용하여 임플란트를 식립하였다.

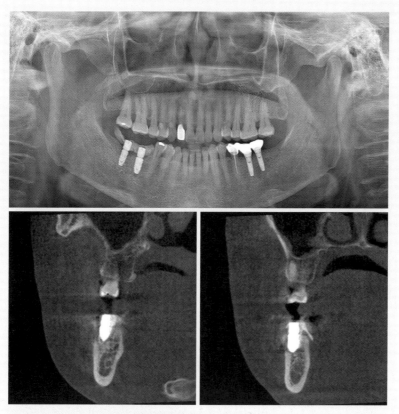

Fig. 10-46. 임플란트 식립 후 방사선사진.

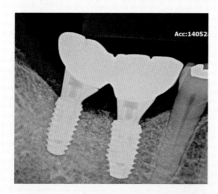

Fig. 10-47. 2021년 8월 23일 최종 보철수복 후 치근단 방사선사진.

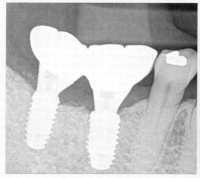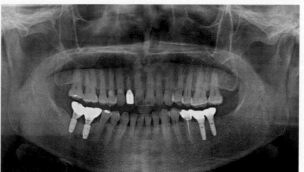

Fig. 10-48. 최종보철물 장착 1년 후 방사선사진.

1️⃣ 주사용 Bisphosphonate 치료
2️⃣ 발치 후 MRONJ 발생

📋 **치료 및 경과**

1️⃣ 약물치료: Mesexin, Tocopherol, Pentoxifylline
2️⃣ 보존적 수술: 배상형성술 및 피질골절제술
3️⃣ MRONJ 완치 후 골이식
4️⃣ 임플란트 지연식립
5️⃣ 경과 양호

🔊 **Comment**

● MRONJ는 8주 이상 골조직이 노출되어 있으며 Bisphosphonate 약물치료를 받은 병력을 기반으로 진단한다. 본 증례는 발치 10일 후 발치창 치유가 잘 이루어지지 않으면서 극심한 통증을 호소하였기 때문에 발치와치조골염(건치와: dry socket)을 의심할 수도 있지만 Bisphosphonate 주사치료를 받은 병력을 참조하여 MRONJ 발생 가능성에 더 무게를 두고 항생제와 Tocopherol, Pentoxifylline를 처방하고 보존적 수술을 진행하였다. **초기에 적절한 치료가 이루어졌기 때문에 짧은 기간에 완치될 수 있었고 후속 임플란트 치료도 성공적으로 진행되었다.** MRONJ의 조기진단과 조기치료의 중요성을 일깨워 주는 증례이다.

Case 7 > 통증과 재발이 반복되면서 장기간 치료가 진행된 MRONJ

2020년 10월 16일 64세 여자 환자가 타 치과의원에서 임플란트 치료를 받던 도중에 좌측 턱관절 주변의 불편감과 통증이 지속되어 의뢰되었다. "6개월 전부터 왼쪽 귀 앞 통증이 시작되었으며 가만히 있을 때 욱신거리며 아프고, 식사나 하품할 때 많이 아프다. 아침에 기상 시 왼쪽 턱이 불편하다. 입을 벌리는 것이 힘들어서 치과치료를 받기 어려운 정도이다. 친정어머니도 턱관절로 동일한 증상이 있다."는 증상들을 호소하였다. 임상검사에서 개구량 36 mm, 좌측 교근과 턱관절 측방 촉진 시 압통이 있었으며 좌측 귀 앞부분의 부종성 종창 소견을 보였다. 방사선사진에서는 상악 우측, 하악 양측 구치부에 임플란트 치료가 잘 되어 있었고 턱관절 부위는 특이 소견을 보이지 않았다(Fig 10-49). 턱관절장애 1, 2형으로 잠정진단하고 좌측 턱관절에 Dexamethasone을 주사하고 Mesexin 500 mg bid, Sensival 10 mg qd, Methylon 4 mg bid, Stillen 60 mg bid를 5일 처방하고 bone SPECT 촬영을 의뢰하였다. 다음 내원 전까지 다니던 치과에서 통증 부위에 대한 레이저 물리치료를 받고 통증이 심하면 약 처방을 받도록 권유하였다. Bone SPECT 검사에서 턱관절 주변에는 특이 소견이 보이지 않았으나 좌측 하악 골체부에 섭취율이 현저히 증가된 소견이 관찰되었다(Fig 10-50). 다니던 치과에서 좌측 하악 임플란트 주변의 통증이 심해서 10일 전 임플란트 상부보철물을 제거하고 항생제와 진통제를 처방받았으나 전혀 호전되지 않고 하악 전치부 설측까지 극심한 통증이 확산되고 있다고 호소하였다. 촉진 시 양측 측두근, 교근, 악하부 및 이하부 압통이 존재하여 근육성 턱관절장애(TMD 1형) 혹은 지속적인 특발성 안면통증(Persistent idiopathic facial pain)을 의심하고 Trileptal 300 mg bid을 1주 처방하고 1주일 뒤 체크하였다. 2020년 12월 11일 통증은 지속되었고 항경련제와 일반적인 진통제로 조절이 안 되는 상태였다. 환자는 5개월 전 하악 좌측 구치부 임플란트 식립 이후부터 염증과 통증이 시작되었다고 주장하였으며 만성골수염을 의심하고 항생제를 투여하면서 경과를 관찰하였다. 2020년 12월 24일 국소마취하에 #36, 37 임플란트 주위 소파술을 시행하고 Minocycline 연고를 주입하였다. 2020년 12월 31일 KEY 레이저로 임플란트 주위를 조사하고 Azithromycin 250 mg qd 5일, Pentoxifylline 400 mg bid와 Tocopherol 100 mg bid를 4주 처방하였다.

2021년 1월 20일 우측 악하부 종창과 압통이 심해졌으며 #45 근심 치주낭 깊이가 4 mm 및 탐침 시 출혈이 존재하였으나 #46, 47 임플란트 주변은 이상 소견이 관찰되지 않았다. 혈액검사(CBC, CRP)를 시행한 결과 백혈구 12,460, CRP 26.24로 심한 급성감염 소견을 보였고 파노라마 방사선, 치근단방사선 및 CBCT에서는 하악 전치부 설측과 치근단 부위 농양 및 골괴사증이 의심되었고 임플란트 주위는 특이소견을 보이지 않았다. 구내에서는 하악 전치부 순측 치은연 괴사성 염증소견을 보였고 촉진 시 치은열구를 통해 농이 배출되었다. 이하부와 양측 악하부 압통성 종창이 더욱 심해졌으며 이때 자세히 환자의 병력을 확인해 본 결과 1개월 전까지 Bisphosphonate 주사를 맞았다고 하여 MRONJ 혹은 만성골수염으로 잠정진단하고 Amoclan duo 625 mg 2ⓣ bid for 10 days 항생제를 처방한 후 입원 처치 및 전신마취하 배상형성술을 결정하였다(Fig 10-51~54).

2021년 1월 25일 검사한 혈액검사에서는 백혈구는 7,470, CRP는 3.28로 급성염증 상태가 다소 호전되었다. Contrast Neck CT 촬영 결과 "Permeative bone change of mandibular symphysis with periosteal fluid collection (2 cm). → periosteal abscess with osteonecrosis, possible BRONJ"로 판독되었으며 **2021년 1월 27일** 절개 및 배농술을 시행하였다**(Fig 10-55)**. 탐침 시 농은 거의 없었고 괴사성 삼출액이 많이 배출되었다. 입원기간 중에 통증이 너무 심해서 자가통증조절장치로 통증을 조절하였으나 구토, 어지러움 등 부작용이 심하여 다음 날 자가통증조절장치를 제거하고 Tridol을 투여하였다. 마찬가지로 부작용이 심하여 Oxycodone으로 교체하였으나 Oxycodone 역시 부작용이 심하여 Ibuprofen 200 mg/Arginine 185 mg (Carol-F, 일동제약)으로 교체하였다. **2021년 2월 10일** 전신마취하에서 하악 양측 구치부와 전치부를 모두 노출시켜 치아들과 악골 주변을 세심히 살펴 보았으며 #36 임플란트의 근심과 설측을 따라 염증성 육아조직이 #35-43 부위까지 확산된 양상을 보여 #36 임플란트와 염증성 조직들을 제거하였다. 수술 이후 점차 증상이 호전되면서 **2021년 2월 15일** 퇴원하였다**(Fig 10-56)**.

이후 Tocopherol 100 mg bid, Pentoxifylline 400 mg bid 4 weeks 처방하였고 **2021년 3월 4일** #34-36 부위에 욱신거리는 통증과 턱 중앙부 감각이 둔하여 저출력 레이저를 조사하였다. **2021년 4월 1일** CT에서 #34-35 설측 피질골 파괴 양상이 보여 **2021년 4월 5일** 국소마취하에서 #34, 35 발치 후 설측의 부골 및 염증성 조직을 제거하였다**(Fig 10-57, 58)**. **2021년 7월 22일** 내원 시 좌측 턱의 붓기와 염증이 지속되며 잇몸에서 피가 자주 난다고 하였으며 구강내를 자세히 살펴본 결과 #34-36 부위에 부골이 노출되어 있었다. 파노라마 영상에서 골치유부전 소견이 보였고 CBCT를 촬영한 결과 부골이 잔존하고 있는 것이 확인되었다**(Fig 10-59, 60)**. **2021년 7월 29일** 국소마취하에서 #34-36 배상형성술과 부골제거술을 시행하고 Bactigra를 충전하였다. 이후 **2021년 8월 5일**까지 2일 간격으로 창상소독을 하면서 Bactigra를 교체하였으며 증상이 호전되어 Tocopherol 100 mg bid, Pentoxifylline 400 mg bid 를 4주 처방하고 치료를 종료하였다**(Fig 10-61, 62)**.

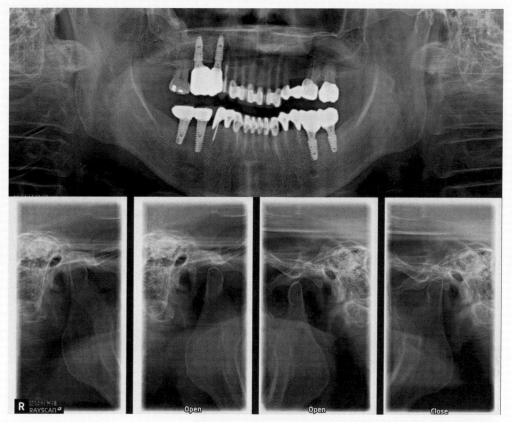

Fig. 10-49. 64세 여자 환자의 초진 시 방사선사진. 임상 및 방사선학적 소견을 토대로 턱관절장애 1, 2형으로 잠정진단하였다.

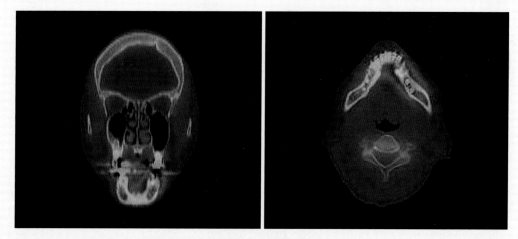

Fig. 10-50. Bone SPECT 검사에서 좌측 하악 구치부 섭취율이 현저히 증가된 소견이 관찰되었으며 하악 골수염이 강하게 의심되었다.

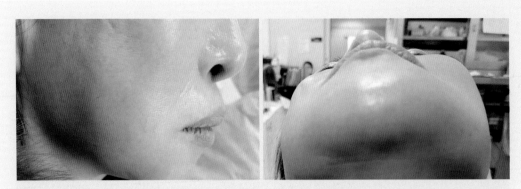

Fig. 10-51. 양측 악하부와 이하부 및 우측 빰과 턱 주변 종창이 매우 심한 것을 볼 수 있다.

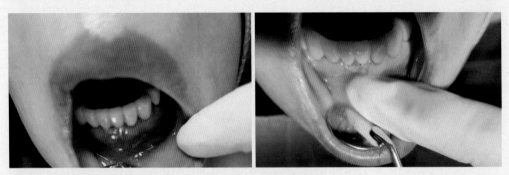

Fig. 10-52. 하악 전치부 순측 잇몸의 괴사 및 촉진 시 치은열구로 부터의 배농이 관찰되었다.

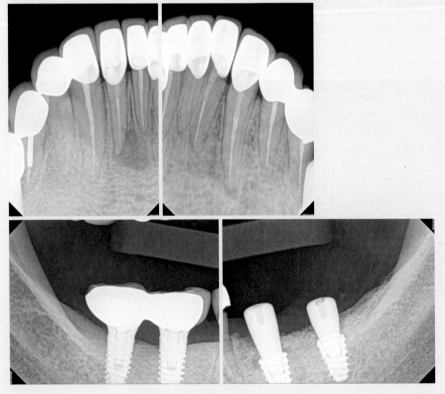

Fig. 10-53. 치근단방사선사진에서 하악 전치부의 방사선투과성 병소가 관찰되지만 임플란트 주변에서는 특이 소견이 관찰되지 않았다.

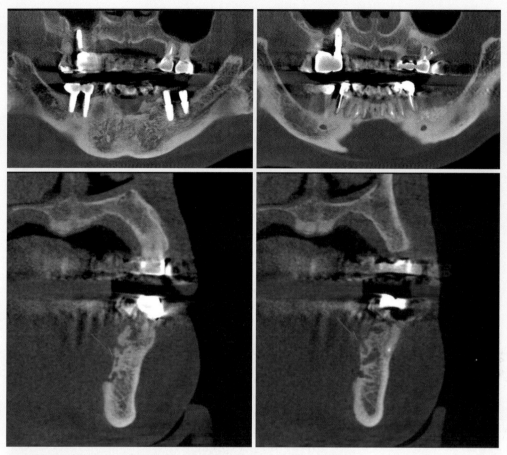

Fig. 10-54. CBCT에서 하악 전치부 치근단병변과 설측의 부골성 병소가 관찰되었다.

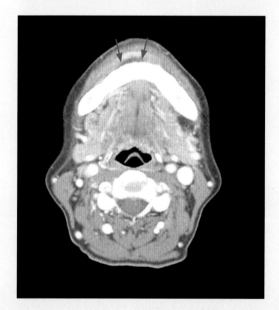

Fig. 10-55. Contrast Neck CT에서 하악 전치부 순측의 방사선투과성 병소가 관찰된다. 영상의학과 전문의가 판독한 내용은 다음과 같다. Permate bone change of mandibular symphysis with periosteal fluid collection (2cm). -> periosteal abscess with osteonecrosis, possible BRONJ

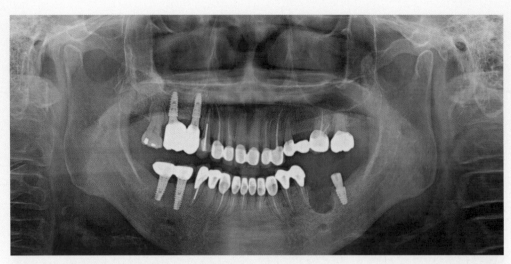

Fig. 10-56. 2021년 2월 10일 촬영한 파노라마방사선사진.

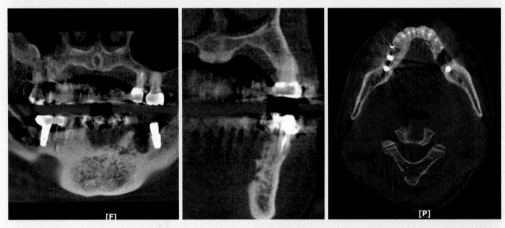

Fig. 10-57. 2021년 4월 1일 촬영한 CBCT 영상. #34-35 설측 피질골 부위가 병소에 이환된 것을 볼 수 있다.

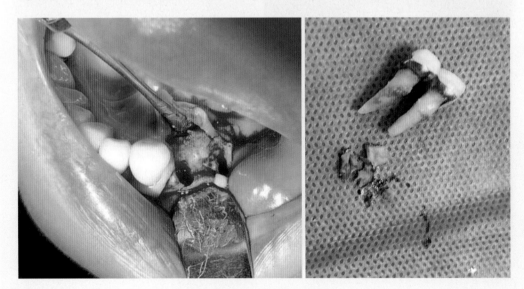

Fig. 10-58. #34, 35를 발치하고 설측의 부골과 염증성 조직들을 제거하였다.

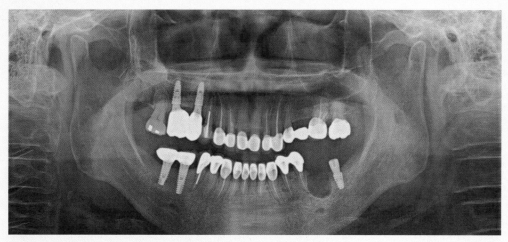

Fig. 10-59. 2021년 7월 22일 촬영한 파노라마방사선사진.

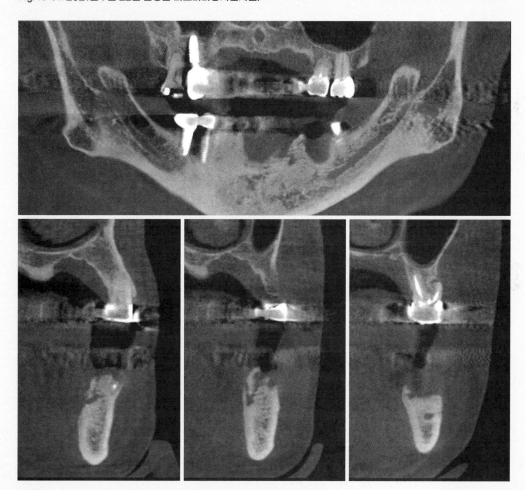

Fig. 10-60. CBCT를 촬영한 결과 #34-36 부위에서 골결손부와 부골이 관찰되었다.

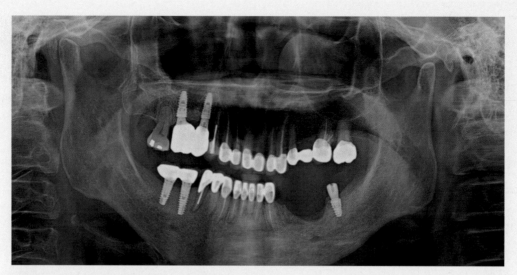

Fig. 10-61. 2022년 2월 18일 촬영한 파노라마방사선사진. #34-36 부위 치조골 결손 소견이 관찰되지만 악골괴사증과 염증성 병변은 완전히 소멸된 상태이다.

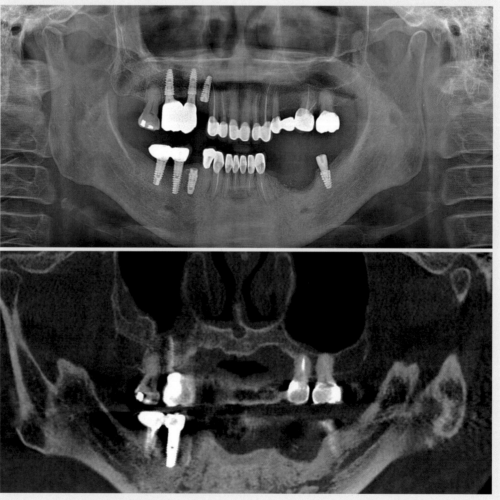

Fig. 10-62. 2022년 8월 18일 촬영한 방사선사진. MRONJ 부위는 재발 없이 양호한 치유가 이루어졌다.

1 초진 시 병력평가 미흡: 환자가 골다공증 치료와 관련된 내용을 정확히 진술하지 못함

2 초진 시 턱관절장애, 신경병성 통증으로 잠정진단

3 다발성 악골골수염 의증

4 MRONJ

치료 및 경과

1 턱관절장애, 신경병성통증 관련 약물치료

2 치주소파술 및 약물치료: Azithromycin, Pentoxifylline, Tocopherol

3 입원치료

4 탐침수술: 양측 임플란트 주위 소파술, 하악 전치부 피판 거상 후 염증성 병변 제거

5 #36 임플란트 제거

6 #34, 35 발치

7 경과 양호

🔊 **Comment**

● 본 증례는 환자가 심한 통증과 재발되는 염증으로 인해 엄청나게 고생하였던 증례이다. 필자를 비롯한 여러 의료진들도 Bisphosphonate 투약과 관련된 MRONJ를 전혀 의심하지 않았다. 즉 초진 증상들이 턱관절장애, 지속적인 특발성 치아치조통증(안면통증), 악골골수염에 부합되는 양상을 보였으며 병력청취를 세밀하게 하지 못하였다. 뒤늦게 문진을 통해 MRONJ를 의심하긴 했지만 절개배농술이나 탐침수술을 시행할 때 괴사된 골조직이 분명하게 관찰되지 않았으며 골조직이 구강내로 노출되지도 않았기 때문에 MRONJ로 확진하는 것도 다소 무리가 있다고 판단된다.

특이증상은 치료 기간 내내 극심한 통증이 지속되었고, 하악 좌측 구치부 임플란트 주변에서 시작하여 하악 전치부와 우측 구치부로 증상이 확산되는 양상을 보였다는 점이다. **이런 증례들의 치료 시 딜레마는 의심스러운 병변과 치아 및 임플란트들을 모두 제거해야 하는지, 남겨두어야 하는지 결정하기 어렵다는 점이다.**

64세 여자 환자에서 확실하지도 않은 MRONJ 진단하에 양측 임플란트와 의심스런 자연치들을 모두 제거하는 것이 과연 환자를 위해 적절한 치료법인지, 윤리적으로 타당한 치료인지 확실하게 말할 수 없다.

어쨌든 **#36 임플란트와 #34, 35 자연치를 발치하고 인접한 골병소들에 대한 보존적 외과수술을 통해 완치시킬 수 있었던 것은 매우 다행이었다고 생각된다.**

Case 8 > 만성 난치성 골수염으로 진단하고 치료했던 환자가 추후 MRONJ로 확진된 증례(Kim YK, et al; 2008)

2004년 8월 5일 68세 여자 환자가 하악 좌측 대구치 임플란트 주변의 골조직 노출 및 통증을 주소로 내원하였다. 1년 전 치과의원에서 #36 부위와 상악에 4개의 임플란트를 식립한 후 상부 보철물이 완성되었으나 2005년 4월경부터 #36 부위 임플란트 주변의 치은 종창 및 농배출이 발생하여 임플란트주위염의 임상진단하에 소파술 및 항생제를 투여하였으나 호전되지 않고 상악 4개 임플란트 주변의 치은 종창 및 농배출이 지속되어 본과에 의뢰되었으며 병력검사 시 당뇨 치료를 받고 있었으나 잘 조절되지 않는 상태였고 골다공증 치료를 받고 있었다(FBS 140-150, PP2 150-220). 임상 및 방사선검사 시 #13, 15 임플란트 주변 연조직 종창 및 골조직 노출, #23, 25 치은 종창 및 화농, #36 임플란트 주변 연조직 괴사 및 골조직 괴사 소견을 보였다. 구강내에서 악취가 났으며 좌측 하악골의 경결감과 압통이 존재하였다. 방사선사진에서는 하악 좌측 구치부 임플란트 주변의 방사선투과상이 하치조관 상방 근처까지 파급된 양상을 보이고 있었다. 핵의학검사에서는 좌측 하악골과 상악 전방부에 섭취율이 현저히 증가된 소견이 관찰되었다(**Fig 10-63~65**). 치은열구에서 농을 채취하여 배양검사를 시행한 결과 *Enterobacter cloacae*가 다량 검출되었고 항생제감수성검사를 토대로 Cephalosporin을 투여하였다.

2004년 8월 25일 전신마취하에서 #36 임플란트를 제거하고 배상형성술과 부골절제술을 시행하였다. 병소가 상행지와 하치조관 직상방까지 파급되어 있었고 인접 제2소구치 원심측 골이 거의 파괴된 상태였다. 하치조신경 손상을 우려하여 하치조관 상방의 부골을 완전히 제거하지 못하였으며 창상을 세척한 후 하악 결손부에 nitrofurazone gauze를 충전하고 창상을 개방한 상태로 놔두었다(**Fig 10-66**). 상악에서 절개를 시행하여 임플란트 주변 골조직을 노출시킨 결과 임플란트 주변에 괴사된 골조직과 내부 골수강을 따라 염증이 진행되고 있는 양상을 보였다. 골파괴가 심한 #15 부위 임플란트를 제거하고 배상형성술, 부골절제술 및 소파술을 시행한 후 drain을 삽입하고 창상을 봉합하였다(**Fig 10-67, 68**). 제거한 괴사 골편의 조직검사 결과 "dead bone fragments with bacterial colonies and suppurative exudates" 소견을 보여 만성 골수염으로 확진되었다(**Fig 10-69**). 제거한 조직의 세균배양 및 항생제감수성 결과를 참고하여 항생제는 Cephalosporin을 사용하였으며 술후 2~3일 간격으로 내원시켜 nitrofrazone gauze를 교체하였으며 3주 후 하악 구치부에 obturator를 장착하고 내면을 삭제하면서 정기적 관찰을 시행하였다(**Fig 10-70**). **2004년 9월 20일** 상악 우측 잔존 임플란트 원심측에서 화농 및 괴사골이 노출되어 국소마취하에서 #13 원심 결손부에서 부골을 제거하니까 내부 골수강을 따라 염증성 조직이 계속 잔존하고 있어 소파술을 시행한 후 drain을 삽입하고 항생제를 Clindamycin으로 교체 투여하였다(**Fig 10-71**). 제거한 육아조직의 조직검사 결과는 "Chronic inflammation, severe with dead bone fragments and new bone formation" 소견을 보였다(**Fig 10-72**). 창상은 양호한 치유과정을 거치면서 안정되는 소견을 보여 상악에 잔존시킨 3개의 임플란트를 이용하여 overdenture를 장착해 주었다. **2004년 12월 23일** 하악 좌측 구치부에 화농성 종창 및 통증이 재발되었으며 치근단방사선 촬영

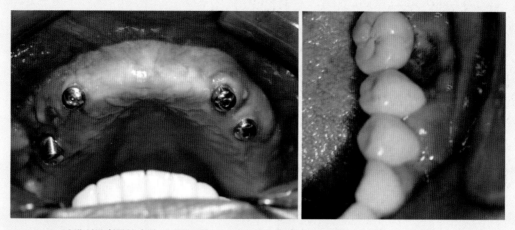

Fig. 10-63. 68세 여자 환자의 초진 시 구강사진. 상악 임플란트 주변의 치은 종창과 누공, 탐침 시 출혈성 화농이 존재하였고 하악 좌측 소구치 및 대구치 임플란트 주변의 치은괴사와 괴사된 골조직이 노출된 상태였다.

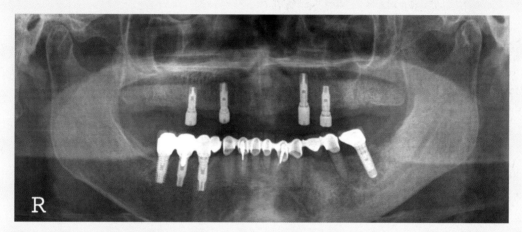

Fig. 10-64. 초진 시 파노라마방사선사진. #36 임플란트 주변의 방사선투과상이 관찰되며 하치조관 상방 근처까지 파급된 양상을 보이고 있었지만 식립된 임플란트의 유동성은 없었다.

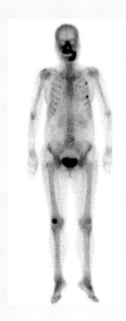

Fig. 10-65. 핵의학 검사에서 좌측 하악골과 상악골의 섭취율이 현저히 증가된 소견이 관찰되었다.

을 시행한 결과 #35 치근단 부위에 방사선투과상과 불투과상이 혼재되어 존재하고 있는 소견이 관찰되었고 #33 치근단 부위까지 방사선투과상이 파급된 양상을 보였다. 돌이켜 생각해 볼 때 골수염의 원인이 #35 치근단병소로 추정되었으며 #35 발치 및 소파술을 계획하였다(Fig 10-73). 발치 및 소파술 시행에도 불구하고 농배출 및 압통이 지속되어 2-3일 간격으로 창상 드레싱을 시행하였고 농배양 및 항생제감수성검사를 시행한 결과 중등도의 *Klebsiella pneumoniae* 및 소량의 *Viridans streptococcus group*이 검출되었다. 항생제감수성검사를 토대로 항생제를 Ciprofloxacin (Ciplus 250 mg 2T, tid)으로 교체하였고 2005년 3월 11일 국소마취하에서 배상형성술과 소파술을 다시 시행하고 vaseline gauze를 충전하였다. 부골이 하치조신경 직상방까지 파급되어 있었기 때문에 신경 근처 조직은 신경손상 위험성이 높아 제거하지 못하였다(Fig 10-74). 2주 후부터 Silicone putty Obturator를 제작한 후 장착하고 환자에게 50 cc syringe를 제공하여 매일 세척하도록 지시하였다. 이때 채취한 조직시편의 검사결과 "Chronic inflammation with dead bone fragment and bacterial colonies"를 보이면서 이전의 검사와 동일한 소견을 보였다. 2005년 4월 7일 창상이 치유되어 obturator를 제거하였고 하악의 국소의치 치료를 계획하였다(Fig 10-75).

2005년 9월 29일 보철치료를 시작하려 하였으나 하악 좌측 구치부에서 화농이 재발되어 다시 본과로 의뢰되었으며 방사선 촬영 및 핵의학검사를 시행하였으며 좌측 하악골과 우측 상악골에 섭취율이 증가된 소견이 관찰되었다(Fig 10-76). 2005년 11월 3일 배상형성술과 부골절제술을 다시 시도하였으며 신경손상을 감수하고 하치조관 근처의 부골을 제거하였으며 다시 재발하면 하악골절제술을 시도하기로 환자에게 설명하였다. 조직검사 결과 "Acute and chronic inflammation with dead bone fragments and actinomycotic colonies in dead bone tissue"을 보였으며 Actinomycosis가 동반 감염된 것으로 추정하였으나 농배양검사를 다시 시행한 결과 *Enterococcus faecalis, Klebsiella pneumoniae*이 많이 배양되었고 혐기성 세균인 *Actinomyces israelii*는 배양되지 않았다(Fig 10-77). 항생제감수성결과 Penicillin, Vancomycin, Teicoplanin, Gentamicin, Streptomycin, Ciprofloxacin, Tetracycline, Cephalosporin 등에 감수성을 보여 Cefuroxime(Bearcef 250 mg 2T bid)을 투여하였고 Vaseline gauze 충전을 이용한 open dressing을 2-3일 간격으로 시행하면서 경과를 관찰하였다.

2005년 11월 21일 하악 좌측 구치부 감염은 거의 조절되었으나 #13, #23, #25 임플란트 주변 치은열구에서 농배출 및 압통이 계속 잔존하였고 임플란트 유동성은 존재하지 않았다. 소파술 및 minocline oint를 국소주입하였으나 호전되지 않아 2005년 12월 9일 배상형성술과 소파술을 시행하면서 노출된 임플란트 표면의 탈독소 처치(tetracycline solution)를 시행하였다(Fig 10-78). 지속적인 창상 세척과 항생제(Bearcef) 치료를 시행하면서 경과를 관찰하였고 2006년 4월 13일 모든 감염 증상이 소멸되었다(Fig 10-79~81).

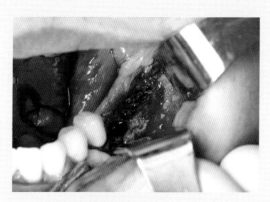

Fig. 10-66. 하악 임플란트를 제거한 모습으로 괴사된 치조골과 부골이 관찰된다.

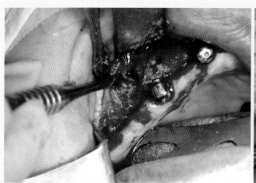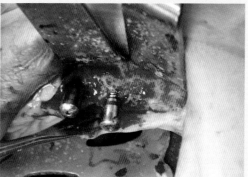

Fig. 10-67. 상악 양측 임플란트 주변의 배상형성술을 시행하는 모습으로 #15 임플란트 주변의 골파괴가 심하여 임플란트를 제거하였다.

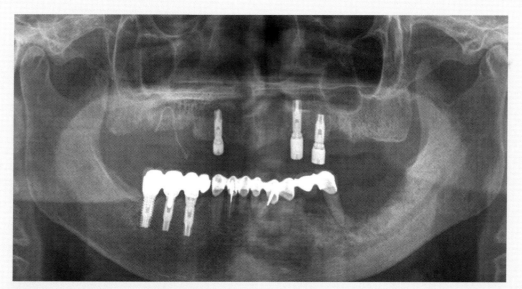

Fig. 10-68. 1차 수술 후 파노라마방사선사진.

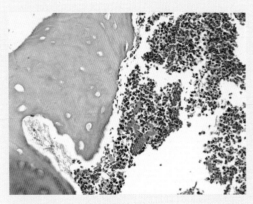

Fig. 10-69. 조직검사 결과 골수염에 준하는 소견들이 관찰되었다.

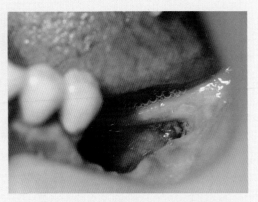

Fig. 10-70. 하악 좌측 구치부 1차 수술 3주 후 구강사진.

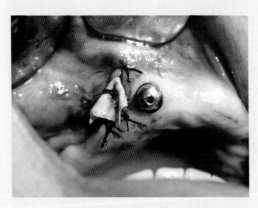

Fig. 10-71. 상악 우측 #13 원심측 결손부 소파술을 시행한 후 rubber drain을 삽입한 모습.

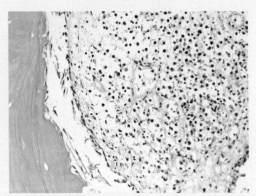

Fig. 10-72. 제거한 조직에서 부골과 신생골이 혼재되어 있는 만성염증 소견이 관찰되었다.

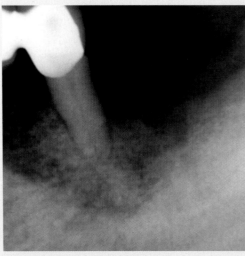

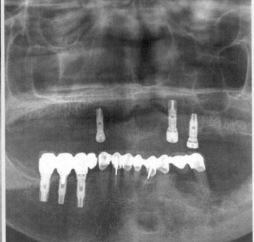

Fig. 10-73. 2004년 12월 23일 촬영한 치근단 및 파노라마방사선사진. 인접한 제2소구치 주변에 방사선투과상과 불투과상이 혼재되어 있는 소견이 관찰된다.

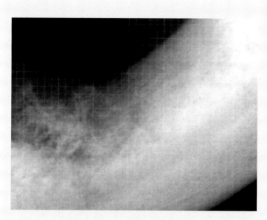

Fig. 10-74. 2005년 3월 11일 촬영한 **치근단방사선사진.** 제2소구치 발치 부위에 부골이 존재하는 것을 볼 수 있다.

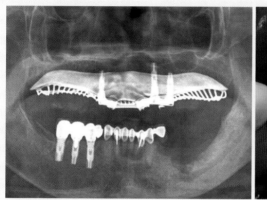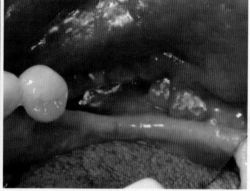

Fig. 10-75. 2005년 4월 7일 촬영한 **파노라마 방사선 및 구강사진.** 감염이 거의 소실된 양상을 보이고 있다.

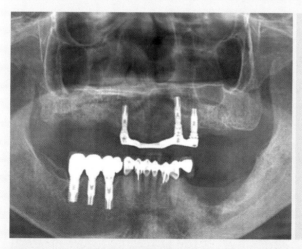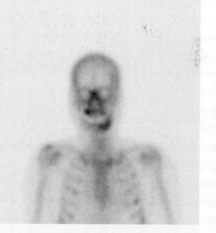

Fig. 10-76. 2005년 9월 29일 촬영한 **파노라마 방사선 및 핵의학검사 사진.** 이전의 발치창 부위의 부골이 하악관과 거의 연결된 양상을 보이고 있으며 핵의학검사에서는 상하악의 섭취율이 초진 시점에 비해 약간 감소된 소견을 보이지만 여전히 심한 염증이 잔존하고 있는 것을 볼 수 있다.

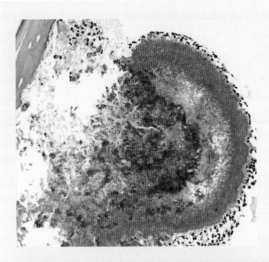

Fig. 10-77. Histopathologic finding of the 4th operative specimen. Acute and chronic inflammation with dead bone fragments and actinomycotic colonies in dead bone tissue are observed.

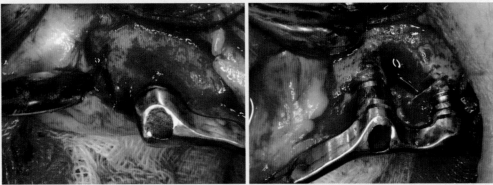

Fig. 10-78. 2005년 12월 9일 상악 좌우측 임플란트 주변의 염증성 조직을 노출시킨 후 소파술과 오염된 표면에 대한 탈독소 처치를 시행하였다.

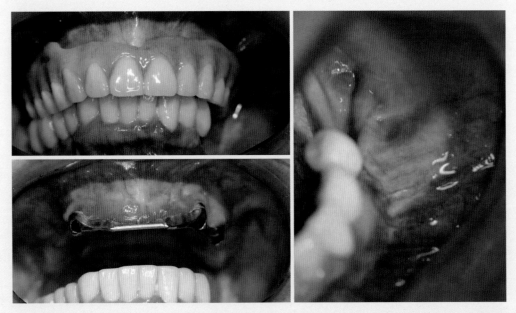

Fig. 10-79. 2006년 4월 13일 창상이 치유된 후 상악에 overdenture를 장착하였다. 상하악 임플란트 주변의 염증성 병소는 완전히 소멸되었다.

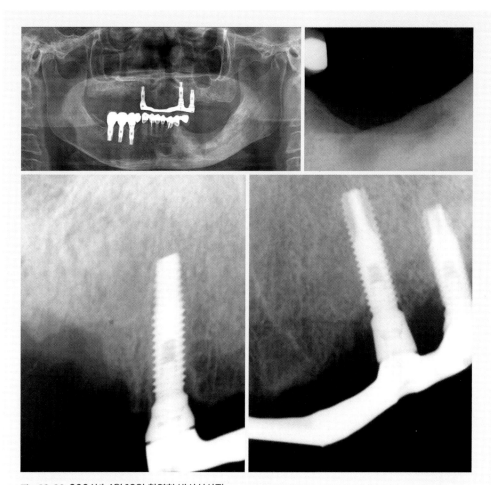

Fig. 10-80. 2006년 4월 13일 촬영한 방사선사진.

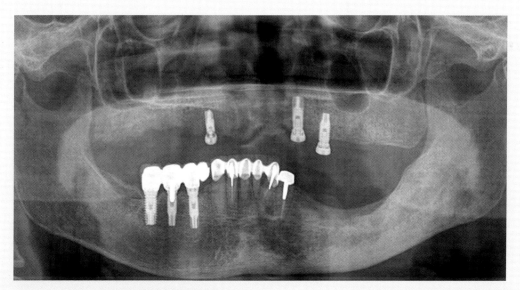

Fig. 10-81. 2007년 9월 17일 촬영한 방사선사진.

1 임플란트주위염
2 난치성 골수염
3 BRONJ 개념 부족
4 수차례 수술 후 재발 반복

치료 및 경과

1 약물치료
2 발치, 임플란트제거 및 배상형성술

🔊 **Comment**

● 본 증례는 하악 좌측 대구치 부위 단일 임플란트와 상악 overdenture 지지를 위한 4개의 임플란트 식립 후 상하악에 다발성 골괴사증이 발생하였으며 골수염으로 진단하고 치료가 진행되었다. 항생제 및 반복적인 외과적 처치에도 불구하고 난치성으로 치료가 잘 안되면서 2년 이상의 치유기간을 보였던 경우로서 당시에는 "만성 난치성 골수염"이라는 제목으로 국제학술지에 발표하였다. 그러나 당시 BRONJ, MRONJ에 준하는 소견들과 Bisphosphonate를 장기복용하고 있었던 것을 인지하지 못하였고 2004년 당시에 필자는 BRONJ에 대한 개념이 거의 없는 상태였다.

본 증례는 임플란트 식립 후 보철 기능 중 주변 감염이 발생하여 임플란트주위염으로 진단하고 처치하였으나 호전되지 않고 급성 골수염으로 진행되었으며 치료에 반응을 보이지 않으면서 만성 골수염으로 진행되었고 원발지점에서 떨어진 상악 임플란트 부위까지 골수염이 파급되었고 항생제 투여 및 수차례 외과적 치료에도 불구하고 반복적인 재발 경향을 보였다. 4번째 수술 시 부골을 적출하면서 조직검사를 시행한 결과 actinomycotic colonies이 관찰되어 Actinomycosis가 동반 감염되었을 가능성을 추정하였으며 정확한 감염시기는 알 수 없었다. 혐기성배양을 시행하지 않았기 때문에 농배양검사에서는 관련균이 배양되지 않았지만 지속적인 창상세척 및 Cephalosporin 제제를 장기간 투여하여 치료를 종료할 수 있었다. 이 책을 쓰면서 본 증례의 의무기록지를 자세히 살펴본 결과 2004년 초진 당시부터 내분비내과에서 당뇨 및 골다공증 치료를 받고 있었고 **2003년 10월 31일부터 Fosamax (Alendronate, 한국오가논)를 계속 복용하고 있음이 확인되었다.** 돌이켜 생각해 볼 때 본 증례는 BRONJ로 진단하는 것이 타당하다고 본다. 초창기 인접한 소구치 치근단 병소를 간과하였고 임플란트주위염에 대한 치료와 주변 골병소를 골수염으로 판단하고 처치하였으며 반복적인 재발이 이루어진 후에야 치근단병변이 존재하는 소구치를 발치한 후 악골고사증이 조절될 수 있었다. 또한 **초기수술 시 광범위한 외과적 적출술을 시행하지 않았고 이물로 생각되는 임플란트들을 모두 제거하지 않고 일부 잔존시킨 것이 상악에서의 반복적인 재발에 관여하였을 가능성이 있다.**

본 증례에서 한 가지 더 주목할 점은 상악 임플란트 3개를 잔존시켰다는 것이다. 임플란트주위염과 MRONJ는 함께 존재할 가능성이 있으며 임플란트의 유동성 여부 및 치료에 대한 반응을 잘 살펴보면서 보존 및 제거를 고려해야 할 것이다. 상악 임플란트 3개는 유동성이 없었기 때문에 임플란트주위염에 준하는 수술적 치료와 유지관리를 통해 잘 보존할 수 있었다.

TOUGH CASES

Case 9 > 72세 여자 환자에서 우측 하악 구치부에 발생한 MRONJ

2015년 1월 22일 72세 여자 환자가 우측 하악 구치부의 잇몸 종창과 악취를 주소로 내원하였다. 2014년 12월 29일 동네치과에서 치주치료 및 임플란트 수술을 받았으며 치과치료 6개월 전부터 골다공증 치료제를 계속 복용하고 있었으나 의무기록지에 정확한 상품명에 대한 기록은 없었다. 방사선사진에서 #46-47 임플란트 주변에 방사선투과상이 불규칙하게 관찰되며 치주 탐침 시 출혈과 깊은 치주낭 소견이 관찰되었다(Fig 10-82). 2015년 1월 27일 경과 관찰 시 임상증상이 완전히 소멸되어 지켜보기로 하였다. 이후 6개월에 한 번씩 경과를 관찰하였는데 임상, 영상에서 큰 변화가 없었다.

2017년 9월 12일 내원 시 #46-47 임플란트 동요도가 심하면서 주변에 부골이 노출되어 있었다. 즉시 임플란트를 제거하고 배상형성술 및 부골제거술을 시행하였다. 수술 부위에는 Bactigra를 충전하고 창상을 개방 상태로 유지하였다(Fig 10-83). 항생제는 Cephalexin 500 mg bid를 처방하고 환자가 다니는 병원에 골다공증 치료제 투여 중단 혹은 교체에 대해 문의하였으며 3일 간격으로 Bactigra 교체, 창상 소독 및 레이저치료를 시행하였다. 2017년 9월 25일 얇은 Omnivac으로 obturator를 제작하여 장착하도록 하였으며 환자가 식사 후 리스테린으로 자가 세정할 수 있도록 잘 설명하였다(Fig 10-84). 2018년 2월 26일 내원 시 임상증상들은 전혀 없었고 파노라마방사선사진에서 골괴사성 병소는 완전히 치유되었으나 골결손부가 크게 남아 있는 것이 관찰되었다(Fig 10-85). 환자는 가능하다면 임플란트 치료를 받고 싶다고 하여서 2018년 5월 10일 골결손부에 대한 골이식술을 시행하였다. CGDBM100 1 cc를 NOVOSIS BMP+ Bongross 0.25 g과 혼합하여 이식하고 Ossguide를 덮은 후 창상을 봉합하였다. 술후 2일간 압박붕대를 유지하였고 2주 후 봉합사를 제거하였다(Fig 10-86, 87). 2018년 12월 10일 #46, 47 부위에 임플란트(Dentium Superline 5D/8L)를 식립하였다. 이때 #48 매복치 치근이 남아있는 것이 관찰되었으나 제거할 경우 골결손이 더욱 커지는 등 후유증이 더 심할 것으로 예상하여 발치하지 않고 임플란트를 의도적으로 기울인 상태로 식립하였다(Fig 10-88, 89). 2019년 3월 5일 이차수술을 시행한 후 후속 보철치료가 성공적으로 완료되었다(Fig 10-90~92).

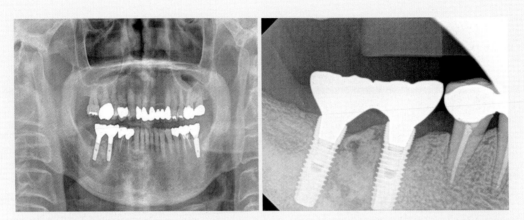

Fig. 10-82. 72세 여자 환자의 초진 시 방사선사진. #46-47 임플란트 주변에 불규칙한 방사선투과상이 관찰되고 있다.

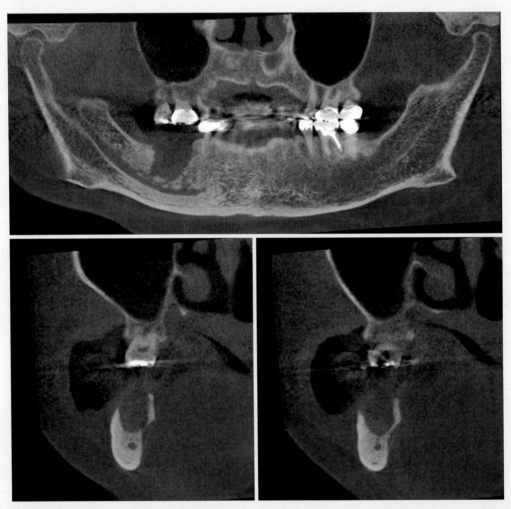

Fig. 10-83. 배상형성술 및 부골제거술 후 CBCT. #46-47 implant 주변에 부골이 노출되어 있으면서 임플란트가 주변 부골과 함께 덩어리로 움직이는 상태였다. 즉시 임플란트를 제거하고 배상형성술을 시행하였다.

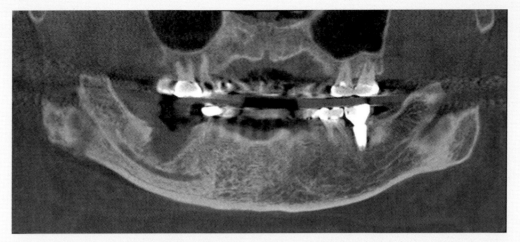

Fig. 10-84. 임플란트 제거 및 배상형성술 2개월 후 CBCT 사진.

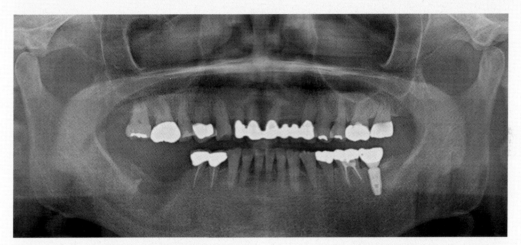

Fig. 10-85. 2018년 2월 26일 촬영한 파노라마방사선사진.

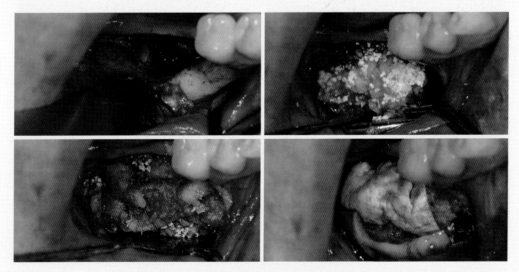

Fig. 10-86. MRONJ 수술 8개월 후 골이식을 시행하는 모습. CGDBM100 1 cc를 NOVOSIS BMP + Bongross 0.25 g과 혼합하여 이식하고 Ossguide를 덮은 후 창상을 봉합하였다.

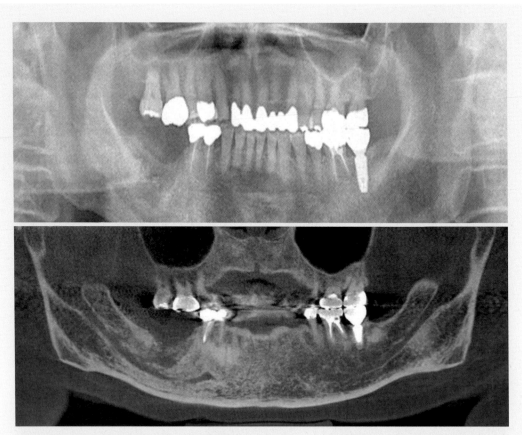

Fig. 10-87. 골이식 후 파노라마 및 CBCT 방사선사진.

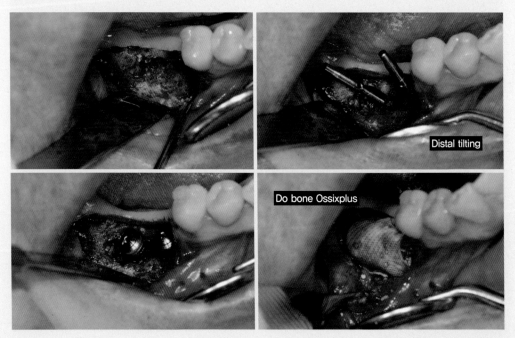

Distal tilting

Do bone Ossixplus

Fig. 10-88. 골이식 7개월 후 임플란트를 식립하는 모습. #48 매복치 잔존치근을 피하기 위해 #47 임플란트를 의도적으로 기울여서 식립하였다.

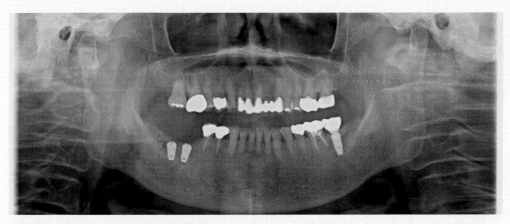

Fig. 10-89. 임플란트 식립 후 파노라마방사선사진.

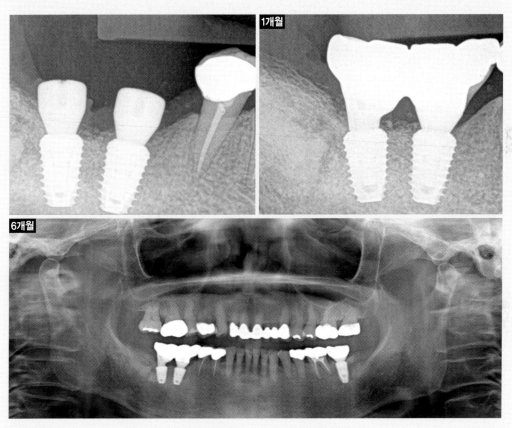

Fig. 10-90. 임플란트 식립 3개월 후 이차수술을 시행하고 상부 보철치료를 진행하였다.

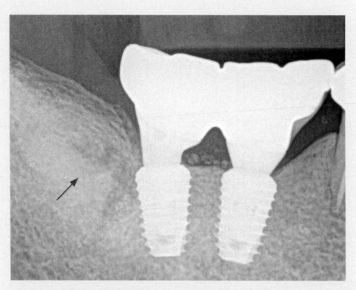

Fig. 10-91. 임플란트 상부 보철물 장착 1년 후 치근단방사선사진. 임플란트 주변 변연골이 매우 안정적이며 잔존하고 있는 #48 치근(화살표)은 완전히 골유착되어 있는 소견이 관찰된다.

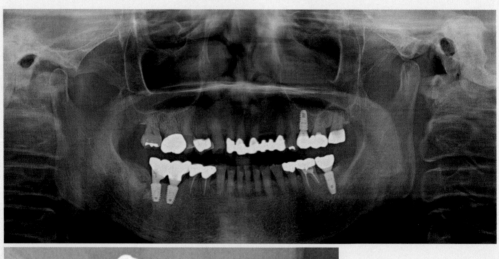

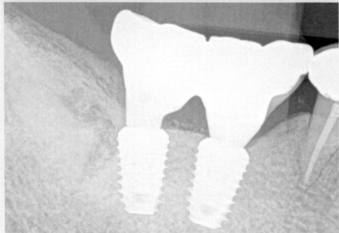

Fig. 10-92. 상부 보철물 장착 3년 후 방사선사진.

⊗ Problem lists

1 임플란트주위염
2 골다공증치료제 휴약기 없이 치주치료 및 임플란트 수술 진행
3 MRONJ

치료 및 경과

1 임플란트주위염 치료 및 관찰
2 MRONJ 진행
3 임플란트 제거, 배상형성술, 부골제거술
4 MRONJ 완치 후 골이식과 임플란트 지연식립
5 경과 양호

◀)) Comment

● 골다공증 치료를 위해 Bisphosphonate를 장기간 복용하고 있는 환자들은 치과수술 전에 악골괴사증 발생 가능성에 대해서 충분히 설명하고 약 3개월 정도의 휴약기를 부여한 후 수술을 시작하는 것이 안전하다. 유감스럽게도 본 증례에서는 휴약기를 부여하지 않았으며 뒤늦게 MRONJ가 발생한 것을 깨닫고 복잡한 치료가 진행되어 완치되긴 하였지만 처음 치료를 담당했던 치과의사는 환자에게 많이 시달렸을 것으로 생각된다. 초진 시 임플란트 주변의 방사선투과성 병소는 임플란트주위염과는 다른 양상을 보였다. 즉 MRONJ를 강하게 의심할 수 있는 소견이었지만 임플란트 유동성이 없고 기능상 큰 문제가 없었기 때문에 일단 임플란트주위염에 준하는 관리를 시행하면서 경과를 관찰하였다. 추후 임플란트 유동성이 심해진 시점에 적극적인 초기 수술을 시행하여 잘 완치시킬 수 있었던 증례이다.

본 증례를 통해 얻을 수 있는 유용한 교훈은 다음과 같다.
1. 치과수술 전 최소 3개월간의 휴약기 부여
2. MRONJ에 이환된 임플란트가 유동성이 없고 통증 등 임상증상이 심하지 않으면서 기능상 큰 문제가 없을 경우 어떻게 관리해 나가는 것이 좋을지에 대해서는 임상가들이 각자 잘 판단해서 결정해야 할 것이다. 그러나 **경과관찰을 결정하였더라도 MRONJ 진행 시 임플란트 제거를 포함한 침습적 외과수술 가능성에 대해 잘 설명해 두어야 한다.**
3. 임플란트 제거, 배상형성술과 부골제거술을 적기에 시행하여 완치시킬 수 있었다.
4. 악골괴사증이 완치된 후에는 골이식과 임플란트 식립 치료가 가능할 수 있다. 그러나 **치료 기간이 길어지고 실패 위험성이 높은 것은 분명하기 때문에 환자에게 일반적인 보철치료와 임플란트 보철치료의 장단점을 충분히 설명한 후 동의를 얻고 진행해야 한다.**

11. 임플란트 보철물 장착 혹은 탈락한 치유지대주나 보철물의 재연결 후 급성 부종 또는 감염 의심 증상이 발생하는 경우

임플란트 수술 이후 치유지대주(healing abutment, HA)가 풀리거나, 보철치료 완료 이후 보철물 탈락으로 내원하는 환자들을 종종 볼 수 있다. 임플란트 상부구조물이나 치유지대주를 재연결한 후 수일 이내에 극심한 통증과 급성 부종이 발생하는 경우가 있으며, 대부분의 경우 항생제나 소염진통제를 처방하면서 경과를 관찰하면 수주 이내에 증상이 소실된다. 그러나 통증을 동반한 부종이 안면, 목 부위로 파급되면서 급성 감염과 같은 양상을 보이는 경우도 있기 때문에 이에 대한 처치에 관심을 가져야 한다.

원인은 명확히 알려져 있지 않으며 급성 염증과 감염의 증상들이 유사하기 때문에 명확하게 감별진단하는 것이 어렵다. 환자들에게 적절하게 설명하지 못하고 부적절하게 대처한다면 치과의사의 감염관리 의무 소홀로 비춰질 수 있으며 의료분쟁으로 진행될 가능성이 매우 크다. 실제 증상이 심한 환자의 경우, 안면부의 급성 부종 양상이 봉와직염(cellulitis)과 유사한 양상을 보일 수 있다.

Case 1 > 63세 여자 환자에서 #36 부위 임플란트 치유지대주를 다시 연결한 후 발생한 안면부종 및 통증

당뇨와 고혈압이 있는 63세 여자 환자에게 **2020년 9월 28일** 하악 좌측 제1대구치 부위에 임플란트(SIS Luna 5D/8.5L)가 1회법으로 식립되었으며 **2021년 1월 4일** fixture level impression을 채득하고 치유지대주가 연결된 상태로 귀가하였다. **2021년 1월 14일** 치유지대주가 탈락되어 내원하였으며 전공의가 재연결한 후 귀가조치 하였으나 **2021년 1월 19일** 심한 통증과 좌측 안면부 부종성 종창이 발생하여 내원하였다. 환자는 탈락한 치유지대주를 전공의가 연결하였으며 담당 주치의는 바쁘다는 이유로 만날 수 없었던 점에 대해 강한 불만을 표명하면서 민원을 제기하였다.

환자는 탈락한 치유지대주를 재연결하고 나서 수시간 후부터 붓는 증상이 시작되었다고 언급하였다. 자세히 진찰한 결과, 임플란트 주변 잇몸과 좌측 협부 및 악하부 종창, 통증, 연하곤란, 개구장애가 관찰되었다. 종창 부위의 국소적 열감은 있었으나 발열과 오한 증상은 없었다(**Fig 11-1**). 연결된 치유지대주를 제거한 후 임플란트 주변을 Chlorhexidine으로 세정하였고 이전보다 작은 크기의 치유지대주로 교체해 주었다. 임상증상의 양상이 감염에 의한 것인지 급성 염증성 반응인지 명확히 감별할 수 없어서 구강악안면외과에 진료를 의뢰하였다. 구강악안면외과에서는 임플란트주위 소파술을 시행하고 Chlorhexidine으로 세정한 후 minocycline ointment를 주변에 주입하였다. 경험적 항생제(Mesexin 500 mg bid)와 소염진통제를 5일 처방하였고 KetoPROfen 100 mg을 근육주사하였다. 2일 후 내원 시 통증과 감염 증상이 많이 감소되었으며 창상소독과 레이저치료를 시행하였고 **2021년 1월 25일** 모든 증상들이 소멸되어 상부 보철물을 연결하였다. **2021년 2월 8일** 내분비내과 정기검진 시 시행한 혈액검사에서 당화혈색소 수치가 7.2%이었으며, 7월 27일 시행한 검사에서도 9.6으로 혈당이 잘 조절되지 않는 상태임이 확인되었다.

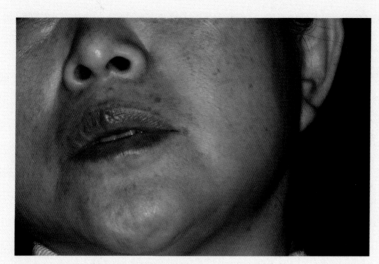

Fig. 11-1. #36i 치유지대주 연결 후 좌측 안면부 및 악하부 종창이 발생하였다.

⊗ Problem lists

1 탈락한 임플란트 치유지대주를 재연결한 후 안면부의 부종성 종창과 통증이 발현됨
2 전신질환: 잘 조절되지 않는 당뇨, 고혈압

🗨 치료 및 경과

1 치유지대주를 제거한 후 폭경이 좁은 새로운 지대주로 교체하여 연결함
2 임플란트 주위 소파술, 항생제와 소염진통제 투여
3 약 2주 경과 후 증상 소실

🔊 Comment

● 치유지대주가 풀려서 재연결한 후 증상이 발현하였으며 임상에서 이와 같은 증례들을 자주 직면할 수 있다. **풀리거나 탈락된 나사 및 보철물을 재연결하기 전에 반드시 임플란트 고정체 주위의 잇몸을 세척하고 소독하여야 하며 지대주와 보철물도 깨끗이 세척과 소독을 시행한 후 연결해야 한다.** 급성 염증과 감염을 분명히 구별할 수 없기 때문에 경험적 항생제와 소염진통제를 투여하면 시간이 경과하면서 대부분의 증상들이 소멸된다. **탈락된 지대주는 이미 오염되었기 때문에 새로운 치유지대주를 사용하는 것이 적절하다는 의견들이 많다.** 본 증례의 환자는 당화혈색소가 7.2, 9.6%로서 당뇨가 잘 조절되지 않는 상태였고 이런 경우엔 면역기능과 창상치유 능력이 저하되어 있기 때문에 이와 같은 증상들이 발생할 가능성이 크다.

Case 2 > 66세 남자 환자에서 지대주 나사 파절로 탈락한 #46 임플란트 보철물을 재연결한 후 발생한 안면부종 및 통증

2018년 5월 24일 당뇨와 고혈압이 있는 66세 남성환자가 2년 전 본원에서 제작한 하악 우측 제1대구치 보철물이 10일 전에 탈락했다는 주소로 내원하였다. 구내검사 결과, 지대주 나사 파절이 확인되어 임플란트 고정체 내부에 남아있는 파절편을 제거하였다. 탈락된 보철물을 깨끗이 세척하고 소독한 후 지대주 나사를 새 것으로 교체하여 재연결하였다.

다음 날 오전 7시경 임플란트 주변부와 인접치의 극심한 통증과 부종이 발생하여 119를 통해 본원 응급실로 이송되었다. 내원 직후 응급실에서 실시한 환자의 주관적 통증 평가(Numerical rating scale for self-reporting of pain intensity, NRS)는 가장 극심한 통증 10점을 기준으로 8-9점을 나타냈다. 혈압은 156/107 mmHg였고, 호흡은 분당 15회, 체온 36.5℃로 정상이었다. 혈액검사 결과, 당화혈색소는 6.0%였으며 염증 지표로 사용되는 C-reactive protein (CRP)는 4.58 mg/dL로 기준 범위(0.5-1.0 mg/dL)보다 상당히 높은 수치를 나타냈다. 백혈구 수치(white blood cell count)는 8,900 /μL로 정상 범위(4,000-10,000 /μL) 내에 있었다. 응급실에서는 통증 조절만 시행한 후 당일 오전 치과 외래를 방문하였다. 보철물을 철거하고 주변 상태를 관찰한 결과 임플란트 고정체 주변 연조직의 부종과 출혈이 관찰되었고 심한 통증이 지속되고 있었다(Fig 11-2). Chlorhexidine으로 임플란트 주변을 세척하고 치유지대주를 소독하여 다시 연결하고 귀가 조치하였다. 증상 발현 후 4일째, 통증과 부종성 종창이 우측 안면과 악하부로 확산되었으며, 연하곤란 증상을 보였지만 발열과 오한 증상은 없었다. 당일 구강악안면외과에서 #46 협측 전정부에 절개배농술을 시행하였지만 농은 배출되지 않았다. Amoclan duo 500 mg, bid, Aclofen 100 mg bid 7일분과 Hexamedin solution 0.1%를 하루 3회 가글링하도록 처방하고 2-3일 간격으로 내원시켜 창상세척과 소독을 시행하였고 **2018년 6월 14일** 모든 증상들이 완전히 소멸되어 상부 보철물을 다시 연결하고 치료를 종료하였다(Fig 11-3).

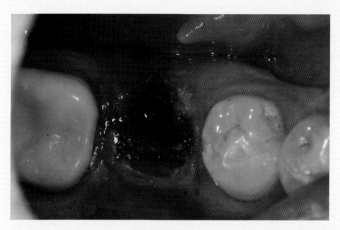

Fig. 11-2. 증상 발현 당일에 임플란트 보철물을 철거한 후 구내사진. 치은 부종과 출혈 소견이 관찰되었다.

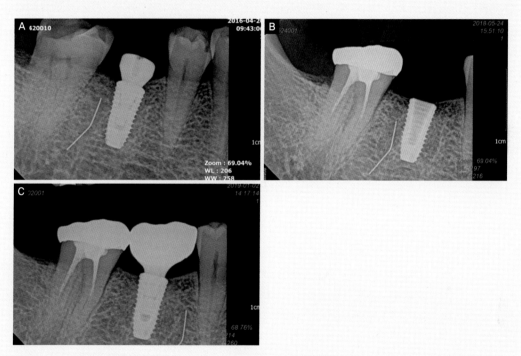

Fig. 11-3. A: 처음 보철물 연결 직전의 치근단방사선사진(2016년 4월 20일) **B:** 파절된 지대주 나사 제거 후 촬영한 치근단방사선사진(2018년 5월 24일) **C:** 최종 경과관찰 시점에 촬영한 치근단방사선사진(2019년 1월 2일). 임플란트 주변의 변연골은 안정적 상태를 유지하고 있다.

⊗ Problem lists

1 2년 전 제작한 임플란트 보철물의 지대주 나사 파절로 보철물 탈락

2 보철물 탈락 10일 경과 후 내원하여 파절된 나사 제거 후 보철물 재연결

3 연결 당일 급성 통증 발생 후 다음 날 내원하여 보철물 철거

4 치은 국소부에서 안면부, 목부위까지 통증, 부종 심화

5 전신질환: 당뇨, 고혈압

치료 및 경과

1 보철물 제거 후 치유지대주로 교체

2 절개 및 배농, 광범위한 세척

3 항생제와 NSAIDs처방

4 약 2주 경과 후 증상 소실, 보철물 재연결

5 방사선사진에서 변연골 변화는 보이지 않음

🔊 Comment

● 보철물 탈락 후 수일간 방치됨으로 인해 치은이 위축되면서 임플란트 고정체 상부가 잘 보이지 않는 상태였다. 이러한 상황에서 보철물을 재연결한 후 임플란트 주변 연조직에 급성 염증반응(통증과 부종)이 발생한 것으로 생각된다. 또한 고혈압과 잘 조절되지 않는 당뇨환자여서 면역기능과 치유능력이 상당히 저하된 상태이기 때문에 이와 같은 증상들이 쉽게 발생하였을 것으로 추정된다. 일반적으로 당화혈색소가 5.6% 이하인 경우를 정상으로 판단하며 6.5% 이상은 당뇨, 그 중간은 당뇨 전단계로 진단한다. 임상에서 이와 같은 상황에 직면하게 되면 **임플란트 고정체 주변의 조직과 탈락된 보철물 및 구성품들을 깨끗이 세척하고 소독한 후 연결해야 하며 예방적으로 항생제와 구강소독용 가글링제 처방을 권장한다.**

본 증례에서는 절개배농술을 시행하였지만 농은 배출되지 않았으며 당일 시행한 혈액검사에서 CRP는 4.58로 높았으나 백혈구 수치는 정상 범주에 있었다. 임상적으로 급성염증과 급성감염을 명확히 구별하는 것은 어렵다, 따라서 통증을 동반한 부종성 종창이 급속히 확산되는 경향을 보이거나 연하곤란, 개구제한 등과 같은 증상이 나타나면 절개배농술을 신속히 시행하는 것이 추천된다. 고름이 나오지 않더라도 감압 (decompression) 효과가 있기 때문에 감염으로 진행되면서 주변 조직간극을 통해 확산되는 것을 방지할 수 있고 통증 완화 및 약물치료에 좋은 효과를 기대할 수 있다.

Case 3 > 66세 여자 환자에서 #35, 37, 45, 47 부위에 임플란트 치유지대주 교체와 탈락에 의한 재연결 후 각각 총 두 차례의 양측 안면부종 및 통증

2018년 8월 23일 66세 여자 환자에서, #35i, 37i, 45i, 47i (CMI) 부위 fixture level 인상채득 후 **2018년 9월 10일** 임시치아를 제작하여 연결하고자 하였으나 치은 저항으로 인해 임시치아 연결에 실패하였다. 같은 날 보철물 연결을 위한 치은확장을 목적으로 기존의 작은 직경 치유지대주를 regular size로 교체 연결 후 귀가 하였다. 이틀 후 내원하여, 치유지대주를 연결한 날부터 주변과 양측 협부에 부종이 발생하고 열감, 통증, 개 구제한이 생겼다고 하였다**(Fig 11-4)**. 환자는 다음 날 출국 일정이 있었기에, Chlorhexidine으로 임플란트 주 변 부위를 세정하고 항생제와 소염진통제(Fullgram IM, KetoPROfen 100 mg IM, Naxen-F 500 mg 7일, Methylon 4 mg 7일)를 처방하였다. 귀국 후 **2018년 10월 5일** 재내원하였으며, 부종은 소실된 상태였다. 처방한 약은 복 약 후 심한 위장장애로 인해 한 번만 복용 후 중단하였다고 하였다. 당일 지대주 재연결을 시도하였으나 임플 란트 고정체가 깊게 식립되어 있었기 때문에 치은 저항으로 인해 연결할 수 없었다. 따라서 **2018년 11월 1일** 주변의 치은조직을 다듬어서 고정체 상단을 충분히 노출시킨 후 치유지대주를 연결하였다. 이후에도 **2018년 11월 30일** #37i와 #44i 치유지대주가 탈락되어 다시 내원하였으며, 단단하게 다시 연결한 후 귀가시켰다. 3일 후인 **2018년 12월 3일** 통증 및 개구제한이 재발하여 내원하였으며 양측 하악 구치부 협측 치은 종창, 악하부 및 이하부 종창이 존재하였고 촉진 시 심한 압통을 호소하였다. 이후 구강악안면외과로 의뢰하였으며 봉와직 염으로 잠정진단하고 Mesexin 500 mg bid, Cele V 200 mg bid 7일분과 Hexamedin solution 0.1% 가글링 제를 처방하였다. 이후에도 극심한 통증이 지속되었으며 **2018년 12월 4일** 통증과 종창 부위에 레이저치료를 시행한 후 티타늄 알레르기 반응을 의심하고 Peniramin (chlorpheniramin) bid를 1일 처방하였다. 티타늄 알레 르기를 감별하기 위해 알레르기내과로 의뢰하였으나 첩포시험(Patch test)에서 음성 결과가 나왔다. 이후 증상 은 점차 완화되면서 **2019년 2월 18일** 모든 증상들이 완전히 해소되었고 **2019년 4월 25일** 최종보철물을 장 착한 후 재발은 없었다**(Fig 11-5)**. 본 환자는 총 두 차례의 급성 부종 발생이 있었으며, 각각 발현일로부터 약 21일 경과 후 증상이 소실되는 것을 관찰할 수 있었다. 환자의 전신병력은 신장질환, 고혈압, 갑상선질환을 갖 고 있으며 전신부종 병력이 있었다.

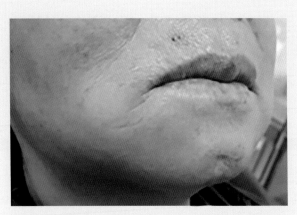

Fig. 11-4. 우측 협부의 부종성 종창이 관찰된다. 반대측도 동일한 양상의 부종성 종창이 발생하였다.

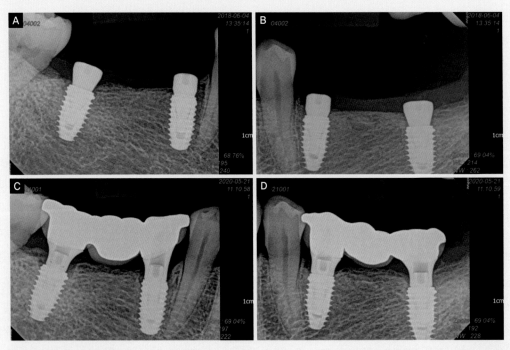

Fig. 11-5. 병변이 발생하기 전(A, B)과 최종보철물 장착 후(C, D)의 방사선사진. 임플란트 주변 변연골은 안정적으로 잘 유지되고 있다.

1 임플란트 이차수술 이후 연결한 치유지대주 교체 및 치유지대주 탈락에 의한 재연결로 급성 통증과 부종 발현

2 전신질환: 고혈압, 사구체신염, 갑상선저하증, 전신부종 병력

3 임플란트 주변 부종 발현 증상이 두 번 발생

치료 및 경과

1 치유지대주 재연결

2 임플란트 부위 세정술, 항생제 및 진통제 투여

3 티타늄 알레르기 테스트를 하였으나 음성으로 확인

4 방사선사진에서 변연골 변화는 보이지 않음

Comment

● 임플란트 치유지대주 연결 후 두 번의 증상 발현이 있었으며 급성염증과 감염을 명확히 구별할 수 없었다. 티타늄 알레르기 반응에는 음성 결과를 보였으며 항생제와 진통제를 처방한 후 시간이 경과하면서 증상들이 완전히 소멸되었다. 이와 같은 반응이 나타난 소인으로 **환자의 전신질환과 면역성 저하가 상당 부분 관여되었을 것으로 추정된다.** 본 환자는 만성 사구체 신염과 renal cell carcinoma로 치료 중인 상태였으며, 잦은 전신부종 병력을 가지고 있다. 신장질환과 관련된 만성 부종 병력과의 연관성을 생각해 보아야 하며, 이와 같은 환자의 경우 병력 청취가 중요하다.

혹시 모를 감염 예방을 위해 탈락된 지대주는 새 것으로 교체하여 연결하는 것을 추천한다. 환자의 증상을 짧은 간격으로 모니터링하면서 봉와직염의 가능성을 확인해야 하며, 부종의 진행으로 통증, 연하곤란, 개구제한이 악화되면 약물치료와 함께 절개를 통한 감압 혹은 배농을 고려해야 한다.

Case 4 > 84세 여자 환자에서 #37 부위 임플란트 보철물을 연결한 후 발생한 안면부종 및 통증

　84세 여자 환자에게 **2018년 4월 19일** #37 부위에 임플란트 보철물을 연결하였다. **2018년 5월 10일** 정기검진에서 임플란트 주변부와 동측 악하부의 부종이 관찰되었으며 연하곤란을 호소하였다. 이 증상은 1주일 전부터 시작되었다고 하였으며 같은 시기에 약간의 오한이 있었다고 하였다**(Fig 11-6)**. 연결한 보철물을 제거하자 임플란트 치은 관통부에서 농이 배출되고 있었으며 주변에 음식물 잔사가 침착되어 있는 것이 관찰되었다**(Fig 11-7)**. 당일 구강악안면외과로 의뢰하였으며 협측 전정부에 절개배농술을 시행하고 silastic drain을 삽입한 후 Fullgram 300 mg IM, Ketoprofen 100 mg IM, Amoclan duo 500 mg bid를 5일 처방하였다. **2018년 5월 11일** 드레싱 및 레이저치료를 하였고 통증이 심해서 Naxen-F 500 mg bid 2일분을 추가 처방하였다. **2018년 5월 14일** drain을 제거하였고 환자가 항생제 복용 후 속이 쓰리고 매우 불편하다고 하여 항생제를 Cycin 500 mg bid로 교체하여 4일분 처방하였다. **2018년 5월 17일** 모든 증상들이 소멸되어 상부 보철물을 다시 연결하고 지속적인 음식물 끼임 및 잔류 원인이 될 것으로 예상되는 #38을 발치하였다**(Fig 11-8)**.

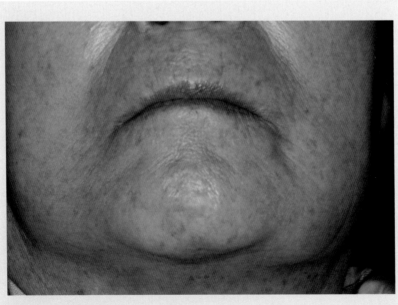

Fig. 11-6. 좌측 악하부의 부종이 관찰된다.

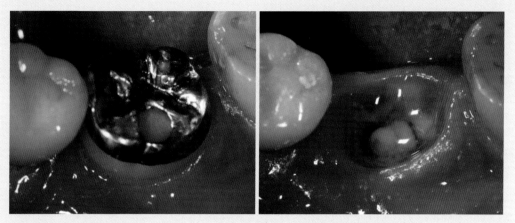

Fig. 11-7. 상부 보철물을 철거한 결과, 임플란트 치은 관통부에서 농이 배출되고 있는 것이 관찰되었다.

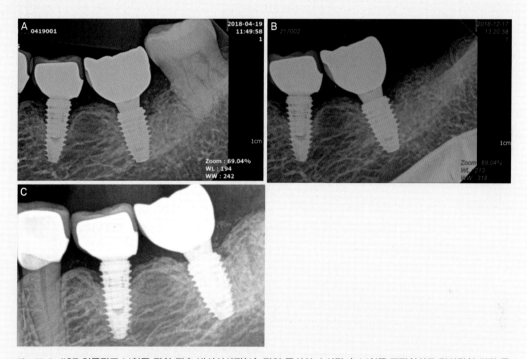

Fig. 11-8. #37 임플란트 보철물 장착 직후 방사선사진(A), 감염 증상이 소실된 후 보철물 재장착하고 경과관찰 기간 중 촬영한 치근단방사선사진(B: 6개월 후 C: 1년 6개월 후). 임플란트 주변 변연골은 안정적 상태를 유지하고 있다.

1 보철물 장착 3주 후 정기검진에서 임플란트 주변부와 악하부의 부종성 종창과 배농이 관찰됨

2 #38 잔존

3 #37-38 사이 음식물 침착

📑 치료 및 경과

1 상부 보철물 제거

2 절개배농술과 항생제 치료

3 음식물 끼임 및 잔류 원인이 될 수 있는 #38 발거

4 방사선사진에서 변연골 변화는 보이지 않음

🔊 Comment

● 임플란트 보철물 장착 3주째 정기 검진에서 임플란트 주변부 부종성 종창과 감염이 의심되는 상태로 내원하였으며 보철물을 철거한 결과 임플란트 치은 관통부를 통한 배농이 관찰되었다. 즉시 구강악안면외과로 의뢰하여 **절개배농술과 항생제 치료를 시행한 후 잘 치유될 수 있었다.** 고령 환자들은 감염이 발생하여도 증상들을 인지하지 못하거나 그냥 참고 지내면서 악화되는 경우가 많다. 임플란트 상부 보철물이 장착된 이후 주의사항을 설명할 때 반드시 감염관련 증상들을 포함시켜야 한다. 또한 보철물 장착 후 1-2주 후에 반드시 내원시키고 이후에도 정기유지관리를 철저히 해야 한다. 고령 환자들은 설명을 잘 이해하지 못하거나 청력이 저하되어 있어서 잘 듣지 못하는 경우가 많다. 반드시 문서화된 설명서를 배포하고 동반 보호자에게도 잘 설명해야 한다. 본 증례는 **#37 임플란트 보철물이 연결됨과 동시에 근심경사된 #38과의 사이에 감염원이 될 수 있는 음식물 끼임, 잔류가 원인이 되어 급성감염이 발생한 경우로 추정되며 절개배농술과 항생제 치료를 통해 잘 치유될 수 있었다.**

TOUGH CASES

Case 5 > 80세 여자 환자에서 지대주 나사 파절로 탈락한 #16 임플란트 보철물 재연결 후 우측 안면부종이 발생한 증례

2020년 12월 14일 80세 여자 환자가 7년 전 제작한 #16 부위 임플란트의 지대주 나사 파절로 인해 1주일 전 보철물이 탈락된 상태로 내원하였다. 전신질환은 당뇨와 고지혈증이 있었으나 약물치료를 받으면서 잘 조절되는 상태였다. 임플란트 고정체 내부에 남아있는 파절된 나사를 제거하고 새로운 나사로 교체하여 보철물을 재연결하였다. 2일 후 우측 협부 부종성 종창이 발생하여 내원하였으며, 동측 안면부와 악하부 부종도 관찰되었다. 임플란트 주변 치은 종창과 치은열구를 통해 농이 배출되고 있었으며 협부의 국소적 열감이 존재하였으나 통증은 심하지 않았고 고열과 오한은 없었다. 상부 보철물을 철거하고 주변 조직을 Chlorhexidine으로 세정한 후 치유지대주를 연결하고 구강악안면외과로 의뢰하였다(Fig 11-9). 급성 봉와직염과 임플란트 주위염으로 잠정진단하고 Amoclan duo 500 mg bid 2주, Flasinyl 250 mg tid 2주, 소염진통제 Aclofen 100 mg bid, Setopen 325 mg (Acetaminophen) tid를 3일 처방하고 Ampicillin/sulbactam, Ubatam 750 mg을 정맥주사하였다. 당일 시행한 혈액검사에서 당화혈색소 7.2%, Glucose 168로 확인되었으며, CRP 8.57, WBC 15,860/ul로 급성감염 소견이 확인되었다. 시간이 경과하면서 증상들이 완화되기 시작하였고 2020년 12월 29일 혈액검사에서 CRP 0.4, WBC 8,270으로 정상화되면서 모든 증상들이 완전히 소멸되었으며 보철물을 다시 연결하였고 이후 재발은 발생하지 않았다(Fig 11-10).

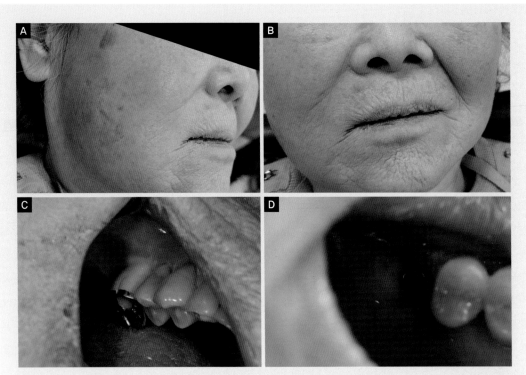

Fig. 11-9. 기존 보철물이 탈락하여 내원한 환자의 재치료(나사 교체 및 보철물 재장착) 후 우측 안면부에 부종이 발생하였다(A, B). 임플란트 주변 치은이 부어있었고 치은열구에서 농이 배출되었다(C, D).

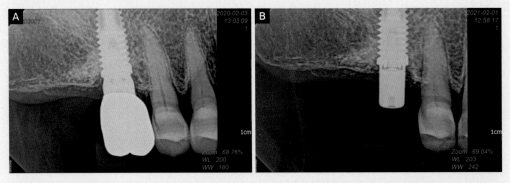

Fig. 11-10. A: 7년 전 장착한 임플란트 보철물이 연결된 상태로 증상 발생 약 10개월 전 방사선사진 **B:** 증상 소실 후 보철물 재연결 전 촬영한 방사선사진.

⊗ Problem lists

1 7년 전 제작한 임플란트 보철물 탈락 1주일 경과 후 재연결

2 연결 3일 후 임플란트 주변 치은과 협부 부종성 종창, 치은 열구로부터 배농, 악하부 부종성 종창

3 전신질환: 당뇨, 고지혈증

치료 및 경과

1 상부 보철물 철거 후 치유지대주 연결

2 항생제 및 소염진통제

3 방사선사진에서 변연골 변화는 보이지 않음

◀)) Comment

● 장기간 사용한 임플란트 보철물이 탈락한 상태에서 1주일 이상 경과 후 내원하여 보철물을 재연결한 후 증상이 발생하였다. 임상증상들과 배농이 되는 것으로 보아 급성감염으로 진단할 수 있다. **감염의 원인은 보철물이 탈락하고 1주일이 경과한 상태에서 임플란트 고정체 상부의 연조직이 자라들어와서 임플란트 상부가 매우 좁아져 있었을 것이다. 이런 상태에서 무리하게 보철물을 재연결하면서 임플란트 주변 조직을 압박하게 되었으며 전신질환을 보유한 고령환자였기 때문에 급성감염이 발생한 것으로 추정된다.** 상부 보철물을 철거하고 주변을 깨끗이 세척하고 새로운 치유지대주만을 연결한 후 항생제를 처방하여 잘 해결될 수 있었다. 만약 봉와직염으로 확산되는 조짐이 보였다면 신속히 절개배농술을 시행해야 한다. 이와 같은 증례들을 접하게 되면 **탈락된 보철물을 무리하게 연결하지 말고 주변을 깨끗이 세척하고 소독한 후 치유지대주를 연결하고 일정 기간 기다려 보는 것이 좋다.** 당연히 예방적으로 항생제를 처방할 것을 추천한다. 이후 치유지대주 주변으로 치은조직이 잘 적합된 것을 확인하고 상부 보철물을 연결한다.

증상의 발생기전과 고찰(Table 1-5)

1) 임상증상의 발현

Table 1-5는 상기와 같은 급성 증상을 보인 환자 9명의 정보를 정리한 것이다. 환자들의 평균 연령은 69.78 ± 10.40세였으며, 여성 환자가 높은 비율(9명 중 6명)로 나타났다. 9명 중 7명은 전신질환을 보유하고 있었으며, 당뇨가 6명으로 가장 많았고 증상이 발생한 시기의 검사 결과에서 당화혈색소(HbA1c) 또는 glucose level 이 중등도 이상을 보이고 있음을 확인할 수 있었다. 2명은 특이질환이 없는 건강한 환자였다. 한편 신장질환, 갑상선질환 및 고혈압을 가지고 있는 66세 여자 환자에만 두 번의 증상 발현을 관찰할 수 있었다(Case 4-1, 4-2).

급성 부종 증상의 발현은 모두 보철물이나 지대주를 다시 연결한 후에 발생하였으며 발현 시점은 1명의 환자(Case 7)는 3일 후 증상이 발생하였고 7명의 환자들은 보철물 또는 치유지대주를 연결하거나 재연결한 당일 연결부 주위에서 통증과 함께 붓는 증상이 시작되었다고 진술하였다. 1명의 84세 고령 환자(Case 5)는 증

상 발현 시점을 정확히 기억하지 못하였고 본인의 증상에 대해서도 '부었다'라고 진술하는 것 외에는 정확히 진술하지 못하였으나, 다른 환자와 비슷하게 임플란트 주변부에서 기인한 것으로 보이는 안면부 종창, 통증, 연하곤란을 보였다.

증상의 정도는 임플란트 주변부 치은 종창과 불편감 정도의 통증을 느끼는 환자에서부터 급격하게 안면부로 진행되는 부종과 극심한 통증까지 다양하였다. 안면부 및 악하부로 진행된 부종을 보이는 환자들은 연하곤란, 개구장애를 보였으며, 술자가 직접 개구를 시켰을 때 soft end feel의 개구제한 양상을 나타냈다. 모든 환자들에서 심한 발열 증세는 없었으나, 1명의 환자(Case 8)가 약간의 체온증가(37.2℃)를 보였으며 오한을 호소하였다. 내원 당시 환자들은 통증 등의 증상으로 인한 불안을 보이기는 했으나, 치과의사의 질문에 명확히 대답하였으며, 이성적 대화가 가능한 수준이었다.

2) 증상의 진행과 지속기간

극심한 통증과 종창을 주소로 내원한 환자들은 즉시 임플란트 상부구조물을 풀어내고 Chlorhexidine으로 임플란트 부위를 세정한 다음, 주위 치은에 압박이 되지 않는 정도 크기의 치유지대주를 선택하여 체결해 주었다. 약물 처치와 함께 구강악안면외과의의 판단에 따라 절개배농술을 진행하기도 하였으나, 일정기간 동안 종창이 더욱 증가하거나 유지되는 경향을 보였다. 증상의 정도와 환자에 따라 대부분 2주 이내에는 증상이 소멸되는 양상을 보였지만 1명의 환자(Case 4)에서는 증상이 2회 발생하였고 증상 소실까지 각각 21일 정도 소요되었다.

3) 혈액검사 결과

6명의 환자들에서 혈액검사가 시행되었는데 당뇨를 보유한 6명의 환자들에서는 공복 시 혈당이 100 이상으로 높았고 HbA1c로 6.0–7.2 정도로 높게 유지되는 양상을 보였다. 4명의 환자들에서 CRP가 측정되었는데 3명의 환자들은 4.58–9.61로 높은 양상을 보였고 1명의 환자(Case 9)는 0.4 이하의 정상치를 보였다. WBC는 5명의 환자들에서 측정되었는데 Case 7~9는 정상 범주 이상을 보였지만 2명의 환자에서는 정상 범주에 있었다.

4) 급성 통증 및 부종 발생의 원인에 대한 고찰

임플란트 상부구조물 연결 또는 재연결 후 발생한 임플란트 주위 조직의 급성 부종에 대해서는 현재까지 명확한 발생기전과 경과에 대한 보고가 없다. 저자를 비롯한 대부분의 임상의들은 임플란트 상부구조물을 연결하면서 가해지는 연조직 압박과의 연관에 대해 고민해 봤을 것이라 생각한다. Jo 등은 이와 같은 급성증상을 보이는 환자들을 추적하여 발생기전에 대한 가설을 제시한 바 있다(Jo DW et al; 2022).

외부자극에 의해 신체에 발생하는 손상 중 기계적 압력, 압박에 의해 발생하는 손상의 대표적인 예가 압박궤양(Pressure ulcer)이다(Coleman S et al; 2014, Defloor T; 1999). 압박궤양은 장기 병원치료를 요하는 환자들에서 많이 발생하는 합병증으로 치과 영역에서는 다소 생소한 개념이다. 본고에서 치과의사들에게 다소 익숙하지 않은 개념인 압박궤양에 대해서 논하는 것은, 전술한 환자들의 급성증상 발생의 기전과 진행 양상이 압박궤양과 매우 유사하기 때문이다. 압박궤양이 발생하기 위해서는 외부의 기계적 자극(하중, external mechanical load), 조직에 가해지는 압력(pressure)과 전단력(shear strength), 외부 하중 요인과 조직 표면 사이의 마찰(friction), 자극에 대한 조직 또는 환자의 내성(tolerance)의 요건들이 충족되어야 한다(Coleman S et al;

2014, Defloor T; 1999). 물리적 하중(external mechanical load)이 신체를 덮고 있는 연조직 표면에 가해지면, 신체 표면의 하중과 눌린 조직 하부를 받치고 있는 뼈 사이 조직에는 압력이 작용하게 된다. 이 압력은 변형된 조직에 허혈(ischemia)을 발생시키고 조직 자체의 형태 변화를 일으켜 조직내 세포 손상을 일으키게 된다. 또한 외부 압력에 의해 변형된 연조직과 뼈 사이의 계면에는 서로 반대 방향으로 분리시키는 전단력이 발생하게 된다. 외부의 하중과 신체 표면 사이에 발생하는 마찰(friction) 역시 표면조직과 하부조직 사이에 전단력을 발생시키는 요인으로 작용하게 된다(Ceelen KK et al; 2008, Oomens CW et al; 2015, Stekelenburg A et al; 2008, Stekelenburg A et al; 2007, Van Damme N et al; 2020). 또한 손상된 조직의 회복력, 즉 환자의 내성에 따라 다르게 나타나므로 환자/조직 요인도 중요한 발생 요인이 된다(Fig 11-11).

심부조직손상(Deep tissue injury, DTI)은 압박궤양의 일종이다. 우리가 일반적으로 알고 있는 피부에 발생하는 욕창(pressure ulcer)은 top-down pathway에 의해 발생하는 압박궤양이지만 심부조직손상은 외부 압력에 의한 조직손상이 심부조직에서 시작해서 신체 외부 방향으로 진행하는 bottom-up pathway 기전으로 발생하게 된다.

Box 1-5 \ **심부조직손상 발생 기전**

1. 외부 하중에 의해 세포의 변형과 손상, 조직내 허혈(ischemia)의 발생
2. 세포벽 손상으로 세포벽의 투과성이 변화되고, 세포사(cell death)를 포함한 조직의 비가역적 손상
3. 조직 손상에 의한 염증성 반응 시작, 특히 호중구(neutrophil)의 급속한 이주 및 축적
4. 혈관으로부터 염증세포 투과가 증가하고 세포사(cell death)가 증가하면서 세포외 간질 부종 증가
5. 외부 하중에 의한 조직내 림프관의 폐색과 사멸한 세포의 증가, 이주한 염증성 세포의 증가로 인한 림프관으로 대사물질 배출 장애
6. 부종의 증가 및 팽창
7. 조직의 손상 확산
8. 염증세포의 이주 증가와 같은 연쇄반응이 맞물려 발생하면서 급격하게 통증과 부종이 증가

심부조직손상은 조직에 물리적 하중이 가해지고 2-4시간 이내에 발생하며 급속하게 진행되고 피부 표면에 발생하는 압박궤양에 비해 증상의 정도가 더 심한 것으로 보고되고 있다. 또한 외부 하중을 제거하더라도 pro-inflammation phase에 해당하는 5일 정도까지는 지속적으로 염증성 부종이 진행되는 것으로 알려져 있다. 이와 같은 급성 염증성 부종(종창)은 하중이 제거된 후 대개 14일 정도 경과하면 소실되는 경과를 보인다 (Van Damme N et al; 2020). 환자가 가지고 있는 당뇨, 신장질환과 같은 기저질환도 이와 같은 조직 손상에 중요한 영향을 미치는 것으로 알려져 있다(Montenegro J et al; 1996, Akash MSH et al; 2020).

Table 1-5에 제시된 환자 증례들을 살펴보면, 환자들은 공통적으로 상부구조물을 연결한 당일에 부종과 통증이 동반되었다고 진술하고 있다. 대부분의 환자들이 증상 발현 후 6일 이내에 진행된 부종을 보이면서 내원하였고 바로 상부구조물을 제거하였음에도 수일간 부종과 통증이 진행되었으며 약 3주 이내에 대부분 증상이 소실되는 양상을 보였다. 이와 같은 임상경과는 심부조직손상의 time frame에 부합하는 경과를 보인다고 생각된다.

문제는 해당 환자들이 보이는 증상들이 감염에 기인한 것인지를 감별하는 것이다. 상당수의 증례들은 부종의 원인이 외상에 의한 급성염증반응인지, 아니면 급성감염에 의한 것인지 감별하기 어려울 수 있다. 앞에서

제시된 증례들 역시 급성염증과 급성감염을 명확히 구별하기 어려웠으며 경험적 항생제 처방과 증례에 따라 절개배농술이 시행되기도 하였다. 명확한 진단을 위해서 세균배양검사 등을 시행하여야 하지만, 외상으로 인해 급성염증이 발생하면서 심한 부종이 수반되면 림프관 폐색과 임플란트 주위 열구를 통한 세균감염이 이차적으로 발생할 가능성이 크다(Ando Y et al; 2011, Marchetti C et al; 1999). 전신질환을 보유한 환자들, 특히 잘 조절되지 않는 당뇨 환자들은 면역기능과 신체 저항력의 감소로 인해 기회감염이 증가될 가능성이 충분히 있다(Akash MSH et al; 2020, McGilvray S; 2013).

Fig 11-12는 심부조직손상에 의한 급성 염증성 부종 발생 기전을 임플란트 주위조직과 치과적 특성을 적용하여 정리한 것이다. 주지해야 할 것은, 본 발생기전 제시의 의의는 임플란트 보철물 혹은 치유지대주 연결 후 발생한 급성 염증성 부종의 원인과 경과를 설명하고자 하는 개념화의 시도라는 것이다. 여러 정황들을 참조하여 제시한 병인론이 실제와 부합되는 부분은 있으나, 추가적으로 체계적인 임상적, 실험적 접근을 통한 검증이 필요한 개념임을 유념하기 바란다.

치과의사들이 임플란트 보철치료 또는 유지관리 과정에서 이와 같은 문제들에 직면하였을 때 적절히 설명하지 못하고 부적절하게 대처할 경우 의료분쟁에서 매우 불리한 입장에 처해질 수 있다는 것을 명심해야 한다. 이와 같은 상황이 발생할 경우, Table 1-5에서 제시된 바와 같이 임상증상들의 경과와 의학적 병력을 잘 살펴봐야 한다. 발열, 오한, 배농과 같은 전형적인 감염징후가 관찰되지 않는다면, 급성 염증성 부종일 수 있음을 이해하고 환자에게 발생 기전과 경과를 잘 설명함으로써 환자를 안심시켜야 한다. 항생제의 사용에 대해서는 논란의 여지가 있을 수 있으나 감염 위험성이 높은 임플란트 주위 열구조직의 특성을 고려하여 경험적 항생제를 적극적으로 투여하는 것이 좋다. 심부조직손상의 경과 특성상 자극원을 제거하더라도 일정기간 동안 부종이 진행되고 림프계의 폐색, 면역반응 저하가 동반될 경우 급성 기회감염으로 진행될 가능성을 배제할 수 없기 때문이다.

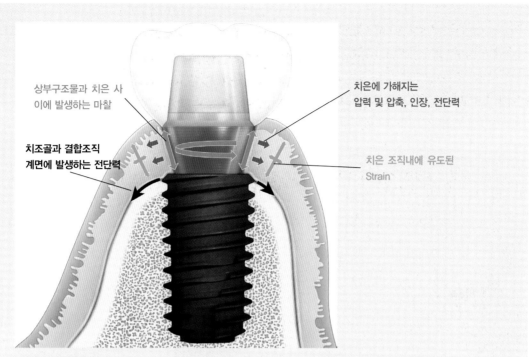

Fig. 11-11. 임플란트 상부구조물 연결 시 발생할 수 있는 힘과 조직의 변형 모식도. 힘의 요인과 함께 환자마다 다른 회복력 즉, 환자의 내성 요인이 조직의 손상과 진행에 영향을 미치는 중요한 요인이 된다.

Table 1-5 Summary of the included ten cases

	Case 1	Case 2	Case 3	Case 4-1	Case 4-2	Case 5	Case 6	Case 7	Case 8	Case 9
Age/Sex	84/F	63/F	66/M	66/F		84/F	68/F	80/F	55/M	620s/M
Underlying diseases	Osteopenia	Diabetes Hypertension	Diabetes Hypertension	Hypothyroidism Renal disease Hypertension		None	None	Diabetes Hyperlipidemia	Diabetes Hyperthyroidism	Diabetes
Reasons for connecting superstructures[1]	#24i–26i Fixed dental prosthesis delivery	#36i HA reconnection due to loosening	#46i crown with abutment exfoliation 10 days earlier due to abutment screw fracture	Replacement with wider HA	HA reconnection due to loosening	#37i Crown delivery	#35i–36i splinted crown delivery	#16i crown with abutment exfoliation 7 days earlier due to abutment screw fracture	#46i crown with abutment exfoliation 14 days earlier due to abutment hex fracture: HA connection instead	#36i Crown delivery
Onset of symptoms according to patient statements	On the day of the connection	On the day of the connection	On the day of the connection	On the day of the connection		Unknown	On the day of the connection	3 days after the connection	On the day of the connection	On the day of the connection
Time interval between connection day and emergency visit	6 days	5 days	Within 24 h	2 days	3 days	21 days	2 days	2 days	Within 24 h	Within 24 h
Vital signs[2]	N/A	N/A	SBP: 156 DBP: 107 RR: 15 BT: 36.5	N/A	N/A	N/A	N/A	N/A	SBP: 133 DBP: 83 PR: 90 BT: 37.2	SBP: 124 DBP: 83 PR: 75 BT: 36.0
Emergency visit laboratory test results[3]	N/A	HbA1c: 7.2	HbA1c: 6.0 CRP: 4.58 WBC: 8.90	BUN: 29 Uric acid: 9.4 WBC: 7.79	Glucose: 128 BUN: 35 Uric acid: 11.6 WBC: 8.55	N/A	N/A	HbA1c: 7.2 Glucose: 168 CRP: 8.57 WBC: 15.86	Glucose: 124 CRP: 9.61 WBC: 11.74	Glucose: 179 CRP: <0.40 WBC: 10.83

Table 1-5 Summary of the included ten cases

	Case 1	Case 2	Case 3	Case 4–1	Case 4–2	Case 5	Case 6	Case 7	Case 8	Case 9
Signs and symptoms	Pain; Gingival swelling around the implant	Pain; Gingival swelling around the implant; Left cheek and submandibular swelling; Warmth; Trismus; Dysphagia	Pain; Gingival swelling around the implant; Right cheek and submandibular swelling; Warmth; Dysphagia	Pain; Tenderness; Gingival swelling around the implant; Both submental and submandibular swelling on the affected side; Trismus; Dysphagia		Pain; Gingival swelling around the implant; Left cheek and submandibular swelling; Pus from gingival sulcus; Dysphagia; Trismus	Pain; Gingival swelling around the implant	Pain; Gingival swelling around the implant; Right cheek swelling; Pus from gingival sulcus; Warmth; Dysphagia	Pain; Tenderness; Gingival swelling around the implant; Right cheek swelling; Pus from gingival sulcus; Warmth; Chills	Pain; Tenderness; Gingival swelling around the implant; Left cheek swelling
Treatment	CHX irrigation	Peri–implant curettage	Pain control, Prosthesis disconnection, I&D	CHX irrigation		Prostheses disconnection, I&D	Prosthesis disconnection, CHX irrigation	Prosthesis disconnection, CHX irrigation CHX irrigation	Prosthesis disconnection,	Pain control Prosthesis disconnection, CHX irrigation
Antibiotic treatment	N/A	+ (Oral)	+ (Oral)	+ (IM, Oral)	+ (IM, Oral)	+ (IM, Oral)	N/A	+ (Oral)	+ (IM, Oral)	+ (IM, Oral)
Duration	3 weeks	6 days	20 days	5 months		2 weeks	2 weeks	2 weeks	2 weeks	2 weeks
Other tests	N/A	N/A	N/A	Titanium allergy test: Negative		N/A	N/A	N/A	N/A	N/A
Implant system[4] (Connection type)	Superline (Internal)	Luna (Internal)	Superline (Internal)	CMI (Internal)	CMI (Internal)	CMI (Internal)	Osstem TS III (Internal)	Osseotite (External)	Superline (Internal)	Luna (Internal)

1: Tooth number follows the FDI tooth numbering system. **2**: Normal ranges of vital signs: BP, 90/60 mmHg–120/80 mmHg; PR, 60–100 beats per minute; BT, 36.5°C – 37.3°C. **3**: Normal ranges of laboratory tests: HbA1c level, 4.0–5.6%; Glucose level, 70–110 mg/dL; WBC count, 4.0–10.0 × 10³/µL; CRP level, 0–0.5 mg/dL; BUN level, 10–26 mg/dL; Uric acid level, 3.0–7.0 mg/dL. **4**: Implant systems: CMI (Neobiotech, Seoul, South Korea); Luna (Shinheung, Seoul, South Korea); Osseotite (Biomet 3i, FL, USA); Osstem TSIII (Osstem, Seoul, South Korea); Superline (Dentium, Seoul, South Korea).

Abbreviations: N/A, not available; HA, healing abutment; ER, emergency room; SBP, systolic blood pressure (mmHg); DBP, diastolic blood pressure (mmHg); RR, respiratory rate (/min); PR, pulse rate (/min); BT, body temperature (°C); HbA1c, glycated hemoglobin (%); CRP, C–reactive protein (mg/dL); WBC, white blood cell (/µL); BUN, blood urea nitrogen (mg/dL); F/U, CHX, chlorohexidine; I & D, incision and drainage; IM, intramuscular injecti

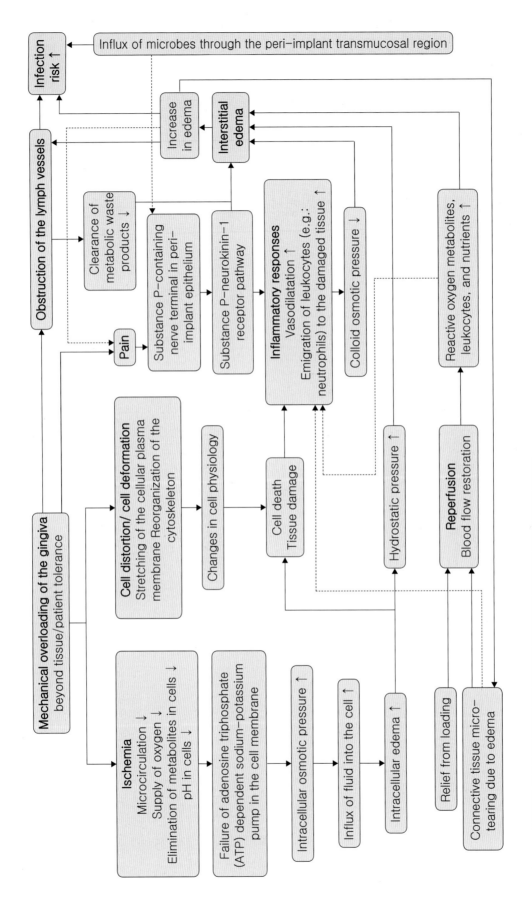

Fig. 11-12. 임플란트 상부구조물 연결에 의한 임플란트 주위조직의 급성 염증성 발생 기전의 개념도.

2

감염 고찰

치과진료 후 발생하는 골치 아픈 증례들

TOUGH CASES

2 감염 고찰

　최근 임플란트 치료가 보편적인 치과치료의 일부분으로 자리잡으면서 많은 치과의사들이 임플란트 수술을 시행하고 있다. 따라서 난발치, 매복치 발치, 치주수술, 다양한 골이식술, 구강내 소수술 등도 치과의원에서 시행되는 빈도가 현저히 증가되었으며 수술과 관련된 감염에 대한 처치, 술후 감염의 예방 및 조기 진단, 치과에서의 교차감염방지를 위한 행동지침 등의 중요성이 더욱 강조되고 있다. 구강악안면 영역의 감염은 조기 진단 및 치료가 이루어진다면 대부분 잘 치유되는 경향을 보인다. 그러나 간혹 치료에 반응을 보이지 않는 난치성 감염이나 감염과 혼동하기 쉬운 악성종양들로 인해 심각한 합병증이 발생하기도 하므로 이에 대한 감별 진단 및 대처 능력이 필요하다.

　구강악안면 부위에서 감염이 발생하는 원인은 치아 우식증, 치수 감염, 치근단 병소, 지치 주위염, 치주염 등으로 인한 세균성 치성감염(odontogenic infection)이 대부분이다. 그러나 바이러스, 진균, 상악동염, 인두염, 이염, 편도선염, 외상, 타액선염, 감염성 낭종, 주사침, 수술 중 오염 등과 같은 요인들에 의해 발생하기도 한다(Joo HH, et al; 2000, Santosh ABR, et al; 2017, 2020, 2021, Sayd S, et al; 2018, Thukral R, et al; 2017). 감염은 환자의 면역기능이 저하된 경우와 원인균의 독성이 매우 강한 경우에 발생하게 된다(Graves DT & Cochran D; 2003, Kim KK; 2003, Kostic AD, et al; 2013, Kubiniwa M & Lamont RJ; 2010)**(Box 2-1)**.

수술 후 감염의 원인

1. 환자의 면역기능 저하

   비조절성 전신질환 보유환자, 항암제, 스테로이드와 같은 면역기능을 억제시키는 약물의 장기 복용

2. 폭음, 과음

3. 흡연

4. 수술 부위의 오염

5. 인접치아 감염성 병소의 파급

6. 잔존 봉합사

7. 골대체재료 혹은 차폐막과 같은 생체재료의 이물반응

8. 수술 후 창상열개

9. 수술 부위에 지속적인 외상이 가해지는 경우

10. 수술 부위에 잔존하는 이물

치성감염의 진행은 모든 방향으로 확산될 수 있지만, 가장 저항이 적은 곳으로 우선 확산된다. 이때 감염원과 주위 피질골간의 거리, 피질골의 두께, 근육부착 위치에 따라 감염의 확산통로가 결정된다. 골수강을 따라 파급되면 골수염이 발생하고 상악동으로 파급되면 상악동염, 근육들 사이 공간을 따라 확산되면 간극농양(space abscess) 혹은 봉와직염이 발생한다. 상악에서는 구개측보다 협측 피질골이 먼저 천공되며 치근단 위치가 협근 부착부보다 위에 있을 경우 협부 간극(buccal space)으로, 아래일 경우 구강전정으로 감염이 확산된다. 하악의 전치-소구치 부위에서는 주로 순측 피질골이 먼저 천공되고 대구치 부위에서는 설측 피질골이 먼저 천공되는 경향이 있다. 악설골근보다 치근단이 아래에 있으면 악하간극(submandibular space)으로 위에 있으면 설하간극(sublingual space)으로 감염이 확산된다(Abubaker AO & Benson KJ; 2007).

1. 구강악안면감염 관련 역학 연구

치성감염에서 흔하게 볼 수 있는 세균들은 *Fusobacterium, Parvimonas, Prevotella, Porphyromonas, Dialister, Streptococcus, Treponema* 등이며 치아 및 치주조직에서 기원하여 두경부의 근막간극으로 확산되면서 기도폐쇄, 폐혈증 등 심각한 합병증을 야기할 수 있다(Quinonez C, et al; 2009). 2007년 미국 27개 주의 450개 병원에서 응급환자를 대상으로 한 연구에서 302,507건의 치성 안면봉와직염이 보고되었고 2008년 미국 42개 주의 1,056개 병원에서 입원환자를 대상으로 한 연구에서 4,044건의 구강 농양 및 봉와직염이 보고되었다. 총 치료비는 9천8백만 달러, 환자 1인당 치료비는 24,290달러에 달했다(Kim MK, et al; 2012). 미국 치과의사의 7-11%가 β-lactams, Macrolides, Tetracyclines, Clindamycin, Metronidazole 항생제를 많이 처방하고 있다(Cleveland JL, Kohn WG; 1998). 하지만 미국 질병관리본부에 의하면 외래 환자의 1/3이 항생제가 전혀 필요하지 않다고 발표하였다. 특히 치통, 치근단염, 건성발치와(dry socket) 등에 대해서는 항생제가 필요하지 않다. 최근 증가하고 있는 항생제 내성은 광범위 항생제의 오남용에 기인하기 때문에 항생제 처방에 좀더 주의를 기울여야 할 것이다(Swift JQ & Gulden WS; 2002).

구강내 미생물은 세균, 곰팡이 등을 포함하여 700여 종에 달하며 약 10% 정도만 식별이 가능하다.

*α-hemolytic streptococci*가 가장 흔히 식별되며, 그 외에 *Neisseriaceae*, *Veillonellaceae*, *Lactobacilli*, *Spirochaetes*, *Corynebacteria* 등이 있다. *Staphylococcus aureus*, *Enterococcus faecalis*, *Streptococcus pyogenes*, *Enterobacteriaceae*, *Haemophilus influenza*, *Actinomycetes*가 구강내에서 주로 감염을 많이 일으킨다(Sweeney LC; 2004). 2012년 88명의 환자들을 대상으로 한 연구에 의하면 농배양검사에서 순수 호기성 세균 68.2%, 순수 혐기성 세균 9.1%, 혼합은 13.6%였다(Yuvaraj V, et al; 2012). 2010년 논문에서는 입원치료가 필요할 정도의 치성감염 발병률이 최근 10년간 10만명 당 5.3%에서 7.2%로 증가하였다고 보고되었다(Seppänen, L., et al; 2010).

1980-1989년 사이에 한국의 구강악안면외과에서 입원치료를 받은 4,980명의 환자들 중 구강악안면 영역의 감염증 환자는 1,212명으로 24.4%를 차지하였고 치성 상악동염이 38.7%로 가장 많았으며 골수염 26.3%, 농양 20.3% 순이었다. 분리된 균주는 gram-positive facultative *cocci*가 66.7%로 가장 많았다고 보고되었다(김경원 & 남일우; 1990). 1984-1989년 사이에 한국의 다른 의료기관에 입원한 164명의 구강악안면감염 환자들을 조사하였다. 치성 감염이 50.1%였고 발치 후 감염이 10예로 6.1%를 차지하였다. 침범한 간극은 악하간극이 31.3%로 가장 많았고 이하간극(submental space) 14.8%, 경부간극(neck space) 11.7% 순이었다. 분리된 원인 균주는 *Streptococcus*가 42.4%로 가장 많았고 *Staphylococci* 27.1%, *Neisseria* 9.3% 순이었다. 사망 환자는 2명이었는데 모두 패혈증으로 사망하였다(권준호 & 윤중호; 1990). 1996년 연구에 의하면 악안면부 감염 환자들의 성비는 남자:여자가 6:4였으며 나이는 50대가 가장 많았다. 83.8%의 환자가 농양으로 분류됐으며 그다음은 골수염, Ludwig's angina 순이었다. 원인으로는 치성이 81.8%를 차지했고 술후 감염 3.3%, 원인미상이 11.6%였다. 침범 근막간극 숫자는 한 개인 경우가 66.8% 두 개인 경우가 27.7%, 세 개인 경우가 5.5%였다. 침범된 근막간극의 종류는 협부간극과 악하간극이 각각 33.9, 31.1%로 대부분을 차지했고 이하간극, 견치간극 순이었다. 농배양결과 분리된 27개 균주들 중 21개 균주가 연쇄상구균(*streptococcus*)으로 가장 많았고 그다음은 *bacteriodes*였다. 기저질환이 있는 환자는 23.2%였고 당뇨, 고혈압 순이었다. 전체 사망률은 0.8%였으나 Ludwig's angina의 경우 사망률이 16.7%였다(윤광철 등; 1996).

1997년 9월부터 2000년 4월까지 인하대학교병원 치과에서 입원치료를 받았던 구강악안면감염 환자 113명을 대상으로 항생제에 내성이 있는 경우를 조사하였는데 Gentamicin이 14예, Penicillin이 10예, Ampicillin이 9예, Cephalothin과 Ciprofloxacin이 각각 8예, Erythromycin이 7예 순이었다(이성호 등; 2000). 1998년 Sakamoto의 연구에 의하면 치성감염의 원인균은 *Prevotella species* (74%), *Streptococcus milleri group* (65%), *Peptostreptococcus species* (65%), *Fusobacterium species* (52%), *Porphyromonas species* (17%), *other anaerobic streptococci* (9%)이라고 보고하였다. *Streptococcus milleri group*은 점막에 존재하는 상주균이지만 때때로 심각한 감염의 원인이 된다. Parker & Ball (1976)에 의해 *Streptococcus milleri group*의 병원성이 처음 보고되었으며 정상 점막에서는 문제를 일으키지 않으나 외상을 받으면 침에 섞인 균이 피하농양 및 상처 감염을 일으킨다고 보고되었다(Gossling J; 1988).

2006년부터 2013년 6월까지 심부 경부감염으로 절개 및 배농술을 받은 71명의 환자를 분석한 결과 치성감염의 경우 *S. viridians group* (42.1%)이 흔하게 검출되었고 침샘염의 경우 *K. pneumonia* (33.3%), 임파선염의 경우 *K. pneumonia* (46.2%)가 흔하게 검출되었다. 감염 발생 부위는 악하간극 39명, 인두주위공간 31명, 후인두간극 21명, 이악하간극 21명, 이하간극 11명이었으며 2개 이상의 간극에서 발생한 경우는 27명이었다. 후인두간극 감염에서는 *S. viridians group* (33.3%)이 흔하게 검출되었고 다른 부위를 침범한 경우나 2개 이상의 공간을 침범한 경우에 식별되는 세균은 통계적으로 유의미한 차이가 없었다(김동현 등; 2014).

2. 세균성 감염

1) 세균의 침입 양상에 따른 분류

(1) 내인성 감염(endogenous infection)

상주균에 의한 감염을 의미한다.

(2) 기회성 감염(opportunistic infection)

숙주의 면역력이 저하될 때 특정 상주균이 활성화되면서 발생하는 감염이다. 연령 증가, 영양부족, 스트레스, 유전적 결함, 면역기능 저하, 흡연, 당뇨, HIV 감염 등에 의해 발생할 수 있다.

(3) 외인성 감염(exogenous infection)

병원균에 의한 감염을 의미한다. 병원균은 원래 다른 환경에 있었던 세균이며 이 세균들을 근절하는 것이 치료 목표가 된다.

(4) 중복감염(superinfection)

어떤 미생물에 의한 감염으로 인해 국소 환경이 변하면서 다른 미생물에 의한 감염이 발병하는 것을 super infection이라 한다. 리노바이러스 등과 같은 바이러스에 의해 비염이나 부비동염이 발생한 후 세균성 비염이나 부비동염으로 진행되는 경우를 예로 들 수 있다. 즉 바이러스에 의해 비강이나 부비동 조직들이 파괴되면서 상주균이 내인성 감염을 일으키는 경우가 많다.

2) 그람양성 및 음성균 감염

모든 세균은 단단한 외층인 세포벽(cell wall), 그 내부에 존재하는 얇은 세포질막(cytoplasmic membrane), 그리고 세포질막에 둘러싸인 세포질(cytoplasm)로 구성되어 있다. 세포벽에는 작은 통로인 포린(porin)이 존재하는데 이를 통하여 외부 환경과 세균 내부 사이에 물질 이동을 가능하게 한다. 일부 세균에는 세포벽으로부터 돌출된 섬모(pili)나 편모(flagella)가 존재하는데, 섬모는 세균이 숙주 세포에 부착하는 데 도움을 주고, 편모는 세균을 이동시키는 역할을 한다(Kim B; 2020). 펩티도글리칸(peptidoglycan) 성분의 함량이 그람양성균에 현저히 높기 때문에 그람양성균의 세포벽은 그람음성균보다 두껍다. 그람음성균의 세포벽은 그람양성균보다 복잡한데 특히, 그람양성균에 존재하지 않는 외막(outer membrane)이 존재하는 것이 특징적이다. 외막의 바깥쪽 면은 일부 지질이 내독소(endotoxin)로 작용하는 지질다당류(lipopolysaccharide, LPS) 복합체를 포함하는데, 이는 인체 순환계에서 독성 반응을 일으켜 패혈증을 유발하는 중요한 요소로 작용할 수 있다. 많은 항생제들이 세포벽을 파괴하면서 항균력을 발휘하기 때문에 그람양성균과 그람음성균의 세포벽 구성 차이는 항생제의 치료효과에 차이를 보이게 된다. 가령 Penicillin은 그람양성세포벽의 주성분인 펩티도글리칸의 결합을 저해하는데 펩티도글리칸 벽이 얇은 그람음성균에 대해서는 별 효과를 발휘하지 못한다(Beveridge TJ; 1999).

3) 호기성균과 혐기성균

감염은 초기에 호기성균으로부터 주로 시작된다. 이후 봉와직염 단계를 거쳐 호기성균과 혐기성균의 혼합 감염 상태를 보이다가 만성 감염의 경우 혐기성균이 대부분을 이루게 된다. 혐기성균에 대해 유효성을 보이는 대표적인 항생제들은 Clindamycin과 Metronidazole이다. 치주염은 호기성과 혐기성 세균이 혼합되어 발생하는 경우가 많기 때문에 간혹 혐기성균을 타겟으로 한 Metronidazole과 호기성균을 타겟으로 한 Amoxicillin 병용 요법이 사용되기도 한다. 호기성 그람음성균인 *Pseudomonas*는 영양공급이 없는 환경에서도 잘 성장하고 농은 녹색을 띠고 심한 악취를 유발한다. 혐기성 그람양성균인 *staphylococcus aureus* 감염으로 인해 형성된 농은 진한 크림(thick creamy) 양상을 보이며 혐기성 그람음성균인 *Fusobacterium sp.*는 중증 감염에 많이 관여한다고 알려져 있다.

급성 치성감염은 주로 치아우식증, 외상 또는 근관치료의 실패에 의해 발생하며 치수가 구강내로 노출되면 근관내에서 여러 종류의 혐기성 세균이 군집하게 된다. 주요 징후 및 증상은 통증, 화농성 종창, 파동감 등이며 심해지면 주변 조직으로 확산되면서 심각한 양상을 보이기도 한다. 치성감염과 연관된 세균은 혐기성 세균이 많으며 항생제에 저항성을 보이는 경우가 많다. 그러나 대부분의 치성감염은 Amoxicillin/Clavulanic acid으로 잘 조절되기 때문에 치성감염의 경험적 항생제로 많이 선택되고 있다(Bertossi D, et al; 2017, Lopez-Gonzalez E, et al; 2019).

4) 감염의 발생 부위 및 확산 양상에 따른 분류

(1) 농양(Abscess)

감염이 특정 공간에 한정되면서 농이 형성된 경우를 의미하며 절개배농술을 조기에 시행하고 원인을 찾아서 제거하면 쉽게 치유된다. 두경부의 다양한 간극에서 단독 혹은 다발성으로 발생할 수 있다(Fig 2-1~8). 촉진 시 파동성이 인지되며 종창과 통증, 국소열이 동반되기 때문에 쉽게 진단할 수 있다. 그러나 측방인두간극 감염(Lateral pharyngeal space infection)은 임상적으로 진단이 어려울 수 있다. 즉 촉진 시 파동성이 잘 인지되지 않으며 구강 외 종창이 거의 없고 개구제한을 보이기 때문에 턱관절장애로 오진되는 경우가 많다. 따라서 확진을 위해서는 구강내에서 목구멍 주변을 잘 살펴보고 Lateral neck films, CT axial view, ultrasonography 와 같은 추가 검사가 필요하다(Dzyak WR & Zide MF; 1984)(Fig 2-9~12). 측두간극과 익돌하악간극 감염도 턱관절장애로 오진되는 경우가 종종 있는데 주의 깊게 살펴보면 충분히 초기 진단이 가능하다(Fig 2-13, 14). Lee 등(2014)은 하악 대구치 발치 후 발생한 측두간극 감염 증례를 보고하였다. 74세 여자 환자가 1개월 전 치과의원에서 #47을 발치한 이후 발치창 불편감과 우측 안면부 종창, 개구제한이 지속되었다. 술후 부종성 종창이 오래 지속되면서 턱관절장애가 동반된 것으로 생각하고 치과에서는 별다른 치료를 하지 않았으며 환자는 한의원에서 침술 및 한약 치료를 받았다. 이후 증상이 더욱 악화되어 대학병원으로 의뢰되었고 응급 절개배농술을 시행하고 적극적인 항생제(Ampicillin/Sulbactam 3 g every 24 hours and Vancomycin 1 g every 24 hours for 5 days 정맥주사) 치료를 시행한 후 치유되었다(Lee S, et al; 2014).

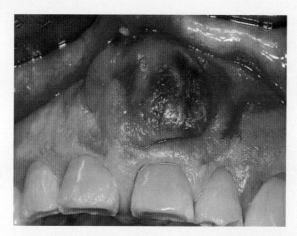

Fig. 2-1. 치근단 농양(periapical abscess). #21 치수괴사 및 감염으로 인해 치근단 주변에 농양이 형성되었다.

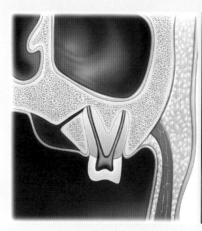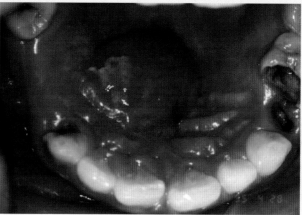

Fig. 2-2. 구개농양(palatal abscess).

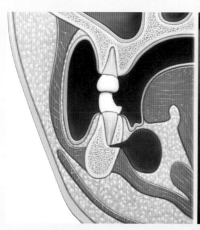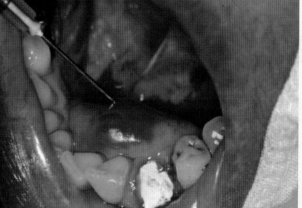

Fig. 2-3. 설하농양(sublingual abscess)으로부터 18 gauge needle로 농을 흡인하는 모습. 하악 치아의 치근단감염이 악설골근 상방으로 확산될 경우 설하농양이 발생한다.

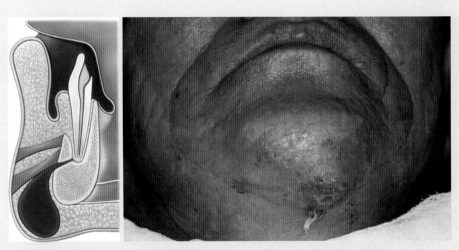

Fig. 2-4. 이하농양(submental abscess).

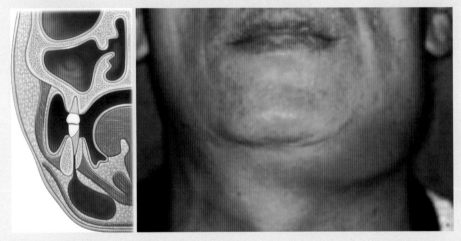

Fig. 2-5. 악하농양(submandibular abscess).

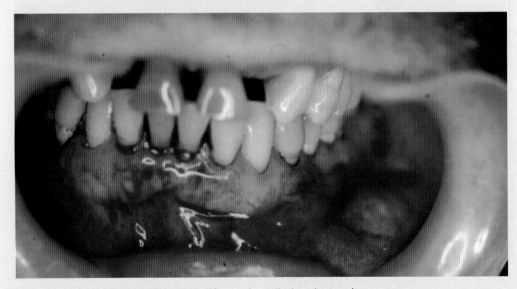

Fig. 2-6. 하악 좌측 구치부에 발생한 전정부 농양(buccal vestibular abscess).

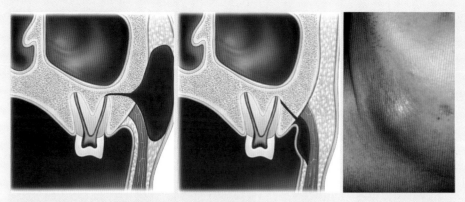

Fig. 2-7. 우측에 발생한 협부농양(buccal abscess). 상악 대구치 치근단 감염이 협근 부착부 상방으로 파급되면 협부 농양이 발생한다. 그러나 협근 부착부 하방으로 파급되면 전정부농양(vestibular abscess)이 발생한다.

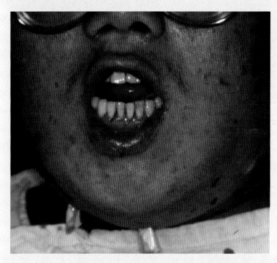

Fig. 2-8. Ludwig's angina. 농양이 양측 악하간극(submandibular space), 이하간극(submental space), 설하 간극(sublingual space)으로 확산된 경우로서, 조기에 적절히 치료되지 않으면 호흡곤란과 패혈증으로 이환되면서 치 명적 결과를 초래할 수 있다.

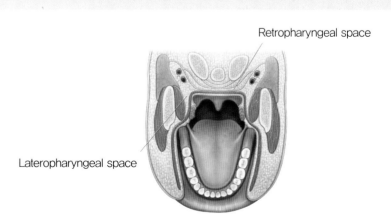

Fig. 2-9. 측방인두간극과 후방인두간극을 보여주는 해부학적 모식도.

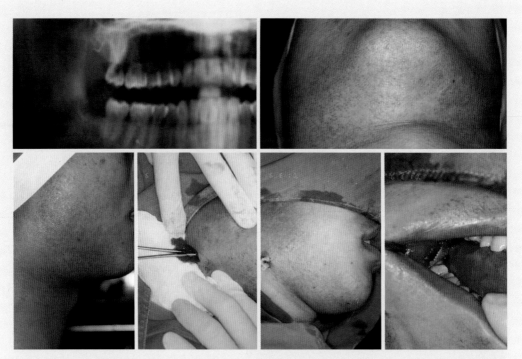

Fig. 2-10. #48 발치 후 발생한 측방인두간극 감염(lateral pharyngeal space infection). 전신마취하에서 악하절개와 구강내 절개배농술을 시행하였다.

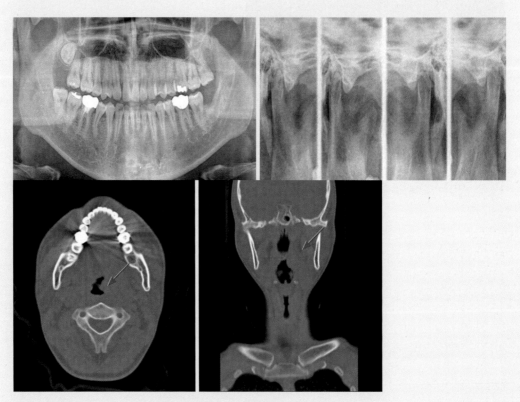

Fig. 2-11. 40대 남자 환자에서 #38 발치 후 발생한 측방인두간극 감염. 일반 방사선사진에서는 하악 과두의 움직임 장애 이외의 특별한 소견이 관찰되지 않지만 CT에서는 인두간극의 종창이 심해지면서 기도가 좁아진 소견이 관찰된다. 턱관절 장애로 오진하고 장기간 동안 불필요한 치료가 시행되지 않도록 주의해야 한다.

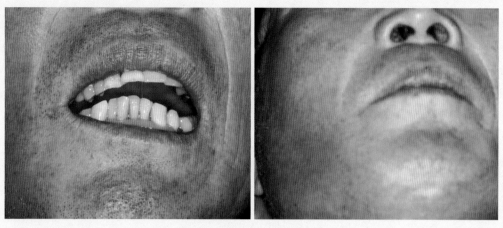

Fig. 2-12. #48 발치 후 개구장애가 지속되어 턱관절장애로 진단하고 3개월간 치료했던 증례이다. 최종 진단은 우측 측방 인두간극 감염이었으며 절개배농술과 항생제 치료를 시행하고 개구량 회복을 위해 적극적인 물리치료가 시행되었다.

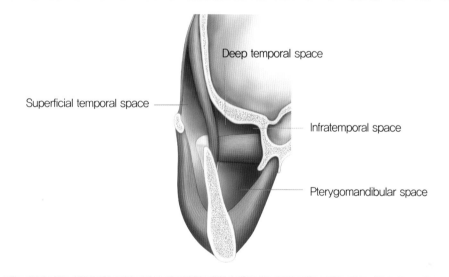

Fig. 2-13. 측두간극(천측두간극, 심측두간극, 측두하간극)과 익돌하악간극의 해부학적 모식도.

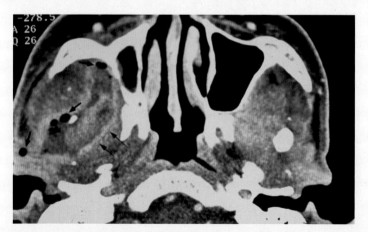

Fig. 2-14. 좌측 측두하간극 감염(infratemporal space infection).

(2) 봉와직염(Cellulitis)

감염이 국소화되지 않고 조직간극과 골막을 따라 빠르게 확산되는 감염을 의미한다(Fig 2-15). 발열, 경결감(induration), 통증 및 심한 종창이 발생한다. 이는 발열, 호중구성 백혈구 증가 등을 특징으로 하는 Sweet 증후군과 비슷하기 때문에 잘 감별할 필요가 있다(Holmes CJ & Pellecchia R; 2016, Kouassib YM, et al; 2011). 김용진 등(2007)은 치성 협부 봉와직염의 증상과 매우 유사한 양상을 보인 Sweet 증후군에 대해 보고한 바 있다(Table 2-1).

Table 2-1 봉와직염과 농양의 비교

	봉와직염	농양
기간	급성	만성
통증	심하고 전신적임	국소적임
크기	크다	작다
경계	확산성	경계가 분명함
촉진	가루반죽(Doughy) 같거나 단단함	파동성
농형성	없음	있음
심각도	크다	적다
세균	호기성	혐기성

(3) 상악동염(Maxillary sinusitis)(Fig 2-16, 17)

치아 관련 병소 혹은 코의 이상으로 인해 상악동으로 감염이 확산되면서 발생한다. Melen 등(1986)의 연구에서 의하면 난치성 만성 상악동염으로 의뢰된 198명의 환자들 중 약 40.6%가 치성이었다고 보고하였다. 문헌상 가장 흔한 원인 치아는 상악 제1대구치(22.51%), 상악 제3대구치(17.21%), 상악 제2대구치(3.97%) 순으로 알려져 있다(Mehra P & Jeong D; 2009). 치성 상악동염은 비치성 만성 상악동염에 비해 혐기성 세균이 더 자주 검출된다고 보고되었다(강민수 & 모지훈; 2017). 상악동염에 관한 내용은 "Tough Cases Vol 5. 상악동 관련 문제점"에서 자세히 다룰 예정이다.

(4) 골수염(Osteomyelitis)

골수염은 골수강과 해면골에서 시작하여 피질골로 확장되고 결국 골막까지 파급되는 감염성 질환이다. 골수강의 염증과 부종을 일으키고 골에 분포하는 혈관을 압박하여 결국 혈액의 공급장애를 야기한다. 미세혈관 순환의 장애가 발생하면 충분한 영양과 산소 공급이 골조직에 도달되지 않아 골이 괴사되고, 괴사된 골을 흡수해서 제거하는 신체의 기능이 약화되며, 세균 감염의 가능성은 더욱 증가하면서, 골수염은 계속 확산된다. 해부학적인 혈관 분포로 인해 상악골에 비해 하악골에서 빈발하며 최근 항생제 및 치료법의 발달로 인해 악골 골수염의 발생률이 현저히 감소되었지만 만성전신질환, 면역기능 저하, 골대사성질환을 보유한 환자들에서 치성감염, 외상성 골절, 급성 괴사성 괴양성 치은염 혹은 구내염으로 인해 골수염이 발병할 수 있다.

골수염은 한 달 이내의 급성 염증단계의 징후와 증상을 보이는 경우를 급성 골수염으로 정의하고 급성 골수염이 해결되지 않으면 만성으로 이환된다. 어떤 학자들은 두 달 이상의 증상이 지속되는 경우를 만성으로 언급하기도 하였다(Daramola JO & Ajagbe HA; 1982, Mercuri LG; 1991, Shafer WG, et al; 1983).

급성 화농성 골수염은 심한 통증, 화농, 발열, 지각 이상 등의 증상이 나타나고 방사선사진에서는 특별한

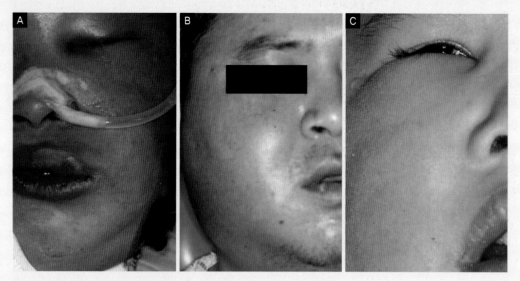

Fig. 2-15. 다양한 안면 봉와직염 증례들.

A: 외상 후 발생한 좌측 협부와 안와주변의 봉와직염 B: 매복치 발치 후 우측 협부, 악하부로 확산되고 있는 봉와직염 C: 유치 발치 후 발생한 우측 협부와 눈 주위 봉와직염.

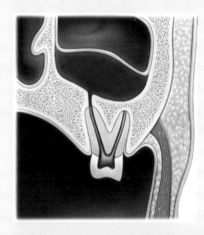

Fig. 2-16. 치성 상악동염이 발생하는 모식도.

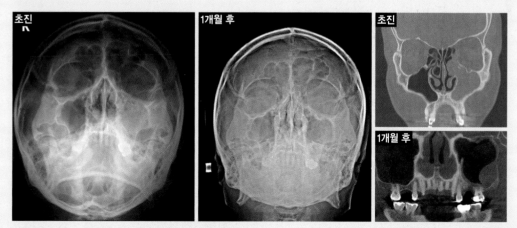

Fig. 2-17. 36세 남자에서 발생한 #26 원인의 좌측 상악동염. #26을 발치한 후 발치창을 통해 농을 배출시키고 Augmentin 항생제를 2주 처방한 후 완치되었다.

소견이 없거나 경계가 불명확한 방사선투과상을 보이는 경우도 있다. 만성 골수염은 초기에는 별다른 증상이 없다가 10-14일이 지난 후 치아 동요, 종창, 화농, 누공 형성, 병적골절 등의 임상증상들이 나타나는 경향을 보인다. 방사선사진에서는 중앙에 방사선 불투과상의 부골이 존재하고 불규칙한 형태의 방사선투과성 밴드(involucrum)로 둘러싸여 있는 양상을 보인다. 이러한 밴드는 항생제가 병소에 들어가는 것을 방해하기 때문에 반드시 외과적 치료(소파술, 배상형성술, 부골제거술, 피질골절제술 등)와 함께 항생제를 투여해야 한다(Fig 2-18, 19). 혈액검사에서 백혈구 수치가 증가하고 ESR이 약간 상승될 수 있다(최은숙 등; 1994, Bamberger DM; 1993, Hudson JW; 1993). Cohen 등은 33세 여자 환자에서 상악 우측 제1대구치 발치 후 MRSA에 의한 상악 골수염이 발생한 증례를 보고하였다. 조기 진단 후 적극적인 외과적 처치(인접치 발치 및 골수염 제거 수술)와 함께 Vancomycin 정맥주사, Ciprofloxacin 경구 투여를 통해 치유되었다. 일반적으로 많이 발생하는 급성 혹은 만성 화농성 골수염 외에 특이한 난치성 골수염들이 많이 발생하기 때문에 대략적인 내용을 알고 있는 것이 좋다. 류병길 등(2012)은 2012년 턱관절 잡음 및 통증을 호소하는 50세 여자 환자에서 MRI, bone scan 등의 검사를 통해 두개저 골수염으로 진단하여 치료한 증례를 보고하였다. 환자는 임상 검사상 우측 턱관절의 염발음(crepitus)이 존재하였으며 개구량은 42 mm였다. MRI T2 강조 영상에서 우측 측두골과 하악와에서 저강도 신호를 보였고 99Tc bone scan에서 우측 측두골 부위에 고강도의 신호를 보여 만성 골수염으로 진단한 후 2주간 Quinolone계 항생제와 진통제를 복용한 후 완치되었다.

특이한 골수염

A. 비세균성 만성 골수염(Chronic non-bacterial osteomyelitis)

악골에서 발생하는 다발성 만성 골수염은 자가염증성 골질환으로서 세균과는 관련성이 없으며 골과 주변 조직의 심한 손상을 유발한다. 조기 진단이 매우 어렵기 때문에 불필요한 항생제를 장기간 투여하거나 부적절한 외과적 처치가 시행되기도 한다. 약물치료는 NSAIDs, corticosteroid, NSAIDs + Corticosteroid, NSAIDs + Corticosteroid + Bisphosphonate, Disease-modifying anti-rheumatic drugs (DMARDs), Methotrexate/sulfasalazine, TNF-α inhibitor 순서로 투여하면서 치료한다(Kim SM, et al; 2019).

B. 방선균성 골수염(Actinomycotic osteomyelitis)

외상으로 인해 구강조직이 손상되면 *Actinomyces israelii*가 연조직을 통해 뼈에 침투하면서 골수염이 발생할 수 있다. Yenson 등(1983)은 57세 남자 환자가 하악 좌측 대구치 발치 후 chronic actinomycotic osteomyelitis가 발생하였으며 하악골이 파괴되면서 양측 상악골과 우측 관골까지 골수염이 확산된 증례를 보고하였다. 부골을 제거하고 주변의 감염성 육아조직, 반흔 및 골구(involucrum)를 제거하고 Penicillin을 6개월간 투여한 후 치유되었다. Bartkowski 등(1998)은 하악골에 발생한 Actinomycotic osteomyelitis 15증례를 분석한 결과 외과적 치료와 장기간의 항생제 치료가 필요하다고 언급하였다.

C. 만성 재발성 다발성 골수염(Chronic recurrent multifocal osteomyelitis)

1978년 Bjorksten 등이 처음 언급하였으며 Flygare 등(1997)은 14세 여자 환자에서 만성 재발성 다발성 골수염이 발생한 증례를 보고하였으며 초기에 상악골과 하악골을 모두 포함하는 심한 골파괴가 진행되었으나 환자의 나이를 고려하여 최소 침습적인 외과적 치료와 항생제로 치료하였다.

D. Garre's osteomyelitis

1893년 Carl Garre가 처음으로 장골(long bone)인 경골의 전면부에 미약한 자극이나 감염에 의해 국소적으로 골 두께가 증가하는 Garre 골수염, 즉 골막하 신생골을 형성하는 비화농성형태의 장골 골수염을 발표하였다. 골막이 국소적으로 두꺼워지는 특징을 가진 증식성 골막염을 동반한 만성 골수염(Chronic osteomyelitis with proliferative periostitis)이다. 젊은 환자들의 하악골 골체부 측면에서 많이 발생한다. 기본적인 치료는 원인 치아들의 발치 및 부골제거술과 항생제 치료이다. 간혹 원인치에 대한 근관치료 혹은 치근단절제술을 시행하면서 보존을 시도해 보기도 한다(Akiyama K, et al; 2013).

E. 난치성 골수염(Intractable osteomyelitis)

만성 화농성골수염이 잘 치료되지 않을 경우 난치성으로 진행될 수 있다. Ogi 등(2010)은 투석 중인 32세 여자 환자에서 발생한 광범위한 골수염 증례를 보고하였다. 측방인두간극(lateral pharyngeal space)과 익돌하악간극(pterygomandibular space)에 농양이 발생하였고 절개배농술과 항생제 치료를 시행하였으나 1년 후 전체 치아들이 소실되면서 하악골의 심한 골수염으로 진행되었다. 환자의 전신 건강상태가 불량하여 골수염에 대한 특별한 치료 없이 정기적으로 관찰하기만 하였으며 투석을 받고 있는 환자들에서는 정기적인 치과검진 및 방사선 촬영 검사가 매우 중요하다고 강조하였다.

(5) 타액선 감염

타액선염은 주로 바이러스나 세균에 감염되면서 발생한다. 특히 바이러스(paramyxovirus)에 의해 이하선이 감염되는 유행성 이하선염(볼거리)은 흔히 볼 수 있는 감염성 타액선염의 하나이다. 급성 화농성이하선염(acute suppurative parotitis)은 치성감염으로 오인되는 경우가 많다. 이 감염은 히포크라테스 시대부터 알려진 감염성 질환이지만 임상적 측면에서는 1836년 Cruveilhier에 의해 처음으로 자세히 언급되었다(대한구강악안면병리학회; 2019, Speirs CF & Mason DK; 1972, Yonkers AJ, et al; 1972). 이하선 도관(Stenson's duct)을 통해 세균이 역행성으로 침투하여 타액선염을 유발하는 것으로 알려져 있다. 감염이 이하선낭(parotid capsule)에 한정되지만 간혹 경부 근막층을 따라 파급되기도 한다. 외과수술 후 쇠약해진 사람, 만성질환이나 자가면역질환을 보유한 환자, 면역기능이 저하되었거나 탈수 증세가 있는 환자들에서 빈발한다(Fig 2-20, 21). 타액선에 칼슘이 침착되면서 타석이 생기면 타액의 분비를 방해하고 침샘도관을 통해 세균이 침투하면서 타액선 감염이 발생하기도 한다. 치료는 초기에 신속히 진단한 후 항생제와 절개배농술이 동시에 시행되어야 한다(Fattahi TT, et al; 2002).

(6) 치명적인 감염

구강악안면 부위는 혈행 상태가 좋기 때문에 대부분의 감염은 약물과 외과적 치료를 통해 잘 치유된다. 그러나 일부 감염들은 주요 해부학적 구조물로 확산되거나 호흡부전, 패혈증 등을 유발하면서 치명적인 결과를 초래할 수 있다. 따라서 감염을 조기에 진단하여 적극적인 조기 치료를 시행하는 것이 매우 중요하고, 치명적인 감염이 의심될 경우엔 신속히 구강악안면외과 전문의가 근무하는 상급의료기관으로 환자를 의뢰해야 한다.

① 측두하간극 감염(Intratemporal space infection)

측두하간극은 하치조신경 전달마취를 시행할 때 주사바늘이 침범하기 쉬운 위치에 있다. 측두하간

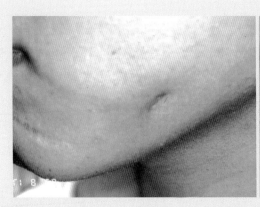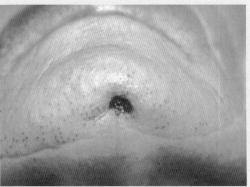

Fig. 2-18. 만성 화농성 골수염 환자에서 발생한 구강-피부 누공(oro-cutaneous fistula).

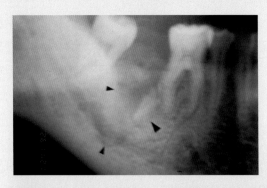

Fig. 2-19. 하악 우측 구치부(#47)에 발생한 만성 골수염. 방사선 불투과상(잔존치근과 부골)과 방사선 투과성 병소 (involucrum)가 혼재되어 있으며 하악관까지 파급된 양상을 보이고 있다.

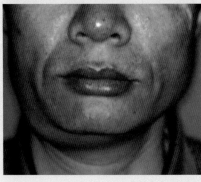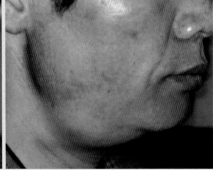

Fig. 2-20. 39세 남자 환자에서 발생한 급성 화농성이하선염. 이하선 주변의 파동성 종창이 존재하면서 악하간극까지 확산된 양상을 보이고 있다.

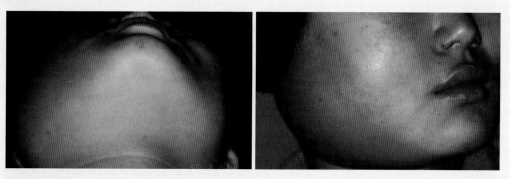

Fig. 2-21. 25세 여자 환자에서 발생한 우측 급성 화농성 이하선염. 우측 이하선 주변, 협부 및 악하부로 감염이 확산되고 있으며 피부발적, 촉진 시 심한 압통, 국소발열 및 개구제한이 존재하였다.

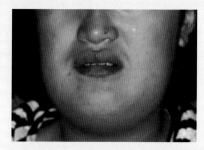

Fig. 2-22. 25세 여자환자에서 발생한 Ludwig's angina. 양측 악하부와 이하부의 심한 종창이 관찰된다. 구강내를 살펴보면 설하 종창도 매우 심하면서 혀가 거상된 양상을 관찰할 수 있다.

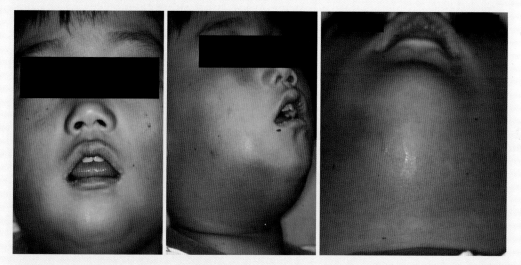

Fig. 2-23. 9세 남자 환자에서 발생한 Ludwig's angina. 혀의 거상으로 인해 입이 안 다물어지는 상태이며 양측 악하부와 이하부 종창이 매우 심한 것을 볼 수 있다.

극의 내상방측에 익돌상악간극(pterygomaxillary space)과 외하방측에 익돌하악간극(pterygomandibular space)이 존재하며 이 두 공간은 외측익돌근에 의해 분리되고 협부간극, 교근간극, 측두간극과 교통한다(Rataru H, et al; 2007). 대부분의 치성감염이 협부간극, 악하간극, 설하간극으로 퍼지기 때문에 측두하간극 감염은 상대적으로 드물지만, 상악골 골절, 턱관절경 시술, 상악대구치 감염 등에 의해 2차적으로 생길 수 있다(Chossegros C, et al; 1995, Schwimmer AM, et al; 1986, Weiss BR; 1977). 근육 종양, 턱관절장애 등과 같은 질환으로 오진되는 경우가 많으며 잠재적으로 매우 치명적인 감염이다. 감염이 익돌총(Pterygoid plexus)을 통해 해면정맥동(carvenous sinus)으로 확산될 수 있다. 또는 밸브가 없는 안정맥(ophthalmic vein)을 통해 안구로 확산되면서 치명적인 두개내 및 안과적 합병증을 초래할 수 있다(Fig 2-13, 14).

② Ludwig's angina

Ludwig's angina는 독일 내과의사였던 Wilhelm Friedrich von Ludwig에 의해 1836년 처음 기술된 양측 악하간극(submandibular space), 이하간극(submental space), 설하간극(sublingual space)으로 농양이 확산되어 발생하는 치명적 감염이다(Saifeldeen K & Evans R; 2004)(Fig 2-22, 23). 하악 제2, 3대구치로 인한 치성감염이 주요 원인이고 비치성 원인으로는 편도주위농양(peri-tonsillar abscess), 하악골절, 구내 열상, 악하선염, 악성종양 등이 있다. 감염이 시작되면 연속적으로 설하간극과 기관을 둘러싸고 있는 측인두간극(parapharyngeal space), 후인두간극(retropharyngeal space)으로 감염이 퍼져나가면서 인두조직 종창과 혀의 거상이 발생하고 기도폐쇄의 위험성이 현저히 증가한다(Candamourty R, et al; 2012, Fischmann GE & Graham BS; 1985). 항생제가 개발되기 전 치사율이 50%가 넘었던 질병이었지만, 항생제의 개발과 수술 기법의 발달로 인해 과거에 비해 치사율이 상당히 감소되었다(Bansal A, et al; 2003, Candamourty R, et al; 2012). 신상훈과 정인교(1998)는 Ludwig's angina 환자들의 16.7%에서 심각한 호흡장애가 발생하여 기관절개술이 시행되었고 6.7%의 치사율을 보고하였다. 사망의 주원인은 패혈증과 심막염이었다(신상훈, 정인교; 1998).

③ 경안부 괴사성근막염(Cervicofacial necrotizing fasciitis)

괴사성근막염은 정상적인 피부 하방의 조직공간들을 통해 심부 피하조직과 근막면들을 따라 퍼져나가며 안면과 경부의 표면 근근막계와 근막층을 광범위하게 침범하는 진행성의 중증 세균성 감염이다(양윤수 등; 2005). 1952년 Wilson에 의해 처음으로 "괴사성근막염(necrotizing fasciitis)"이라는 진단명이 사용되었으며 매우 드문 질환이다. 주로 노인이나 면역기능이 저하된 환자에서 발생하고 당뇨 환자의 경우 정상인보다 사망률이 9배 높아진다(Gore MR; 2018). 그러나 정상 면역을 가진 사람들에서도 발생할 수 있으며, 원인균은 주로 연쇄상구균 또는 혼합성 세균들로 알려져 있다(Bisno AL & Stevens DL; 1996). 즉 표면 근막층의 광범위한 괴사가 발생하면서 주변 조직들로 신속히 확산되고 동시에 전신 독성 증상들이 동반된다. 매우 빠르게 증상이 진행되어 많은 양의 피부와 연조직이 소실되며, 종격동염, 혈전증, 장기부전증이 발생하면서 사망할 수 있다. 최근에 치과치료를 받았거나 치아 또는 악안면외상의 병력이 있으며 오한, 빈맥, 탈수, 저혈압, 이환된 부위의 피부가 청색, 회색 혹은 검정색으로 변하고 24시간 내에 용해되어 떨어져 나가는 증상이 발생한다(Gore MR; 2018). 조기에 진단하여 광범위한 근막절제술 및 배농술과 적극적인 항생제 투여, 수액 및 전해질 요법을 시행해야 한다. 적극적인 외과적 처치 및 항생제 치료에도 불구하고 오랜 기간 만성적으로 재발되는 경향을 보이며 완치 아니면 사망하는 둘

중의 한 가지 과정을 거치게 된다(all-or-none disease)(김영운 등; 1994, 유재하 등; 1993, 이재휘 등; 1994, Richardson D & Schmitz JP; 1997).

A. 임상증상 및 진단

  a. 광범위한 피부, 근건막층의 괴사

  농과 통증을 동반한 종창으로 시작하여 표재성 근막이 광범위하게 박리되고 괴사되면서 주위 연조직을 넓게 잠식한다. 염증의 진행 속도가 매우 빨라 24시간에서 48시간 사이에 경결성 봉와직염으로 변하면서 심부 근막이 괴사되고, 상부 피부는 괴저성 피부염증이 발생하면서 피부가 근막으로부터 분리되어 괴사된다.

  b. 초기에는 gas가 발생하면서 촉진 시 염발음이 발생할 수 있다.

  c. 초기의 쑤시는 듯한 통증과 피하에 분포된 신경의 파괴에 따라 감각마비 증상이 나타난다. 이런 증상이 괴사성근막염 초기 진단의 실마리가 될 수 있다.

  d. 피부열을 동반한 피부발적은 안면부 봉와직염과 감별이 어려울 수 있다. 자홍색 혹은 자주색을 띠다가 청색, 회색, 검은색으로 변하면서 36시간 이내에 피부가 괴사된다.

  e. 림프절염은 드물고 감염의 진행 속도가 매우 빠르다.

  f. 괴사가 진행되면서 이환된 근막부를 지나는 혈관에 혈전이 발생한다. 영양혈관이 폐쇄되고 피부괴사는 더욱 가속화된다.

  g. 다음과 같은 전신 증상들이 동반된다.

  전신 무력감, 불안감, 고열, 백혈구증가증, 심한 탈수 및 전해질 장애, 저알부민증과 같은 영양결핍증세, 파종성혈관내응고(disseminated intravascular coagulopathy: DIC), 적혈구 용혈작용(급속한 적혈구 파괴로 인해 빈혈, 고빌리루빈혈증, 황달 증상 발생), 피하지방 액화성 괴사에 의한 저칼슘혈증(hypocalcemia), 골수기능 억제, 빈맥, 패혈증성 쇼크 증상(빈맥, 호흡부전, 저혈압), 다발성 장기부전

B. 치료

  a. 조기 진단 및 항생제 투여

  b. 전신적 소인 제거

  c. 신체 저항력 향상

  d. 적극적인 외과적 처치

  모든 괴사된 근막과 주변 연조직은 또 다른 감염원으로 작용할 수 있으므로 철저히 제거해야 한다. 수술 도중에 Frozen section examination을 시행하면 연관된 괴사 조직의 철저한 제거에 도움이 된다.

  e. 고압산소요법

C. 예후

  신체 저항력이 떨어진 환자에서는 30% 이상의 높은 사망률을 보인다. 당뇨 환자에서는 63%까지 사망률이 증가한다는 보고가 있다. 감염이 잘 조절되지 않으면 패혈증, 호흡부전, 신부전, 다발성 기관손상으로 사망하게 된다.

3. 진균감염(Fungal infection)

면역기능이 저하되어 있거나 비조절성 전신질환을 보유한 환자들에서 Candidiasis, Zygomycosis, Histoplasmosis, Blastomycosis, Aspergillosis, Mucormycosis와 같은 진균(곰팡이) 감염이 발생할 수 있다.

1) 칸디다증

구강 또는 인두 칸디다증(candidiasis, condidosis)은 스테로이드나 광범위한 항생제를 장기간 사용하는 환자, 면역기능이 저하된 환자, HIV 감염의 초기 증상으로 발생하는 경우가 많으며 진균감염들 중 가장 흔히 발생하는 것으로 알려져 있다(Klein RS, et al; 1984). 자주 관찰되는 구강 칸디다증은 홍반성, 위막성, 만성 증식성 칸디다증과 구각구순염의 네 가지 형태가 있다(Fig 2-24)(Box 2-2).

Box 2-2 \ 구강 칸디다증의 유형

1. 홍반성(위축성) 칸디다증(Atrophic, erythematous candidiasis)

   candida glossitis, antibiotic sore mouth라는 진단명도 홍반성 칸디다증의 일종이다. 혀의 등쪽 혹은 연/경구개에 붉고 편평한 병변으로 나타나는 경우가 많다. 음식을 먹을 때 따끔거리는 작열통을 호소한다.

2. 위막성 칸디다증(Pseudomembranous candidiasis), 아구창(thrush)

   뺨 점막, 혀 및 기타 구강 점막 표면에 크림색의 두부 모양의 위막이 형성되는 것이 특징이다. 설압자나 거즈로 문지르면 쉽게 벗겨지면서, 하방에 홍반/미란성 병소를 보이며 쉽게 출혈이 발생한다.

3. 만성 증식성 칸디다증(Hyperplastic candidiasis), 칸디다 백반증(Candida Leukoplakia)

   점막 표면에 위막이 아닌 흰색 plaque가 형성되며 설압자나 거즈로 문질러도 벗겨지지 않는다. 혀의 측면에서 많이 발생하며 점막 백반증이나 반점으로 나타나므로 "칸디다 백반증"이라 부르기도 한다. 이것의 약 15% 정도는 악성으로 전환한다.

4. 구각구순염

   입술 주변과 구각부에 균열 및 홍반이 형성되는 특징을 가지고 있다. 구각구순염은 홍반성 칸디다증 또는 위막성 칸디다증의 유무에 상관없이 별개로 발생할 수 있다.

칸디다증의 진단은 주로 임상 검사를 기반으로 이루어지지만 도말검사(smear) 혹은 조직검사를 통해 확진할 수 있다. 구강 칸디다증은 인두, 후두 및 식도까지 확산될 수도 있다. 치료는 유형, 분포 및 감염 정도에 따라 다르다. 국소적 치료는 쉽게 접근 가능한 병변에만 효과를 발휘하며 그 효과가 제한적인 경우가 많다. Clotrimazole troches, Nystatin pastilles 및 Nystatin 경구 현탁액은 경증에서 중등도의 홍반성 및 위막성 칸디다증에 효과적이다. 그러나, 이러한 제제를 장기간 사용하면 해당 제제에 포함된 탄수화물로 인해 심각한 치아 우식증이 발생할 수 있다. Amphotericin B의 국소적용은 잘 낫지 않는 칸디다증 치료에 사용할 수 있으며 500 mL의 멸균 식염수(0.1 mg /ml)에 Amphotericin B 50 mg을 용해시켜 사용한다. Clotrimazole 1 % 크림, Miconazole 또는 Ketoconazole 2 % 크림 및 Nystatin 연고는 구각구순염 및 의치와 관련된 칸디다 감염에 유용하게 사용할 수 있다. 국소치료에 잘 반응을 보이지 않고 병변이 더욱 심해지고 장기간 지속될 경우엔 Imadazole, Ketoconazole, Triazole, Fluconazole, Itraconazole과 같은 경구용 항진균제를 투여할 수 있다(Bissell V, et al; 1993, Hay RJ; 1990).

2) 아스페르길루스증(Aspergillosis)

Aspergillus는 일상 환경에서 candida albicans 다음으로 많이 발견되는 곰팡이다. 그러나 어떤 환자들에선 심각한 병원체로 작용할 수 있으며 공기 중의 먼지에 혼합된 포자를 흡입함으로써 아스페르길루스증이라는 드문 질환이 발생할 수 있다. 특히 면역 기능이 결핍된 환자들에선 사망 등의 치명적 결과를 초래할 수 있다. 상악동에 발생하는 아스페르길루스증은 폐속에 이미 존재하고 있던 Aspergillus에 의해, 혹은 구강내 발치창 등의 창상이나 비강을 통해 Aspergillus가 침투하면서 발병한다(Kim SM, et al; 1996). 급성 백혈병, 당뇨 및 간경변증을 앓고 있는 환자들에서 상악동 아스페르길루스증이 발생한 증례들이 발표되었다(김일규 등; 1991, 오승환 증; 1991, Napoli JA & Donegan JO; 1991).

(1) 아스페르길루스증의 분류

① 만성 아스페르길루스증(Chronic aspergillosis)

연구개, 혀의 흑황색 괴사성 궤양으로 많이 나타나며 부비동, 하인두 및 기관지로 확산될 수도 있다. 출혈, 통증, 연하곤란 증상이 있고 편측성 비폐쇄 및 배농, 압박감, 두통 등과 같이 세균성 만성 상악동염과 유사한 증상이 나타나기도 한다. 3개월 이상의 만성적인 폐 관련 증상들과 흉부방사선사진에서 감염 소견을 보이며 Aspergillus IgG 항체가 증가된 양상을 보인다(Patterson TF, et al; 2016). 단단한 결절이 관찰되면서 폐암으로 오진될 수 있으며 기존에 호흡기 질환이 있는 환자들에서 잘 발생하는 경향을 보인다. 아스페르길루스증 진단을 위해 PET scanning을 하는 것은 권장되지 않는다(Eavan G, et al; 2017, Kosmidis C & Denning DW; 2015, Muldoon EG, et al; 2016, 2017). 외과적 절제술과 함께 약물치료를 병행하면 잘 치유되는 양상을 보인다. Itraconazole이 좋은 효과를 보이며 최소 6개월 정도 투여하여야 한다. Posaconazole은 다른 약물들에 의해 부작용이 발생할 경우에 사용한다(Eavan G, et al; 2017, Patterson TF, et al; 2016).

② 침습적 아스페르길루스증(Invasive aspergillosis)

국소적으로 침습적인 양상을 보이며 임상증상이 뚜렷이 나타나기 전에 조직 파괴가 광범위하게 나타날 수 있기 때문에 악성종양과 혼동되기 쉽다. 대부분 호흡계 침범이 동반되며 경구개 및 부비동에서 빈발하고 안와 및 뇌까지 확산될 수 있다. 진단이 어려울 수 있지만 galactomannan이라는 항원을 이용한 혈청학적 효소면역분석법을 이용하여 잘 진단할 수 있다. 진단이 쉽지 않고 진행이 매우 빠르기 때문에 잠정진단이 이루어진 시점부터 치료를 시작해야 한다. 치료는 외과적 절제술과 항진균제 치료를 병행해야 한다. Voriconazole이 1차 선택 약물이며 최소한 6-12주 정도 투여해야 한다. 사망률은 치료받지 않을 경우 100%이며 치료를 받더라도 80-90%로 매우 높다(Darling BA & Milder EA; 2018). Triazol도 매우 좋은 치료제이긴 하지만 다른 약물과 함께 사용할 경우 독성반응을 유발하는 경우가 있기 때문에 주의하여야 한다. 면역저하자의 경우 재발을 막기 위해 치료가 다 되었더라도 예방적으로 Posaconazole이나 Voriconazole을 일정 기간 동안 복용하는 경우가 많다(Patterson TF, et al; 2016).

③ 알레르기성 아스페르길루스증(Allergic aspergillosis)

Aspergillus IgE가 상승된 소견을 보인다. 코에 용종이 있거나 비후성 비염환자는 알레르기성 아스페르길루스증 검사를 받아보는 것이 좋다. 용종제거술 및 부비동세척술이 추천되며 증상을 줄이기 위해 국소적인 비강 도포용 스테로이드를 사용한다. 항진균제는 Itraconazole이 많이 사용되며 치료된 이후에도 재발률이 높은 것으로 알려져 있다(Patterson TF, et al; 2016).

(2) 진단

임상증상, 방사선사진, 혈청학적검사 및 조직검사를 통해 확진할 수 있다. 진균배양은 실험실 내의 오염균 혹은 진균의 낮은 생존력으로 인해 실제와 정반대의 결과가 나올 가능성이 있기 때문에 신뢰성이 떨어진다. 감염의 범위 및 골파괴 정도를 평가하기 위해 CT 촬영이 필수적이다. 부비동에 발생하는 아스페르길루스증의 임상 및 방사선학적 소견은 부비동염과 매우 유사하기 때문에 잘 감별해야 한다(Fig 2-25).

(3) 치료

국소적 병변은 외과적 적출술이 쉽게 시행될 수 있지만 침습적 병변이 존재할 경우엔 광범위한 적출술이 필요하다. Amphotericin B, Itraconazole, Voriconazole, Posaconazole과 같은 항진균제의 전신적 투여가 병행되어야 한다. 치과 분야에서도 상악동에 발생한 아스페르길루스증 증례들이 많이 보고되어 왔으며 외과적 처치와 항진균요법을 통해 잘 치료되었다(김일규 등; 1991, 오승환 등; 1991, Kim SM, et al; 1996, Napoli JA & Donegan JO; 1991).

3) 모균증(Mucormycosis)

Zygomycetes강, Mucorales목에 속하는 진균에 의한 감염이다. Mucorales는 토양, 과일, 부패된 동식물 조직에 널리 퍼져 있으며 공중에 떠다니는 mucorales 포자(spore)를 흡입하는 것이 주된 감염 경로이다. 모균증(Murcomycosis)은 당뇨성 케톤산증, 대사성산증, 호중구감소증, 장기 이식, 골수 이식, 장기간의 스테로이드 치료, 외상, 화상, 악성혈액질환, 수혈 시 Deferoxamine (철중독해소제) 치료를 받은 경우, 다양한 원인으로 인해 면역기능이 현저히 저하된 환자들에서 빈번히 발생하는 매우 위험한 감염성 질환이다(Hibbett DS, et al; 2007, Ibrahim AS, et al; 2012, Ribes JA, et al; 2005, Roden MM, et al; 2005, Spellberg B, et al; 2005).

(1) 모균증의 유형

① 비뇌(rhinocerebral) 감염

가장 흔한 유형으로서 비인두강 점막을 통해 침입하여 비강, 부비동, 안구, 뇌의 전두엽으로 확산된다. 혈관을 침범하면 허혈성 경색과 출혈성 괴사가 발생하면서 조직이 흑회색으로 변하는 양상을 보인다. 초기의 임상증상들은 세균성 부비동염과 매우 유사하다. 안면 및 안구 통증, 콧물, 두통, 고열, 안면 종창이 발생하고 진행될 경우 뇌신경 마비, 경련, 의식 혼탁, 반신마비 증상이 나타난다. 비인두강 침범부터 사망까지 경과가 매우 빠르며 3일 내에 사망하기도 한다(Fig 2-26).

② 폐감염

24-30%를 차지한다. 흉부방사선 영상에서 많은 수의 결절과 흉막삼출액이 특징적으로 관찰되며 흡인생검법을 시행하여 진단할 수 있다. 기관지-흉막 누공이 빈번히 발생하며 주로 폐의 상엽이 감염되는 경향을 보인다. 폐결핵과 만성폐쇄성폐질환은 모균증 환자의 7-46%에서 발견할 수 있다. 무호흡, 흉통, 객혈 등의 증상이 나타난다(Hammer MM, et al; 2018, Jeong W, et al; 2019, Lamoth F, et al;

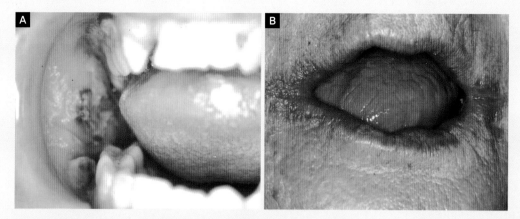

Fig. 2-24. 구강 칸디다증. A: 우측 협점막에 발생한 위막성 칸디다증 **B:** 구각구순염.

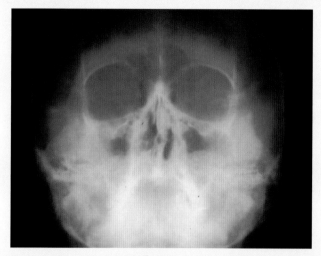

Fig. 2-25. 당뇨를 보유한 65세 여자 환자의 Waters' view. 양측 상악동의 방사선불투과상이 관찰되며 부비동염 유사 증상들이 발생하였으나 수술 후 조직검사 결과에서 아스페르길루스증으로 확진되었다.

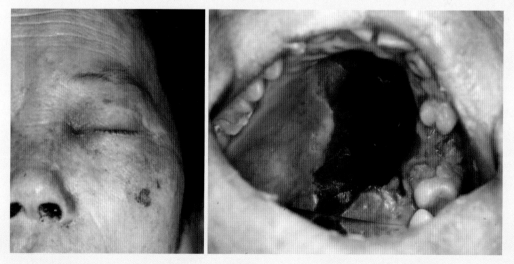

Fig. 2-26. 70세 여자 환자의 좌측 상악동에 발생한 모균증. 좌측 눈 주변의 종창과 안구 통증이 심하였으며 좌측 구개부 조직이 흑회색으로 변한 것을 볼 수 있다.

2017, Sharma A & Goel A; 2022).

③ 파종성(disseminated) 감염

15-23%를 차지한다. 뇌졸중, 폐렴, 지주막하 출혈, 봉와직염, 뇌농양 등이 발생하며 예후는 매우 불량하다(Riley TT, et al; 2016, Sharma A & Goel A; 2022).

④ 위장관 감염

2-11%를 차지한다. 치명적이며 허혈성 대장염으로 오진되기 쉽다. 비특이적인 설사 및 복통이 발생하고 토혈이 빈발한다. 위장, 소장이 주로 감염되어 천공되면서 결과적으로 파종성감염으로 발전한다. 적극적인 수술적 요법이 추천된다. Amphotericin B를 5-10 mg/kg 투여한다(Antony SJ, et al; 2015).

⑤ 피부 감염

19-26%를 차지한다. 국소적일 수 있으나 면역저하자의 경우 파종성으로 나타날 수 있다. 외상, 수술, 자연재해, 전쟁, 동물 또는 벌레물림 등에 의해 발생한다. 괴저성 농창과 비슷하고 해당 부위의 통증, 괴사성근막염 등의 증상이 나타난다(Li HM, et al; 2013, Sharma A & Goel A; 2022).

(2) 진단

임상증상 및 방사선사진을 통해 진단하고 배양검사 및 조직검사를 통해 확진할 수 있다. Waters' view에서 부비동의 방사선 불투과상 증가 및 골파괴 소견이 관찰되며 CT, MRI 검사를 통해 질환의 확산 정도를 파악해야 한다. 모균증은 모든 기관계에 영향을 미칠 수 있지만 가장 일반적인 증상으로는 부비동염과 유사한 양상을 보인다. 반신마비, 안면괴사, 안구돌출, 시력상실 증상들이 발생하면 중증감염을 의미하며 예후가 매우 좋지 않다.

(3) 치료

조기 진단이 매우 중요하며 증상 발현 6일 이내에 항진균제 치료를 시작하는 것이 생존율을 향상시키는 데 중요한 것으로 알려져 있다(Ibrahim AS, et al. 2008). 항진균제는 Posaconazole를 하루에 300-600 mg씩 6개월간 정맥주사하거나 Amphotericin B를 하루에 0.5-1 mg씩 6-12주 투여, 혹은 Isavuconazole을 하루에 200-600 mg씩 3개월간 투여한다(DiPippo AJ, et al; 2019, Greenberg RN, et al; 2006, Shohan S, et al; 2010). 일부 곰팡이균주는 혈관침투, 혈전증 및 조직괴사 등을 유발하기 때문에, 항진균제와 더불어 광범위한 변연절제술이 필요하고, 고압산소요법이 치료에 도움이 될 수 있다. 광범위한 절제술을 시행하여도 사망률이 50% 이상으로 높으며 예후는 원발성 질환의 회복에 따라 크게 좌우되는 것으로 알려져 있다. 특히 전염성 질환이나 만성 호중구 감소증을 보이는 환자들의 사망률은 100%에 이른다(Spellberg B, et al; 2005, Gleissner B, et al; 2004).

4. 바이러스 감염

바이러스 감염은 전염력이 세며 면역기능이 저하된 환자들에서 잘 발생하는 경향을 보인다. 또한 병원 내에서도 의료진-환자들 간의 교차감염 위험성이 매우 크기 때문에 철저한 감염예방 관리가 중요하다. 최근 코로나19 바이러스 감염이 전 세계적으로 유행하면서 감염관리의 중요성이 더욱 강조되고 있다. 특히 치과에서는 비말 관련 감염전파 위험성이 크기 때문에 철저한 관리체계를 구축해야 할 것이다. 본 책자에서는 치과에서 빈번히 접하는 바이러스성 질환과 최근 유행하고 있는 코로나19 바이러스 감염 등에 대해 대략적으로 기술하고자 한다. 자세한 내용은 감염 관련 서적과 문헌들을 참고하기 바란다.

1) Human herpes virus (HHV)

DNS 바이러스의 일종인 헤르페스 바이러스과에는 8종류의 인간 헤르페스 바이러스가 있다. 가장 잘 알려진 단순 헤르페스 바이러스에는 1형과 2형이 존재한다. 나머지 헤르페스 바이러스는 varicella zoster virus (VZV), Epstein-Barr virus (EBV), CMV(HHV-5), HHV-6, HHV-7, and HHV-8이다(Neville BW; 2009).

(1) Herpes simplex virus

2012년 세계보건기구에 따르면 전 세계 50세 미만의 사람들 중 67%가 단순 헤르페스 바이러스 1형에 양성이었으며 15세 이상 49세 이하 인구의 11%가 단순 헤르페스 바이러스 2형에 양성이었다. 헤르페스 바이러스 감염의 진단은 임상증상들과 바이러스 배양을 기반으로 이루어진다(Neville BW; 2009). 항체를 사용한 면역학적 분석도 유용한 검사도구이다. 치료는 전구 증상이 시작될 때 시작하는 것이 가장 이상적이다. Acyclovir는 바이러스 DNA 복제를 억제함으로써 효능을 발휘한다. 모든 일차 병변에 대해서는 해열제, 비스테로이드성 진통제, 수분 공급 등과 같은 대증적 치료가 시행된다. 증상이 발생하면 5% Acyclovir 연고를 하루에 5번 바르면 포진형성 기간이 현저히 감소된다. Acyclovir 400 mg 1일 2회, valacyclovir 1 g 또는 famcyclovir 250 mg 1일 2회 복용하면 재발의 유병률과 심각도를 감소시킬 수 있다. 환자와 의료진 간의 교차감염 방지를 위해 철저한 감염관리 원칙을 준수해야 한다.

① Herpes simplex virus type 1 (HSV-1)(Fig 2-27)

단순 헤르페스 바이러스 1형은 주로 청소년기에 감염되며 주요 감염 경로는 타액이나 병변과 직접 접촉한 경우이다. 임상적으로 2가지로 분류된다. 초기 감염은 젊은 층에서 주로 발병하며 무증상이 많다. 초기 감염 시 바이러스는 감각 또는 자율신경절에 잠복해 있다가 재활성화되면서 재발을 일으킨다. 재발은 스트레스 등에 의해 면역기능이 떨어졌을 때 발생하며 잠복기는 며칠-2주가량이다 (Gladwin M, et al; 2014, S.B. Woo SB; 2012). 일차 헤르페스 치은구내염(primary herpetic gingivostomatis) 은 주로 6개월에서 5세 사이에 발생한다. 일반적으로 독감과 유사한 증상, 구내점막병변(보통 2-3 mm 크기) 및 피부병변이 발생한다. 재발성 헤르페스 구내염은 스트레스가 심하거나 면역기능이 저하된 경우 잠복성 바이러스가 재활성화되면서 발생하며 소포가 나타나기 전에 작열감과 가려움증과 같은 전구증상들이 발생한다(Neville BW; 2009, S.B. Woo; 2012).

② **Herpes simplex virus type 2 (HSV- 2)**

HSV-1과 구조가 동일하지만 주로 생식기에 감염된다. HSV-1과 유사하게, HSV-2도 자율신경절에 잠복해 있다가 발병하게 된다. 그러나 HSV-2는 신생아에서 안구병변을 일으킬 수도 있다. 즉 감염된 산모의 질 분비물과의 직접 접촉으로 인해 전염된다(Neville BW; 2009, Gladwin M, et al; 2014).

(2) Varicella zoster virus (VZV)

VZV는 헤르페스 바이러스 계열 중 전염성이 매우 높은 것에 속한다. 어린이에게 발병할 경우 일반적으로 수두(chickenpox, varicella)로 알려져 있지만 성인에서는 바이러스가 잠복해 있다가 대상포진(Herpes zoster)으로 재발할 수 있다. 면역이 건강한 경우는 2-3주 내에 회복할 수 있으나 어린이, 노인 및 면역력이 약한 환자들은 중추신경계와 호흡기를 침범하면서 높은 사망률을 보일 수 있다(Clarkson E, et al; 2017, Neville BW; 2009).

VZV는 6세에서 11세 사이의 어린이에서 흔하게 발생하며, 형제, 자매를 동시에 감염시키는 경우가 많다. 13-17일 정도의 잠복기를 가지며 초기에는 미열을 동반한 감기 비슷한 증상을 보이고, 가려움증, 불쾌감, 발진, 구강내 수포성 병변 등이 동반된다. 초기 피부병변은 몸통과 얼굴에서 시작하여 어깨와 사지로 퍼지면서 온몸에 수포가 생긴다. 증상이 호전되면 바이러스는 신경절에 잠복한다. 대상포진은 인체 면역결핍바이러스(HIV) 감염, 악성종양에 대한 방사선치료 혹은 항암치료, 기타 면역기능을 저하시키는 전신질환이 존재할 경우 잠복해 있던 바이러스가 활성화되면서 재발한다. 재발된 질환을 "대상포진"이라고 칭한다. 일반적으로 몸통, 머리 및 목의 감각 신경에 영향을 미치며, 그 결과 피부 통증이나 감각 이상 증상이 나타난다. 수포성 병변들은 1-2주에 걸쳐 궤양을 일으키고 이후 서서히 치유된다. 병변은 해당 신경분포를 따라 퍼지는데, 흉부 및 요추병변이 가장 일반적이며 두개안면병변이 그 뒤를 따른다. 안면부에서는 삼차신경의 분포를 따라 병변이 발생하는데 이마, 윗눈꺼풀, 윗입술과 아랫입술에 분포하는 경향을 보인다. 간혹 각막을 침범할 경우 실명을 초래할 수 있다. 환자들의 10-15%에서 포진후신경통(postherpetic neuralgia)이 발생하는데 이는 중추 및 말초신경 손상으로 인한 것이다(Fig 2-28). 드물게 안면신경절을 침범하면서 안면신경마비 등의 증상을 유발하며 "Ramsay Hunt syndrome"으로도 알려져 있다. 예방 접종으로 인해, 수두 감염과 관련된 사망률과 합병증은 현저히 감소되었다. 건강한 환자는 통증 조절, 수분 공급, 충분한 숙면과 같은 대증치료로 잘 회복될 수 있다. 그러나 면역력이 약한 환자들에 대해서는 병변의 확산 및 악화를 막기 위해 적극적인 치료가 필요하다. 1차 VZV 감염은 7일 동안 매일 5회 800 mg의 고용량 Acyclovir를 경구 투여한다. 조기에 적극적으로 치료하면 포진후신경통과 같은 합병증을 최소화할 수 있다(Neville BW; 2009, Regezi JA; 2012).

(3) Epstein-Barr virus (EBV)

감염성단핵구증(Infectious mononucleosis)이라는 질환을 주목할 필요가 있다. 이 질환은 주로 침을 통해 전염되기 때문에 "키스병"으로 불리기도 하며 성인들에서 많이 발생한다. 주로 밀접한 접촉(빨대 나누기, 키스, 기타 형태의 타액 교환)으로 인해 전염되며 EBV가 주원인 바이러스이다. 감염된 사람의 절반 이상은 특별한 증상이 없기 때문에 감염 여부를 모르고 지나가는 경우가 많다. 4-8주의 잠복기를 거친 후 무기력감, 전신쇠약, 식욕상실, 고열, 오한 등의 증상이 나타나며 심해지면 인후통, 편도성 부종, 이하선부종, 목, 겨드랑이, 사타구니의 림프절의 통증과 종창이 발생한다. 드물게 얼굴과 몸에 발진이 나타나기도 한다. 진단은 EBV에 대한 항체 검사로 이루어지며 일반혈액검사에서 백혈구의 현저한 증가 소견이 관찰된다. 대부분의 경우 4-6주 이내

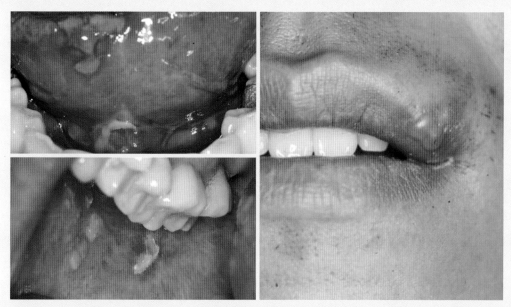

Fig. 2-27. 혀, 구강저, 협점막, 입술에 발생한 Herpes simplex virus type 1 감염.

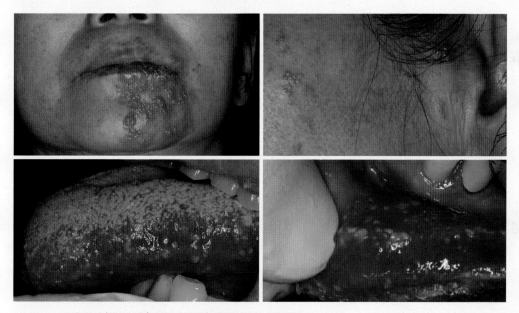

Fig. 2-28. 60세 여자 환자의 좌측 안면과 구강점막에 발생한 대상포진.

에 자연적으로 치유되기 때문에 충분한 휴식과 수면, 통증과 발열 완화를 위해 해열제 등의 대증적 치료를 시행한다(Neville BW; 2009, Regezi JA; 2012).

(4) Cytomegalovirus (CMV)

헤르페스과에 속하는 DNA 바이러스로, 인간 헤르페스 바이러스 5형(HHV-5)이다. 미국질병통제예방센터에 따르면, Cytomegalovirus 감염률은 40세 미만 성인 미국인 100명당 50-80명이다. 한국에서도 CMV 항체 양성률은 30세 이상 성인에서 100%에 이를 정도로 흔한 감염이다. 그러나 감염되더라도 대부분 증상이 거의 없으며, 일생동안 비활성화된 바이러스 보균자로 지내기 때문에 이 바이러스에 대해 관심이 거의 없는 실정이다. CMV 전염은 체액과 수혈을 통해서 발생할 수 있으며 태반을 통과하여 선천성 질환을 유발하거나 분만 중에 신생아를 감염시킬 수 있다. 신생아 CMV 감염은 법랑질 저형성, 법랑질 저성숙, 또는 상아질 변색을 야기할 수 있다. 대부분은 무증상이나 10% 미만에서 독감과 유사한 증상을 보일 수 있으며 면역력이 저하된 사람, 장기 이식, AIDS 환자들에서 드물게 간 비대, 비장 비대, 황달 및 중추 신경계 침범과 같은 심각한 결과를 초래할 수 있다. 증상이 매우 심한 경우 Gancyclovir 주사제나 고활성 항레트로 바이러스 요법이 시행되기도 한다(Neville BW; 2009, Regezi JA; 2012).

2) Enterovirus (EV)

EV는 사람 및 포유류 질병과 관련된 (+)ssRNA 바이러스의 일종이다. 장염을 일으키기 때문에 '장바이러스'라는 명칭으로 불리기도 하며 수족구병, 뇌수막염, 장염, 포진성구협염 등을 일으킨다. 미국에서 매년 Enterovirus에 감염되어 증상이 발생한 건수가 1,000-1,500만 건이고 대부분 어린 아동이다. 환자의 대변 또는 호흡기 분비물과 직접 접촉하거나 오염된 물체의 표면을 만진 후 눈, 코, 입을 만져서 감염되는 경우가 대부분이다.

(1) 포진성구협염(Herpangina)

EV의 한 종류인 Coxsackie A 바이러스에 의해 발생하며 오염된 타액 또는 대변을 통해 전염된다. 발병은 여름이나 초가을에 흔하게 발생하며, 인후통, 열, 콧물, 근육통 및 연하 곤란 증상들이 나타난다. 구강병변은 편도선, 연구개, 목젖, 후방 협점막과 같이 구강의 뒤쪽 부위에 나타난다. 1-2 mm 직경의 작은 소포들이 여러 개 발생하고 하루 정도 지나면 2-4 mm 직경의 궤양이 형성된다. 이후 1-7일 만에 자연 치유되는 경우가 많다. 치료는 해열제나 소염진통제로 증상을 완화시키고 뜨겁고 자극성이 있는 음식을 피하도록 한다. 찬 음료나 아이스크림을 먹는 것은 증상 완화에 도움이 된다(Neville BW; 2009, Regezi JA; 2012).

(2) 수족구병(Hand, foot and mouth disease)

EV의 일종인 Coxsackie A16이나 EV71에 감염되어 발생한다. 4-6일 정도의 잠복기를 거쳐서 발열, 식욕부진, 권태감, 기침, 콧물, 설사 및 두통과 함께 피부발진, 손, 발, 입안에 수포와 궤양이 발생한다. 구내 궤양은 입안 어디에서나 발생하지만 피부병변은 주로 복부, 손가락과 발가락의 측면, 손등과 발등, 발바닥에 생긴다. 그러나 다리와 생식기에는 거의 생기지 않는다. 증상들은 보통 7-10일 내에 사라지지만 통증, 발열 등 증상이 심할 경우엔 해열 및 진통제를 투여하고 수분을 충분히 섭취하도록 한다(Neville BW; 2009, Regezi JA; 2012).

3) Measles virus

홍역(Measles) 바이러스는 RNA 바이러스 계열에 속하며 비말을 통해 비인두 호흡 상피가 감염되어 전염된다(Gladwin M, et al; 2014). 홍역은 예방 접종으로 인해 최근에는 흔하지 않지만 예방 접종을 받지 않은 사람은 쉽게 감염된다. 잠복기는 10–14일 정도이며 발진이 생긴 후 증상 발현 1–2일 전부터 증상 발생 후 4일까지 감염력이 가장 높다. 홍역에는 3단계가 있으며 각 단계는 일반적으로 3일 동안 지속된다. 첫 번째 단계에는 콧물, 기침 및 결막염이 생기고 "Koplik의 반점"으로 알려진 구강병변은 피부병변보다 1–2일 전에 발생한다. Koplik의 반점(Koplik's spot)은 중앙에 흰색을 띄는 밝은 붉은색 반점이다. 두 번째 단계는 지속적인 열과 함께 발진이 얼굴에서 사지까지 퍼진다. 세 번째 단계는 열이 해소되고 발진이 가라 앉기 시작한다. 합병증은 드물지만 장염, 뇌염, 혈소판감소 자반증, 중이염, 기관지염 및 폐렴이 발생할 수 있다. 진단은 임상증상들과 혈청 항체 수치의 상승으로 확인할 수 있다. 적절한 휴식, 수액, 해열제 및 진통제 등 대증적 치료를 하며 예방 접종이 적극 권장된다(Neville BW; 2009, Regezi JA; 2012).

4) Paramyxovirus

유행성 이하선염(볼거리, Mumps)는 RNA 바이러스에 속하는 Paramyxovirus에 의해 발생하며 주로 기침, 재채기, 침, 오염된 물건과 표면과의 접촉을 통해 감염된다. 잠복기는 2–4주이며, 환자는 임상증상 1일 전부터 치유된 후 2주까지 전염성이 있다. 유행성 이하선염의 1/3은 무증상이고 나머지는 약 1–2일간의 발열, 불쾌감, 근육통, 두통, 전신 권태감과 같은 전구증상들이 나타난 후, 귀 밑의 통증과 심한 종창이 시작되어 하악의 뒤쪽 및 아래쪽으로 확장되면서 저작 시 심한 통증이 발생한다. 처음에는 한쪽부터 시작하여 2–3일 후에는 양쪽이 붓는 경우가 많다(Fig 2-29). 양측 이하선에 발생하는 경우가 가장 많지만 설하 및 악하선도 이환될 수 있다. 진단은 IgG와 IgM 항체 및 아밀라아제(amylase)를 혈청학적으로 측정하여 진단할 수 있다. 항바이러스 제와 같은 특별한 치료는 필요 없으며 증상을 완화하기 위한 대증요법으로 충분하다. 모든 소아는 2–15개월과 4–6세에 총 2회의 MMR (Measles, Mumps, Rubella) 접종을 받게 되며 예방접종이 보편화되면서 발생 빈도는 급격히 감소하였다(Neville BW; 2009, Regezi JA; 2012).

5) Human papilloma virus (HPV)

DNA virus의 일종인 HPV의 최소 25개 균주가 구강병변과 관련이 있는 것으로 알려져 있다. 가장 빈번한 병변은 보통사마귀(verruca vulgaris)와 구강 유두종(papilloma)이다. 면역기능이 저하된 환자들에서 유두종 관련 병변 발생 위험성이 증가한다. 고위험 발암성 HPV subtype(HPV 16, HPV 18, 31, 33, 35)은 주로 구강편평세포암에서 많이 발견된다. 구강 내에서 발생하는 HPV 병변은 보통 크기가 작으며 입술, 연구개, 경구개, 목젖에서 많이 발견된다. 주로 성접촉 경력이 있는 중년 남성과 여성에서 호발한다. 보통사마귀는 피부에서 흔히 발견되며 HPV 2 및 57에 의해 발생한다. 사마귀는 모양이 편평유두종(squamous papilloma)과 유사하며 입술, 치은, 구개에 발생하기도 한다. 외과용 칼, 레이저 또는 전기소작기로 쉽게 제거할 수 있다(Neville BW; 2009, Regezi JA; 2012)(Fig 2-30).

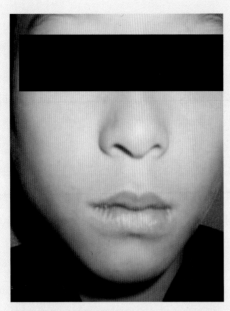

Fig. 2-29. 9세 남자 환자에서 발생한 우측 유행성 이하선염.

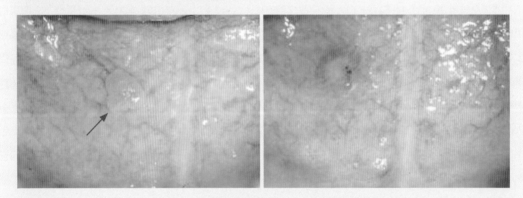

Fig. 2-30. 35세 남자 환자의 경구개 후방 부위에 발생한 유두종. 레이저로 제거한 후 완치되었다.

6) Human immunodeficiency virus (HIV)

RNA virus의 일종인 HIV에 감염되면 신체의 CD4 양성 T-림프구가 파괴되면서 면역력이 떨어지고 이로 인해 각종 감염성 질환과 종양이 발생하게 된다. 성적인 접촉, 혈액이나 혈액 제제를 통한 전파로 인해 주로 발생한다. HIV에 감염되면 초기에는 감기와 유사한 급성 증상을 보이다가 증상이 없는 장기간의 잠복기에 들어간다. 점차 면역기능이 감소되면서 다양한 합병증(감염, 악성종양, 신경계 질환 등)들이 발생하게 되는데 이 단계를 후천성면역결핍증후군(Acquired immunodeficiency syndrome: AIDS)으로 진단하게 된다. 면역기능이 저하되면 건강한 인체 내에서는 활동이 억제되어 병을 유발하지 못하던 세균, 곰팡이, 바이러스, 기생충 등이 병원체로 활성화되거나 새로운 균이 외부로부터 침입하여 증식함으로써 발병하게 된다. AIDS 환자들에서 빈번하게 동반되는 구강점막질환들은 Candidosis, Kaposi's sarcoma, leukoplakia, hairy tongue, herpes simplex infection, recurrent aphthous stomatitis 등이 있다. Kaposi's sarcoma는 HIV 감염과 관련되어 가장 흔하게 발생하는 구강내 악성종양으로서 적자색 반점, 궤양, 결절 또는 종괴로 나타난다. 주로 각화치은에서 발생하며, 90%가 구개측에서 발생한다(Bajpai S & Pazare AR; 2010, Kura MM, et al; 2008). 항레트로바이러스 치료법(Highly active antiretroviral treatment: HAART)이 도입된 이후 HIV 환자의 예후가 급격히 개선되었기 때문에 관련 전문의에게 집중적인 관리를 잘 받는 것이 중요하다. HIV 바이러스는 실제 공기 중이나 수중에서는 신속히 활동성을 상실하는 것으로 알려져 있다. 림프구나 혈청 및 체액 속에서는 감염력이 있으나 공기가 건조하여 혈액이나 체액이 말라버린 상태에서는 활성이 급속도로 떨어져서 공기 중 감염은 없다. 하지만 치과 진료실은 진료의 특수성으로 인하여 감염의 위험이 매우 크므로 감염방지는 필수적이며 감염방지를 위해서는 치과의료 종사자들의 인식과 실천이 중요하다. HIV에 감염된 환자들이 감염자임을 알리거나 혹은 알리지 않고 치과에 방문하였을 때 HIV환자로부터 바이러스의 전파를 막기 위해서는 철저하게 준비를 해야 한다. 모든 환자로부터 나오는 모든 타액, 혈액, 적출물 등은 감염 가능성이 있는 것으로 간주하고 철저하게 관리되어야 한다. 또 완벽한 개인 보호 장비를 갖추어 감염의 위험성을 낮추고 또 다른 환자로의 전파를 막기 위해 기초적이고 규격화된 지침을 따르는 것이 중요하다.

7) Rabies virus

Rabies virus(광견병, 공수병 바이러스)는 Rhabdoviridae과의 Lyssavirus속에 속하는 RNA 바이러스이다(Fooks AR, et al; 2014). 광견병에 걸린 동물(특히 너구리, 개 등)에게 물렸을 때 생기며 뇌척수염과 신경증상을 일으켜 사망하게 된다. 광견병에 걸리지 않은 동물에게 물렸더라도 즉시 광견병 예방조치를 취하고 해당 동물은 10-14일 정도 경과를 지켜봐야 한다. 증상은 불안감, 두통, 발열, 권태감과 물린 부위의 신경절 감염으로 인한 감각 이상이 발생한다(Hemachudha T, et al; 2013). 근육마비, 과다 침분비가 있으며 중추신경계 증상이 나타나고 2-6일 내에 섬망, 경련, 혼미, 혼수에 이르면서 호흡근이 마비되고 사망한다. 동물에게 물린 즉시 비누 등으로 철저히 세척하고 상처는 개방 상태로 놔둔다. 광견병 백신과 면역글로블린(Rabies Immunoglobulin, RIG)을 모두 투여해야 한다(Manning SE, et al; 2008).

8) Coronavirus

Coronavirus는 RNA virus의 일종으로서 인간과 조류에서 호흡기와 소화기 감염을 유발하고 일부 치명적인 결과를 초래하기도 한다. 사람에서 Coronavirus는 일반적으로 감기 증상을 유발하는 원인체로 알려져 왔으나, 최근에는 중증급성호흡기증후군(Severe Acute Respiratory Syndrome: SARS)과 중동호흡기증후군(Middle East Respiratory Syndrome: MERS), 그리고 최근 전 세계적으로 유행하고 있는 코로나바이러스감염증-19(신종 코로나바이러스)와 같이 사람에서 발생한 신종 감염병의 주요 원인체로 코로나바이러스가 주목받고 있다. 또한 RNA는 변종이 쉽게 생기기 때문에 수많은 코로나바이러스 변종이 계속 나올 것으로 예상된다(네이버지식백과; 2022).

(1) SARS

SARS-CoV는 2002년 겨울 중국에서 첫 감염이 시작된 이래 총 8,098건의 SARS 환자가 보고되었으며 이 중 774명이 사망했다. 총 치사율은 9%이나 60세 이상 노인에서 사망률(50%)이 매우 높았다. SARS 환자의 초기 증상은 발열(100%), 기침(61.8%), 근육통(48.7%), 호흡곤란(40.8%), 설사(31.6%) 등이 있었으며 예후는 환자의 연령 및 기저질환과 관련이 있었다. 입원 기간 동안 SARS 환자의 90.8%에서 호흡곤란이 발생하였다. 감염된 이후부터 심한 호흡곤란이 발생하기까지 기간은 평균 9.8±3.0일이었다. 일부 환자에서 간수치인 AST, ALT 및 C- 반응성 단백질(CRP)의 상승과 함께 백혈구감소증, 림프구 감소증 및 혈소판감소증이 발생하였다(질병관리청 국가건강정보포털; 2021, Rabaan AA, et al; 2020).

(2) MERS

MERS-CoV는 하기도에 많이 존재하는 dipeptidyl peptidase 4 (DPP4) 수용체에 결합하는 것으로 알려져 있다(Zumla A, et al; 2015). 국내에서도 2015년 5월 중동에서 입국한 68세 남성에서 최초로 MRES가 발병하였으며 의료진을 포함하여 186명의 감염 확진자가 발생한 바 있다. 전형적인 증상은 발열, 기침 및 호흡곤란과 폐렴이다. 정상인과 면역기능이 저하된 환자들에 상관없이 발생할 수 있다. 간혹 패혈성 쇼크로 이어지는 다발성 장기부전 및 2차 감염이 발생한다. 사망률은 노인, 면역기능 억제 환자, 당뇨병, 암, 만성 폐쇄성 폐 및 심장질환과 같이 만성질환이 있는 환자에서 매우 높다. 치료의 중점은 대부분 증상 관리에 있으며 2차 감염 위험을 줄이고 환자의 신장 및 호흡 기능을 유지하는 것에 목표를 두고 있다. 치사율은 34.4%에 이른다고 보고되었다(WHO; 2020).

(3) COVID-19

2019년 12월부터 중국 우한시 화난 해산물 시장에서 발생한 전염성 폐렴은 SARS-CoV-2에 의한 새로운 인체 감염증으로 확인되었다. MERS-CoV 및 SARS-CoV와의 비교했을 때 COVID-19는 전염성이 매우 높다. 바이러스는 약 2시간 동안 공기 중에 살아남을 수 있으며 잠복기는 약 4-8일이다. 모든 연령대가 COVID-19 감염에 취약하며, 만성 질환이 있는 노인은 특히 더 위험하다(Chen N, et al; 2020). 무증상 감염자도 바이러스 전파력이 있으며 비말이 가장 주요한 전파 경로이다(Li Q, et al; 2020). 가장 흔한 임상증상은 SARS 감염과 유사하게 발열, 피로, 마른 기침, 근육통, 비루, 인두통 및 설사 등이었다. 일부 환자들에서는 호흡곤란과 저산소증을 보였고 이는 1주 이내에 급성호흡기증후군(ARDS), 폐렴 및 다발성 장기부전으로 이어질 수 있다. 치사율은 4.3% 정도로 보고되었다(Wang D, et al; 2020).

9) Ebola virus

에볼라 출혈열로 알려진 에볼라 바이러스 질환은 심각하고 치명적인 질병이다. RNA 바이러스의 일종인 에볼라에 감염되거나 사망한 사람의 혈액 또는 체액, 바늘과 같은 오염된 물체 및 감염된 동물 등과 접촉을 통해 전염된다. 잠복기는 2–21일이고 증상은 발열, 오한, 불쾌감, 근육통과 같은 독감과 유사한 증상이 특징이다. 발열은 초기에서 경미할 수 있으나 급성으로 나타날 수 있으며 오한과 함께 매우 악화될 수 있다. 얼굴, 목, 몸통 및 팔 주위에 구진성 발진이 나타나고 이후 피부가 벗겨진다. 심한 피로감, 구토, 설사 및 거식증이 나타나기도 한다. 현재까지 백신도 없고 적절한 치료법도 없기 때문에 감염이나 바이러스의 추가 확산을 막는 것이 중요하다. 수분 및 전해질 공급, 영양공급, 산소 투여 및 혈압 유지 등과 같은 대증적 치료를 하지만 치사율이 80%에 육박하고 있다(Kadanali A & Karagoz G; 2015).

10) Hepatitis virus

HBV 및 HCV는 만성 간염의 주요 원인이다. HBV는 Hepadnaviridae과와 Orthohepadnavirus 속에 속하며 부분적으로 이중 가닥의 외피를 가진 DNA 바이러스이다. 40–42 nm크기이며 간에서 복제되어 간 이상을 일으키며 전 세계적으로 수많은 보균자들이 있다(Alter HJ; 1995, Di Marco V, et al; 1999). 간경변, 간부전 및 간세포 암종을 유발할 수 있으며 여전히 많은 환자들이 HBV로 인해 사망하고 있다(Lavanchy D; 2006, Lok AS; 2002).

HCV는 Flaviviridae family에 속하는 단일 가닥의 RNA 바이러스이다(Gish RG & Lau JYN; 1997). 전 세계적으로 수많은 사람들이 HCV에 감염되었고, HBV와 마찬가지로 간에서 복제되어 간경변, 간 손상 및 간세포 암종을 포함한 많은 심각한 합병증을 유발한다. HBV와 HCV는 주로 혈액 또는 혈액 제제를 통해 전염되므로 일부 환자들에서는 이중 감염 및 심지어 삼중 감염이 발생할 수 있다. 눈이나 피부 황달, 발열, 피로, 식욕 부진, 관절통, 복통, 설사, 메스꺼움, 구토, 검은색 소변 및 독감과 유사한 증상들이 나타난다. 그러나 일부 환자들에서는 증상이 거의 또는 전혀 나타나지 않을 수도 있다.

3회의 접종이 필요한 HBV 백신은 98–100%의 효능을 보이며 백신의 효과는 최소 20년 이상 발휘하는 것으로 알려져 있다. 3차 접종까지 완료한 경우 추가 접종이 필요하지 않다. 급성 HBV 감염에는 특별한 치료법이 없으며 대증적 치료만을 수행한다. 만성 HBV 감염에는 tenofovir alafenamide가 주된 치료제이며 이외에 entecavir, tenofovir disoproxil fumarate, peginterferon 등이 있다(Terrault NA, et al; 2018).

급성 HCV 감염 시 증상이 심하지 않으면 입원치료는 불필요하고 Acetaminophen과 알코올 섭취를 피해야 한다. 급성 HCV 감염은 환자의 20–50%에서 자연적으로 사라질 수 있으며 자연적으로 소실된 환자는 항바이러스 요법으로 치료할 필요가 없다(Blackard JT, et al; 2008, Dieperink E, et al; 2010, Kamal SM; 2008, Proeschold-Bell RJ, et al; 2012). 만성 HCV 감염 시에는 경구용 Protease inhibitor를 12–32주 투여하는 동시에 Peginterferon α–2a + Ribavirin을 48주 투여하는 것이 일반적이며 치료에 대한 반응과 간섬유증의 단계에 따라 치료 기간이 결정된다(Ghany MG, et al; 2011, Jacobson IM, et al; 2011, Poordad F, et al; 2011).

5. 감염의 진단

감염은 임상증상을 기반으로 조기에 진단이 가능하며 혈액검사, 방사선검사 등과 같은 보조적 검사를 통해 감염의 확산 정도, 심각도 및 치료 예후 등을 판단하게 된다.

1) 임상증상

종창, 통증, 화농, 누공(gumboil, fistula), 국소열 혹은 전신 고열, 림프절염, 전신 무력감 등이 발생한다. 만성화되면서 피부로 농이 배출되는 구강-피부 누공(orocutaneous fistula)이 형성되기도 한다(Kahm SH & Kim SJ; 2016)(Fig 2-31, 32). 감염은 조기 진단이 매우 중요한데 우선 환자의 활력징후를 잘 살펴보고, 전신 증상, 열감, 피곤한 느낌, 부종, 파동성 종창(fluctuant swelling), 이환된 부위의 경결감(induration), 혀의 거상 여부, 연하 장애, 개구제한, 통증, 탈수 증상 여부, 감염의 원인 등을 면밀히 관찰하여 감염의 심각성 정도를 파악해야 한다. 환자의 병력과 전신건강상태도 세밀하게 평가한 후 자체적으로 치료할 것인지 상급의료기관으로 이송해야 할지를 결정해야 한다(Flynn T; 2011, Flynn TR, et al; 2006). 림프절염은 면역반응으로 림프절이 비대해지는 것을 의미한다. 급성과 만성으로 구분되며 세균, 바이러스, 진균, 과로, 스트레스, 종양 등에 반응하여 발생한다.

림프절염, 임파선염(lymphadenitis)

림프계는 충분한 산소와 영양분을 공급하고, 노폐물을 제거하기 위해 혈관계와 함께 거미줄처럼 얽혀 있는 구조물로서 면역계의 중요한 부분에 해당된다. 감염이나 염증, 과로, 스트레스, 악성종양이 존재할 경우 림프절이 비대해지는데 특히 구강악안면감염이 발생하면 목 주변의 림프절이 비대해지는 경우가 많다. 한편 림프절 자체에 염증성 변화가 생길 수도 있는데 이것을 림프절염(임파선염)이라 칭한다. 바이러스나 세균과 같은 미생물 감염 혹은 자가면역반응에 의해 림프절염이 발생한다. 치과에서 빈번히 접하는 경부 림프절염의 증상은 목의 통증, 목에서 딱딱한 덩어리가 만져지고 촉진 시 압통과 유동성이 인지된다. 발열, 식은 땀, 피로감, 체중감소 등 전신증상이 동반되기도 한다. 그러나 딱딱한 덩어리만 만져지면서 특별한 증상이 없는 경우도 많다. 악하(submandibular), 이하(submental) 및 이복하 그룹(subdiagastric groups)이 빈번히 영향을 받는다(Fig 2-33). 악성종양, 결핵성 림프절염, 조직구괴사성 림프절염(Kikuchi's disease), 감기 증상과 관련하여 발생하는 반응성 림프절염(reactive lymphadenitis)과 잘 감별해야 한다. 발생 기간에 따라 급성과 만성으로 구분하기도 한다. 급성 림프절염은 대부분 감염과 연관성이 있는 경우가 많기 때문에 원인(치성 감염, 바이러스 감염, 상기도 감염 등)을 제거하고 항생제, 항바이러스제 등 약물을 투여하면 신속히 소멸된다(Leung AKC & Davies HD; 2009). 림프절염이 잘 치료되지 않으면 종창과 통증이 더욱 증가하면서 림프절의 유동성이 떨어지고 경계가 불분명해진다. 림프절을 둘러싼 인접조직으로 감염이 확산되면서 봉와직염으로 진행될 수도 있다. 만성적으로 진행될 경우 림프절의 영구적인 증식이 발생하여 섬유화된 단단한 종괴 형태로 잔존할 수도 있으며 외과적 절제술이 필요한 경우도 있다(김형준 등; 2021, Wood NK & Goaz PW; 1997)(Fig 2-34). 결핵성 림프절염은 폐 외부에서 발현되는 결핵의 대표적인 증상이다. 다른 세균성 림프절염과 결핵성 림프절염을 감별하는 것이 매우 중요하다. 장기간 지속되는 비결핵 세균성 림프절염은 수술적 치료가 필요한 경우가 많은 반면에 결핵

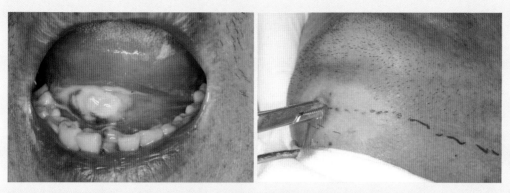

Fig. 2-31. 54세 남자 환자에서 설하간극과 이하간극 농양이 발생한 증례. 혀가 거상된 상태이며 턱 하방의 화농성 종창이 매우 심해서 절개배농술을 시행하였다.

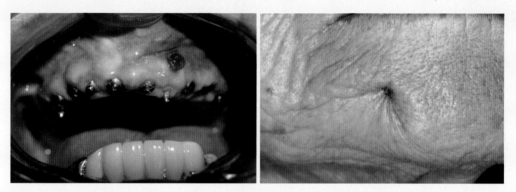

Fig. 2-32. 협측 치은에 발생한 구강누공(gumboil, oral fistula)과 우측 턱 피부에 발생한 구강-피부 누공 (orocutaneous fistula).

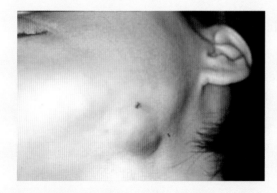

Fig. 2-33. 좌측 악하부에 발생한 림프절염.

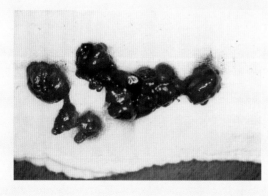

Fig. 2-34. 50세 남자 환자의 악하부에 발생한 결핵성 림프절염. 만성화된 덩어리가 목 하방에 계속 존재하여 외과적으로 제거하였다.

성 림프절염은 항생제 치료에 매우 잘 반응한다. 1차 항생제로 Isoniazid, Rifampin, Ethambutol, Pyrazinadie, Streptomycin을 사용하고 2차 항생제로는 Capreomycin, Kanamycin 등을 사용한다(Appling D & Miller RH; 1981, Mohapatra PR & Janmeja AK; 2009).

2) 혈액검사

Complete blood cell count(CBC)에서 백혈구 수치 증가, ESR, CRP 상승 등이 감염의 진단 및 심각도를 예측하는 데 유용하게 사용되고 있다. CRP (C-reactive protein)는 간에서 생성되며 여러 조직에서 발생하는 감염 과정과 조직 손상을 동반한 급성 염증 반응의 민감한 지표로 활용된다. CRP 수치가 높을수록 감염의 심각도가 크다. CRP 증가는 조직 손상을 야기하는 수술 직후에도 발생하는 경향을 보인다. 두경부 감염과 CRP 상승은 높은 상관관계를 보이며 감염을 진단하고 경과를 관찰할 때 ESR이나 백혈구 수치에 비해 더 민감한 지표로 활용된다(Box 2-3).

> **Box 2-3 \ CRP의 임상 활용도(이주현 등: 2003)**
>
> 1. 감염 환자의 항생제 치료에 대한 반응 관찰
> 2. 양막이 조기에 파열된 산모에 있어서 자궁 내 감염의 조기 진단
> 3. Systemic lupus 또는 ulcerative colitis를 가진 환자들에서 급성감염 판단
> 4. 류마티스관절염 환자에서 사용된 약에 대한 반응과 병의 활성도 측정
> 5. 수술 후 환자의 합병증 조기 발견
> 6. 골수이식환자에서 감염과 이식에 대한 숙주반응의 감별

3) 농배양 및 항생제감수성검사(Antibiotic sensitivity test)(Fig 2-35)

치주염의 원인균들 중 Red complex (Porphyromonas gingivalis, Tannerella forsythia, Treponema denticola)는 병원성이 매우 강하다고 알려져 있다. 그 외에도 그람 음성 및 양성, 호기성 및 혐기성 세균들이 감염 발생에 복합적으로 관여한다. 농배양검사를 통해 가장 많이 증식한 세균들을 찾아내고 가장 감수성이 높은 항생제를 파악할 수 있다(Socransky SS, et al; 1991, 2002). 농배양검사는 멸균 시린지로 흡입하여 채취하는 것이 원칙이나 그렇지 못할 경우에는 멸균 면봉 2개를 이용하여 채취한다. 약 24-48시간 이상 배양하고 항생제감수성검사는 MIC (Minimum Inhibitory Concentration)법, 디스크법 등으로 각 항생제에 대한 감수성을 확인한다.

4) 방사선 및 초음파 검사

CT, MRI, 핵의학, 초음파 검사가 감염 진단에 유용한 정보를 제공해 주지만 필수적으로 사용되는 것은 아니다. 감염의 확산이 매우 빠른 경우, 감염이 상방으로 눈 주위, 하방으로 목까지 확산되는 경우, 항생제와 절개배농술 치료에도 불구하고 잘 조절되지 않는 경우, 호흡곤란과 같은 심각한 합병증이 발생하는 경우에 촬영한다. 핵의학검사는 타액선질환, 골수염이나 골에 발생하는 종양 등을 감별하는 데 유용하게 사용될 수 있다(Fig 2-36, 37).

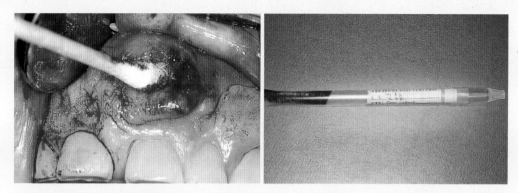

Fig. 2-35. 치근단농양에 대해 절개배농술을 시행하는 모습. 농을 채취한 후 배양검사와 항생제감수성검사를 의뢰하면 적정 항생제 선택에 큰 도움이 될 것이다. 종합병원에서만 가능한 것이 아니며 개원가에서도 치과의사들이 마음만 먹는다면 충분히 쉽게 수행할 수 있다.

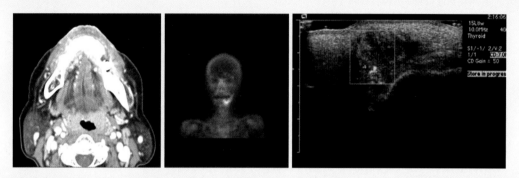

Fig. 2-36. CT, Bone scan, Ultrasono와 같은 촬영법이 감염에 대한 보조적 진단법으로 사용된다. 감염의 확산 정도, 골수염이나 다른 종양성 병소들과의 감별진단에 유용하게 활용될 수 있다.

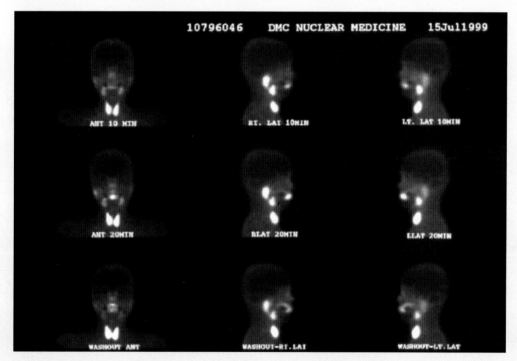

Fig. 2-37. 타액선 스캔검사는 감염, 종양과 같은 다양한 타액선질환 진단에 유용할 수 있다.

5) 중증도 평가

감염의 심각도와 진행정도를 잘 평가하여 치과의원에서 직접 해결이 가능한지 아니면 신속히 상급의료기관으로 전원해야 하는지 결정해야 한다. 다음과 같은 소견들이 관찰되면 중증도가 매우 높은 것으로 판단할 수 있다(허현아; 2022).

(1) 임상증상

연하곤란(dysphagia), 삼킴통증(odynophagia), 개구장애(trismus), 귀통증, 침 흘림, 쉰 목소리(hoarseness), 발성장애(dysphonia), 호흡곤란(dyspnea)

(2) 혈액검사

① **백혈구증가증**(leukocytosis)

특히 호중구증가증이 나타난다.

② **적혈구침강속도**(Erythrocyte sedimentation rate) **증가**

남자는 10 mm/hr, 여자는 20 mm/hr이 정상 상한선이며 염증의 정도를 간접적으로 측정하는 방법이다.

③ **C-reactive protein** (CRP) **증가**

급성기 반응성 단백질로서, 심한 감염에 대한 반응으로 혈청농도가 빠르게 증가한다. 치성감염의 심각도를 평가하는 매우 유용한 지표이며, 감염이 치유되면서 가장 먼저 정상화되는 특징이 있어 수술 후 염증반응의 추적에도 추천되는 검사이다. 정상수치는 0.5 mg/dL 이하이다.

6) 감별진단

술후 발생한 혈종, 양성 혹은 악성 종양, 턱관절장애, 기타 개구장애를 동반하는 질환들과 조기에 감별진단이 이루어져야 한다(Fig 2-38~41). 감염을 턱관절장애 혹은 종양으로 오진하는 경우도 많다. 치과 수술 후 익돌하악간극 감염(pterygomandibular space infection)이 발생할 때 개구제한 및 턱관절 주변 통증이 발생하기 때문에 술자는 턱관절장애로 오인하여 불필요한 턱관절 치료를 하면서 시간을 낭비할 수 있다. 이런 감염이 만성화되면서 개구제한 등의 증상은 더욱 심해지고 인두주위간극(parapharyngeal space), 인두후간극(retropharyngeal space)으로 확산될 경우 치명적인 합병증을 초래할 수도 있다(김영균; 2011, 박노승 등; 1996, 서재훈 등; 1995, Ogi N, et al; 2002)(Fig 2-10~12).

스위트 증후군(Sweet's syndrome)은 급성 발열성 호중구성 피부병(acute febrile neutrophilic dermatosis)으로, 1964년에 Sweet에 의해서 처음 기술되었다. 아직까지 확실히 밝혀진 원인은 없으며, 발열과 안면, 경부 및 사지에 통증이 발생하고 호중구증가증(neutrophilia) 및 통증이 심한 홍반성 피부병소들이 발생하며 스테로이드로 치료한다. 종종 안면부에 발생할 경우 치성 감염으로 오진될 수 있다(Cohen PR & Kurzrock R; 2000). Steiner 등(2000)은 18세 남자 환자에서 하악 좌측 제3대구치 발치 후 범안면 봉와직염, 급성 골수성 백혈병(Acute myelogenous leukemia), Sweet's syndrome이 발생한 증례를 보고하였다.

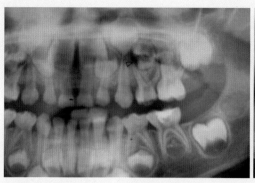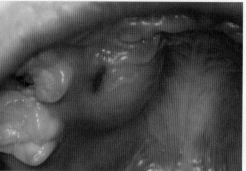

Fig. 2-38. **4세 남자 환자의 구개부에 발생한 악성림프종.** 구개농양과 유사한 소견을 보였지만 임상 및 방사선검사에서 치성감염을 의심할 만한 소견들이 관찰되지 않았고 조직검사 결과 악성림프종으로 확진되었다.

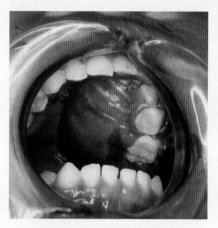

Fig. 2-39. **5세 남자 환자에서 발생한** Burkitt's lymphoma.

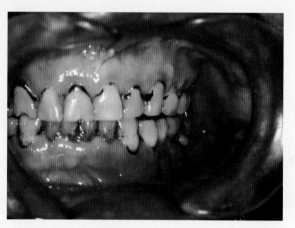

Fig. 2-40. **백혈병을 보유한 환자의 구강사진.** 좌측 하악 구치부 주변의 치은종창 및 출혈이 치주염과 매우 유사한 소견을 보인다.

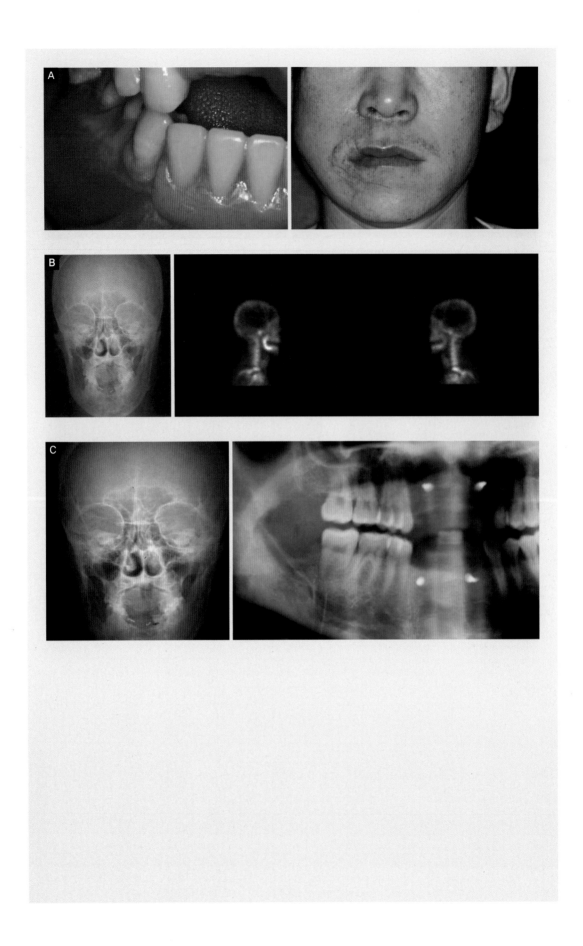

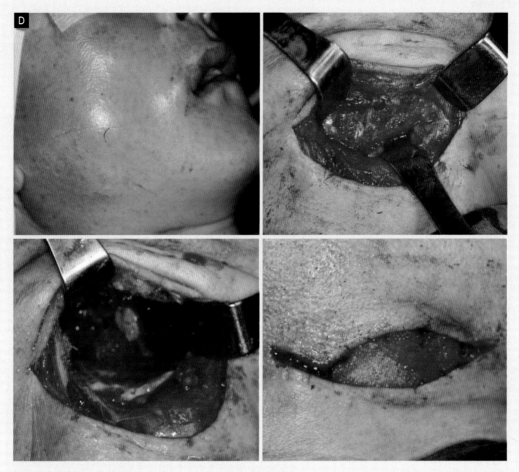

Fig. 2-41. 악성종양을 골수염으로 오진하고 치료가 진행되었던 증례.

40세 남자 환자가 치과의원에서 하악 우측 매복지치를 발치한 후 통증, 개구제한, 농배출 등 감염 증상이 지속되어 의뢰되었다. **A:** 우측 하악 구치부 전정부와 협점막, 뺨 종창이 존재하였고 촉진 시 심한 압통을 호소하였다. #48 발치창은 치유가 잘 안된 상태이며 고름이 배출되고 있었다. **B:** 초진 시 촬영한 Skull PA와 bone scan. 우측 하악 구치부의 방사선투과상과 핵의학검사에서 섭취율이 현저히 증가된 소견이 관찰되어 만성 화농성골수염으로 진단하였다. **C:** 배상형성술을 시행한 후 촬영한 방사선사진. 골결손이 심해서 병적골절을 예방할 목적으로 2주 동안 악간고정을 시행하였다. **D:** 배상형성술 시행 후 2개월간 창상 세척 및 소독, 항생제 치료를 시행하였으나 증상이 개선되지 않았다. 악하부 접근법을 통해 골수염 수술(피질제거술, 악골절제술)을 시행하던 중 병변의 상태가 감염성 병소와 다른 양상을 보였기 때문에 조직검사를 시행하였다. 술후 결손부에 Vaseline gauze를 충전하고 창상을 개방한 상태로 유지하였다. 추후 조직검사에서 편평상피세포암으로 확진되었다.

7) 치료

(1) 감염의 치료 원칙

① 처음엔 경험적 항생제를 투여하고 농배양 및 항생제감수성검사를 토대로 적정 항생제를 선택하여 투여한다.

② 진균감염이나 바이러스감염의 경우엔 항진균제, 항바이러스제를 국소 혹은 전신적으로 투여한다.

③ 가급적 초기에 절개배농술을 시행하고 배농관을 통한 지속적인 배농이 유지되도록 한다. 이후 적극적인 창상세척 및 소독을 시행하며 시행 횟수와 주기는 감염의 진행정도를 파악하여 결정한다.

④ 가능한 빠르게 감염의 원인을 찾아서 제거한다(Fig 2-42).

⑤ 치유과정을 지속적으로 관찰하면서, 개구량 회복 및 원활한 치유를 위한 개구 운동이나 물리치료를 시행한다.

⑥ 감염의 심각도를 파악할 수 있는 능력을 갖추는 것이 중요하다. 즉 눈 주변과 쇄골 근처의 목 부위까지 감염이 확산되는 경우는 매우 위험하기 때문에 신속히 상급의료기관으로 전원해야 한다(Fig 2-43).

⑦ 저하된 면역기능과 전신 건강상태를 회복시키기 위해 수액 및 영양 보충 요법을 시행한다.

(2) 외과적 치료

절개배농술, 골수염 수술(배상형성술, 부골제거술 등), 상악동염 수술 등이 있다. 그러나 모두 감염된 불순물들을 제거하고 감염 부위의 압력을 감소시켜서 확산을 억제하고 통증을 완화시키는 목적은 동일하다.

① 절개배농술(Incision & drainage)

감염이 의심된다면 가급적 망설이지 말고 신속하게 절개배농술을 시행하는 것이 좋다. 농이 나오지 않더라도 감압 효과가 있기 때문에 통증을 완화시키고 감염의 확산을 방지하는 효과가 있다(Peterson LJ; 1993, Walia IS, et al; 2014)(Fig 2-44). 또한 감염 부위의 압력을 감소시키면 혈류 공급이 좋아지면서 치유에 도움이 된다. 하지만 Kruger (1986)는 절개배농술의 시기를 농양이 진단되는 시기라고 하였고, 급성 봉와직염 시기에 절개배농술을 시행하면 오히려 감염을 확산시킬 수 있다고 언급하였지만 최근에는 이와 같은 이론은 거의 받아들여지지 않는다. 반면에 Peterson (1993)은 기도 확보와 유지, 고농도의 살균성항생제의 정맥 투여와 함께 감염 초기에 과감한 절개배농술을 시행해야만 감염의 확산을 막아 조기에 치유될 수 있다고 하였다. 필자도 가능하면 절개배농술을 빨리 시행해야 한다고 생각한다. 술후 감염인지 술후 혈종이나 부종성 종창인지 감별이 어려울 경우엔 망설이지 말고 절개하여 의심되는 부위를 탐침해 보는 것이 좋다. 다행히 농이 없고 혈종으로 확인되면 항생제를 투여하고 온찜질을 하면서 경과를 관찰하면 된다. 그러나 감염으로 확인되면 농배출 유무에 상관없이 배농관을 삽입하고 빠지지 않도록 봉합하여 고정해야 한다. 절개배농술을 위한 국소마취는 전달마취와 침윤마취를 모두 시행해야 한다. 그러나 감염 부위로는 국소마취제가 확산되지 않기 때문에 마취가 잘 안되고 수술 중에 극심한 통증이 발생하는 것은 불가피하다. 감염의 범위가 넓고 환자가 전신질환을 보유하고 있거나 고령 환자인 경우에는 전신마취하에서 절개배농술을 시행하는 것이 더 안전하고 감염 부위를 정확하게 찾아서 배농관을 삽입할 수 있다. 무리하게 국소마취하에서 시술할 경우 극심한 통증으로 인한 실신 및 쇼크, 심혈관장애와 같은 치명적 상황

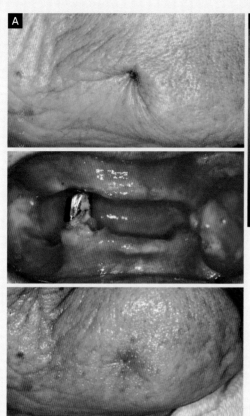

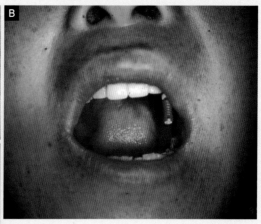

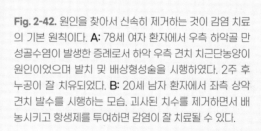

Fig. 2-42. 원인을 찾아서 신속히 제거하는 것이 감염 치료의 기본 원칙이다. **A:** 78세 여자 환자에서 우측 하악골 만성골수염이 발생한 증례로서 하악 우측 견치 치근단농양이 원인이었으며 발치 및 배상형성술을 시행하였다. 2주 후 누공이 잘 치유되었다. **B:** 20세 남자 환자에서 좌측 상악 견치 발수를 시행하는 모습. 괴사된 치수를 제거하면서 배농시키고 항생제를 투여하면 감염이 잘 치료될 수 있다.

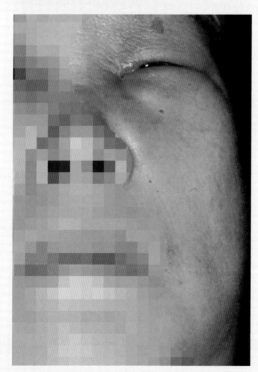

Fig. 2-43. 좌측 상악 견치부 감염이 확산되면서 좌측 눈 주위 종창이 심한 것을 볼 수 있다. 이와 같은 경우엔 상급의료기관으로 신속히 전원하는 것이 좋다.

이 발생할 수도 있다(Fig 2-45). 절개배농술 전에 굵은 바늘을 삽입하여 흡인을 시도해 보는 것도 좋다. 만약 농이 잘 흡인된다면 혐기성세균배양검사가 가능하고 농이 형성되어 있는 중심부에 접근하는 것이 수월해진다(Fig 2-46).

그러나 흡인이 잘 안될 경우엔 무리하게 반복하지 말고 절개 후 무딘 박리(blunt dissection)를 시행하면서 감염 중심부로 접근하는 것이 좋다. 이때 농이 배출된다면 수집하여 농배양 및 항생제감수성검사를 의뢰한다. 대개 1주 후에 결과가 나오고 배양된 세균들에 대해 효과적인 항생제 목록들이 나오면 적절한 것을 선택해서 투여한다. 가급적 농이 배출되는 중심부 근처에 배농관을 삽입하고 봉합하여 고정한다. 배농관은 절대로 거즈 계통을 사용해선 안 되며 고무 혹은 실라스틱 재질의 드레인을 사용해야 한다. 과거에 사용되었던 Nu-gauze와 같은 재질은 적셔지는 순간부터 배농관의 기능을 상실하고 오히려 세균이 침투해 들어가면서 증식되는 결과를 초래할 수 있다(Fig 2-47). 이후 배농관을 통해 감염 부위 세척 및 소독을 시행한다. 생리식염수를 사용해서 물리적으로 감염 부위를 열심히 씻어내는 것이 가장 효과적이다. 일부 학자들은 항생제가 포함된 세정액이나 베타딘 용액, 과산화수소와 같은 것으로 세척하거나 감염 부위에 Tobramycin-impregnated beads와 같은 것을 삽입하여 치료하면 효과가 좋다고 언급하기도 하였지만 실제 임상에서는 큰 효과가 없다고 생각된다(Dierks EJ & Potter BE; 1992). 오히려 환자에게 심한 고통을 초래하고 감염을 더 확산시키는 문제를 유발하기도 한다.

절개배농술의 목적은 첫 번째로, 괴사된 치수조직, 치은연하 치석, 이물질 등 감염의 원인을 제거하는 것이다. 두 번째는 농과 괴사된 조직을 지속적으로 배출시키는 것이다. 드레싱 주기는 증상의 심각도에 따라 결정된다. 감염이 심하고 농 배출이 많으면 매일(하루 1-2회) 드레싱을 시행하고 증상이 완화되기 시작하면 2-3일 주기로 시행해도 된다. 농이 더 이상 나오지 않는 시점에 배농관을 제거하고 3-5일 항생제를 추가 처방한 후 치료를 종료한다(Fig 2-48, 49).

국소농양, 봉와직염, 골수염, 상악동염, 타액선염, 진균감염, 바이러스 감염 등 모든 감염성 질환들의 치료 개념과 원칙은 거의 동일하다. 즉 조기진단과 조기치료가 매우 중요하며 원인을 찾아서 제거하고 신속히 배농시키면서 항생제, 항진균제, 항바이러스제와 같은 약물을 투여하는 것이다.

② 골수염 수술

골수염 치료 시 사용되는 배상형성술, 피질제거술 모두 절개배농술의 일종이라고 보면 된다. 즉 배농과 감압을 통해 감염의 확산을 막고 통증완화 및 치유를 유도하는 것이다. 그러나 부골이 존재하는 경우 부골제거술을 시행하고 계속 인접 부위로 확산되면서 잘 치유되지 않는 경우엔 악골절제술을 시행하기도 한다. 급성 골수염의 경우엔 절개배농술과 항생제로 잘 치료할 수도 있다(Fig 2-50).

A. 배상형성술(saucerization)

뼈에 웅덩이를 파듯이 구멍을 형성하면서 염증성병변과 부골을 제거한다. 출혈을 잘 조절한 후 항생제나 바세린이 함유된 멸균거즈를 충전하고 상방 연조직을 봉합하지 않고 노출시킨다. 최근에는 Chlorhexidine acetate 0.5%가 함유된 파라핀 베이스 거즈인 Bactigra가 많이 사용된다(Box 2-4). 1-2일 간격으로 병소를 세척 및 소독하고 거즈의 크기를 조금씩 줄여가면서 교체함으로써 이차치유를 유도한다. 즉 발치창 치유와 유사한 개념으로 생각하면 된다. 이와 같은 치료법은 병소가 주요 해부학적 구조물(하악관, 상악동, 비강 등)에 근접해 있고 병소의 범위를 육안으로 잘 확인할 수 없는

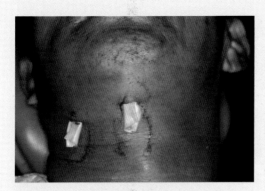

Fig. 2-44. 50대 남자 환자에서 발생한 경부 봉와직염. 감압 목적으로 절개배농술을 시행한 모습.

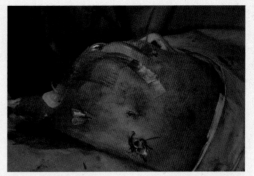

Fig. 2-45. 전신마취하에서 절개배농술을 시행하고 Silastic 배농관을 삽입한 모습.

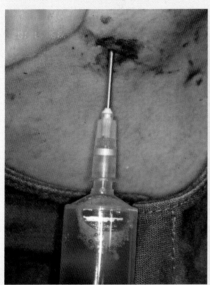
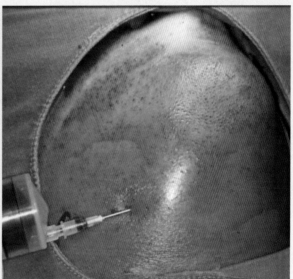

Fig. 2-46. 굵은 바늘(18-21 게이지)을 삽입하여 농을 흡인하는 모습.

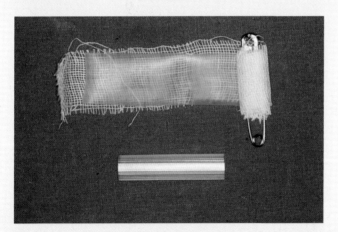

Fig. 2-47. Penrose drain과 Silastic drain. 거즈 재질은 사용하지 않는 것이 좋다. 치과에서는 rubber dam을 소독하여 드레인으로 사용하거나 멸균처리된 수술용 장갑을 잘라서 사용해도 좋다. 감염 치료 시 가장 많이 사용되는 것은 Silastic drain으로서 방사선불투과성 재질이 포함되어 있기 때문에 방사선 촬영 후 드레인의 위치를 파악할 수 있는 장점도 있다.

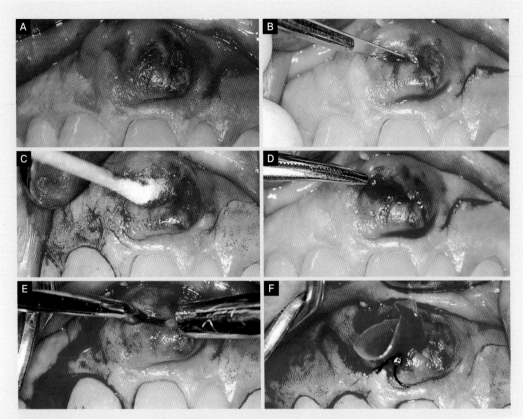

Fig. 2-48. 치근단농양에 대한 절개배농술 술식.

A: 술전 구강사진. #21 치수염 원인으로 인해 순측에 파동성 종창이 발생하였다. **B:** #15 blade로 점막을 절개한다. 한 번에 골표면까지 절개해선 안 된다. **C:** 농이 배출되면 수집하여 농배양 및 항생제감수성검사를 의뢰한다. **D:** 둔탁한 Mosquito를 이용하여 감염 중심부로 접근한다. 절대로 날카로운 기구(surgical blade, scissor)를 사용해선 안 된다. **E:** 배농 부위를 생리식염수로 세척한다. **F:** Rubber drain을 삽입하고 봉합사로 고정한 모습.

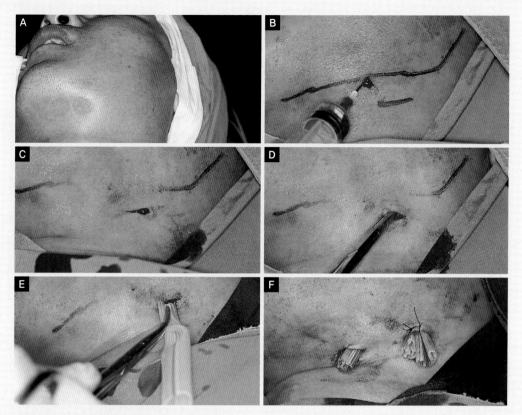

Fig. 2-49. 좌측 악하농양 환자의 구외절개배농술 모습.

심한 감염은 국소마취가 잘 안되기 때문에 전신마취 혹은 의식하진정법 하에서 수행하는 것이 좋다. **A:** 좌측 악하부와 협부의 심한 파동성 종창 소견을 보이고 있다. **B:** 농양 부위로부터 농을 흡인하는 모습. 18 gauge 정도의 굵은 바늘을 사용하면 쉽게 흡인할 수 있다. **C:** 악하부 피부절개를 시행한 모습. 피하조직까지만 절개한다. **D:** 둔탁한 지혈겸자를 이용하며 농이 형성되어 있는 중심부로 접근한다. 이때 극심한 통증을 호소하기 때문에 신속히 수행해야 하며 중심부를 찾기 어렵다면 중지하는 것이 좋다. **E:** Silastic drain을 삽입하는 모습. **F:** 전방에서 추가로 절개배농술을 시행하고 Silastic drain을 삽입한 모습. Drain이 빠지지 않도록 봉합하여 고정해야 한다. 이후 배농관을 통해 생리식염수로 충분히 세척한다.

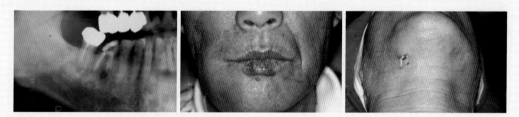

Fig. 2-50. 50세 남자 환자의 우측 하악골에 발생한 급성 골수염. #46 치근단 농양이 원인이었으며 악하부를 통해 절개배농술을 시행하고 원인치 #46을 발치하였다. 2일 간격으로 배농관을 통해 세척술을 시행하면서 2주 항생제를 투여한 후 치유되었다.

경우에 적용하는 수술법으로서 재발로 인해 여러 번 수술이 반복될 수 있음을 환자에게 잘 설명하고 수술을 진행해야 한다(Fig 2-51, 52).

Box 2-4 ╲ **Bactigra® (Smith & Nephew, Hertfordshire, UK)**

상처를 보호하고 진정시키며, 삼출물을 자유롭게 투과시킨다. 상처에 잘 달라붙지 않으며 서로 뭉치지 않아서 형태를 잘 유지시켜 주는 장점이 있다. 그물망 모양으로 되어 있으며 상처가 세균에 오염되는 위험을 감소시켜 주고 광범위한 그람양성균과 그람음성균에 대한 살균효과를 갖는 것으로 알려져 있다.

B. 피질제거술(decortication)

골수염이 만성화될 경우 국소혈액순환이 차단되면서 항생제가 병소 부위까지 잘 도달되지 못한다. 이때 악골의 피질골을 제거하거나 다수의 구멍을 형성하여 혈액순환을 촉진시킬 목적으로 시행하는 방법이다. 대부분 하악에서 발생한 만성골수염 치료 시 많이 사용된다(Fig 2-53).

C. 부골절제술(sequestrectomy)

부골은 혈액순환과 항생제 도달을 방해하고 창상치유를 지연시키기 때문에 신속히 제거해야 한다. 육안으로 확실히 구별되면서 움직임이 있는 부골은 쉽게 제거할 수 있지만 그렇지 못한 경우엔 배상형성술을 시행하면서 제거해야 한다(Fig 2-54).

D. 골절제술(bone resection) 및 재건술

배상형성술, 피질제거술, 부골절제술 등의 치료에도 불구하고 계속 재발되면서 범위가 확산되는 경우엔 악골 부분절제술을 시행하고 즉시 혹은 이차 재건술을 시행할 수 있다(Fig 2-55).

③ 상악동염 수술

상악동염의 치료는 상악동으로 직접 접근하여 내부의 감염 병소들을 배출시키고 배농관을 상악동 내에 삽입하고 주변 조직에 봉합하여 고정한다. 배농관을 통해 적극적으로 창상 세척을 시행하는 것이 가장 중요한 치료법이다(Fig 2-56). 좀더 자세한 치료법은 Tough Cases Vol. 5 상악동관련 문제점에서 다룰 예정이다.

④ 타액선 감염

다른 감염의 치료법과 다른 것은 없으며 절개배농술을 시행하면서 항생제를 투여하는 것이 가장 기본적인 치료법이다. 항생제에 관해서는 Cephalosporin과 Fluoroquinolone은 타액선에 충분히 도달할 수 있지만 Phenoxymethylpenicillin과 Tetracyclines은 타액선에 충분히 도달하지 못한다고 보고되었다. Macrolide는 타액선에 축적되긴 하지만, 빠르게 항생제 내성이 생기며 타액선감염에 관여하는 전체 세균들을 충분히 박멸하지 못한다고 보고되었다(Geerdes-Fenge HF, et al; 1997, Rams TE, et al; 2011, Troeltzsch M, et al; 2013). 타액선도관이 막힌 경우엔 probe를 삽입하여 뚫어주거나 타석을 제거하는 수술이 필요할 수 있다. 타석이 도관의 심부 혹은 타액선 몸체에 존재하고 있는 경우엔 타액선 적출술과 같은 침습적 수술이 필요할 수도 있다(Fig 2-57~59).

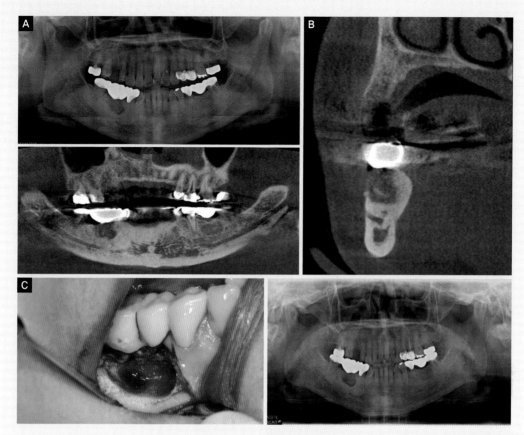

Fig. 2-51. 46세 여자 환자에서 하악 우측 구치부에 만성 골수염이 발생한 증례.

A: 초진 시 방사선사진. 하악 우측 구치부에 방사선 투과성 병소가 존재하며 내부에는 방사선 불투과상의 부골도 관찰되었다. **B:** 상부 보철물을 남겨둔 상태에서 피판을 거상하여 병변을 노출시킨 후 배상형성술을 시행한 모습. **C:** 술후 파노라마 방사선사진. Cephalexin 1 g bid를 5일 처방하고 2일 간격으로 창상을 소독 및 세척하였다. 수술 1개월 후 완치되었다.

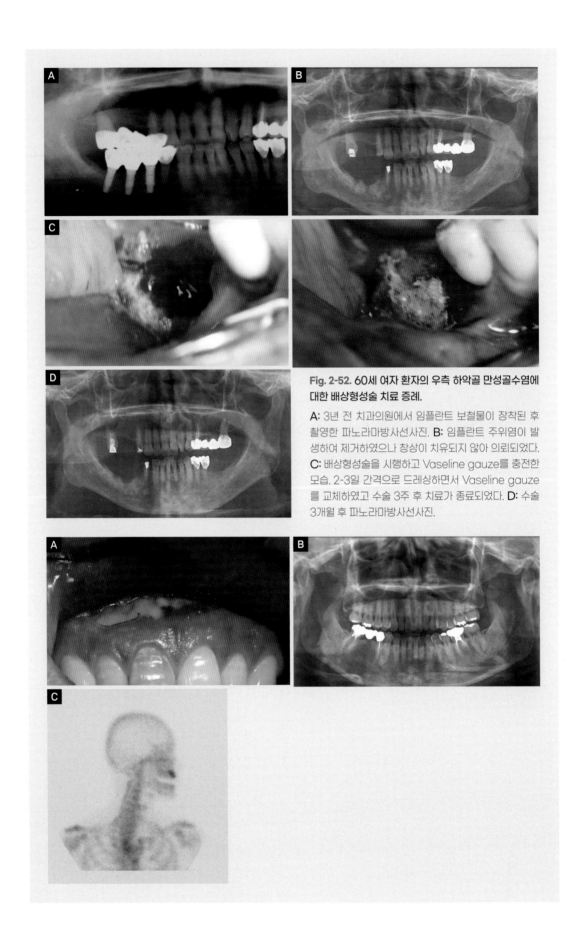

Fig. 2-52. 60세 여자 환자의 우측 하악골 만성골수염에 대한 배상형성술 치료 증례.

A: 3년 전 치과의원에서 임플란트 보철물이 장착된 후 촬영한 파노라마방사선사진. B: 임플란트 주위염이 발생하여 제거하였으나 창상이 치유되지 않아 의뢰되었다. C: 배상형성술을 시행하고 Vaseline gauze를 충전한 모습. 2-3일 간격으로 드레싱하면서 Vaseline gauze를 교체하였고 수술 3주 후 치료가 종료되었다. D: 수술 3개월 후 파노라마방사선사진.

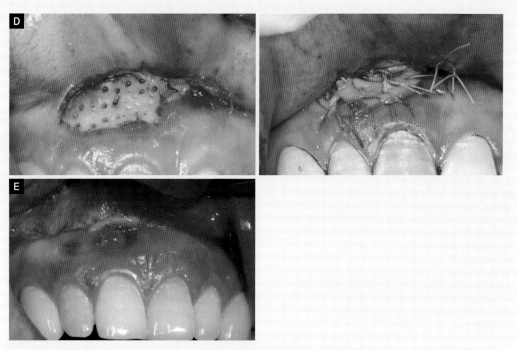

Fig. 2-53. 34세 여자 환자에서 상악 전치부에 발생한 만성 골수염 증례.
옷을 때 잇몸이 많이 드러나는 것을 개선하기 위해 성형외과에서 수술을 받은 후 골수염이 발생하였다.
A: 초진 시 구강사진. 상악 전치부 전정부 치은조직이 다량 소실되었으며 골조직이 노출된 상태였다. 이 상태가 수술 후 4
개월 동안 지속되었다. B: 초진 시 파노라마방사선사진. 특별한 병적 소견은 관찰되지 않았다. C: 핵의학 검사에서 상악골
의 섭취율이 현저히 증가된 소견을 보이고 있다. 성형수술 후 창상치유가 불량하여 구강내 치은조직이 소실되면서 만성 골
수염으로 진행된 것으로 진단하였다. D: 노출된 상악골에 피질제거술을 시행한 모습. 혈액순환을 촉진하기 위해 다수의 구
멍들을 형성한 후 구개치은을 채취하여 이식하였다. E: 수술 4개월 후 구강사진.

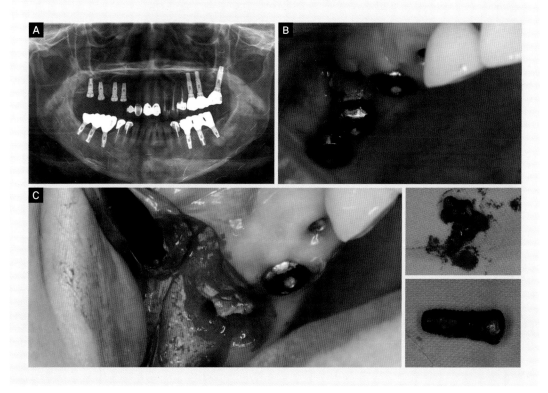

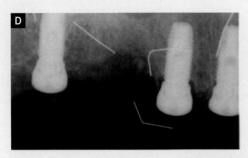

Fig. 2-54. 50세 여자 환자의 상악 우측 구치부 임플란트 주변에 발생한 만성골수염.

A: 초진 시 파노라마방사선사진. 치과의원에서 임플란트 치료가 완료된 후 임플란트주위염이 발생하였으며 1년 동안 치료하였음에도 불구하고 전혀 호전되지 않아 상부 보철물을 제거한 상태로 의뢰되었다. **B:** 초진 시 구강사진. #16 임플란트 주변에 부골화된 병소가 노출된 상태이다. 환자는 골다공증도 없고 전신 건강은 매우 양호한 상태였기 때문에 약물 관련 악골괴사증(MRONJ)은 아닌 것으로 진단하였다. **C:** #16 임플란트와 주변의 부골을 제거하였다. **D:** 수술 2주 후 치근단 방사선사진.

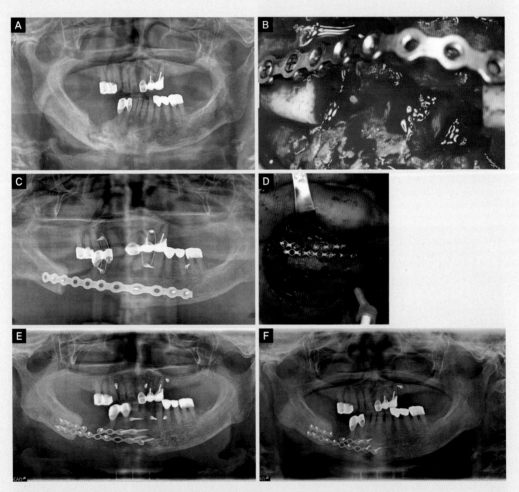

Fig. 2-55. 81세 여자 환자의 우측 하악골에 발생한 만성 골수염.

A: 초진 시 파노라마방사선사진. 배상형성술과 부골절제술을 2회 시행하였음에도 불구하고 골수염이 계속 확산되면서 병적 골절이 발생하였기 때문에 악골절제술을 계획하였다. **B:** 악골절제 후 재건용금속판으로 고정한 모습. 골수염이 완치된 후 이차 재건술을 계획하였다. **C:** 악골절제술 후 파노라마방사선사진 **D:** 1차 수술 4개월 후 장골에서 채취한 피질해면골 이식을 시행하였다. **E:** 장골이식 직후 파노라마방사선사진 **F:** 이차재건술 6개월 후 파노라마방사선사진.

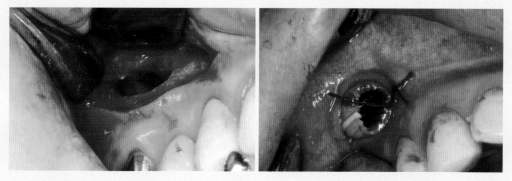

Fig. 2-56. 측방 접근법을 통해 상악동에 접근한 후 배농관을 삽입하고 봉합사로 고정한다. 배농관을 통해 세척술을 시행하면서 항생제 치료를 병행하면 잘 치유될 수 있다. 개별 증례들에 따라서 발치 혹은 임플란트를 제거한 후 상악동에 접근하여 배농시키는 치료법이 유용할 수도 있다

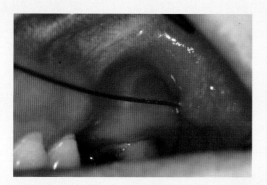

Fig. 2-57. 도관이 막히면서 발생한 만성 화농성 이하선염. Stensen's duct에 probe를 삽입하여 막힌 도관을 뚫어주는 모습.

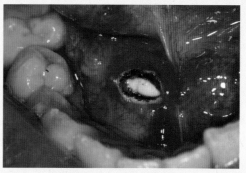

Fig. 2-58. 타석으로 인해 발생한 우측 악하선의 만성타액선염. Wharton's duct 입구 근처에 존재하는 타석을 레이저로 제거하는 모습.

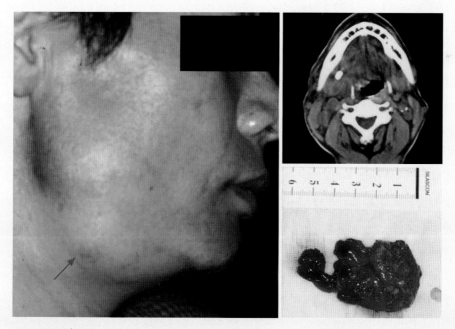

Fig. 2-59. 우측 악하선에 발생한 만성 화농성 타액선염. 타석이 악하선 심부에 존재하고 있었으며 타석과 함께 악하선을 절제하였다.

(3) 보조적 치료

면역기능을 향상시키고 고열로 인한 탈수 증상을 해소하기 위해 충분한 안정과 휴식, 수분 섭취 및 영양공급이 필요하다. 또한 극심한 통증이 동반되기 때문에 강력한 진통제 치료도 병행되어야 한다. 심각한 감염으로 인해 입원 처치가 필요한 경우엔 정맥 라인을 확보한 후 수액, 전해질 및 영양제 공급을 적극 고려해야 한다. 특히 50% 이상의 영양 실조를 보이고 체중의 10% 이상이 감소되면 사망률이 높아지기 때문에 영양 공급이 매우 중요하다(Bistrian BR, et al; 1976, DeWys WD, et al; 1980). 영양실조는 혈중 알부민 농도와 체중감소를 반영하는 NRI (Nutritional risk index)를 통해 확인할 수 있다. NRI이 83.5~97.5면 경증의 영양실조, 83.5 이하면 중증의 영양실조라 볼 수 있다(Veterans Affairs Total Parenteral Nutrition Cooperative Study Group; 1991). 경증 영양실조일 때는 하루에 체중 1 kg 당 1 g의 단백질을 섭취해야 하며 중증 영양실조일 때는 하루에 체중 1 kg 당 1.5~2 g의 단백질을 섭취해야 한다(Mainous MR & Deitch EA; 1994). 치과 외래에서 감염치료를 할 경우 환자들이 다음과 같은 질문을 많이 한다. "주의해야 할 음식이 있나요? 닭고기나 돼지고기를 먹으면 안되나요?" 음식은 전혀 상관이 없다. 먹을 수 있는 영양가 있는 음식은 모두 섭취 가능하다. 특히 고단백 음식을 적극 섭취함으로써 전신건강상태를 잘 유지해야 감염도 잘 치유될 수 있다.

(4) 항생제 치료

항생제는 세균 자체를 죽이는 살균제(bactericidal agent)와 세균의 증식을 억제하는 정균제(bacteriostatic agent)로 나뉜다. 살균성항생제는 최소살균농도(minimum bactericidal concentration, MBC)가 최소억제농도(minimum inhibitory concentration, MIC)보다 2~4배 정도 크며, 정균성항생제는 MBC가 MIC의 16~32배 이상을 보인다(Pillai SK, et al; 2015). 일반적으로 세포벽 합성을 억제하는 항생제는 살균적으로 작용하고 중간 대사나 단백질합성을 억제하는 것은 정균적으로 작용하는 경우가 많다(Oh MD & Choe KW; 2016). 면역기능이 저하된 환자들의 감염 치료 시 살균성항생제를 사용하는 것이 더 유리하다. 그러나 면역기능이 정상인 환자의 경우에는 살균제가 정균제보다 반드시 우월한 치료효과를 나타내는 것은 아니다. 정균제를 사용하여 세균 증식이 억제되면 인체 방어기전이 제대로 작동하면서 병원체가 제거되고 결국 감염성 질환이 치유되기 때문이다(Lee R, et al; 2019). 따라서 임상가들은 감염이 발생한 부위, 종류, 확산 정도, 항생제 알레르기와 내성 등 여러 가지 요소들을 살펴서 적절한 항생제를 선택해야 한다(아래 기술된 내용들 중 많은 부분이 손영희 원장의 오스템 Master Course의 약물강의를 참고하였음을 알립니다).

① 항생제 치료 원칙

다음과 같은 항생제 치료 원칙을 반드시 숙지하고 실천에 옮기도록 노력해야 한다.

A. 경험적 항생제 투여: 감염이 의심되면 우선 경험적 항생제를 처방한다. 치과에서 많이 사용하는 항생제들은 대부분 구강악안면 감염을 유발한 세균들에 효과적인 경우가 많다. 치성감염에 효과적이라고 알려진 Cephalosporin, Amoxicillin/Calvuronic acid 계열의 항생제를 우선적으로 선택하면 큰 무리가 없다. 혐기성 세균 감염이 의심될 경우엔 내성률이 1% 미만인 Metronidazole, Imipenem, Ampicillin/Sulbactam, Piperacillin/Tazobactam 선택을 고려해 볼 수 있다.

B. 가급적 농배양 및 항생제감수성검사를 시행한 후 최적의 항생제를 선택하도록 노력한다.

C. 가능하면 항균 범위가 좁은 항생제를 1차로 선택한다.

D. 독성과 부작용이 적은 항생제를 선택한다.

E. 가급적 살균성항생제를 1차로 선택한다.

F. 적절한 용량의 항생제를 적절한 간격으로 투여한다. 환자가 생각날 때마다 비정기적으로 복용하는 것은 가장 나쁘며 이런 경우엔 차라리 복용하지 않는 것이 낫다.

G. 특징이 유사하다면 저렴한 항생제를 1차로 선택한다.

2가지 항생제를 함께 사용할 때 발생하는 작용

협동작용(synergism)을 일으키는 약물들

"1+1=2"와 같은 효과를 발휘하는 것을 상가작용(additive drug interaction)이라 하며 정균성항생제를 병용할 경우 많이 발생한다. "1+1=3, 4, 5——"와 같이 한 가지 약물이 가지고 있는 약효 이상의 효과를 발휘하는 것을 상승작용(potentiative drug interaction)이라 하며 살균성항생제를 병용할 경우에 많이 발생한다. 예를 들면 Penicillin+Aminoglycoside, Carbenicillin+Aminoglycoside, Ampicillin+Aminoglycoside, Nafcillin+Aminoglycoside, Penicillin+Clavulanic acid, Penicillin+Rifampin, Penicillin+Clindamycin, Rifampin+Co-trimoxazole 등이 해당된다.

길항작용(antagonism)을 일으키는 약물들

서로의 작용을 감퇴시키거나 약물의 효과가 없어지는 경우가 많다. 또한 상호간 약물의 흡수를 저해함으로써 부작용이나 독성작용이 발생하기도 한다. 살균성항생제와 정균성항생제를 병용할 경우에 많이 발생한다. 예를 들면 Aminoglycoside+Tetracycline or Chloramphenicol, Erythromycin+Chloramphenicol, Penicillin+Tetracycline, Penicillin+Chloramphenicol 등이 해당된다.

치주염 치료에 많이 사용되는 항생제(Godon JM & Walker CB: 1993, Newman MG, et al: 2019)

치주염 치료를 위해 일상적으로 항생제를 사용하는 것은 적절하지 않다. 특정 치주질환 즉 일상적 치료에 잘 반응을 보이지 않거나 급성 치주염과 같은 경우에 항생제를 선택적으로 사용하며 기계적인 바이오필름 제거(스케일링, 치근활택술 등) 치료가 더 중요하다.

단독요법

1. Amoxicillin 500 mg tid for 8 days

2. Azithromycin 500 mg qd for 4-7 days

3. Ciprofloxacin 500 mg bid for 8 days

4. Clindamycin 300 mg tid for 10 days - 그람음성균과 관련이 있는 난치성 치주염

5. Doxycycline or Minocycline 100-200 mg qd for 21 days

6. Metronidazole 500 mg tid for 8 days - black-pigmented bacteroides에 효과적

CHAPTER 2

복합요법

1. Metronidazole 250 mg + Amoxicillin 250 mg tid for 8 days – 파괴적인 치주염 치료에 효과적
2. Metronidazole 500 mg + Ciprofloxacin 500 mg bid for 8 days

② 살균성항생제

A. Beta-lactams(Box 2-5)

β-Lactam 계열의 항생제는 분자 구조에 β-lactam 고리가 있으며 Penicillins, Cephalosporins, Monobactams, Carbapenems 등이 포함된다. 세균의 세포벽 합성을 억제함으로써 효과를 발휘하는데 그람양성균의 세포벽은 그람음성균보다 50-100배 더 두껍고 고도의 교차결합을 이루고 있다. 따라서 β-Lactam 항생제는 그람음성균보다 그람양성균에 더 효과가 좋다(Silhavy TJ, et al; 2010, Sykes JE; 2013).

Box 2-5	β-Lactam 계열의 항생제
Penicillin계	Ampicillin, Bacampicillin, Carbenicillin, Amoxicillin, Nafcillin, Piperacillin, Ticarcillin, Mezlocillin
Penicillins and beta-lactamase inhibitors	Amoxicillin/Clavulanic acid, Ampicillin/Sulbactam, Cloxacillin, Dicloxacillin, Methicillin, Oxacillin, Piperacillin/Tazobactam, Ticarcillin/Clavulanic acid
Cephalosporin	Cefazolin, Cefotetan, Cefotaxime, Cefepime
Carbapenem	Imipenem, Mercopenem, Doripenem, Ertapenem, Faropenem
Monobactam	Aztreonam

a. Penicillin계 항생제

Penicillin은 최초로 개발된 베타락탐계 항생제이다. 신장에서 대사되며, 구강악안면 영역 감염에서 많이 검출되는 연쇄상구균과 혐기성 세균에 살균성을 가진다. 그러나 오랫동안 사용되면서 내성균주가 많이 생겼기 때문에 반합성 Penicillin계 항생제인 Amoxicillin이 1차 선택 항생제로 많이 권고되고 있다(김혜성 & 오정규; 2017). 대체 항생제들인 Clindamycin과 Erythromycin 등은 정균성 항생제이며 Penicillin 계열의 항생제들보다 비용도 비싸고 효과가 떨어지며 다양한 부작용과 독성을 갖고 있다. 알레르기 양성반응을 보일 경우 Cephalosporin을 대체 항생제로 고려할 수도 있지만, Cephalosporin 역시 베타락탐 계열로서 과민성 알레르기 반응을 나타낼 수 있다. 구강악안면영역에서 Penicillin 계열의 항생제에 대한 내성도는 40-50% 정도로 보고되었고 연쇄상구균과 혐기성 세균들이 β-lactam을 분해할 수 있는 β-lactamase를 보유하고 있는 경우가 많아서 Penicillin에 대한 내성이 증가하고 있다(국민석 등; 2005, Heimdahl A, et al; 1985). 따라서 요즘에는 Penicillanase와 β-lactamase inhibitor인 Clavulanic acid나 Sulbactam, Tazobactam을 첨가하여 사용하는 것이 일반적이다. 통상적으로 Amoxicillin/Clavulanic acid, Amoxicillin/Sulbactam, Ampicillin/Sulbactam, Piperacillin/Tazobactam 등의

약물들이 많이 사용되는 추세이다(Peedikayil, F. C; 2016). 특히 Amoxicillin/Clavulanic acid는 치성감염, 상악동염, 난치성치주염의 치료에 효과적이고 진행성 치주질환으로 인한 치조골소실을 최소화하는 효과가 있다는 보고가 있다(Newman MG, et al; 2019).

<u>부작용 및 주의사항</u>

두드러기(담마진, urticaria), 소양증(itching, pruritus), 천식, 쇼크 등과 같은 알레르기 반응을 보이는 경우가 있기 때문에 사전 병력을 철저히 파악하고 부작용이 의심될 경우엔 Penicillin 알레르기테스트(penicillin skin test)를 시행한 후 처방하는 것이 좋다. Penicillin 부작용이 있다고 알고 있는 상당수의 환자들이 사실은 과대평가되어 있는 경우가 많다(Esposito S, et al; 2016).

b. Cephalosporin

Cephalosporin은 Penicillin 계열 항생제와 구조 및 기능이 유사하다. β-lactamase에 저항성이 있기 때문에 Penicillin에 내성이 있는 치성감염에 대한 경험적 항생제로 많이 사용되며 1세대, 2세대, 3세대 및 4세대로 분류된다. 치주염에는 효과가 약해서 잘 사용되지 않는다(Griffiths GK, et al; 1987, Newman MG, et al; 2019). 세대가 증가할수록 모든 균주에 대한 항균력이 좋아지는 것은 아니다. 가령 2세대는 1세대보다, 3세대는 1, 2세대보다 그람양성균에 대한 항균력이 떨어진다. 반면 세대가 증가할수록 그람음성균에 대한 항균력은 증가하기 때문에 각 세대별 항균력을 잘 파악한 후 처방해야 한다. 그러나 임상가들이 이 모든 내용들을 암기할 수는 없기 때문에 반드시 사용하는 약물의 설명서를 숙지한 후 처방해야 할 것이다.

Cephalosporin이 전혀 효과를 보이지 않는 2가지 세균들은 다음과 같으며 임상에서 잘 참고할 필요가 있다(Yamamoto H; 2011)(**Box 2-6, 7**).

Box 2-6 \ **Cephalosporin이 전혀 효과를 보이지 않는 2가지 세균들**

1. 장구균(*Enterococcus*)

장내 상주균이며 구강내에서도 발견되는 호기성 그람양성 구균이다. 병원성은 낮지만 항생제들에 대한 내성이 매우 강한 것으로 알려져 있다. 최근 vancomycin에도 전혀 효과가 없는 장구균(vancomycin resistant enterococci: VRE)이 등장하면서 큰 문제로 제기되고 있다.

2. *Listeria*

혐기성 그람음성균으로서 운동성을 가진 세포 내 기생균이다. 위장염이나 수막염의 주원인균이다.

Box 2-7 \ **세대별 Cephalosporin의 분류(대한감염학회; 2016, 이석종; 2018)**

1세대: Cephalothin, Cephazolin, Cephalexin, Cephradine, Cephapirin, Cefadroxil, Cefdinir

주로 그람양성균과 혐기성균들에 효과가 있는 좁은 범주의 항생제로서 술전 예방적 항생제나 인두염, 피부, 연조직 및 요로감염 치료에 많이 사용된다. 그러나 *enterococci, Listeria, methicillin-resistant staphylococci, penicillin-resistant pneumococci*에는 효과가 없으며 호흡기 감염증의 치료에는 사용되지 않는다. 또한 혈뇌장벽(BBB: blood brain barrier)을 거의 통과하지 못하므로 중추신경계, 두개내감염 치료에는 사용되지 않는다.

(계속)

2세대: Cefuroxime, Cefaclor, Cefotiam, Cefoxitin, Cefotetan, Cefmetazole, Cefbuperazone, Cefamandol, Cefonicid, Cefprozil

*E. coli, K. pneumonia, S. pneumonia, H. influenza, M. catarrhalis*에 대한 항균력이 강하기 때문에 호흡기 감염에 대한 경험적 항생제, 중이염, 부비동염, 인후염, 후두개염, 편도염, 연조직 감염, 요로감염의 치료에 많이 사용된다.

3세대: Cefotaxime, Ceftriaxone, Cefixime, Flomoxef, Ceftazidime, Cefoperazone, Cefpiramide, Cefpodoxime

*Pseudomonas, Citrobacter freundii, Morganells morganii, Serratia marcescens, Enterbacter spp.*에 대한 항균력이 없지만 대부분의 그람음성균과 그람양성균에 효과적이다. *Prevotella, Fusobacterium, Peptococc us, Peptostreptococcus, Actinomyces, Propionibacterium, C. perfringes*와 같은 혐기성균에 효과가 좋으며 *S. pneumonia, N. meningitides, H. influenza*로 인한 수막염에 매우 효과적이다.

4세대: Cefepime, Cefpirome

그람양성균과 그람음성균에 광범위한 효과를 보인다. 특히 혐기성 그람양성균에 대해 높은 항균력을 보인다. *Neisseria, H. influenzae*와 그람음성균인 *Enterobacter, Proteus, Citrobacter, Serratia*에 대해서는 3세대 세팔로스포린에 비해 더 큰 항균력을 가지는 것으로 알려져 있다. 한편 *MRSA, Enterococus, Listeria, C. difficile, B. fragilis*에 대해서는 항균력이 없다.

부작용 및 주의사항

베타락탐계 항생제와 거의 유사한 부작용을 보인다. 페니실린에 알레르기 반응을 보이는 환자들의 10%가 Cephalosporin에도 알레르기 반응을 보인다. 발진, 두드러기, 고열, 위장관계 부작용 등이 빈번히 발생한다. 위막성대장염이 Clindamycin과 동일한 빈도로 발생하는 경향을 보인다는 보고도 있다. 구강악안면감염 치료 시 Cephazolin 투여 후 약물 관련 고열이 발생한 사례가 보고되었으며 약물 중단 1–2일 내에 고열이 해소되는 경향을 보인다고 보고되었다 (Homrighausen JK; 1999, Yamamoto H; 2011).

B. Aminoglycosides

Aminoglycoside는 *Streptomyces griseus*에서 추출되어 결핵 치료에 이용된 이래 그람음성균 감염을 치료할 수 있는 매우 유용하고 효과적인 항생제로 널리 사용되어 왔다. 현재는 Streptomycin, Neomycin, Tobramycin, Kanamycin, Paromomycin, Spectinomycin, Gentamicin, Netilmicin, Amikacin의 9종류의 Aminoglycoside가 미국 Food and Drug Administration의 허가를 받아 임상에 사용되고 있다. Aminoglycoside는 호기성 세균에 대해 뛰어난 항균력을 보인다. 요로계 감염 시 단독 투여하며 대부분은 베타락탐과 함께 투여하여 상승효과를 얻는다. 녹농균에 대해서는 Tobramycin, Amikacin, Gentamycin이 많이 쓰이고 결핵균에는 Streptomycin, Kanamycin, Amikacin이 주로 쓰인다. 윤현중(2015)의 연구에서 치성 감염에 대해 Cephaloaporin 이나 Penicillin과 Aminoglycoside의 병용요법(66.0%)이 선호되었으나 Aminoglycoside 단일요법도 3례(2.4%) 있었다. 그러나 Aminoglycoside만의 단일요법은 명확한 투약근거를 찾을 수 없어

부적절한 항생제요법이라고 언급하였다. 간혹 그람양성과 그람음성균 감염을 모두 조절하기 위해 Beta-lactam계 항생제와 Aminoglycoside를 동시에 사용하기도 하지만 적절한 방법은 아니다. 함께 사용할 경우 화학적 불활성화가 유발되어 항생제 효과가 현저히 감소될 수 있다. 꼭 병용투여가 필요하다면 2가지 약물을 시간 간격을 두고 투여하는 것이 추천된다.

부작용 및 주의사항

이독성(평형감각 및 청력소실)과 신독성(세뇨관 괴사 및 급성 신부전증), 신경근차단으로 인한 호흡부전, 빈혈 등의 심각한 부작용이 있기 때문에 주의해서 사용해야 한다. 이독성은 Amikacin, Tobramycin 투여 시, 특히 나이가 많은 환자들에서 발생 빈도가 높다(Gatell JM, et al; 1987).

C. Vancomycin

Vancomycin은 폴리펩티드(polypeptide)계 항생제로 그람양성균의 세포벽 합성 단계 중 최종 전구물질의 말단인 D-alanine-D-alanine과 결합하여 더 이상의 세포벽 합성을 방해함으로써 항균작용을 발휘한다(Lee WG; 2008). 그람양성균에는 효과가 좋지만 그람음성균에 대해서는 외막을 통과할 수 없어 효과가 없다(성민정; 2016). MRSA 감염 치료에 주로 사용되며 혈뇌장벽을 잘 통과하기 때문에 뇌농양 치료에도 많이 사용된다.

부작용 및 주의사항

이독성, 신독성, 피부 과민반응, 혈액학적 부작용, Red neck(man) syndrome (혈압이 갑자기 떨어지면서 얼굴, 목, 가슴, 팔다리 등에 홍조, 홍반, 소양증 등이 발생) 등이 있다.

D. Metronidazole

Metronidazole은 그람음성 혐기성세균들(*Bacteroides, Fusobacterium, Porphyromonas gingivalis, Prevotella intermedia, A. actinomycetemcomitans* 등)에 대해 강력한 효과를 보이며 투약 방법이 다양하다. 또한 효능이 빠르고, 독성이 적으며 조직 침투력이 우수하고 가격이 저렴하기 때문에 Clindamycin과 함께 혐기성 세균감염 치료의 표준약물로 많이 선택된다(Freeman CD, et al; 1997). Metronidazole은 세균 내부로 침투하여 질소화합물을 환원시켜 핵산 합성을 억제함으로써 세균을 파괴시킨다(Peedikayil FC; 2016, Miiller M; 1983). 특히 만성치주염, 급성궤사성궤양성치은염(acute necrotizing ulcerative gingivitis)의 치료에 효과적이며 단독으로 사용되거나 다른 항생제와 복합투여할 수도 있다(Table 2-2).

부작용 및 주의사항

알코올과 함께 투여할 경우 심한 경련(cramps), 구역, 구토를 유발하기 때문에 Metronidazole 투여 중과 투여 1일 후까지 반드시 금주해야 한다. 또한 warfarin 대사를 억제함으로써 prothrombin time을 지연시키면서 출혈 위험성을 증가시키기 때문에 항응고제 치료를 받고 있는 환자들에서는 사용을 피해야 한다(Box 2-8).

Table 2-2 Metronidazole과 Clindamycin 비교

	Metronidazole	Clindamycin
살균력	살균	정균
조직분포	중추신경계 침투 좋음	중추신경계 침투 나쁨 골조직 침투 좋음
항균 범위	거의 모든 혐기성균	호기성 그람양성구균, 혐기성균
부작용	두통, 구역, 구토, 금속성 맛	구역, 구토, 복통
임산부 안전성*	B (임신 초기에 금기)	A

Box 2-8 \ 미국 FDA에서 발표한 임산부 약물 안전성 등급

A: 임산부를 대상으로 시행한 대조 임상시험에서 태아에게 위험성이 없다고 판정된 약물

B: 동물실험에서 태아에 대한 독성은 없으나, 사람을 대상으로 한 연구는 없는 약물, 혹은 동물
실험에서 태아 위험성이 있지만 임산부 대상의 대조 임상시험에서 위험성이 없었던 약물

C: 동물실험 결과, 태아의 위험성이 나타났으나 사람을 대상으로 한 연구는 없는 약물 또는 유용
한 동물실험이나 임상시험이 시행되지 않은 약물

D: 태아 위험성이 확인되었으나, 약물 사용의 유익성이 위험성보다 크다고 인정되는 약물

X: 동물실험 및 임상시험에서 태아독성이 확인되었거나, 기존에 기형을 유발한 약물

E. Quinolone

1962년 말라리아 연구 중 발견된 Nalidixic acid는 Quinolone 항생제 계열의 모체이며 세균의
DNA 합성과 재조합, 형질 변환을 억제함으로써 항균효과를 발휘한다(Appelbaum PC & Hunter
PA; 2000, Lamp KC, et al; 1992). 1세대에서 4세대로 갈수록 항균범위가 증가한다. 1세대는 그
람음성균, 2세대는 그람음성균+약간의 그람양성균, 3세대는 그람음성+양성균과 Penicillin 내성
균, 4세대는 그람음성+양성+penicillin 내성균과 더불어 혐기성세균에도 효과를 발휘한다. 4세대
Quinolone인 Moxifloxacin은 광범위한 항균범위와 우수한 항균력을 발휘하지만 가격이 비싸며
Penicillin, Penicillinase–resistent penicillin, Metronidazole, Clindamycin에 효과가 없거나 페니실
린 알레르기가 있는 경우 2차로 선택해야 한다(Dolui SK, et al; 2007, Warnke PH, et al; 2008)(**Box
2-9**).

경구 투여하여도 체내 흡수가 아주 잘 되면서 효과가 좋은 것이 최대 장점이다. 1차 적응증은 적
리(이질, dysentery), 살모넬라증, 녹농균에 의한 요로감염증, 임질, 레이오넬라 감염증이고 2차 적
응증은 소화관 감염증, 요로 감염증, 호흡기 감염, 안과영역의 감염질환이다. 치과감염 치료를 위
해 일상적으로 사용하는 것은 자제해야 한다.

Box 2-9 \ 각 세대별 Quinolone의 종류

1세대: Nalidixic acid, Cinoxacin

2세대: Ciprofloxacin, Oflxacin, Norfloxacin

3세대: Levofloxacin, Lemofloxacin, Tosufloxacin

4세대: Gemifloxacin, Moxifloxacin, Gatifloxacin

구역, 두통, 구강 내에서 금속성 맛(metallic taste), 중추신경계 부작용(현기증, 의식장애, 경련성 발작), 심작독성(QT 연장), 복부 불편감, 고령자에서 건파열(tendon rupture), 소아에서 연골형성 부전, 광과민증, 혈당 이상, 등의 부작용들이 보고된 바 있으며 warfarin과 같은 항혈전제를 투여하는 환자들에서 항응고 기능이 더욱 촉진되면서 출혈 성향이 증가하기 때문에 주의해야 한다. Caffein과 함께 투여할 경우 독성 발생 위험성이 증가한다. 특히 NSAIDs와 병용 시 경련성 발작, 현기증, 두통, 불면증, 흥분, 시각장애 등과 같은 중추신경계 부작용 발생 가능성이 높다는 보고가 있기 때문에 진통제는 가급적 acetaminophen을 사용하는 것이 좋다.

③ 정균제 Bacteriostatic

A. Macrolides: Erythromycin, Lincomycin, Clarithromycin, Azithromycin, Roxithromycin, Spiramycin

Macrolides는 50S ribosome에 가역적으로 결합하여 정균 효과를 발휘한다(Hammerschlag MR & Sharma R; 2008). Erythromycin은 호기성 그람양성균뿐만 아니라 혐기성세균 감염에도 비교적 좋은 항균효과를 갖는다. 그러나 쉽게 내성균이 발현되고 항균효과가 Penicillin보다 떨어지기 때문에 구강악안면 감염질환의 치료 시 일차 항생제라기보다는 Penicillin 내성균에 의한 감염, 알레르기 등으로 인해 Penicillin을 사용할지 못할 때 이용되는 대체약물이라 할 수 있다(Kim YM, et al; 2014). Clarithromycin과 Azithromycin은 Erythromycin보다 약동학적으로 더 우수하다. 특히 Azithromycin은 Moxifloxacin과 함께 사용하면 좋은 임상적 결과를 보인다고 보고되었다(Martins JR, et al; 2017, Peedikayil FC; 2016). 치주염 치료 시 Erythromycin은 거의 효과가 없기 때문에 사용되지 않고 대신에 Azithromycin이 자주 사용된다. Acetylspiramycin은 조직 내에서 고농도로 유지되기 때문에 소량으로 유효한 효과를 얻을 수 있고 간장애를 거의 유발하지 않는 장점이 있다. 산이나 열에 안정적이기 때문에 위산에 의해 파괴되지 않는 특징을 갖고 있다.

부작용 및 주의사항

위장장애와 설사가 흔한 부작용이며 간독성을 유발할 수 있다. 고지혈증 치료제로 사용되는 statin과 같이 사용할 경우 근육병증(myopathy)을 유발할 수 있다. Azithromycin의 심혈관계 부작용으로 인한 사망 사례들이 보고된 바 있기 때문에 심혈관질환을 가진 환자들에서는 주의해서 투여해야 한다.

B. Clindamycin

Clindamycin은 세균의 단백질 합성을 억제하고 고농도로 사용할 경우엔 살균효과를 갖는 광범위 항생제이다(Peedikayil FC; 2016). 또한 골조직에 친화력이 높은 약제로서 그람양성균 및 Penicillin 내성균과 혐기성세균에 대해서도 높은 감수성을 나타낸다고 보고된 바 있다(Mader JT, et al; 1989, Mehrhof AI; 1976). 다른 항생제로 치료가 실패할 경우 혹은 페니실린 알레르기가 있는 감염 환자들에게 사용할 수 있다. 발치 후 건치와 예방효과가 있으며 악골골수염에 좋은 효과를 보인다고 알려져 있다. 미국심장협회는 심내막염 예방을 위해 Penicillin 알레르기 환자에게 Erythromycin보다는 Clindamycin을 권장한다(Lewis MA; 2008, Peedikayil FC; 2016).

부작용 및 주의사항

다른 항생제들에 비해 위막성대장염(Pseudomembranous colitis) 발생 빈도가 매우 높다. 따라서 대장염 병력이 있는 환자들에서는 사용하지 말아야 한다. Clindamycin을 투여하는 도중에 설사 혹은 복부 경련통(cramping)이 발생하면 대장염 징후를 의심하고 즉시 중단해야 한다. 만약 이런 증상들이 지속되면 내과전문의에게 신속히 의뢰해야 한다.

C. Tetracyclines

Tetracycline은 투여 후 치주조직과 치주낭에 집중되는 경향을 보이고 *Aggregatibacter actinomycetemcomitans*의 성장을 억제하는 효과가 있기 때문에 치주질환 치료제로 많이 사용되지만 부작용과 세균들에 대한 내성 발현율이 높기 때문에 치성 감염의 치료에는 거의 쓰이지 않는다. Doxycycline과 Minocycline은 Tetracycline보다 혐기성세균들과 치주염 유발균들에 더 효과적이며 투여 간격도 하루 1-2회(Tetracycline은 하루 4회)로 편리하기 때문에 최근 치주질환 치료제로 널리 사용되고 있으며 치주낭에 국소적용이 가능한 연고제도 시판되고 있다(Ellison SJ; 2009). Doxycycline의 기준 용량은 하루 200 mg이다. 그러나 치주치료 후, 치주염의 치료를 위해선 1회 20 mg bid로 약 4주간 투여하기도 한다.

부작용 및 주의사항

위장관장애(설사, 복통), 구역, 구토, 광과민성, 혈액질환, 어지럼증, 두통과 같은 부작용이 심한 편이며 12세 이하의 소아들에서 사용할 경우 치아변색을 유발하기 때문에 사용하지 말아야 한다.

④ 항생제 처방 시 고려 사항

농배양 및 항생제감수성검사를 시행하여 적절한 항생제를 사용하는 것이 가장 효과적이다. 그러나 이와 같은 검사를 일상적으로 시행하기 어렵고 검사결과가 나오기 전까지 항생제를 신속히 투여해야 하는 경우가 많다. 따라서 초기에는 경험적 항생제를 처방할 수밖에 없으며 다음과 같은 사항들을 참고하여 선택하는 것이 좋다. 감염증이 발생한 환경(지역사회감염 대 병원감염 등), 숙주의 상태(방어기전의 손상 유무, 연령, 기저질환, 최근 침습적 치료나 항생제 복용 여부 등)를 고려하고 임상소견을 종합하여 보았을 때 가능성이 가장 높은 병원체 한두 가지를 결정한다. 다음으로 추정한 원인 병원체의 주요 항생제에 대한 내성을 고려하여 적절한 항균력과 항균범위를 갖는 항생제를 선택해야 한다. 그러나 국내 지역사회에서 감염증을 일으키는 주요 원인균의 항생제 내성률에 대한 자료가 별로 없기 때문에 항생제의 선택에 어려움을 갖는 경우가 많다.

치성감염에서 많이 검출되는 세균들은 *streptococcus viridans*가 가장 많으며 *staphylococcus aureus, staphylococcus coagulase, ß-hemolytic streptococcus, streptococcus mitis, neisseriaceae species*들이다. 따라서 이런 세균들에 잘 듣는 항생제를 경험적 항생제로 선택하는

것도 고려해 볼 필요가 있다.

항생제를 선택한 후에는 환자의 상태와 약리학적인 특성을 고려하여 투여경로, 간격, 용량을 결정하게 되는데 일반적으로 권하는 용법과 용량, 주의 혹은 금기사항(어린이, 임신부, 간부전 혹은 신부전 환자 등)을 숙지하고 투여하면 큰 문제가 없다. 또한 선택한 항생제가 감염부위에 충분한 농도로 도달할 수 있는지를 생각해 보아야 한다. 예를 들어 뇌수막염(encephalomeningitis)의 경우 뇌척수액 투과가 잘되는 항생제를 사용해야 한다. 치주감염에서는 치은열구에 잘 도달할 수 있는 Tetracycline 계열의 항생제, 악골골수염의 경우엔 골조직에 잘 침투해 들어가는 Clindamycin과 같은 항생제를 고려할 수 있다.

감염 조절을 위한 일반적인 항생제 투여 기간은 7–10일이다. 그러나 절개배농술과 같은 외과적 치료가 동반될 경우엔 4일 내외로 투여하면 충분하며 감염의 확산 정도, 심각도, 환자의 면역상태, 전신질환 유무 등에 따라 투여 기간이 장기간 연장될 수도 있다(Flynn T; 2011). 농양이 형성되기 전의 초기 감염은 호기성 세균에 의한 감염이 많기 때문에 페니실린 계열 항생제에 효과가 좋다. 그러나 농양이 형성되면 호기성 세균들이 혐기성 세균들로 대체되는 경향을 보이기 때문에 2세대 이상의 Cephalosporin, Macrolides, Quinolone 계열 항생제를 신중히 선택하는 것도 고려해 볼 필요가 있다.

⑤ 항생제 투여 경로

일반적으로 경구용 항생제를 사용하며 근육주사 혹은 정맥주사법과 별다른 차이를 보이지 않는다는 보고들이 많다. 그러나 위장관 장애가 매우 심하거나 감염의 확산 및 심각도가 매우 큰 경우엔 근육 혹은 정주용 주사제가 사용되기도 한다. 그러나 주사제를 1회성으로 투여하는 것은 큰 효과가 없으며(예외: 예방적 항생제 목적으로 수술 전 1회 투여하기도 함) 하루 2–3회 정도 일정기간 동안 지속적으로 투여해야 한다.

A. 경구 투여

어떤 항생제가 경구로 투여하기에 적절한 지를 확인할 때 흔히 경구 생체이용률(oral bioavailability)을 살펴보게 된다. 약물이 장에서 흡수되고 간을 통과하면서 대사가 된 후(first-pass effect) 전신순환에 도달하는 활성약물의 분율로 100%에 가까울수록 경구투여로도 충분한 혈중농도를 얻을 수 있다. 일반적으로 Fluoroquinolone, Metronidazole, Doxycycline, Sulfamethoxazole-trimethoprim, Clindamycin 등은 경구 생체이용률이 매우 우수한 항생제이다. 주사제와 경구제가 모두 개발되어 있는 약제의 경우 경구로 투여하여도 정맥주사와 비슷한 수준까지 높은 혈중농도를 얻을 수 있다. 그 밖에 Cephalexin, Cephradine, Cefadroxil, Cefaclor, Cefprozil, Loracarbef, Amoxicillin, Amoxicillin/clavulanate 등도 경구 생체이용률이 비교적 우수한 항생제이다(Table 2-3).

Table 2-3 IV to oral conversion (Cyriac JM & James E; 2014)

Drugs	IV dose	PO dose
Ciprofloxacin	200 mg q12h	500 mg bid
Doxycycline	100–200 mg q12h	100–200 mg bid
Levofloxacin	500 mg q24h	500 mg qd
Metronidazole	500 mg q12h	500 mg bid
Minocycline	200 mg q12h	200 mg bid
Moxifloxacin	400 mg q24h	400 mg qd
Ampicillin	1 g q6h	250–500 mg qid
Azithromycin	500 mg q24h	250–500 mg qd
Cefazolin	1 g q8h	500 mg qid
Cefotaxime	1 g q12h	500–750 mg bid
Ceftazidime	1–2 g q8h	500–750 mg bid
Cefuroxime	500–750 mg q8h	250–500 mg bid
Clindamycin	300–600 mg q8h	300–450 mg qid
Erythromycin	500–1000 mg q6h	500 mg qid

위장관 내에서 약물상호작용이 일부 항생제의 경구 흡수를 감소시킬 수 있다. 예를 들어 제산제, 철분제, 복합비타민미네랄 제제, sucralfate, 마그네슘 제제 등 2가 혹은 3가 양이온이 포함된 약제와 함께 Fluoroquinolone이나 Doxycycline을 투여하면 항생제의 흡수를 저해하기 때문에 적정 치료농도에 미치지 못할 수 있다. 항진균제의 일종인 Voriconazole의 경우 고지방 음식과 함께 투여할 경우 흡수가 잘 안되기 때문에 공복에 투여할 것을 추천하고 있다. 만일 약물상호작용이 발생할 수 있는 약제를 모두 투여할 수밖에 없는 상황이라면 충분한 간격(통상 2시간 정도)을 두고 각각의 약물이 투여되도록 조절해야 한다.

위장관 산도(pH)의 변화도 항생제의 흡수에 영향을 미칠 수 있다. Itraconazole, Ketoconazole, Cefuroxime, Cefpodoxime 등은 위의 산도가 낮은 상황에서 흡수가 잘 된다. 위산 분비기능에 문제가 있거나(영아나 노인, 심한 위장관 질환을 앓는 사람 등) 위산도를 올릴 수 있는 약제(H2 차단제, proton pump 억제제, 제산제 등)를 함께 투여할 경우 이러한 항생제의 흡수를 떨어뜨릴 수 있다. Cefuroxime, Cefpodoxime 등을 식사와 함께 복용하면 위산분비가 촉진되면서 항생제의 흡수가 증가한다. 반면 Cefaclor, Cefadroxil, Cephalexin, Cephradine 등은 공복에 흡수가 더 잘 되고 Cefprozil, Cefixime, Ceftibuten 등은 음식섭취 유무와 전혀 상관이 없다(김의석; 2010).

그러나 경구용 항생제 투여 지침과 주의사항 등을 모두 기억할 수는 없다. 따라서 자주 사용하는 항생제들은 적응증과 금기증, 부작용, 약물상호작용, 투여 시 주의사항 등 중요한 내용들을 정리해서 쉽게 찾아볼 수 있도록 준비해 두는 것이 좋다. 가끔 사용하는 약물들은 제약사에서 제공하는 약물사용 설명서를 참조하고 감염과 약물에 관해 잘 정리된 책자 1-2권을 비치해 둘 것을 추천한다.

B. 근육주사 혹은 정맥주사

근육주사는 주사하기 쉽고 투여한 약물이 거의 흡수된다. 하지만 신경이나 혈관이 다칠 수 있고 통증이 매우 심한 경향을 보인다. 정맥주사는 적정이 가능하고 근육주사보다 많은 양을 투여할 수 있으며 투여하는 양과 시간을 조절하기 쉽다. 또한 약효가 빨리 나타난다. 항생제의 경우 대체로 근육주사가 정맥주사보다 우선시되는데, 이는 알레르기 발현 가능성이 낮고 발현되는 속도를 늦출 수 있기 때문이다(Milkovich G & Piazza CJ; 1991, Petersen WC Jr, et al; 2014, Pidaparti M & Bostrom B; 2012).

⑥ Antibiotic skin test

항생제에 즉각적인 알레르기 반응을 일으키는 것은 type 1 immunoglobulin E (IgE) 매개반응에 의한 것이며 투여 후 1-2시간 이내에 증상이 나타나기 시작한다. 경미한 피부반응부터 목 부종, 호흡곤란, 쇼크 증상까지 다양한 증상들이 발생할 수 있다. 따라서 Beta-lactam 계열의 항생제인 Penicillin, Cephalosporin, Carbapenem, Monobactam을 근육 혹은 정맥주사하기 전에 실시하는 것이 일반적이다(Lee SH, et al; 2010). 검사는 피부를 알코올 솜으로 닦은 후 1 cc 주사기로 지름이 3 mm 가량 부어오르도록 항생제를 피내주사한다. 양성대조액으로 히스타민(0.1 mg/ml), 음성대조액으로 생리식염수를 사용한다. 15-20분 후 처음보다 크기가 증가하고 발적이 동반되면 양성으로 판정한다(대한천식알레르기학회; 2012).

⑦ 약물 상호작용 및 부작용

각각의 약물들의 상호작용과 부작용은 드물지만 종류가 매우 많기 때문에 일일이 기억할 수 없다. 따라서 자세한 내용들은 제약사에서 제공하는 약물설명서와 약물 관련 서적을 참고하기 바라며 본 책자에서는 많이 발생하는 중요한 내용들만 제시하고자 한다(김영균 등; 2015)(Table 2-4).

Table 2-4 약물의 상호작용 및 부작용

약물	상호작용 및 부작용
ß-lactam 제제 (Penicillin, Ampicillin, Amoxicillin, Cephalosporin)	피임약 효과 감소
	Anaphylaxis
	Clostritium difficile infection: 위막성대장염, 설사, 복통
	항혈전제 효과 증가
	ß-lactamase 억제제인 Calvuronic acid, Sulbactam 등과 병용하여 사용하면 항균 범위가 더욱 넓고 항균력이 증가된다.
	Quinolone계 항생제인 Ciprofloxacin이나 면역억제제인 Methotrexate (MTX: 종양이나 류마티스관절염, 건선 치료제로 널리 사용됨)의 배설을 억제하고 혈중 농도를 높게 하며 Quinolone계 약물의 항균효과를 증가시킨다.
	Aminoglycoside계 항생물질인 Gentamicin, Streptomycin, Kanamycin, Tobramycin과 병용 투여하면 상승작용을 나타내어 치료효과가 크게 높아진다. 반면 Neomycin은 Penicillin의 약효를 저하시킨다. 신장독성의 가능성도 증가하기 때문에 유의하여 사용해야 한다.
	정균제(Tetracycline, Erythromycin, Clindamycin, Llincomycin, Chloramphenicol)는 경구 Penicillin (Penicillin G, Penicillin V, Amoxicillin)의 항균효과를 감소시킨다.
	비스테로이드성 소염진통제, H2 차단제(위산분비억제제: Cimetidine)와 Probenecid는 Penicillin의 신장배출을 억제함으로써 혈청반감기를 증가시킨다. 즉 약물의 작용시간이 증가된다.
	Cephalosporin계 항생물질은 prothrombin time을 연장하여 출혈을 증가시키므로 항응고제(Coumarin계 또는 Warfarin)를 투여받고 있는 환자에게 주의를 요한다.
	Cephalosporin계 항생물질, 특히 Cephalexin과 단백분해 효소인 Trypsin, Kimotrypsin (소염효소제로 사용됨)과 병용 시 Cephalexin의 흡수를 촉진하여 약효를 증가시킨다.
	Imipenem과 Cephalosporin을 병용했을 경우 길항 작용을 나타낸다.
	Cephalosporin을 Ethacrynic acid 또는 Furosemide와 병용 시 신장독성 증가
	Cephalosporin을 alcohol과 병행하면 금단증상이 발생: 오심, 구토, 발한 두통, 저혈압

Metronidazole	위장관련: 오심, 구토, 위 불쾌감, 복부 경련
	간기능 장애
	조혈기능에 악영향
	소변이 검붉은 색으로 변한다.
	자주 불쾌한 금속성 맛을 느끼게 된다.
	구강 칸디다증
	신경 독성
	간질성 발작
	Warfarin 효과 증가
	위산분비 억제제인 Cemetidine은 Metronidazole의 농도를 높이므로 병용금기
Tetracycline, Minocycline, Doxycycline	뼈나 치아에 친화력이 커서 발육기에 치아형성부전이나 착색을 유발하기 때문에 8세 미만에서는 사용하지 않는 것이 원칙이다.
	위 불쾌감
	태아의 간독성
	광독성(photosensitivity)
	귀 전정기관 손상
	유효기간이 지난 Tetracycline 복용 시 치명적인 신장장애(특히 Doxycycline) 또는 다발성 기형을 수반하는 체질성 범골수증(Fanconi-like syndrome)을 유발한다.
	피임약 효과 감소
	신부전 환자에서 사용 금지
	유제품, Ca^{2+}, Mg^{2+}, 알루미늄 복합체 및 중탄산나트륨(sodium bicarbonate) 등은 킬레이트화(chelation)나 위장 내 pH 변화를 유발하여 Tetracycline 흡수를 감소시킨다. 따라서 제산제나 우유와 함께 복용해선 안 된다.
	Barbiturate, Carbamazepine, Hydantoin은 간대사 효소를 증가시켜 Tetracycline의 활성을 감소시킨다. Coumarin과 같은 항응고제와 동시에 사용하는 경우 항응고제의 효과가 크게 증가해 출혈 성향이 증가된다.
Vancomycin	신경독성(제8뇌신경)
	혈전정맥염(thrombophlebitis)
	심한 어지럼증(vertigo),
	신독성
Quinolones	구역질, 구토, 설사, 복부 불쾌감, 식욕부진 등의 소화기증상이 흔히 나타나는데, 이 때문에 마그네슘이나 알루미늄 등이 포함된 제산제를 병용하면 상호작용을 일으켜 항균제의 혈중 농도가 낮아짐으로써 적절한 항균효과를 얻지 못할 수 있다.
	어린 동물에서 연골 손상이 생길 수 있으므로 소아에서는 아직 권장되지 않는다.
	카페인과 동시 복용 시 독성 증가
	Warfarin 등 다른 항응고제의 효과를 증폭시킨다.
	광과민성 유발
	어깨, 손, 아킬레스건 파열을 유발. 환자가 인대나 건에 통증이나 염증을 호소하는 경우에는 즉시 사용을 중지해야 한다.
	NSAIDs와 병용 시 발작, 경련이 일어날 수 있다.
	면역억제제 Cyclosporin과 병용할 경우 신장독성이 증가
Macrolides	청력장애, 간기능장애, 소화기장애, 과민증
	두통, 어지럼증
	항히스타민제인 Terfenadine이나 Astemizole 또는 Cisapride (위장관 운동 조절제) 등과 병용하면 심실부정맥이나 심정지 등의 치명적인 심혈관계 부작용이 나타날 수 있으므로 병용금기
	천식환자에게 빈번히 사용되는 기관지 확장제인 Theophylline의 혈중 농도를 상승시켜 오심, 구토 등의 부작용을 일으키는 경우가 있으므로 병용 시에는 Theophylline의 혈중 농도를 모니터링해야 된다. 그러나 같은 Macrolide계 항생제라도 Josamycin이나 Midecamycin은 Theophyllin과 상호작용을 일으키지 않는다.
	Erythromycin은 H2 차단제(cimetidine)에 의해 약효가 상승된다.

Clindamycin	가장 빈번히 발생하는 부작용은 위막성 대장염(pseudomembraneous colitis)으로 투여 환자의 0.1-10%에서 발생한다고 한다.
	위장 장애, 복통, 식욕부진
	피부 발진, 두드러기, 부종
	이명, 현기증
	간독성(GOT/GPT의 상승)
	혈액부작용: 백혈구 감소증, 혈소판 감소증, 재생불량성 빈혈
Aminoglycoside	가장 큰 부작용은 제8뇌신경장애를 일으켜 난청(deafness: tobramycin의 경우 발생률이 높다)과 전정기능장애로 인한 어지럼증(vertigo: gentamicin의 경우 발생률이 높다)이 나타날 수 있다.
	신장독성: 특히 Neomycin의 신장독성이 심하기 때문에 피부 도포 이외에는 사용하지 않는 것이 좋다.
	호흡 마비(respiratory paralysis)
	Tobramycin의 귀, 신장 독성이 매우 높은 것으로 알려져 있으며 상대적으로 Netilmicin은 비교적 낮은 것으로 보고되었다
	항혈전제 효과를 증가시킨다.
	Cephalosporin 계열 항생제 병용 시 신독성 증가
	근육이완제(Trancopal)나 전신마취제인 Halothane, Cyclopropane 등과 병용 시 신경근 차단효과가 증가되어 호흡곤란 또는 무호흡증세를 나타낼 수 있으므로 전신마취 시 호흡억제에 유의해야 된다. 국소마취 시에도 상호작용이 나타날 수 있으므로 주의를 요한다.
	Ethacrynic acid와 병용 시 이독성 증가

⑧ 항생제와 연관된 대장염

Clindamycin 투여 시 가장 빈발하지만 Cephalosporins, Beta-lactam/Beta-lactamase inhibitor combinations과 다른 항생제들 복용 후에도 발생할 수 있다. 장내 혐기성 세균인 *Clostridium difficile*이 증식하면서 외독소(exotoxin)를 분비함으로 인해 발생한다. 하루 5회 이상의 설사, 대변검사에서 *Clostridium difficile* 양성, 고열, 복부 경련 증상 등으로 진단하며 치료는 Metronidazole이나 Vancomycin을 투여한다(Dym H; 2016).

6. 합병증 및 중증 감염

구강악안면 부위의 감염성 질환은 대부분은 국소화되면서 통상적인 치주 처치, 근관치료, 발치, 절개 및 배농술, 약물치료 등으로 잘 치유된다. 그러나 환자의 전신건강상태가 불량하거나 면역기능이 저하된 경우, 치료가 조기에 적절히 이루어지지 않은 경우엔 매우 치명적인 합병증이 발생할 수 있다. 근막 간극을 따라 감염이 확산되면 기도 폐쇄로 인한 호흡 곤란을 유발하거나 종격동염을 발생시킬 수도 있고, 림프절과 혈행을 따라 확산되면서 패혈증이나 뇌농양, 해면정맥동 혈전증, 감염성 심내막염 등을 야기하여 생명을 위협할 수도 있다(김영균 등; 2015, Park MY, et al; 2018, Peterson LJ; 1993, Tavakoli M, et al; 2013).

1) 종격동염(mediastinitis)

치근단 농양이 악하간극으로 확산되어 측방인두간극(lateral pharyngeal space), 후인두간극(retropharyngeal space)을 따라 종격동과 흉강으로 파급되거나 목 심층의 기관전간극(pretracheal space) 혹은 혈관주위간극(perivascular space)을 통해 확산되기도 한다. 종격동염이 발생할 경우, 적극적인 항생제 치료에도 불구하고 치사율이 40–60%에 달하는 것으로 알려져 있으며 초기에 적극적인 진단 및 치료가 이루어져야 치명적 결과를 방지할 수 있다. 흉통, 연하곤란, 발열 등 화농성 종격동 농양의 초기 증상을 신속히 인지하고 기도를 확보한 후 신속하게 종격동 배농술을 시행하고 원발성 감염에 대한 적극적인 처치를 시행해야 한다(김성윤 등; 2003, 이상철 등; 1991, 정상일 등; 1998, Dugan MJ, et al; 1998).

(1) 임상증상 및 진단

지속적인 고열 및 오한, 흉골하부 통증, 호흡곤란(짧고 빠른 호흡), 연하곤란, 인후통, 구강악취, 쓴맛, 화농성 객담, 젖은기침(productive cough), 상부 가슴 경결감(촉진 시 염발음과 pitting edema), 흉부 타진 시 고음, 농흉(empyema), 흉막삼출(pleural effusion) 등의 증상이 나타난다. 감염이 진행되면서 종격내 정맥의 압박으로 인해 심장으로 가는 혈류가 감소되며 심내막염을 유발하기도 한다. 또한 패혈증으로 진행되면서 치명적 결과를 초래할 수 있다. 흉부방사선사진과 CT를 촬영하여 확진할 수 있다(Box 2-10).

Box 2-10 흉부방사선사진 소견

1. widening of mediastinum
2. anterior displacement of the tracheal air column
3. mediastinal emphysema
4. loss of cervical lordosis
5. 가스를 동반한 공기–액체 조영상

---

(2) 치료

다량의 항생제 투여와 함께 연관된 모든 간극에서 절개배농술이 시행되어야 한다. 원인을 찾아서 제거하고 Chest tube, 폐쇄흉강삽관술, 개흉술 등이 필요할 수도 있다.

2) 치명적인 신경학적 합병증

두개강 내로 감염이 직접 전파되거나 혈행성으로 전파되어 발생한다. 해면정맥동 혈전증(carvenous sinus thrombosis)의 치사율은 72.8%, 뇌농양(cerebral abscess)은 45% 정도이지만 적극적인 약물과 외과적 처치 후 약 20% 수준까지 감소될 수 있다(이상철 등; 1986). 박준 등(2021)은 류마티스관절염이 있는 턱관절에서 유래된 두개내 및 악안면 다발성 농양에 대한 증례를 보고하였다. 면역억제제(Methotrexate), 스테로이드와 비스테로이드성 소염진통제를 장기간 복용하고 있는 류마티스관절염 환자에서 턱관절과 측두부 감염이 발생할 경우 뇌농양으로 진행될 가능성을 인지해야 하며 이상 증상들이 발견되는 즉시 상급병원으로 의뢰하여 정밀검사와 신속한 조기 집중치료가 시행되어야 한다. 김일규 등(2006)은 우측 협부 종창 및 통증을 주소로 내원한 환자가 4일 후 청력이 저하되었고 7일 후 지속적인 두통 및 기면 상태(drowsy), 어눌한 반응을 보여 MRI 검사를 시행한 결과 뇌농양으로 진단된 증례를 보고하였다. 신경외과로 전과하여 개두술을 시행하고 약 6주간의 Cephalosporin 치료가 시행되었으며 퇴원 이후 27주 동안 간질제제(Depakine)가 투여되었다. 만성중이염, 퇴행성턱관절염, 턱관절 류마티스관절염 등이 중이도 및 두개강과 매우 가깝기 때문에 두개내로 파급될 가능성은 항상 존재한다. 뇌농양은 조기에 진단하고 적극적인 항생제 투여가 이루어진다면 잘 치유될 수 있다. 신속히 절개배농술을 시행한 후 3세대 Cephalosporin과 Metronidazole 복합투여 혹은 Vancomycin, 4세대 Cephalosporin을 투여하면 좋은 치료 효과를 얻을 수 있다(Duarte MJ, et al; 2018, Menson S, et al; 2008, Samara E, et al; 2021, Xiao D, et al; 2017).

(1) 뇌수막염(Meningitis)

세균이 정맥 또는 동맥을 통해 감염성 색전 형태로 연수막에 도달되면서 발생한다. 상순과 코의 농양은 감염된 정맥을 통해 해면정맥동과 뇌수막으로 세균을 전파시킬 가능성이 높다.

① 임상증상 및 진단

두통, 고열, 오한, 구역 및 구토, 경부경직 증상이 있으면서 혼란 및 혼수 상태에 빠질 수 있다. 뇌척수액검사를 통해 확진할 수 있으며 뇌척수액의 압력 증가, 백혈구 증가, 포도당 농도가 40 mg/dl 이하로 감소되며 세균배양검사에서 감염균들을 분리할 수 있다. CT, MRI를 촬영을 통해 두개골 기저부의 손상과 두개강내 감염 확산 정도를 평가해야 한다.

② 치료

뇌척수액배양에 근거하여 적절한 항생제를 선택하여 투여한다. 대개 Chloramphenicol, Penicillin계 항생제를 많이 사용하며 뇌척수액과 체온이 정상으로 회복된 후 최소한 1주일간 계속 투여한다. 적극적인 치료에도 불구하고 치사율이 10–15% 정도로 보고되고 있으며 치유된 이후에도 다양한 신경학적 후유증이 남을 수 있다.

(2) 뇌농양

세균이 뇌에 도달되면 국소적인 뇌수막염이 야기되고 퇴행성 백혈구와 염증성 삼출액이 축적되면서 감염성 혈전증이 발생한다. 농양이 확장되면서 뇌실을 침범하면 치명적 결과를 초래할 수 있다.

① 임상증상 및 진단

두개강내 압력이 증가하면서 구역 및 구토, 두통, 실어증, 경련, 반맹증, 외전신경 마비, 언어장애, 시

각장애, 운동실조, 혼란 및 혼미 증상, 편마비 증상 등이 발생한다. CT, MRI를 촬영하여 확진하고 농양의 범위를 확인한다.

② **치료**

6-8주 항생제(Chloramphenicol)를 투여하면서 흡인술이나 외과적 제거술을 시행한다. 추가로 Dexamethasone, Mannitol과 같은 약물을 투여한다. 경련이나 발작 증상이 발생하면 항경련제를 투여한다. 적극적인 치료에도 불구하고 약 45% 정도의 높은 치사율을 보이며 회복되더라도 뇌신경 관련 합병증이 잔존하는 경우가 많다.

(3) 해면정맥동 혈전증(Carvenous sinus thrombosis)

다음과 같은 3가지 혈행성 경로를 통해 해면정맥동으로 세균이 침투한다.

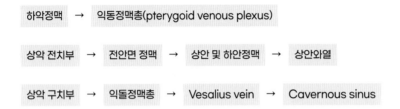

안각정맥, 안정맥 및 안면정맥은 혈관내 판막이 존재하지 않기 때문에 혈전이 혈류를 따라 해면정맥동으로 쉽게 전달된다.

① **임상증상 및 진단**

눈주위 통증 및 압통, 두통, 정맥 폐쇄로 인해 안검부종, 안근마비, 광선공포증, 뇌신경 마비, 안구돌출증이 나타나고 고온, 발한, 빈맥이 발생하면서 패혈증으로 진행될 수 있다. 혈액배양, 뇌척수액검사 및 배양, CT, MRI를 촬영하여 확진해야 한다. 임상적 진행 과정이 매우 짧기 때문에 조기에 진단하여 적극적으로 치료해야 한다.

② **치료**

정맥로를 통해 고용량의 항생제를 투여하고 배농술을 신속히 시행해야 한다. 보조적으로 스테로이드와 다른 호르몬 보충요법이 시행될 수 있다. 적극적인 치료에도 불구하고 15-20%에서 치명적 결과를 초래하며 치유되더라도 영구적인 뇌신경 후유증이 잔존하는 경우가 많다.

3) 눈 관련 합병증

안와 농양이 발생하면 시신경 위축, 심한 울혈과 부종으로 인한 망막동맥의 협착, 궤양을 동반한 각막병증(keratopathy) 등에 의해 시력을 상실할 수 있다. 또한 초기에 적절한 외과적 처치가 이루어지지 않을 경우 시력에 나쁜 결과를 초래할 수 있다(김동률 등; 2000). 치성 감염이 안와로 전파되는 경로는 4가지로 분류할 수 있다(Thakar M & Thakar A; 1995)**(Box 2-11)**.

안와로 감염이 전파되는 경로

1. 상악치아의 치조돌기는 협측 피질판이 매우 얇아 대부분의 치근단 농양이 이 부위를 뚫고 나가 뺨의 연조직으로 전파되어 골막을 따라 안와부에 직접 전이될 수 있다.

2. 상악 전치부 감염은 밸브가 없는 전안면정맥(anterior facial vein), 안각정맥(angular vein), 안정맥(ophthalmic vein)을 통해 안면부의 혈전성 정맥염(thrombophlebitis)을 일으키면서 감염이 급속도로 퍼질 수 있다. 또한 안면정맥과 안정맥의 교통이 잘 이루어지는 내측안검인대(medial palpebral ligament) 부위와 가까운 상악 제1소구치와 견치 치료 시 주의를 요한다.

3. 치성감염이 상악동염을 유발하고 안와저에 존재하는 골침식 부위 혹은 안와하관을 통해 직접 안와로 전파된다.

4. 상악 구치부 감염이 후방의 측두하와(infratemporal fossa) 혹은 익돌구개와(pterygopalatine fossa)로 퍼져 나간 후 안와하열(infraorbital fissure)을 통해 전파된다.

(1) 임상증상 및 진단

① 안구운동장애: 눈을 움직일 때 통증이 발생하며 이것은 안압증가 혹은 사골염 가능성을 의미한다.

② 안구돌출(proptosis)

③ 안와 주위 종창 및 결막부종(chemosis)

④ 안구의 변위와 시력 감소: 완와주위와 안구후간극농양(retrobulbar space abscess)이 존재할 때 발생할 수 있다(Fig 2-60, 61).

⑤ (carvenous sinus thrombosis)으로 진행될 수 있다.

⑥ 부비동 방사선사진, 초음파, CT scan 등을 통해 진단하고 감염의 범위를 확인해야 한다.

(2) 치료

조기에 절개배농술을 시행하고 적극적인 항생제 치료를 병행해야 한다. 외과적 처치의 지연은 시력에 나쁜 결과를 초래할 수 있다(김동률 등; 2000).

4) 성인호흡장애증후군(ARDS: Adult respiratory distress syndrome)

치성감염의 합병증으로 드물게 발생할 수 있으며 100% 산소를 투여하여도 낮은 산소포화도(low oxygen saturation)가 지속되며 갑작스런 호흡장애를 보이면서 사망할 수 있다. 신속한 조기 진단 및 응급처치를 시행하면 24시간 내에 빠르게 호전될 수 있다. ARDS는 Respiratory distress syndrome(RDS), Wet lung, Shock lung이라는 용어로 불리기도 한다(김수관 등; 1993, 박지영 등; 2007, Rajab B, et al; 2013).

(1) 임상증상 및 진단

① 폐 조직 손상 6시간 전까지는 특별한 증상이 없고, 흉부 방사선사진에서도 특이 변화가 관찰되지 않는다.

② 12-24시간 경과하면 호흡곤란 증상이 시작된다. 빠른호흡(tachypnea), 거품소리(rales), 축축한 피부(clammy skin), 청색증, 호흡하기 위해 부근육(accessory muscles)들을 사용, 졸음(lethargy), 초조감(agitation) 증상들이 나타난다.

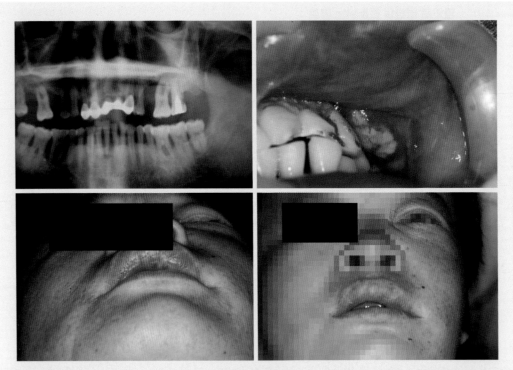

Fig. 2-60. 45세 남자 환자에서 상악 좌측 제1소구치 치근단농양 및 치주염이 안와로 확산되면서 좌측 안와주위농양이 발생한 증례. 구강 전정부와 안와 주위 촉진 시 파동성 종창이 관찰되었다.

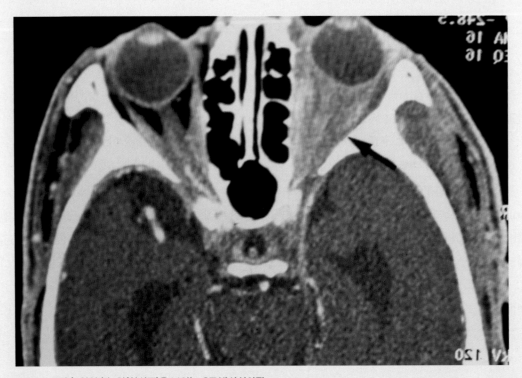

Fig. 2-61. 좌측 안와후농양(화살표)을 보이는 CT 방사선사진.

③ 100% 산소를 투여하여도 잘 개선되지 않고 저산소혈증(hypoxemia)과 고탄산혈증(hypercarbia)이 지속된다. 동맥혈가스분석(Arterial blood gas analysis: ABGA)을 통해 진단이 가능하다.

④ 흉부방사선사진에서 광범위한 양측 폐의 염증성침윤 소견이 관찰되는 것을 통해 확진이 가능하다.

⑤ Pulmonary capillary wedge pressure(PCWP)가 18 mmHg 미만이다.

⑥ 다음과 같은 분명한 위험요소들이 존재한다: 패혈증, 외상, 쇼크, 약물 손상, 화상, 폐렴, 독극물 흡입, 공기색전증(air embolism), 지방색전증(fat embolism), 물에 빠짐(drowning)

(2) 치료

조기에 진단하여 적극적으로 치료해야 치사율을 줄일 수 있다. 또한 기저질환이나 소인들을 찾아서 적극적으로 해결해야 한다. 초기 치료는 기계적 환기 및 수액치료를 통해 적절한 산소 공급과 조직 관류를 유지하는데 중점을 두어야 한다

① 삽관술과 기계적 환기(ventilation): FiO_2를 낮게 유지하고 산소소비를 최대한 억제해야 한다.

② 수액치료: Swan-Ganz pulmonary catheter를 사용하여 정확한 수액 균형을 유지해야 한다. 수액 공급은 20-25 mg/kg/day를 유지한다. 수액은 crystalloid(Normal saline 혹은 Ringer's lactate)로 충분하며, colloid solution은 사용하지 않는다. PCWP는 5-10 mmHg로 유지한다.

③ 영양공급을 충분히 해줘야 한다.

④ 폐세척(pulmonary toilet)을 통해 기관분비물들을 깨끗이 제거해야 한다.

⑤ 약물치료: Methylprednisolong 30 mg/kg/day. Corticosteroids 치료에 대해 논란이 있긴 하지만 염증의 감소, 혈관내 응고의 개선, 폐혈류량의 증가, 폐포 상피 세포의 기능 증진, 섬유조직 증식 방지, 두개내압의 감소를 위해 사용하는 경우가 많다.

(3) 경과 및 예후

치사율이 50-75% 정도로 보고되고 있다. 그람음성균에 의한 폐렴, 폐부종, 감소된 심박출량, 위장관 출혈, 패혈증에 의해 사망하는 경우가 많다. 치료가 잘 이루어졌어도 생존자의 40%는 폐기능 이상을 보인다고 한다.

5) 감염성 심내막염(Infectious endocarditis)

세균이 심내막에서 증식하여 삼출성 증식성 변화를 유발하는 질환이다. 구강내 상주 세균들이 심내막염을 유발할 수 있다. 한편 보존적 치과치료, 식사나 껌 씹기, 의치로 인한 구강내 궤양도 감염성 심내막염을 유발할 수 있다고 한다. 위험인자들을 가진 환자에게는 치과 수술 전 예방적 항생제를 사용하고 위험인자를 가지지 않은 환자들이라도 시술 전에 항균제 구강 가글링과 시술 시 환자의 스트레스를 최소화하도록 조치하는 것이 중요하다. 안신영 등(2006)은 심장 병력이 없던 69세 남환이 치주염으로 다수의 치아를 발거 후 구강내 세균으로 인한 감염성 심내막염이 발생했던 증례를 보고하였다. 감염성 심내막염의 1년 이내 치사율은 30-40% 정도이다(Bashore TM, et al; 2006).

6) 패혈증(Sepsis)

임상의는 균혈증(bacteremia)과 패혈증(sepsis)의 정의를 숙지하여야 하며 감염의 전파에 의해서 발생되는 패혈증은 세균의 혈관내 존재 및 증식을 의미하고 균혈증은 단순히 세균의 혈관내 존재를 의미한다(김지홍, 김영균; 2000). 패혈증의 가장 심한 증상인 패혈성 쇼크(septic shock)를 유발하는 확산성 말초혈관의 확장은 상대적인 혈액량 감소증을 유발함으로써 생체 각 기관으로의 혈액 순환을 방해하고 동반되는 대량의 보체 활성화(complement activation)는 패혈증 환자에서 성인호흡장애증후군(ARDS, Adult respiratory distress syndrome)으로 쉽게 이환되는 요인으로 생각되고 있다. 악안면 부위에 발생한 감염은 다행히도 패혈증을 거의 유발하지 않는다. 그 이유는 초기 진단 및 치료가 잘 이루어지고 몸의 다른 부위와 비교해 볼 때 국소적 방어 기능이 우수하고 악안면 감염이 치료되지 않고 남아 있을지라도 외부로 저절로 배농이 잘 되기 때문이다.

(1) 임상증상 및 진단

임상증상과 환자의 전신상태를 잘 평가하고 흉부방사선사진, 혈액 및 뇨검사, 동맥혈가스분석(ABGA), 체액 배양검사(혈액, 뇨, 삼출물, 가래, 대변, CSF) 등을 통해 확진할 수 있다. 다음과 같은 임상증상들과 진단 기준들을 잘 숙지할 필요가 있다(Condon RE & Nyhus LM; 1985, Hypp JR, et al; 1996)**(Box 2-12)**.

Box 2-12 \ **임상증상 및 진단**(Condon RE & Nyhus LM; 1985, Hypp JR, et al; 1996)

1. 감각이상

2. 빠른호흡(tachypnea)

3. 빈맥(tachycardia)

4. 저혈압(hypotension)

5. 오한(chills) 및 고열(fever)

6. 정신적 상태 변화

7. 요감소(oliguria), 단백뇨(proteinuria)

8. 경직(rigor) 및 근육통(myalgia)

9. 피부에 점상출혈(petechiae), 발적(erythema)과 색전(embolic) 병소가 발생할 수 있으며 이 증상이 나타나면 주세균이 *S. aureus, meningococci* 혹은 *P. aeruginosa*임을 의미한다.

10. 혈액검사

    빈혈(anemia), 혈소판감소증, 과빌리루빈증, 고질소혈증, 고혈당, 혈청 칼륨(K: potassium) 상승, 백혈구감소증(leukopenia) 혹은 반대로 백혈구증가증(leukocytosis)이 나타날 수도 있다. 혈액배양검사 양성, 동맥혈가스분석에서 초기엔 호흡성알칼리증(respiratory alkalosis)을 보이다가 산소분압(PaO_2) 감소 및 대사성산증(metabolic acidosis) 소견을 보인다.

11. 흉부방사선사진에서 폐부종과 폐렴의 소견이 관찰된다.

12. 심박출량이 감소되면 예후가 매우 불량한 징후로 볼 수 있다.

11. Fibrinogen(Factor I) 수치는 심각한 질환과 합병증 진단에 도움이 된다.

    Normal range: 150-350 mg/dl

    Mild deficiency: 100-150 mg/dl: liver disease, primary fibrinolysis

    DIC가 발생한 경우 〈 100mg/dl

---

(2) 치료

패혈증의 치료는 전반적인 환자의 관리, 약물치료, 외과적 처치 등 크게 세 부분으로 나눌 수 있다(Calandra T & Cometta A; 1991, Edgeworth JD, et al; 1999).

① 전반적인 환자 관리

A. 원인을 찾아서 신속히 제거한다.

B. 침상에서의 절대적 안정

C. 저혈압을 방지하기 위해 1–2 L Normal saline 투여

D. Hg이 8–10g% 이하인 경우 수혈과 전해질 공급

E. 대사성 산증 교정을 위해 Sodium bicarbonate 투여

F. 30 mL/hr의 뇨배출을 위한 이뇨제 투여: Furosemide

G. 심혈관계를 감시하기 위한 Swan–Ganz catheter의 삽입

H. 폐부종을 방지하기 위해 14–28 mmHg Pulmonary capillary wedge pressure, 10–12 mmHg central venous pressure 유지

I. 기도확보 및 산소공급

J. 통증 조절

K. DIC와 같은 동반된 합병증을 치료하기 위해 Corticosteroid, Opiate, Naloxone 등과 같은 약물들이 많이 사용된다.

초기 수액처치에도 불구하고 저혈압 상태가 계속 되거나 혈중 젖산 농도가 4 mmol/L 이상이면 패혈성쇼크로 판단하고 적극적인 심폐소생술을 시행한다. 스테로이드는 초기 24시간 내에 많이 사용되며 심박출량이 현저히 저하되면 혈관수축제를 투여하여 60 mmHg의 동맥압, 90 mmHg 이상의 수축기 혈압을 유지해야 한다(Otero RM, et al; 2006). 패혈증이 발생하고 나서 처음 6시간 동안의 초기 치료의 목표는 다음과 같이 설정한다 **(Box 2-13)**.

Box 2-13　패혈증 발생 후 6시간 동안의 초기 치료의 목표 설정

1. 중심정맥압(central venous pressure, CVP): 8–12 mmHg

2. 평균동맥압(mean arterial pressure, MAP) >65 mmHg

3. 시간당 소변양(hourly urine output, U/O) >0.5 mL/kg/hr

4. 중심정맥(상대정맥) 산소포화도($ScvO_2$) >70%

5. 혼합정맥 산소포화도(mixed venous oxygen saturation, SvO_2) >65%

---

② 항생제치료

세균 배양 결과가 나오기 전까지는 경험적 항생제를 사용하고 추후 배양의 결과에 따라 약물을 변경한다. 가급적 좁은 범위의 살균성 항생제를 정주를 통하여 대량 사용해야 한다. 패혈증은 어느 특정한 하나의 원인균에 의해서도 발생하지만 두 가지 이상의 원인균에 의해서 발생하는 경우가 많으며 항생제에 내성을 갖는 병원균들이 많아졌기 때문에 한 가지의 항생제로 치료를 하는 경우보다 두 가지 이상의 항생제를 병용투여하는 경우가 많다. Penicillin계와 Aminoglycoside계 또는 3

세대 Cephalosporin계 항생제의 병용 또는 Penicillin계와 Sulbactam계 또는 Aminoglycoside계와 Sulbactam계의 병용이 추천되기도 한다. 여러 가지 항생제들에 저항성을 보이는 그람양성균에 의한 패혈증에 대해서 Vancomycin과 Imipenam 또는 Cilastatin의 병용요법이 추천되기도 한다. 한편 세 가지 이상의 항생제 병용은 두 가지 사용법에 비해 우수하지 못하다고 한다. 패혈증의 치료로 항생제의 사용이 가장 기본적이고 중요하지만 monoclonal antibody 요법이 소개되기도 하였다 (Dundley MN; 1990, Joshi SG, et al; 2000, Levy I, et al; 1996, Sakamoto M, et al; 1996).

③ 외과적 처치

외과적 처치는 절개배농술을 일차적으로 시행하고 모든 괴사된 조직을 제거하는 것이 중요하다.

④ 패혈증의 최신 개념

2014년 1월부터 2016년 1월까지 제3차 패혈증 기준 개정안 모임이 열렸으며, 기존의 용어들이 폐기되고 새로운 기준안이 제시되었다(유진홍; 2019). 아래와 같은 기준을 충족할 때 septic shock로 진단한다(Box 2-14).

Box 2-14 제3차 패혈증 기준 개정안

1. Systemic inflammatory response syndrome (SIRS)이라는 용어와 개념이 폐기되었다.

2. SOFA (sepsis-related organ failure) score를 적극 활용한다. 그러나 이것을 bed side에서 즉각 활용하기엔 시간상 문제가 있기 때문에 quick guide를 활용한다(qSOFA).

　① 혈압 100 이하

　② 호흡수 22 이상

　③ 의식이 뚜렷하지 않을 때

　④ 수액을 충분히 공급하여도 mean arterial pressure가 65 mmHg를 넘지 못할 때 vasopressor를 사용해야 함

　⑤ 혈중 lactate 2 mmol/L 이상

또한 앞에서 제시된 조기치료(early goal-directed therapy; EGDT)는 침습적 치료에도 불구하고 다른 패혈증 치료법과 비교해서 조금도 나은 점이 없다고 밝혀졌으며 최근에는 EGDT를 하지 않는 것으로 결론이 났다.

Box 2-15 패혈증 치료의 3가지 원칙(유진홍; 2019)

1. 원인균을 확실히 모를 때 우선 광범위 항생제를 투여한다.

Piperacillin/tazobactam, 4세대 Cephalosporin, Carbapenem, 중증일 경우 Vancomycin 추가

2. 원활한 산소 공급

　① 인공호흡기로 산소를 공급

　② 충분한 혈류가 각각의 장기들로 잘 공급될 수 있도록 충분한 양의 수액을 투여한다. 0.9% 생리식염수, hemoglobin이 7.0 g/dL 미만이면 수혈해야 한다.

　③ 혈압상승제 투여: Norepinephrine, Dobutamine

3. 전신상태를 안정시키도록 노력하며 필요한 경우에 스테로이드를 투여한다.

---

(3) 예후

패혈증에 의한 치사율은 30-40% 정도를 차지하고 있다. 높은 치사율은 백혈병, 림프종, 호중구 감소증, 비조절성 내과적 전신질환 존재, 장기간의 병원 입원, 환자의 나이, 쇼크의 발생 유무 등과 밀접한 관계가 있고 질환의 조기 진단, 신속한 원인 제거, 적절한 시점에서 적극적인 치료의 시작 등으로 높은 치사율을 감소시킬 수 있다(Bauer M, et al; 2020, Johnstad B & Dahl V; 2990, Whitelaw DA, et al; 1992).

패혈증을 유발시키는 그람음성균은 *E. coli, Klebsiella, Enterobacter sp. Serratia* 등이 있고 그람양성균은 *Staphylococcus aureus, Streptococcus faecalis* 등이 많은 것으로 보고되었다. 전체 패혈증 원인균에서 그람음성균이 그람양성균보다 더 많은 비중을 차지하지만 치사율에 있어서는 그람양성균에 의한 패혈증이 더 높은 것으로 보고된 바 있다(Ruhnke-Trautmann M, et al; 1989, Whitelaw DA, et al; 1992). 그러나 Morgan 등(2016)의 연구에서 중증 패혈증의 초기 생존율이 향상되긴 하였지만 1차 감염(First-hit infection)이 해결된 후 발생하는 2차 감염(Second-hit infection)은 예후가 다른 경향을 보일 수 있다. 유전적, 미생물학적, 면역학적, 환경적 요인들에 따라 차이가 있을 수 있지만 그람음성감염이 첫 번째 패혈증 환자의 사망률을 크게 높이는 반면 두 번째 감염에서는 이러한 차이가 역전될 수 있다고 보고되었다.

7) 파종성혈관내응고(Disseminated Intravascular Coagulation: DIC)

여러 질병으로 인해 혈액응고기전이 활성화되어 광범위하게 혈전이 형성되거나 출혈을 일으키는 질환이다. 몸 전체의 혈관 내부에 작은 혈전들이 형성되면서 혈액응고에 필요한 단백질과 혈소판을 모두 소모하게 되어 정상적인 혈액응고기전이 방해를 받으면서 비정상적인 출혈이 발생하게 된다. 패혈증이 진행되면서 동반되는 경우가 많고 다발성 장기 부전과 광범위한 출혈이 발생하면서 사망에 관여하게 된다.

(1) 진단

혈액검사에서 혈소판 감소, Prolonged PT, PTT, thrombin clotting time, elevated serum levels of FDPs (> 80 ug/mL), 다양한 혈액응고인자들(clotting factors)의 결핍, Low fibrinogen concentration 등이 관찰된다.

(2) 치료

원인이 되는 기저질환을 치료하면서 FFP, Cryoprecipitate, Platelet transfusion을 시행해야 한다.

8) 색전증(Embolism)

색전은 혈병, 종양의 일부 세포, 공기, 지방 또는 세균 덩어리로 이루어지며, 이는 혈류에 의해 원발부로부터 다른 부위로 이동되고 혈관을 폐쇄시켜 다양한 장애(뇌색전증, 폐색전증 등)를 유발한다. 색전이 뇌로 파급된 경우를 뇌전색증(cerebral embolism)이라 한다. 뇌졸중(cerebrovascular accident)은 뇌혈관 허혈이나 뇌출혈이 발생하여 뇌세포 혈액공급이 잘 이루어지지 않는 경우 혹은 색전이나 혈전이 직접 뇌혈관을 막음으로 인해 급격히 발생한다. 신경과 혹은 신경외과로 신속히 의뢰해야 하며 치과에서는 감염의 원인을 제거하고 원발성 감염 치료를 적극적으로 시행해야 한다(Jeong KH, et al; 2014). 패혈성 폐색전증(septic pulmonary embolism)은 심장 삼첨판 부위의 심내막염(endocarditis), 말초정맥에서 진행 중인 패혈성 혈전정맥염(thrombophlebitis), 머리와 목, 골반의 감염된 동정맥단락(arteriovenous shunt)에 의해 발생하는 질환이다(Christensen PJ, et al; 1993,

Serefhanoglu K, et al; 2008). 대부분 세균성 감염에 의해 발생하지만 드물게 *Candida albicans*에 의한 패혈성 폐색전증이 보고되기도 하였다(Jeong KH, et al; 2014).

9) 사망

김학원 등(1986)은 치성감염으로부터 유래된 패혈증성색전에 의한 뇌졸중으로 사망한 48세 여자 환자 증례를 보고하였다. 이상철 등(1986)은 52세 남자 환자에서 측두와, 협부 및 악하부 농양이 발생하여 입원처치를 시행하였으나 패혈증을 동반한 뇌농양이 발생하면서 사망한 증례를 발표하였다. Buzby 등(1988)은 Nutritional Risk Index [NRI =1.519 × serum albumin (g/L) + 41.7× (present weight/usual weight)]를 기준으로 82 이하이면 치사율이 유의성 있게 높아진다고 보고하였고 사망률도 4.8%로 높았다.

구분	Nutritional Risk Index (NRI)
정상	97.5 초과
경도 영양실조	83.5 – 97.5
중등도 영양실조	83.5 미만

권준호와 윤중호(1990)는 1984-1989년 사이에 구강악안면외과에 입원한 164명의 감염 환자들을 조사하였는데 2명이 사망하였고 사망의 주원인은 패혈증이었다고 보고하였다. 김일규 등(1991)은 발치 후 침윤성 아스페르길루스증이 발생하여 사망한 증례를 보고하였다. 당뇨와 간경변증을 앓고 있는 43세 남자 환자에서 좌측 상악 제1소구치 발치 후 안와하부 감염이 발생하였으며 절개배농술과 조직검사를 시행한 결과 아스페르길루스증으로 진단되었다. 흉부방사선사진에서 좌측 폐까지 확산된 소견이 관찰되었고 항생제 치료와 병소의 광범위한 적출술을 시행하였음에도 불구하고 수술 3개월 후 사망하였다. 사망의 원인은 아스페르길루스가 해면정맥동을 침입하여 형성된 혈전증에 의한 뇌손상으로 추정되었다. 김원겸 등(1991)은 당뇨, 간경화증, 류마티스관절염, 쿠싱증후군이 존재하는 46세 남자 환자에서 우측 측두부, 협부 및 경부 감염이 발생하였으며 적극적인 입원치료에도 불구하고 사망한 증례를 보고하였다. 허원실 등(1993)은 급성 림프구성백혈병을 앓고 있는 9세 남자 환자에서 좌측 안면부의 모균증이 발생하여 사망한 증례를 발표하였다. 윤광철 등(1996)은 1990년 1월부터 1995년 12월까지 조선대학교치과병원에 내원하였던 241명의 구강악안면 감염 환자들을 조사한 결과 197명(81.8%)이 치성 원인이었고 56명(23.2%)이 잘 조절되지 않는 전신질환이 존재하는 상태였다. 12명의 Ludwig's angina 환자들 중 2명이 사망하였다고 보고하였다. 정상일 등(1998)은 Ludwig's angina가 발생한 71세 여자 환자에서 종격동염과 패혈증으로 진행되면서 사망한 증례를 발표하였다. Wong(1999)은 구강악안면감염으로 인한 사망률은 1/150이었고 사망한 환자들은 대부분 당뇨가 동반된 심부 괴사성 감염을 가지고 있었다. 모든 사망 환자들은 40세 이상이었고 이들 중 66.7%가 당뇨 환자였다. 사망의 주원인은 패혈증이었다. 오성섭 등(1999)은 고혈압, 만성신장증후군을 보유한 57세 여자 환자에서 좌측 협부 및 악하부 농양이 발생하여 10일간 적극적인 입원처치를 시행하였지만 패혈증으로 진행되면서 사망한 증례를 보고하였다. 염문선 등(2000)은 심부 경부 감염 후 합병된 흉강내 감염 증례를 발표하였다. 우측 하악 구치부에서 발생한 치주농양이 폐렴과 급성 종격동염으로 진행하여 패혈증으로 사망하였다. 따라서 심부 경부감염 시 흉강내 감염의 예방을 위하여 조기 진단 및 절개배농술과 적절한 항생제 치료가 이루어져야 하며, 일단 흉강내 감염으로 진

행하면 사망률이 매우 높다고 언급하였다. 김지홍과 김영균(2000)은 안면부 봉와직염이 발생하여 입원한 89세 여자 환자가 패혈증으로 사망한 증례를 보고하였다. Hasselmann 등(2003)은 혈장 알부민 수치가 3.0 이하인 경우에는 사망률이 급격히 증가한다고 보고하였다. Seppänen 등(2008)은 2000년부터 2003년까지 치성 감염으로 입원치료를 받았던 환자들을 조사하였다. 국소적 합병증이 발생한 환자들은 모두 생존하였지만 전신적 합병증이 발생한 10명의 환자들 중 3명이 사망하였다고 보고하였다.

7. 예방적 항생제

심내막염 예방을 위해 모든 치과치료 및 수술 전에 예방적으로 항생제를 복용하는 것은 대부분 불필요하며 오히려 문제가 될 수도 있다. 항생제를 남용할 경우 항생제에 대한 알레르기 반응을 유발하거나 심내막염을 일으키는 세균의 내성을 키우는 부작용이 발생할 수 있다. 즉 스케일링이나 발치와 같은 일상적 치과치료 시 "세균이 혈류로 침입하여 심내막염이 발생하는 것은 치과치료보다는 일상생활이 원인인 경우가 더 많다."는 연구결과들이 발표되기도 하였다. 심내막염의 30-50%가 심장질환의 병력이 전혀 없는 환자들에서 발생하고 있다는 보고도 발표된 바 있다. 치아 1개를 발치한 후 발생하는 균혈증의 정도와 기간은 일상생활 중에 노출되어 발생하는 균혈증과 비교하여 매우 경미하다. 1년간 저절로 발생하는 균혈증은 치아 1개 발치 후 발생하는 균혈증에 비해 5,640,585배 높다. 따라서 인공관절 감염이나 심내막염 발생 위험성이 높은 환자들을 보호하기 위한 예방적 항생제 사용에 대한 학술적 근거는 충분하지 않다고 보는 것이 타당하다는 주장이 언급되기도 하였다(Dinsbach NA; 2012). 하루 1회 1년 동안 칫솔질을 함으로써 혈액을 매개로 한 세균에 감염될 위험은 한 번 발치하는 것에 비해 15만 4,000배나 높다. 따라서 구강위생 상태를 청결하게 잘 유지하는 것이 항생제를 예방적으로 사용하는 것보다 훨씬 더 중요하다(Wilson W, et al; 2007).

예방적 항생제 사용과 관련된 지침들이 있지만 실제 임상에서는 치과의사들이 지침을 명확히 구분하기 어렵다. 따라서 심장질환, 면역기능을 저하시키는 전신질환자 및 인공관절을 장착 중인 환자에서는 예방적 항생제를 사용하는 것이 좋다. 예방적 항생제는 치료 전에 고용량으로 1번 복용하거나 주사를 맞기 때문에 항생제를 남용한다고 볼 수 없다. 예방적 항생제를 사용하지 않고 치료를 진행하여 감염 등 문제가 발생할 경우 오히려 더 큰 문제가 될 것이며 법적으로 책임을 져야 하는 상황에 직면할 수도 있다.

1) 심내막염 예방을 위해 술전 예방적 항생제 투여를 적극 권고하는 경우(Thornhill MH, et al; 2018)(Box 2-16)

Box 2-16 \ **심내막염 예방을 위해 술전 예방적 항생제 투여를 적극 권고하는 경우**

1. 인공 심장판막 이식 환자
2. 심내막염의 병력이 있는 환자
3. 특정 선천성 심장질환을 보유한 환자
4. 심장이식을 받은 환자에서 심장판막에 이상이 발생한 경우

승모판탈출증(Mitral valve prolapse), 류마티스심장질환(rheumatic heart disease), 이첨판질환(bicuspid valve disease), 대동맥협착증(aortic stenosis), 심실중격결손(ventricular septal defect), 심방중격결손(atrial septal defect) 비후성심근병증(hypertrophic cardiomyopathy)과 같은 선천성 질환을 가진 환자들은 과거에는 예방적 항생제 처방을 권고하였으나 최근에는 권고하지 않는다. 정형외과 수술을 통해 인공관절을 장착하고 있는 환자들에서 치과수술 전 예방적 항생제가 필요한지에 대해서도 논란이 있다. 인공관절수술을 시행한 전문의에게 자문을 구하고 치과수술의 침습도, 환자의 전신질환 및 면역기능 상태 등을 종합적으로 평가하여 치과의사가 결정해야 한다(Sollecito TP, et al; 2015).

2) 미국정형외과학회와 미국치과학회에서 치과치료 시 예방적 항생제 사용이 필요하다고 권장하는 경우
(1) 인공관절술 시행 후 2년 이내
(2) 과거 인공관절에 감염이 발생하였던 경우
(3) 류마티스 관절염, 루프스관절염 등의 염증성 관절염이 있는 환자
(4) 인슐린 주사가 필요한 제1형 당뇨병
(5) 영양실조
(6) 혈우병

3) 인공관절 장착 환자의 치과수술 전 예방적 항생제 사용에 관한 다양한 의견들 (Hossaini-zadeh M; 2016, Sollecito TP, et al; 2015)
정형외과에서 인공관절수술을 받은 환자들에게 치과수술 전 예방적 항생제를 투여해야 한다는 의견은 오래전부터 논란의 대상이 되어왔다. 예방적 항생제 사용을 추천하는 근거는 균혈증으로 인해 혈관 내에 존재하던 세균이 인공관절에 침투하면서 감염을 유발할 수 있다는 이론에 근거하고 있다. 감염 위험성은 인공관절 장착 2년 이내에 가장 빈발한다고 알려져 있다(Box 2-17).
(1) Early: 인공관절 장착 3개월 내에 감염이 발생하는 경우
(2) Delayed: 인공관절 장착 3–24개월 사이에 감염이 발생하는 경우
(3) Late: 인공관절 장착 24개월 이후 감염이 발생하는 경우

Box 2-17 　**인공관절 장착 환자의 술전 예방적 항생제 사용에 관한 다양한 의견들**

1. ADA & AAOS (American Dental Association & American Academy of Orthopaedic Surgeons; 2003)
   인공관절 장착 후 2년 이내에 침습적인 치과 시술이 시행될 경우 예방적 항생제 사용을 권장
2. AAOS (Wahl MJ; 2009)
   혈행성 인공관절 감염 위험성 때문에 모든 환자들에서 치과시술 전 예방적 항생제 사용을 권장
3. ADA (Sollecito TP, et al; 2015)
   인공관절 감염과 치과 시술 간에 상호 연관성을 찾을 수 없었다고 결론을 내렸다.

---

4) 예방적 항생제 프로토콜

초창기 예방적 항생제는 Penicillin V 2 g을 치료 1시간 전에 경구복용하고, 주사제는 Penicillin 2백만 units 30–60분 전 근육주사하는 것이었다. 대체 주사법으로 Ampicillin 1–2 g 혹은 Gentamicin 1.5 mg/kg IM을 치료 30분 전에 근육주사하는 방법도 소개되었다. Penicillin에 알레르기가 있는 환자들은 Erythromycin 1 g을 1시간 전에 경구복용하거나 Vancomycin 1 g을 30–60분 전에 정맥주사하는 방법이 제시되었다(Jaspers MT & Little JW; 1985). Littner(1986)는 Amoxicillin 3 g을 수술 1시간 전에 경구복용하는 것이 Penicillin V보다 훨씬 신속하게 다량 흡수된다고 언급하였다. 2019년 최신 예방적 항생제 사용 프로토콜이 발표되었으며 치과의사들은 이 지침을 따를 것을 추천한다(Lafaurie GI, et al; 2019, Suda KJ, et al; 2019).

(1) Penicillin에 알레르기가 없는 환자들

① 성인

A. 경구복용: 치과 시술 1시간 전 Cephalexin, Cephradine or Amoxicillin 2 g, 또는 Amoxicillin/Clavulate(Augmentin) 625 mg

B. 주사: 치과 시술 30분 전 Cefazolin 2 g, Cephalexin 2 g, Cephacroxin 2 g, Amoxicillin 2 g, Augmentin 2 g IV or IM

② 소아

A. 경구복용: 치과 시술 1시간 전 Amoxicillin 50 mg/kg

B. 주사: Cephalexin or Cefacroxin 50 mg/kg, Ampicillin 50 mg/kg, Cefazolin 25 mg/kg

(2) Penicillin 알레르기가 있는 환자들

① 성인

A. 경구복용: 치과 시술 1시간 전 Clindamycin 600 mg, Azithromycin or Clarithromycin 500 mg

B. 주사: 치과 시술 1시간 전 Clindamycin 600 mg IV or IM

② 소아

A. 경구복용: 치과 시술 1시간 전 Clindamycin 20 mg/kg, Azithromycin or Clarithromycin 15 mg/kg

B. 주사: Clindamycin 20 mg/kg, Cefazolin 25 mg/kg

5) 수술 전 예방적 항생제

수술 도중에 수술 부위가 세균으로 오염되기 전에 항생제가 조직 내에 적절한 농도로 존재할 수 있도록 미리 처방한다는 개념이다. 대개 수술 30분 전(혹은 전신마취 유도 시) 투여하는 것을 추천한다. 3시간 이상 수술이 지속될 경우엔 추가로 항생제를 투여한다. 그러나 구강악안면외과 수술 전에 예방적 항생제를 투여하는 것에 대해서는 논란이 있다. 가령 턱교정 수술의 경우 수술 직전에 예방적 항생제를 투여하고 수술 후에도 최소 5일간 항생제를 투여하는 것이 술후 감염을 최소화할 수 있다는 의견이 있다(Bentley KC, et al; 1999). 반면 턱교정 수술 전 예방적 항생제 투여가 큰 장점이 없다는 주장들도 많다(Yrastorza JA; 1976). 한편 Clindamycin topical oral rinse가 구강내 타액에 존재하는 세균들을 현저히 감소시킨다. 따라서 술전에 예방적으로 가글링하는 것이 감염 예방에 효과적일 수 있다는 보고가 오래전에 있었다(Elledge ES, et al; 1991).

6) 치과 임플란트 수술 시 예방적 항생제(Caiazzo A, et al; 2021, Esposito M, et al; 2010, 2013)(Box 2-18)

감염 예방 효과 유무와 상관없이 수술 전에 1회 혹은 1일 정도 투여하는 것이 결코 나쁘지 않다고 생각된다. 단기간 사용한 것이 항생제 내성을 증가시킬 것 같지 않다는 것이 필자의 생각이다. Flemming (2016)은 술전 예방적 항생제를 투여할 경우 임플란트 소실 위험성이 약 2% 정도 감소하며 복잡한 수술에서는 장점을 배제할 수 없다고 하였다. 반면 Esposito 등(2008)은 수술 1시간 전에 항생제를 투여한 경우와 그렇지 않은 경우를 비교하였을 때 임플란트 실패 및 합병증 발생에 있어서 통계적으로 유의성 있는 차이가 없었다. 그러나 항생제를 사용하지 않은 그룹에서 임플란트 조기 실패가 4배 더 높게 나타나는 경향을 보였다고 보고하였다.

Box 2-18 **치과 임플란트 수술 시 예방적 항생제의 사용**

1. 수술 전후 Chlorhexidine gargling은 구강 내 세균의 수를 감소시키는 측면에서 효과가 있다.
2. 간단한 임플란트 수술의 경우 감염방지를 위해 1회 항생제를 투여하면 충분하다.
   – 수술 1시간 전에 Amoxicillin 2–3 g 경구복용, 알레르기가 있을 경우엔 Clindamycin 600 mg
3. 복잡한 수술(긴 수술 시간, 광범위한 골이식술 동반 등)의 경우엔 수술 후에도 항생제를 일정 기간 동안 투여한다.

한편 발치창골이식, 치조골증대술, 상악동골이식과 같은 골이식술 시행 시 Penicillin 알레르기로 인해 Clindamycin을 투여한 경우 술후 감염 발생률이 오히려 더 높았다는 특이한 보고도 있었음을 참고할 필요가 있다(Basma HS & Misch CM; 2021, Salomo-Coll O, et al; 2018).

8. 항생제 내성 및 난치성 감염

Kang 등은 구강악안면 부위에 발생하는 감염은 Penicillin, Ampicillin에 대부분 내성이 있기 때문에 2, 3세대 Cephalosporin, Clindamycin, Quinolone와 같은 broad-spectrum antibiotic with low resistance을 사용해야 한다고 주장하였다(Kang SH & Kim MK; 2019). 약을 처방하는 의료인들은 무분별한 항생제 남용을 피하고 병원 내 교차 감염을 최소화하기 위한 다양한 노력을 계속해야 한다. 전 세계적으로 2019년에만 120만 명 이상이 항생제 내성균 감염으로 사망하였으며 말라리아와 에이즈에 따른 연간 사망자 수를 넘겼다는 연구 결과가 나왔다. 미국 워싱턴대학이 주도한 다국적 연구진 140명은 '2019 세계 질병·상해·위험요인 연구'를 통해 204개 국가와 속령에서 4억 7100만 명의 기록을 종합해 분석했다. 이에 따르면 2019년 한 해 항생제 내성균 감염이 직접적 사인이 된 경우가 127만 건이며, 이로 인해 간접적으로 건강이 악화해 사망한 사례는 495만 건에 달했다. 이런 사망 중 대부분은 폐렴 등 하부 호흡기 감염이나 패혈증에 따른 것으로 파악되었다. 이 가운데 항생제 Methicillin에 내성을 보이는 황색포도상구균이 특히 치명적인 것으로 나타났다. 황색포도상구균은 여러 종류의 항생제를 동시에 투여해도 잘 치료되지 않는 위험한 세균인 '다제내성균' 중 하나로 치명적인 병원 내 감염의 주범으로 꼽히고 있다(나예은; 2022).

1) MRSA 감염(Methicillin Resistant Staphylococcal Aureus Infection)

Staphylococcus aureus (*S.aureus*)는 그람양성균으로서 교차 감염 및 병원감염과 연관된 가장 흔한 균이다. 이는 항생제가 개발되기 이전에 인류의 사망과 관련한 가장 흔한 원인균이었다. 이후 1940년대 페니실린이 소개되면서 감염치료에 유용하게 사용되었고 사망률이 극적으로 감소되었다. 그러나 1944년 처음 내성이 알려진 이래로, 1950년대에는 약 50% 이상의 *S.aureus*가 페니실린 분해효소(Pecillinase enzyme, β-lactamase)를 생산하며 약제에 내성을 나타내는 것으로 알려졌다. 1959년에는 Methicillin처럼 페니실린 분해효소에 대항하는 약제가 소개되었으나, 이로부터 2년 후에는 영국에서 Methicillin에도 내성을 가진 균주가 처음 보고되었다. 이런 내성 균주를 *Methicillin Resistant Staphylococcus aureus* (MRSA)이라 칭한다.

MRSA 감염은 항생제의 과도한 사용과 관련이 있으며, 환자의 면역체계, 의료진 및 수술 기구의 위생 상태에 밀접한 영향을 받는다. 미국 NNIS (National Nosocomicial Infections Surveillance)의 보고에 따르면 MRSA 감염 발생 비율은 1975년 2%에서 1996년 35%로 증가하였다. 미국 질병관리센터(Centers for Disease Control and Prevention, CDC)에서는 인구의 약 5%에서 비강 및 피부에 MRSA가 있다고 보고하였다. 일본에서의 연구에 따르면, 1992-1993년 여러 지역의 환자에서 분리된 약 7,000균종을 분석한 결과 *S. aureus*의 약 60%가 MRSA였다(Hashimoto H, et al; 1994). 국내에서도 MRSA 발생 비율이 점차 증가하여 *S. aureus*의 60% 이상이 MRSA로 알려졌다. MRSA는 현재 제4급 감염병으로 분류되어 있다(Chong Y & Lee K; 2000, Kim HB, et al; 2004).

MRSA는 크게 병원성 MRSA와 지역사회 MRSA (community-associated MRSA, CA-MRSA)로 나뉜다. MRSA는 전 세계 대부분의 병원들에서 가장 중요한 감염균으로 꼽히고 있다. 특히, 한국, 일본, 대만, 홍콩, 싱가포르, 스리랑카 및 일부 미국 병원에서는 분리되는 *S. aureus*의 50% 이상이 MRSA인 것으로 보고되었다(Grundmann H, et al; 2006). 국내에서는 1996년도 국내 15개 병원을 대상으로 한 전향적 연구에서 83.7%가

MRSA인 것으로 나타났다(Kim JM, et al; 2000). CA-MRSA는 병원성 MRSA 감염의 위험인자인 침습적 기구 시술, 과거 감염력, 수술, 장기간 입원, 혈액투석, 장기요양시설 입원 등이 없이 MRSA 감염이 발생하는 경우를 가리킨다(Salgado CD, et al; 2003). 병원성 MRSA와 달리 CA-MRSA는 대부분 non-β-lactam계 항생제에 감수성이 있다고 알려졌다. 2004-2005년 미국 샌프란시스코 지역의 역학조사에 따르면 인구 10만 명당 CA-MRSA 감염 빈도는 316명, 병원성 MRSA 감염은 31명으로, CA-MRSA 감염 수치가 월등히 높았다(Liu C, et al; 2008). 2011년에는 대만, 스리랑카, 필리핀, 베트남의 경우 30% 이상의 지역사회 감염이 MRSA에 의한 것이라고 보고되었다(Song JW, et al; 2011). 국내에는 2000년대 중반에 CA-MRSA가 처음으로 보고되었으며, 2009년에서 2019년 사이 발생률이 12.20%에서 26.60%로 급증하였다(Yu SH, et al; 2021).

대부분의 MRSA 감염은 다른 종류 세균들에 의한 감염과 증상만으로 구분하기 어려우며 배양검사 결과를 토대로 최종 진단한다. Vancomycin을 제외한 거의 모든 항생제에 내성을 가지기 때문에 치료가 매우 어렵다(Domaraki BE, et al; 2000, Hiramatsu K, et al; 1997). 농배양 및 항생제감수성검사를 시행하면서 적절한 항생제를 투여하고, 적극적인 절개배농술을 시행하고 감염 부위를 철저히 세척하는 것이 유일한 치료 방법이다(김인수 & 김영균; 2001). 또한 환자 개인 물품을 타인과 공유하지 않도록 하며 환자 본인 및 보호자의 철저한 위생관리가 필요하다.

2) VRE 감염(Vancomycin Resistant Enterococci Infection)

장구균(*Enterococcus*)은 동그란 알 모양의 장 상주균이며 주로 위장관과 비뇨생식기계에 존재한다. 독성이 비교적 약하여 건강한 정상인에게는 질병을 일으키지 않으나, 노인이나 면역 저하 환자, 만성 기저질환자 또는 병원에 입원 중인 환자에게 요로 감염, 창상 감염, 균혈증, 심내막염 등의 감염증을 유발한다. 장구균은 1970년대 중반부터 3세대 Cephalosporin계 항생제의 사용이 증가하면서 병원내 감염의 중요한 원인균으로 인식되기 시작했다. 장구균은 대부분의 항생제에 고유 내성을 보유하고 있으며 plasmid와 transposon의 전달에 의해 쉽게 항생제 내성을 획득할 수 있는 균주이다. Vancomycin은 1958년에 소개된 Glycopeptide계 항생제이며, 1970-80년대 전 세계적으로 MRSA에 의한 병원 감염이 확산되면서 임상에서 광범위하게 사용되기 시작하였다. *Vancomycin-resistant Enterococci* (VRE)은 1988년 영국과 프랑스에서 처음으로 보고되었으며 이후 미국에서 급속히 증가하였다(Guay DR, et al; 1993, Poirier TI & Giudici RA; 1992). 현재는 전 세계적으로 병원내 감염의 중요한 원인균이 되고 있으며, 미국에서는 매년 약 50만 건의 입원이 VRE 감염과 관련되어 있다(Lodise TP, et al; 2014). 2003년 보고에 따르면, 북미 지역 장구균 감염의 약 30%가 VRE이며, VRE 중 91%는 *Enterococcus faecium*이고 8%는 *Enterococcus faecalis*였다. 영국에서는 장내균 균혈증의 약 25%가 VRE로 인해 발생한다고 알려졌다(Rojas L, et al; 2012). 국내에서는 1992년에 처음으로 VRE 감염이 보고되었다. 전국적인 다기관 조사 결과에 따르면, 2009-2010년 병원 감염을 일으킨 *E. faecium* 중 VRE 비율이 38.9%였다(Jin SJ, et al; 2014). 또한 2016년 한 해 특정 병원 응급실 내원 환자 중 16.3%가 VRE 감염 상태였다(Kim HS, et al; 2018). 2020년의 연구에 따르면 암 환자에서 VRE 혈류감염으로 인한 30일 치명률이 31%였다고 보고되었다(XIE O, et al; 2020). VRE 감염으로 인해 MRSA 감염 치료에 통상적으로 사용되는 반코마이신을 쓸 수 없게 된다면 임상적으로 심각한 상황에 놓일 수밖에 없다. 이때는 Teicoplanin, Linezolid, Tigecycline, Quinupristin, Dalfopristin, Daptomycin 등의 항생제를 복합적으로 사용한다(Hiramatsu K; 1997, Sievert DM, et al; 2008, Yamamoto H; 2011).

VRE 감염도 MRSA처럼 제4급 감염병으로 분류되어 있으며, 장기간 입원 중 여러 항생제 및 Vancomycin을 장기 투여 받은 환자에게 주로 발생한다. 악성종양, 혈액질환 등을 치료할 목적으로 항암제나 면역 억제제를 투여한 경우 더 높은 빈도로 발생한다. 검체별로 살펴보면 균이 분리되는 비율은 소변에서 가장 높으며, 그 다음은 객담, 농, 기관 분비물, 담즙 등의 순서로 검출된다. 때로는 기구를 통해 전파가 일어난다. VRE 감염을 낮추기 위해서는 철저한 병원 감염 관리를 통하여 내성을 예방하고 차단하는 것이 중요하다. 또한 항생제의 올바른 사용을 통해 내성이 유도되지 않도록 하는 것이 중요하다. 다제내성(Multiple drug-resistance, Multiple resistance) 그람양성균에 효과적인 항생제 개발 또한 필요하다.

3) MRSA, VRE 감염 환자의 접촉주의 및 격리지침(김윤정; 2020)

아래 정리된 내용은 분당서울대학교병원에서 권고하고 있는 지침이며 치과병의원에서도 참고하면 감염관리에 큰 도움이 될 것이다(Table 2-5).

Table 2-5 MRSA, VRE 감염 환자의 접촉주의 및 격리지침(김윤정; 2020)

개인 보호구	통제되지 않는 분비물, 욕창, 배액되는 창상, 장루 tube/bag, 다량의 호흡기 분비물과 접촉으로 인해 의료진의 의복이나 피부가 오염될 가능성이 있는 경우 → 일회용 비닐 가운 및 장갑 착용
물품 및 세트류	환자 전용 의료기구와 개별 물품 사용(혈압계, 체온계 등), 일회용 사용이 어려운 경우 해당 물품을 주황색 봉투에 담아서 세척 후 멸균
환자 이동	가능하면 이동을 제한하며 이동이 불가피한 경우엔 환자에게 일회용 가운 착용 또는 시트를 덮어서 이동, 도착지에 환자 상태 알림, 이송 요원 보호구 착용(환자를 병실에서 이송 수단으로 옮길 때)
교육	환자 및 보호자에게 감염관리와 관련된 교육 실시(다른 환자 및 보호자와의 접촉 제한, 보호구 착용, 손위생 중요성)
식기 관리	일반 환자와 동일
세탁물	주변 오염 없이 린넨류를 수집 후 배출
환경관리	환경소독제로 1회/일 병실 내 바닥(1:100 락스), 물품 청소(1:100 세니자임, 이디와일스)
격리	'VRE surveillance' 검사를 1주일 이상 간격으로 시행하여 3회 연속 음성이 확인될 때까지 계속 격리시킨다.

9. 구강악안면감염의 예후 및 경과

구강악안면 부위는 혈행이 잘 이루어지면서 혈액공급이 잘 되기 때문에 대부분의 감염은 항생제와 초기 절개배농술을 통해 대부분 치유된다. 그러나 환자의 면역기능이 저하되었거나 세균의 독성이 강한 경우 혹은 항생제 내성균에 의해 감염된 경우엔 장기간 치료가 필요하거나 치명적인 합병증을 유발하기도 한다. 종격동염, 패혈증, 다발성 장기부전과 같은 생명을 위협할 수 있는 심각한 합병증은 굉장히 드물지만 발생할 경우 적절한 치료를 위해서는 여러 과의 협진이 필요하다(Opitz D, et al; 2015).

1) 감염의 호전 및 악화 징후
(1) 감염이 호전되는 징후들
① 주관적 증상 호전

② 체온이 3-5일 내에 정상으로 회복: 항생제 치료 72시간 이후에도 고열이 지속되면 CT, MRI, 초음파 등 정밀검사를 시행하고 항생제 선택, 용량, 절개배농술의 적절성 등에 대한 재평가가 필요하다.

③ 생체징후가 정상으로 회복

④ leukocytosis, CRP 등 검사 소견이 호전됨

(2) 감염이 악화되는 징후들
① 환자의 의식이 혼미해짐

② 소변량 감소

③ 생체징후가 불안정

④ 호중구감소증: 면역기능 저하 의미

⑤ 중추신경계 감염으로 확산됨

2) 치성감염으로 인해 입원기간이 길어지는 요인들(김원겸 등; 1991, Peters ES, et al; 1996)
(1) 조절되지 않는 의과적 전신질환
전신질환이 호전될 경우 감염도 잘 치유되는 양상을 보인다. 특히 당뇨, 고혈압, 쿠싱증후군, 류마티스 관절염 등이 오래 지속되는 치성감염과 관련이 있다고 보고되었다.

(2) 감염의 위치
심부 감염일수록 입원 기간이 길어진다.

(3) 감염의 초기 진단 및 치료가 늦어진 경우
감염은 초기부터 적극적인 절개 및 배농술을 시행하는 것이 감염의 재발 방지에 필요하고 합병증을 최소화할 수 있다.

3) 감염의 예후를 불량하게 만드는 요소(김형준 등; 2021)

(1) 조절되지 않는 의과적 전신질환

(2) 면역기능을 억제하는 약물들을 복용하고 있는 환자: 항암제, 스테로이드 등

(3) 장기간 항생제 치료를 받았던 환자

(4) 감염의 진행 속도가 매우 빠른 경우

(5) 고열, 심박수 증가, 호흡수 증가를 보이는 환자

(6) 연하곤란, 호흡곤란 증상이 있는 환자

(7) 개구제한이 존재하는 환자

10. 감염관리

술후 감염, 치과에 내원하는 환자들 간, 환자와 의료진, 의료진들 간의 교차감염 및 각종 전염성질환의 전파를 방지하기 위한 감염관리는 아무리 강조해도 지나치지 않다(Box 2-19). 치과의사들뿐만 아니라 치과위생사 및 치과 내에 근무하는 모든 직원들은 감염관리의 기본개념 및 원칙을 숙지하고 표준주의에 입각해서 감염관리를 항상 실천해야 한다. 자세한 내용은 관련 서적들과 참고문헌을 잘 살펴보기 바란다(라성호; 2011, 보건복지부; 2020, 신호성 등; 2011).

Box 2-19 \ **치과 진료실에서 발생할 수 있는 감염의 경로**

1. 환자의 혈액 및 구강 내 체액과 직접적인 접촉

2. 다른 환자들의 오염된 물질들과의 직접적인 접촉

3. 감염된 물체와 간접적인 접촉: 진료실 환경, 표면, 오염된 기구나 장비

4. 감염자의 침, 콧물 등 체액이 기침이나 재채기, 대화 중 튀어나오면서 다른 사람의 결막, 코, 구강점막과 접촉하는 경우

5. 공기 중에 오랫동안 머물 수 있는 미생물을 흡입하는 경우

'표준주의'란 감염관리의 가장 기본적인 개념으로서 의료현장에서 감염의 확진 여부와 상관없이 모든 환자들에게 적용되는 최소한의 감염방지 방법을 의미하며 다음과 같은 내용들을 숙지하고 원칙을 엄격히 준수해야 한다(Box 2-20).

Box 2-20 \ **표준주의** ─────────────────────

1. 손위생: 손씻기, 손소독법

2. 개인 보호구: 장갑, 마스크, 가운, 안면쉴드, 모자

3. 호흡기 위생/기침 에티켓

4. 날카로운 기구의 안전한 관리

5. 안전한 주사 방법

6. 환경관리

7. 수질관리

8. 기구멸균 및 소독

9. 감염관리를 고려한 인테리어

3

약물 관련
악골괴사증(MRONJ)
고찰

치과진료 후 발생하는 콜치 아픈 증례들

TOUGH CASES

CHAPTER

3

약물 관련
악골괴사증(MRONJ) 고찰

Khosla 등(2007)에 의하면 8주 이상 노출된 골조직이 치유되지 않고 골흡수 억제제 혹은 혈관형성 억제제 치료 경력이 있으며 방사선치료나 명확한 전이성 질환의 병력이 없는 경우를 약물 관련 악골괴사증 (Medication related Osteonecrosis of the Jaw: MRONJ)으로 정의하며 DIONJ(Drug-induced osteonecrosis of the jaw), CONJ(chemo-osteonecrosis of the jaws)라고 불리기도 한다. Bisphosphonate 계열의 약물을 복용하는 환자들에서 많이 발생하였기 때문에 BRONJ(bisphosphonate-related osteonecrosis of the jaws)라, BAONJ(bisphosphonate-associated osteonecrosis of the jaws)고 명명하기도 하였다(Hellstein JW & Marek CL; 2005, Marx RE; 2003, Rosella D, et al; 2016, Wang J, et al; 2003, World Health Organization; 2021). 악골괴사를 유발하는 기본 기전은 골개조와 재생(renewal)에 나쁜 영향을 미치는 세포독성작용(cellular poisons)으로 설명하고 있다. 악골은 평생 동안 개조가 이루어지고 있으며 장골(long bones)에 비해 10배 빠른 속도로 치조골이 교체된다. 이것이 악골괴사증이 항상 치조골에서 시작되는 이유이다(Dixon RB, et al; 1997, Marx RE; 2022).

1. 발생 빈도 및 부위

골다공증 치료에 사용되는 Bisphosphonate와 같은 골흡수 억제제(anti-resorptive agent), 항암치료 등에 사용되는 혈관형성 억제제(anti-angiogenic agent) 등을 장기간 사용할 경우 파골세포 활동이 억제되고 혈관형성을 저하시켜 골조직의 혈액공급이 일시적 혹은 영구적으로 차단된다. 따라서 외상을 받을 경우 골조직의 흡수 및 리모델링이 되지 않고 산소 공급이 감소되면서 골괴사증이 발생한다. 발생 빈도는 장기간 주사제(정맥 혹은 근육주사) 사용 시 0.8-10%, 경구복용 시 0.01-0.04%로 보고되었다(McLeod NM, et al; 2012). 정주투여는 경구투여에 비해 위험성이 높고 장기 복용 환자에서 위험성이 더욱 증가한다. 경구복용도 3년 이상 복용한 경우 발생률이 증가한다고 보고되었다(Ruggiero SL, et al; 2009).

악골에서 가장 많이 발생하는 부위는 하악 후방부의 설측 피질골 부위이다. 또한 골융기가 존재하는 부위의 점막이 얇고 외상을 자주 받는 부위이기 때문에 하악 설측골융기, 상악 구개융기 부위에서도 많이 발생한다. 일반적으로 하악골에서 상악에 비해 2배 더 많이 발생한다(Marx RE; 2022).

2. 병인론(Kwon TG; 2014)

1) Outside-in 가설

미생물 침범으로 인한 감염과 염증에 대한 골조직의 방어 기전이 적절히 발동되지 못하면서 골괴사가 유발된다. 즉 패혈성 괴사를 의미한다.

2) Inside-out 가설

혈관 형성과 골개조 과정이 억제되어 무균성 괴사 즉, 골대사의 억제로 인해 골괴사가 발생하고 이로 인해 상방 연조직 궤양이 발생하고 골조직이 노출되는 악순환이 초래된다.

3) 면역체계 및 미세골절과의 연관성

골조직은 지속적인 자극을 받으면서 미세균열(microcrack) 혹은 골절과 치유가 반복된다. 특히 나이가 들수록 미세손상이 축적된다. 미세균열은 골수염에서는 잘 관찰되지 않지만 골괴사 병소에서는 많이 관찰된다. 즉 통상적인 저작력에도 골조직에 미세균열이 발생할 수 있는데 Bisphosphonate와 같은 약물들로 인하여 이러한 손상에 대한 치유를 담당하는 파골세포나 골모세포의 기능이 억제되면서 미세균열이 치유되지 않고 계속 축적된다. 이곳에 세균이 침투하여 염증과 감염을 일으키면서 더 깊고 심한 병소를 만들게 된다(Allen MR, et al; 2006, Comptston J; 2011, Subramanian G, et al; 2013).

3. MRONJ의 단계

1) 임상증상 및 방사선학적 소견에 따른 분류(Kim KM, et al; 2015, Ruggiero SL, et al; 2014)

Stage	정의
Stage 0	뼈가 괴사되진 않았지만 비특이적 증상을 호소한다.
Stage 1	노출된 괴사골이 존재하나 증상 및 감염의 증거는 관찰되지 않는다.
Stage 2	노출된 괴사골이 존재하고 통증 및 감염의 징후를 보인다.
Stage 3	2기 소견과 함께, 다음 중 한 가지 이상 소견들이 동반된다. 1. 노출된 괴사골이 치조골의 범위를 넘어 확산된다. 2. 병적 골절(pathologic fracture) 3. 구강-피부 누공(oro-cutaneous fistula) 4. 구강-비강, 구강-상악동 누공 5. 하악골 하연 또는 상악동저까지 골 파괴가 진행

2) Marx(2022)에 의한 분류법

Stage	정의
Stage 0	1. 임상 및 방사선사진에서 치조골의 뚜렷한 병적 소견이 관찰되지 않음 2. 방사선사진에서 lamina dura sclerosis 혹은 치주인대 비후 소견이 종종 관찰된다(**Fig 3-1**). 3. 임상적으로 심부 뼈통증, 치통, 치아 유동성이 존재하지만 분명한 원인을 찾을 수 없다. 4. 시작요소들 중 어떤 하나가 관여하면 치조골이 괴사되면서 노출된다.
Stage I	노출된 괴사골이 1/4악에 국한됨
Stage II	노출된 괴사골이 1/2악에 국한됨
Stage III	노출된 괴사골이 3/4악 혹은 전악에서 발생함. 또는 하악골 하연의 골용해가 발생함. 또는 병적골절이 발생함. 또는 상악동까지 확산됨(**Fig 3-2**)

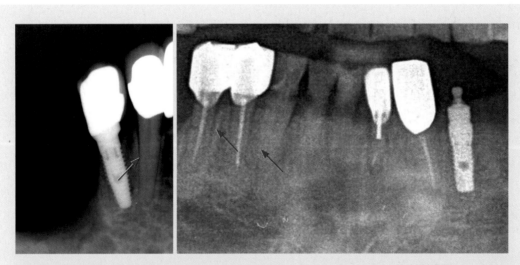

Fig. 3-1. 치근 주위의 lamina dura sclerosis, thickening of periodontal ligament 소견이 관찰된다.

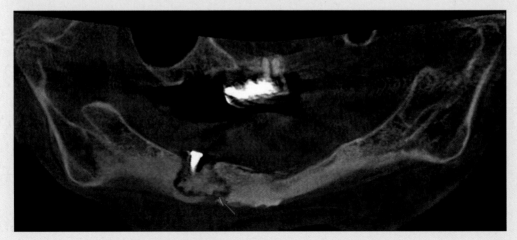

Fig. 3-2. 우측 하악골에 발생한 MRONJ stage III. 부골, involucrum, 병적 골절(화살표)이 관찰된다.

4. 위험요소(Risk factors)와 시작요소(Initiating factors)

1) 위험요소(Risk factors)

다음과 같은 요인들이 MRONJ 발생 위험을 현저히 증가시키지만 결국 유일한 위험요소는 약물 자체이다 (최정임; 2022, Rahimi-Nedjat RK, et al; 2016, Ruggiero S, et al; 2006, Wessel JH, et al; 2008)**(Box 3-1)**.

Box 3-1 \ MRONJ 발생 위험을 증가시키는 요인

1. 기저질환: 악성종양, 다발성골수종(multiple myeloma), 당뇨, 빈혈
2. 비만, 흡연
3. 장기간의 정주용 Bisphosphonate 치료

4. 장기간 스테로이드 투여
5. 경구용 Bisphosphonate를 3년 이상 투여
6. 발치 경력
7. 구강위생불량 및 치주질환

Campisi 등(2020)은 MRONJ의 위험요소를 3가지 부류로 구분하였으며 예방과 조기 진단의 중요성을 강조 하였다**(Table 3-1)**.

Table 3-1 MRONJ의 위험요소 분류(Campisi, et al; 2020)

Drug-Related	Systemic	Local
· Product (Antiresorptive/antiangiogenic drug) · Route of administration · Cumulative dosage · Duration of treatments · Supportive care (e.g., chemotherapy, steroids, thalidomide)	· Solid tumors, multiple myeloma, osteoporosis, diabetes, rheumatoid arthritis, hypocalcemia, hyperparathyroidism, smoking	· Dental infection · Periodontitis · Peri-implantitis · Dental extraction · Unfitting removal dentures · Torus, Exostosis · Pronounced mylohyoid ridge

2) 시작요소(Initiating factors)

위험요소들 자체가 악골괴사증을 유발하는 것은 아니며 어떤 치료행위 혹은 자극에 의해서 골개조 및 재생에 나쁜 작용이 발생하면서 악골괴사증이 발병하게 된다. 시작요소들로 많이 알려진 것들은 다음과 같다(Marx RE; 2022)**(Table 3-2)**.

Table 3-2 악골괴사증을 시작하게 하는 요소들의 비율

소인들	발병 비율(%)
발치	61
외상성 교합 혹은 저절로 발생	28
임플란트 식립	5
치주수술	5
기타	1

(1) 발치

가장 큰 시작요소로 알려져 있으며 MRONJ의 약 61%가 발치 후 발생한 것으로 보고되었다(Marx RE; 2011, Marx RE, et al; 2005).

(2) 외상성 교합 혹은 저절로 발생

약 30% 정도는 어떠한 외력이나 치료가 행해지지 않았음에도 불구하고 저절로 발생하기도 한다. 또한 구치부에서 과도한 교합력이 가해질 경우 하악골의 설측에서 악골괴사증이 많이 발생한다고 알려져 있다.

(3) 만성염증

치료되지 않은 만성치주염은 발치, 외상성 교합과 매우 밀접한 관련이 있으며 파골세포의 활성을 촉진시키면서 골개조에 악영향을 미치게 된다.

(4) 다양한 치과치료들

조직검사, 치주수술, 임플란트 수술, 치관확장술 등과 같은 치료 행위들로 인해 악골괴사증이 시작될 수도 있다.

3) 동반이환요소들 혹은 동반질환(comorbidities)

일부 학자들은 당뇨, 흡연, 악성종양, Corticosteroids 장기투여, 항암치료, 면역질환 등과 같은 동반질환들이 위험요소로 잘못 분류되었다고 언급하였다. 이런 요소들 자체가 MRONJ를 유발하진 않는다. 그러나 일단 발생한 MRONJ의 진행 속도를 촉진시키면서 더욱 악화시키는 역할에 관여할 수 있다(Rahimi-Nedjat RK, et al; 2016, Ruggiero S, et al; 2006, Wessel JH, et al; 2008).

4) 약물 관련 위험요소(Marx RE; 2022)

(1) 효능(potency)

최초의 Bisphosphonate인 Etidronate의 효능을 "1"이라고 할 때 Tiludronate는 50배, Risedronate, Ibandronate는 1,000배, Alendronate는 5,000배이다. Denosumab는 Alendronate와 거의 유사한 효능을 보인다. 골감소증/골다공증 치료를 위해 약물치료를 받는 환자들 중에서 발생한 MRONJ의 97% 이상이 Alendronate, Denosumab과 관련이 있다고 한다(Table 3-3, 4).

(2) 투여 용량과 빈도(dose and frequency)

투여 용량이 많고 빈도가 잦을수록 위험도는 증가된다.

(3) 약물 사용기간

사용기간이 길수록 악골괴사증 발생 위험도가 현저히 증가한다.

(4) 투여경로

정맥주사하는 약물이 경구투여 약물에 비해 악골괴사증 유발 위험도가 현저히 크다(Table 3-5).

Table 3-3 다양한 골다공증 치료제들에 의해 유발된 MRONJ 발생 비율(Marx RE; 2022)

Drug	Dosage	%
Alendronate	70 mg/week	61
Denosumab	60 mg every 6 months	36
Risedronate	35 mg/week	2
Ibandronate	150 mg/month	1

Table 3-4 투여 약물과 MRONJ 발생 위험도(Marx RE; 2022)

Risk	Drug
High risk	Alendronate 70 mg/week PO or Denosumab 60 mg/6 months SC
Medium risk	Zoledronate IV 5 mg/year
Minimal risk	Risedronate 35 mg/week PO or Ibandronate 150 mg/month PO
No risk	Vitamin D3 and calcium or raloxifene 60 mg/day PO or teriparatide (rhPTH 1–34) 20 mcg/day SC (limit to 2 years or less) or abaloparatide (rhPTHI–80) 80 mcg/day SC (limit to 2 years or less) or strontium renelate 2 g/day or strontium citrate 680 mg/day

Table 3-5 골다공증 치료약물의 투여방법과 MRONJ 발생 위험도의 관계(Marx RE; 2022)

Drug	Risk begins	Mean dose for MRONJ
Oral alendronate (70 mg)	104th dose	240 doses
IV zoledronate (4–5 mg)	4th dose	9 doses
Subcutaneous denosumab (60 mg every 6 months)	4th dose	8 doses
Subcutaneous denosumab (120 mg/months)	2nd dose	3 doses

경구용 Bisphosphonate를 3년 이상 사용하였거나 3년 이하이더라도 스테로이드를 오랜 기간 함께 사용한 환자들에서 발생 위험도가 증가한다. 이런 약물들이 장기 투여되고 있는 환자들에서 다양한 구강내 수술(발치, 임플란트 식립, 치주수술, 치근단수술 등)이 시행될 경우 MRONJ 발생 위험도가 현저히 증가한다. 특히 발치가 시행될 경우 MRONJ 발생 위험도는 16.5배 증가한다고 한다(Khan AA, et al; 2017, Nisi M, et al; 2015, Patel V, et al; 2011, Ruggiero SL, et al; 2009).

임플란트는 자연치와 달리 치주인대가 없으므로 교합력을 분산시키는 기능이 현저히 떨어지기 때문에 지속적인 저작력으로 인한 임플란트 주변 미세균열이 누적되면서 골대사에 영향을 주는 약물을 장기간 섭취할 경우 악골괴사증의 위험도가 증가할 수 있다. 임플란트의 거친 표면은 세균침입에 취약하여 한번 감염되면 광범위한 골염증을 야기할 수 있다. 즉 임플란트주위염이 존재하는 상태에서 Bisphosphonate와 같은 약물을 장기간 복용할 경우 악골괴사증이 발생할 가능성이 현저히 증가한다. 치주질환 또한 MRONJ 발생 위험요소들 중 하나라고 보고되었다. 심한 치주질환이 존재할 경우 발치 후 골괴사증이 발생할 위험성이 크다고 예측할 수 있다(Hallmer F, et al; 2018, Pogrel MA & Ruggiero SL; 2018).

한편 일부 연구들에서 Bisphosphonate를 단기간 투여한 경우는 임플란트와 연관된 악골괴사증을 유발하지 않으며 오히려 염증 감소 및 골치유를 촉진시키는 효과를 기대할 수 있다고 보고되었다. 또 다른 연구에서 소량으로 단기간 투여 시 골흡수를 최소화하면서 골형성을 촉진시키고 치주조직의 염증은 감소시켜 준다고 하였다(Lim KS, et al; 2010, Menezes AM, et al; 2005, Mitsuta T, et al; 2002).

5. MRONJ 발생 위험도를 예측할 수 있는 검사

1) Serum C-terminal cross-linking telopeptide of type I collagen (CTX)

생화학적 골표지자(Biochemical bone markers)인 Serum C-terminal cross-linking telopeptide of type I collagen (CTX)가 예측 인자로 알려져 있으나 아직 논란의 여지가 많다(Box 3-2). CTX 값과 BRONJ severity 는 상관관계가 없으며 CTX 값으로 수술 후 치유 및 예후를 예측하는 것도 관련성이 없다는 의견들이 제시된 바 있으니 독자들이 알아서 잘 판단하기 바란다(Lee DW, et al; 2014, Rhee SH, et al; 2015).

Box 3-2 ╲ CTX 값과 MRONJ 발생 위험도 ───

300–600 pg/mL: no risk

159–299 pg/mL: none or minimal risk

101–149 pg/mL: moderate

100 pg/mL 이하: high

2017년 미국구강악안면외과학회에서는 CTX 값이 150 이상일 경우 치과 수술을 권장하였다. 그 외에 Bone alkaline phosphatase (BAP), Serum osteocalcin, Vitamin D 등을 BRONJ 발생 위험도 예측을 위한 참고자로 사용할 수 있다고 언급하였다.

2) Inflammatory markers: ESR, CRP

2007년 Marx는 악골괴사증을 가진 환자들의 혈중 CTX (C-terminal telopeptide of collagen) 수치가 100 pg/mL 이하였다고 보고한 바 있지만 그 정확도에 대해 많은 의문이 제기되었다(Marx RE, et al; 2007). ESR, CRP 는 BRONJ의 심각도와 높은 상관관계를 보이지만 bone turnover marker CTX는 BRONJ 상태를 잘 반영하지 못한다. 즉 염증 표지자의 증가는 BRONJ의 진행을 판단하는 데 도움이 될 수 있다(Choi SY, et al; 2013).

6. 임플란트를 비롯한 구강악안면외과 소수술을 시행할 때 고려할 사항(Park W, et al: 2011)

1) 최소 3개월 이상 투약 중단

2) 임플란트 치료가 완료된 후 나타나는 지연실패가 MRONJ와 연관이 있는 경우가 많다. 즉 보철물 장착 이후 몇 년이 지난 후에도 MRONJ가 발생할 수 있다.

3) 골다공증 치료약의 특성상 장기간 복용해야 하는 경우가 많으므로, 정기적인 검사를 통해 임플란트 주위 골질의 변화양상을 면밀히 관찰해야 하며, 내분비내과 전문의와 협진하는 것이 추천된다.

4) CTX 값이 150 이상이고 6개월 이상 경구용 Bisphosphonate 복용을 중단하였다 하더라도 이미 뼈에 침착된 Bisphosphonate는 반감기가 10년 이상이므로 환자에게 치료 후 골괴사 가능성을 충분히 설명하고 수술을 시작하는 것이 좋다.

7. MRONJ 관련 약물(김진우 & 김선종: 2021)

1) 비스포스포네이트 계열의 약물

파골세포에 직접 작용하여 활성을 억제하고 세포 사멸을 유도한다. Etidronate, Alendronate, Risedronate, Ibandronate, Zoledronate 등이 있다(Higuchi T, et al; 2018, Pichardo SEC & Richard van Merkestery JP; 2016) **(Table 3-6)**.

Table 3-6 비스포스포네이트 계열 약물

성분명	상품명	회사	Primary Indication	Dose	Route	Relative Potency
Etidronate	Dinol	초당약품	파제트병	300–750 mg daily for 6M	Oral	1
	Osteum	유영제약				
Alendronate	Fosamax	한국 MSD	골다공증	10 mg/d	Oral	1,000
				70 mg/w		
Risedronate	Actonel	한독약품	골다공증	5 mg/d	Oral	1,000
				35 mg/w		
				150 mg/m		
Ibandronate	Bonviva	한독약품	골다공증	150 mg/m	Oral	1,000
	Bondronat	로슈	골전이	6 mg/3–4W	IV	
Pamidronate	Aredia	노바티스	골전이	90 mg/3W	IV	1,000–5,000
	Pamiron	비씨월드제약				
Zoledronate	Zometa	노바티스	골전이	4 mg/3W	IV	10,000–

치료 약물의 상품명 뒤에 적혀있는 수치는 RAP (relative anti-resorptive potency) 값으로서 이것이 높을수록 bone turnover rate가 줄어들어 결과적으로 MRONJ가 생길 확률이 높아짐을 의미한다. IV용으로는 Pamidronate (Aredia 1,000), Zoledronate (Zometa 10,000)가 있고 경구투여용으로는 Alendronate (Fosamax 1000), Risedronate (Actonel 1,000)가 있다. 특히 Zometa 수치가 가장 높다(전인성; 2020).

2017년 각 약물에 따른 MRONJ 발생 빈도가 다음과 같이 보고된 바 있다(Scottish Dental Clinical Effectiveness Programme; 2017)(Table 3-7).

Table 3-7 각 약물에 따른 MRONJ 발생 빈도
(Scottish Dental Clinical Effectiveness Programme; 2017)

약물	발생 빈도
Zoledronate	1%
Denosumab	0.7-1.9%
Bevacizumab + Zoledronate	0.9%
Bevacizumab	0.2%
Oral or IV bisphosphonate	0.001-0.01%

2) Denosumab (Prolia Prefilled Syringe 60 mg/mL, Xgeva Inj 120 mg/1.7 mL)

Denosumab는 파골세포의 분화, 증식, 활성 등에 깊이 관여하고 있는 RANK/RANKL/OPG system의 RANKL (RANK ligand)에 대한 단클론항체(monoclonal antibody)이다. 이 약물은 RANKL에 결합하여 파골세포의 분화 및 증식, 그리고 최종적으로 골흡수를 억제하게 된다. 가장 강력한 Bisphosphonate인 Zoledronate와 유사하거나 더 강력하다. Bisphosphonate에 비해 부작용이 적고 신독성 위험성도 적으며 MRONJ 발생을 피하려는 목적으로 사용되는 최신 약물이지만 이 신약도 장기간 사용할 경우 MRONJ를 유발하는 것으로 알려져 있다. 악성종양의 골전이 환자들에게 사용되었던 약물로서 6개월에 1번만 피하주사하면 되는 장점이 있지만 Zoledronic acid를 Denosumab로 교체할 경우 MRONJ가 발생할 위험성이 더욱 증가한다고 보고되기도 하였다(Higuchi T, et al; 2018, Pichardo SEC & Richard van Merkeseyn JP; 2016). 따라서 처음부터 Denosumab를 단독으로 사용하였던 환자들보다 Bisphosphonate 사용 후 Denosumab을 투여하는 경우에 더 각별한 주의가 필요하다. 치과치료를 위해 Denosumab을 중단할 경우 rebound fracture 발생 가능성이 있으므로 환자별로 위험 대비 효과를 고려하여 선택해야 한다.

3) 그 외 약물

Bisphosphonate, Denosumab와 같은 약물 이외에도 최근에는 암치료, 자가면역질환, 골질환의 치료에 사용되는 다양한 약물들이 골괴사증을 유발한다는 증례들이 계속 보고되고 있다(Sahin O, et al; 2019). Bagan 등 (2016)은 유방암 전이 치료를 위해 6개월간 Mitoxantrone을 투여한 후 MRONJ가 발생한 증례를 보고하였다. Antiangiogenic drugs으로 알려진 Bevacizumab와 Sunitinib는 폐암, 신장암, 위장관암, 췌장암 등의 치료에 사용되며 악골괴사증을 많이 유발하는 것으로 보고되고 있다(Fleissig Y, et al; 2012, Guarneri V, et al; 2010). 류마티스관절염, giant cell arteritis, juvenile polyarthritis와 같은 면역질환 치료에 많이 사용되는 Tocilizumab는 interleukin-6을 억제하면서 악골괴사증을 유발할 수 있다고 보고되었다(De Benedetti F, Brunner HI, Ruperto N, et al; 2012, Genovese MC, McKay JD, Nasonov EL, et al; 2008).

8. 진단

임상증상 및 병력을 파악하여 대부분 쉽게 진단할 수 있다. Khosla 등(2007)에 의하면 8주 이상 노출된 골조직이 치유되지 않고 골흡수 억제제 혹은 혈관형성 억제제 치료 경력이 있으며 방사선치료나 명확한 전이성 질환의 병력이 없는 경우를 약물 관련 악골괴사증(Medication related Osteonecrosis of the Jaw)으로 진단할 수 있다고 하였다.

방사선학적 검사는 보조적 진단수단으로 사용되며 질환의 범위를 파악하기 위해 활용된다. CT에서 부골과 골파괴 범위를 확인될 수 있으며 진행성 골괴사증은 만성 골수염과 유사한 소견들을 보인다(Fig 3-3, 4). 상악에 발생하면 대부분 화농성 상악동염이 수반된다. 골괴사가 만성적으로 진행될 때 방선균 군집(actinomycetes colony)이 괴사된 골조직 주변에서 관찰되는 경우가 많으며 방선균성 감염(actinomycotic infection)이 동반되기 때문에 항생제 선택 시 참고할 필요가 있다(Bedogni A, et al; 2008, Hansen T, et al; 2007, Kim KW, et al; 2011).

1) 방사선골괴사증(Osteoradionecrosis: ORN)과 MRONJ의 차이

임상증상, 경과, 치료방법 등이 유사한 것 같아 보이지만 다음과 같은 차이를 보인다(Grisar K, et al; 2016, Kwon TG, et al; 2013).

① MRONJ의 골노출 및 방사선학적 골파괴가 ORN에 비해 훨씬 더 진행성이며 인접 조직을 많이 침범하는 경향을 보인다.

② ORN이 좀더 심한 통증, 병적 골절, 피부누공 발생 비율을 보인다.

③ MRONJ의 치료법이 좀더 보존적인 경향을 보인다.

2) 방사선골괴사증

일반적으로 방사선골괴사증은 방사선 조사된 골이 피부나 점막으로 괴사된 채로 노출되고 3개월이 지나도 자발적으로 치유되지 않는 상태로 정의된다(Teng MS & Futran ND; 2005). 악골의 방사선골괴사증 특징은 다음과 같다(Schwarz &Kagan; 2002)(Fig 3-5, 6).

① 60 Gy 이하의 방사선조사에서는 거의 발생하지 않는다.

② 방사선치료 중 근접치료(Brachytherapy)에서 더 흔하게 발생한다.

③ 하악골이 두경부 종양의 방사선치료 영역에 많이 포함되어 있어서 위험률이 높다.

④ 혈관분포의 부족으로 상악보다 하악골에서 더 자주 발생한다.

⑤ 치아발치, 수술, 외상 등에 의해 발생률이 증가된다.

⑥ 이차 감염이 발생할 수 있으나 감염이라기보다는 치유기전의 문제로 보는 것이 타당하다.

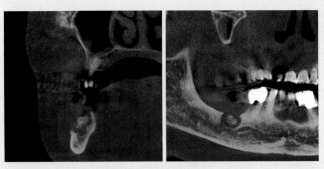

Fig. 3-3. 80세 여자 환자의 우측 하악골에 발생한 MRONJ. 부골과 주변을 둘러싸고 있는 Involucrum이 하악관을 침범한 소견이 관찰된다.

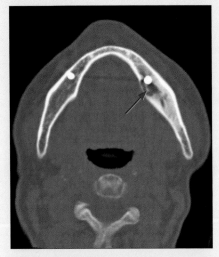

Fig. 3-4. 71세 여자 환자의 하악에 발생한 MRONJ. 부골(화살표)이 관찰되고 설측 피질골이 매우 얇아진 것을 볼 수 있다.

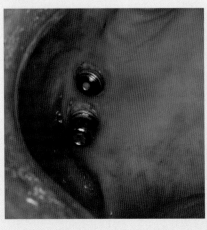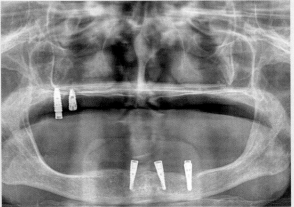

Fig. 3-5. 74세 여자 환자에서 상악골 악성종양 수술 후 방사선치료가 시행된 후 발생한 방사선골괴사증. 상악 임플란트 주변에 괴사된 골조직이 노출된 것을 볼 수 있다.

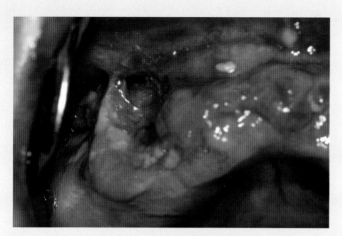

Fig. 3-6. 74세 여자 환자에서 우측 상악골에 발생한 방사선골괴사증.

9. 치료

MRONJ로 진단된 환자들을 치료하기 전에 환자에게 발병 원인과 치료방법들에 대해 분명하게 설명하는 것이 중요하다. 악골괴사증은 치과치료나 수술이 잘못되어서 발생하는 것이 아니다. 즉 골감소증, 골다공증 혹은 악성종양의 치료를 위해 사용된 약물들의 부작용이라고 분명하게 말해야 한다. 머뭇거리거나 자신의 치료가 잘못된 것이 아닌지 치과의사가 고민하는 모습을 보이게 되면 환자는 전적으로 치과치료가 잘못된 것이 원인이라고 생각할 것이다. 특히 악골이 다른 부위의 골조직에 비해서 이런 약물들에 10배 정도 더 민감한 반응을 보인다. 따라서 약물 관련 골괴사증이 악골에서만 발생하는 것이다. 뼈가 노출된 것 자체가 통증을 유발하진 않는다. 그러나 구강내 세균들이 괴사된 골 주변에 군집하면서 감염이 발생하면 통증과 종창, 화농 등의 증상들이 나타나게 된다. 악골괴사증이 발생하면 우선 담당 전문의와 상의하여 약물투여 중단 혹은 대체 약물치료를 결정해야 한다. 그리고 병변을 주의 깊게 관찰하면서 장기간의 증상완화 치료만 진행할 것인지 괴사된 골을 제거하는 외과적 치료를 시행할 것인지 결정하게 된다.

MRONJ의 치료는 대개 보존적으로 수행되고 있으나 Stage 2 이상부터는 조기 외과적 수술이 치유 측면에서 장점이 많다는 의견들도 있다. 보존적 처치는 초기 단계(Stage 0, 1)에서는 좋은 결과를 보일 수 있다. Vitamin D 보충요법은 MRONJ 예방 효과가 있고 Vitamin D 결핍 시 MRONJ 위험성이 증가한다고 알려져 있다. MRONJ로 진단되는 즉시 항생제 치료를 시행해야 한다. 그러나 페니실린 계열의 항생제는 골조직으로의 침투력이 낮아서 사용하지 않는 것이 좋다(Fliefel R, et al; 2015, Song JW, et al; 2011, Thabit AK, et al; 2019). 아래에서 기술된 Staging은 Ruggiero SL 등(2014)의 분류법을 따랐다.

1) MRONJ의 치료 목표

① 골괴사증의 진행을 최소화한다.
② 통증, 이상감각, 감염을 조절함으로써 환자의 삶의 질을 향상시킨다.
③ 재발을 방지하기 위하여 환자의 교육과 지속적인 검진을 시행한다.

2) MRONJ의 치료 시 고려사항(김영균 등; 2015, 박정현 & 김선종; 2016, Kang SH, et al; 2020)

① 약물의 경구투여 3–4년 이상, 정맥주사 1년 이상 치료를 받은 환자들은 모든 치과치료 시 각별한 주의가 필요하며 골괴사증 발생 위험성을 환자에게 자세히 설명해야 한다. 발치 등 외과적 처치 전에 MRONJ가 이미 존재하고 있을 가능성이 있기 때문에 최소 침습적으로 발치 혹은 수술을 진행하고 술후 관리에도 각별히 신경을 써야 한다.

② 치과 수술이 불가피하다면 환자가 치료받고 있는 의과 전문의에게 자문을 구하고 3개월 이상 투약 중지 혹은 대체약 처방을 고려한다. 그러나 생각 외로 의과 자문에 대한 회신이 없는 경우가 매우 많기 때문에 치과의사 자신의 판단하에 잘 결정해야 할 것이다.

③ 1, 2단계에서 잘 조절될 수 있도록 초기 보존적 치료가 매우 중요하다.

④ PRP, rhBMP–2는 연조직과 골의 치유에 큰 도움을 주기 때문에 MRONJ의 치유에도 긍정적인 효과를 발휘한다. 또한 난치성 증례들에서 성공적인 치료 효과를 얻을 수도 있다.

3) 휴약기(Drug holiday)

골감소증, 골다공증의 치료는 치과의사의 진료 영역이 아니다. 따라서 환자를 치료하고 있는 담당 전문의에게 자문을 구한 후 휴약기를 정하고 약물 중단이 불가능하다면 다른 대체약 처방이 가능한지 등이 결정되어야 한다. 그러나 실제 임상에서 자문을 구할 때 명쾌한 회신을 받지 못하는 경우가 매우 많기 때문에 결국은 치과의사 자신의 판단하에 결정해야 하는 경우가 많다.

Bisphosphonate가 신장 배출을 통해 제거되고 파골세포의 활성을 회복하기 위해서 최대 2개월이 필요하다. 따라서 발치 등 침습적인 수술 이전에 최소 2개월간의 drug-holiday가 추천된다. 아직 많은 논란이 있긴 하지만 4년 이상 Bisphosphonate 치료를 받았거나 4년 미만이더라도 정주용 주사, 스테로이드 혼합 사용과 같은 고위험 환자인 경우 2-4개월 간의 drug holiday를 추천한다. 치과 수술 후 점막 치유가 충분히 이루어지는 것을 확인한 후(치과 수술 3개월 이후) Bisphosphonate와 같은 약물 재투여를 고려해 볼 수 있다.

구분	휴약기
경구용 Bisphosphonate를 4년 이하 복용한 저위험 환자	수술을 연기할 필요 없음. 대체 약물이나 drug holiday 추천
경구용 Bisphosphonate를 4년 이하 복용하였으나 스테로이드 혹은 혈관형성 억제제 주사치료가 혼합 사용된 경우	술전 최소 2개월 이상 drug holiday를 반드시 고려
경구용 Bisphosphonate 4년 이상 복용	술전 최소 2개월간 drug holiday를 반드시 고려

Marx (2022)는 사용된 약물의 종류와 serum CTX level 그리고 자신의 경험을 기반으로 치조골에 외상을 많이 주는 침습적 시술과 관련하여 다음과 같은 휴약기를 추천하고 있다(Kunchur R, et al; 2009, Kwon YD, et al; 2009, Leahey AM, et al; 1999, Marx RE, et al; 2007). 그러나 기간이 상당히 길어서 실제 임상에 적용하는 것은 다소 무리가 있어 보인다(Box 3-3).

Box 3-3 Marx(2022)가 제시한 휴약기

Bisphosphonate 경구투여: 시술 전 9개월 ~ 시술 후 3개월

Denosumab (6개월 간격으로 60 mg 피하주사): 시술 전 4개월 ~ 시술 후 3개월

Zoledronate 정맥주사(5 mg/year): 시술 전 9개월 ~ 시술 후 3개월

실제 임상에서 많이 사용되는 프로토콜은 수술 3개월 전부터 수술 후 1개월까지 중단하여 총 4개월간 휴약기를 갖는 것이다. 일부 학자들은 광범위한 악골괴사증을 수술하기 전에 최소 3개월 이상 투약을 중단하고 수술 후 일차 치유가 이루어지고 약 4-6개월 시점(점막의 완전 치유와 재발이 없는 것을 확인하기 전)까지 골흡수 억제제 투여를 중지할 것을 권고하고 있다[예외: 골다공증이 아닌 다발성골수종, 골전이 악성종양의 치료가 진행 중인 경우엔 투약을 중단할 수 없다(Lee KH, et al; 2013)]. 한편 Denosumab는 약 6개월의 휴약기를 거치는 것이 악골괴사증 위험을 줄일 수 있다고 한다. 다만 Denosumab 치료 전 Bisphosphonate 치료를 시행해 왔던 경우는 악골괴사증 위험이 잔존해 있을 가능성을 염두에 두어야 한다. 최근의 골다공증 치료 가이드라인은 Denosumab 치료 후 비스포스포네이트를 투여하여 골경화를 유도한 후 휴약하길 권고하고 있다(김진우 & 김선종). 위에서 제시된 다양한 내용들을 참고하여 관련 전문의에게 자문을 구한 후 시술을 행하는 치과의사 자신의 판단하에 결정할 수밖에 없다.

4) 보존적 치료

보존적 치료의 주목적은 이차감염의 방지, 통증 조절, 병변의 확산을 최소화하는 것이다. Marx(2022)는 Bisphosphonate는 9개월 이상, Denosumab는 7개월 이상 휴약기를 가지면 증례들의 50% 이상에서 부골이 쉽게 탈락될 수 있다고 하였다. 그 이유는 파골세포의 활동이 정상화되고 부골과 살아있는 골 사이의 involucrum이 사라지기 때문이다. Stage 1, 2에서는 구강 세척, 감염과 통증을 조절하기 위한 약물치료, 레이저 치료 등과 같은 보존적 치료를 우선 고려한다. 골괴사 부위에 존재하는 임플란트 또는 관련 치아들을 제거한다. 부골이 분리되어 있을 경우에는 주위 골조직에 외상을 최소화하면서 부골만 제거하고 날카로운 골표면을 평탄하게 다듬은 후 관찰한다(Fig 3-7).

(1) Stage 2에서 보존적 치료와 수술적 치료의 비교

보존적 치료는 감염 및 통증과 같은 초기 증상을 개선시킬 수는 있으나 골노출 부위는 지속되는 경향을 보이고 일부에서는 증상이 악화되어 수술적 처치가 필요해지는 경우가 있다. 즉 보존적 처치는 환자의 삶의 질에 있어서는 분명한 개선이 있으며 골괴사의 진행과 주변으로 확산되는 것을 막고 부골 형성을 유도함으로써 치유를 도모한다는 개념으로 장기적인 증상 해소에는 기여할지 몰라도 병소의 완전한 제거 및 치유는 기대하기 어렵다. 반면 수술적 처치는 좀더 양호한 예후를 보이지만 광범위한 악골 절제 등 매우 침습적이라는 문제점이 있다(Zhang Z, et al; 2020). 어떤 학자들은 Stage 2에서 수술적 처치가 더 좋은 예후를 보인다고 주장하고 있다.

(2) 약물치료: 항생제, Pentoxifylline, Tocopherol

괴사된 골 주변에 가장 많이 군집하는 세균은 *Actinomyces*이다 그 외에 *Moraxella, Eikenella, Veillonella* 등이 있다. 항생제는 부작용이 가장 적으면서 장기간 투여할 수 있는 약물을 선택해야 한다. 따라서 일차로 선택되는 항생제는 Penicillin 유도체와 Doxycycline이다. 즉 Amoxicillin 500 mg tid 또는 Doxycycline 100 mg qd를 장기간 투여하며 필요시 Metronidazole 500 mg tid를 복합 사용할 수도 있다. 그러나 Metronidazole은 위염과 복부 불편감과 같은 위장관계 부작용이 매우 심하기 때문에 2주 이내로 사용을 제한해야 한다. 간혹 Azithromycin이나 Levofloxacin이 사용되기도 하지만 절대로 장기간 투여해선 안 된다. Amoxicillin과 Doxycycline은 위장에서 흡수가 잘되도록 하기 위해 공복 시 물과 함께 복용하는 것을 추천한다. Doxycycline은 우유와 같은 유제품과 함께 복용해선 안 되며 필요하다면 최소한 약물 복용 전후 1시간 간격을 두고 섭취해야 한다. Metronidazole은 절대로 술과 함께 복용해선 안 된다(Marx RE; 2022, Naik NH & Russo TA; 2009).

Pentoxifylline [1-(5-oxohexyl)-3,7-dimethylxanthine, PTX]은 모세혈관의 확장을 돕고 혈액의 점성을 낮춰 말초혈액순환을 촉진시킨다. 또한 염증 사이토카인 분비를 억제한다. Tocopherol은 항산화효과가 있어 세포막을 보호하고 염증과 조직의 섬유화를 줄여준다. Pentoxifylline과 Tocopherol을 함께 투여하면 임상증상이 현저히 개선되고 큰 부작용이 없으며 약물 상호 상승효과를 기대할 수 있다. 매일 Pentoxifylline 800 mg과 Tocopherol 800 IU을 최소 8주 이상 복용하는 것을 추천한다. 메타분석 논문에서 Pentoxifylline은 항생제, 고압산소요법보다 방사선골괴사증 치료에 좀더 좋은 효과를 보였으나 수술적 치료와 비교한 연구 결과는 부족하였다. 만성 골수염, 방사선골괴사증과 악골괴사증 치료 시 Pentoxifylline의 장기간 복용이 보조적인 치료 방법이 될 수 있다(Martos-Fernandez M, et al; 2018, Seo MH, et al; 2020).

5) 외과적 치료

완벽한 점막 치유 또는 Stage 2, 3에서 Stage 1으로의 하향을 성공기준으로 정의할 때 외과적 치료의 성공률은 74.5%로서 Stage 2, 3에서는 외과적 치료가 효과적인 치료법이라 할 수 있다(Bodem JP, et al; 2016). 환자의 전신적 건강상태가 양호하다면, 수술 전과 수술 후 3개월간 골흡수 억제제 혹은 혈관형성 억제제 투여를 중단하고, 3주 이상의 장기간 항생제 치료를 한 후 외과적 치료가 시행되면 완치율이 높다고 보고되었다(Hoefert S & Eufinger H; 2011, Ruggiero SL, et al; 2009). 외과적 치료는 병소의 크기와 주변 골조직으로 확산되는 정도에 따라 다음과 같은 방법들이 시도되고 있다.

(1) 배상형성술(saucerization), 부골절제술(sequestrectomy)

괴사되지 않은 정상적인 골이 노출되도록 웅덩이를 파듯이 수술하고 동요도를 보이는 부골만 제거하면서 최소 침습적인 방법으로 수술한다(Fig 3-8). 악골괴사증이 가장 빈발하는 하악 구치부의 설측 피질골이 움직이는 상태라면 국소마취하에서 피판을 작게 형성한 후 부골을 제거하고 일차봉합을 시행할 수 있다. 수술 후 발생한 결손부에 PRP를 주입하면 골치유를 촉진시킬 수 있다(Marx RE; 2022, Ogura M, et al; 2010).

(2) 분절골절제술(segmental resection)(Fig 3-9, 10)

배상형성술이나 부골절제술을 시행한 후 재발한 상태에서 주변 골조직으로 계속 확산되는 경우에는 분절골절제술을 고려할 수 있다. 재발한 증례에서는 분절골절제술을 시행하는 것이 가장 성공률이 높다고 보고되었다. 배상형성술(saucerization), 변연골절단술(marginal osteotomy)과 같은 보존적인 수술은 한 번만 시행하고, 계속 병소가 지속될 경우 광범위한 절제술을 시행하고 완치된 것을 확인한 후 악골재건술을 시행하면 좋은 결과를 얻을 수 있다. 절제 범위는 병변으로부터 주위 정상골 1 cm까지로 정한다. 방사선골괴사증은 골괴사증과 함께 광범위한 연조직 결손이 동반되기 때문에 microvascular flap과 같은 연조직재건술이 시행되어야 한다. 그러나 약물 관련 악골괴사증에서는 연조직 결손이 동반되는 경우가 거의 없기 때문에 연조직 재건술은 크게 신경 쓰지 않아도 된다(Caldroney S, et al; 2017, Carlson ER & Basile JD; 2009). 두 번째로 호발하는 부위는 상악 구치부이다. 이 부위는 병변이 상악동과 연결되면서 상악동 내부에 mucoceles, polyps, 육아조직과 부골들이 다량 존재하기 때문에 Caldwell Luc 수술에 준하는 방법으로 접근하여 상악동내 병변을 완전히 제거해야 한다. 상악 구치부에 MRONJ가 발생할 경우 악골괴사와 동시에 구강-상악동 누공 및 만성 상악동염이 동반될 것이다. 따라서 악골괴사 부위를 절제한 후 상악동염 처치를 시행하고 유경협지방대와 같은 자가조직을 이용하여 구강-상악동 누공을 폐쇄하는 방법을 적극 고려해야 한다(Melbville JC, et al; 2016).

(3) 형광유도술(fuorescence-guided surgery)

악골괴사증 수술 시 괴사골과 생활골을 잘 식별하기 위해 형광유도술(fluorescence-guided surgery)이 도움이 될 수 있다. 최근 VELscope system (VELscope fluorescence lamp; LED Dental, White Rock, British Columbia, Canada)을 이용한 auto-fluorescence-guided bone surgery가 MRONJ 수술에 도입되었으며 좋은 결과가 보고되었다(Kim Y, et al; 2021, Ristow O, et al; 2017)(Fig 3-11).

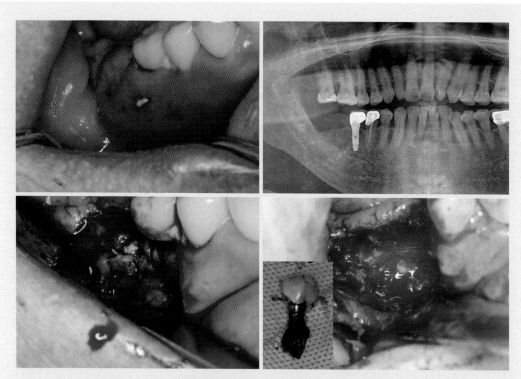

Fig. 3-7. 83세 여자 환자의 하악 우측 구치부에 발생한 MRONJ. 임플란트와 함께 주변의 부골을 제거하였다.

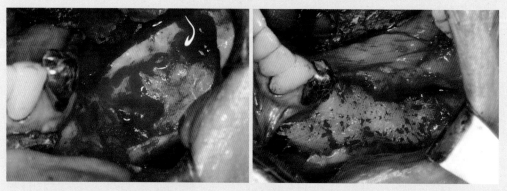

Fig. 3-8. 74세 여자에서 좌측 하악골에 발생한 MRONJ의 배상형성술을 시행하는 모습. 수술 후 Vaseline gauze를 충전하고 상방의 창상을 개방한 상태로 유지한다.

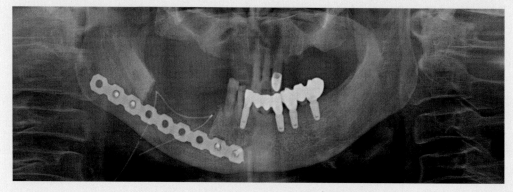

Fig. 3-9. 82세 여자 환자에서 발생한 우측 하악골의 MRONJ를 절제하고 즉시재건술이 시행되었다.

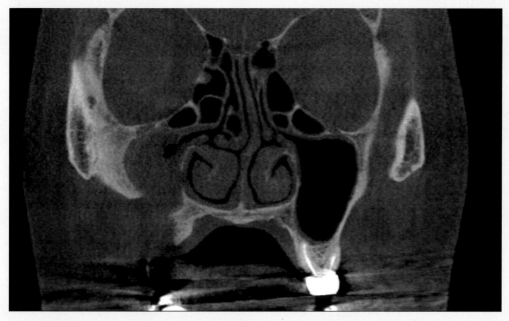

Fig. 3-10. 69세 여자 환자의 우측 상악골에 발생한 MRONJ. 배상형성술과 부골절제술을 시행하고 1개월 후에 촬영한 CBCT 방사선사진으로 잔존하고 있는 상악동염과 구강-상악동 누공에 대한 추가 처치가 시행되어야 한다.

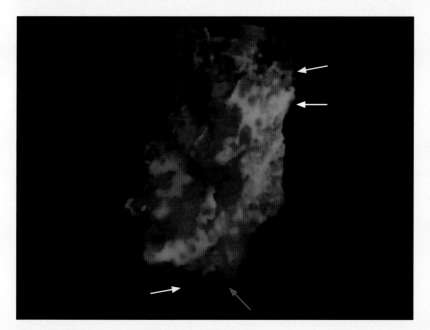

Fig. 3-11. MRONJ 수술 중 제거된 부골의 모습. QLF system (QLF-D Biluminator; Inspektor Research Systems BV, Amsterdam, Netherlands)으로 3가지 다른 색깔(화살표)을 보이고 있다. 빨간색 부분은 세균이 침투된 부위로서 MRONJ 수술 시 절제 부위를 결정할 때 참고할 수 있다(Kim Y, et al; 2021).

(4) 기타 치료법

그 외에도 부가적으로 사용되는 다양한 치료법들은 다음과 같다.

① 고압산소요법

고압산소요법은 100% 산소를 고압으로 투여하여 줄기세포의 이동을 촉진시키고 부종과 염증을 감소시키며 항균효과, 혈관형성 및 조직 치유를 증진시킨다. 실제 41명의 환자에게 40일 동안 하루에 2시간씩 2기압의 산소로 치료한 결과 환자들 중 75.6%에서 MRONJ가 호전되는 양상을 보였고 휴약기를 적용하였을 때 그 효과가 더욱 크게 나타났다. 단, 고압산소요법 단독보다는 다른 치료(특히 수술)와 병용되었을 때 더 효과가 좋았다. 아직까지 고압산소요법에 대한 자세한 프로토콜은 확립되지 않은 상태이지만 통상적으로 20-30번 정도 치료한다(de Souza Tolentino E, et al; 2019, Freiberger JJ; 2009).

② Teriparatide acetate: Teribone, Forsteo

부갑상선호르몬(parathyroid hormone: PTH)을 인공적으로 재조합한 것으로 골모세포 및 파골세포를 자극하여 골형성을 촉진한다. 골모세포의 세포사멸을 막고 세포분열을 통해 골모세포의 수를 증가시킨다. 골다공증 치료와 악골괴사증의 예방적 측면에서도 긍정적인 효과를 기대할 수 있다. Teriparatide acetate 56.5 μg을 1주에 1번 피하주사하거나 20 μg을 매일 피하주사하는 용법이 있다. 최대 투약기간은 72주이며 일본에서는 매일 피하주사하거나 1주 간격으로 피하주사하는 치료법이 보편화되어 있다. Paget's disease, 고알칼리인산분해효소증(High alkaline phosphatase level), 개방성골단(open epiphysis), 방사선치료를 받은 적이 있는 환자들에서는 골육종(osteosarcoma) 발생 위험이 높으며 다발성골수종(Multiple myeloma) 등과 같은 악성종양 환자들에서는 사용해선 안 된다. Denosumab 치료 후 바로 Teriparatide를 사용 시 골소실이 더 심해질 수 있으므로 주의해야 한다 (Kakehashi T, et al; 2015, Kwon YD & Kim DY; 2016).

③ 레이저 수술 및 치료

Nd:YAG, infrared GaAs laser 등이 일반적으로 사용되는 레이저이고, 초기 병소에 적용할 경우 골과 점막의 치유를 도와주며 통증도 현저히 감소시키는 효과가 있다. 레이저 치료와 함께 platelet-rich plasma를 사용할 경우 높은 임상적 치유 효과를 얻을 수 있다(Li FL, et al; 2020, Vescovi P, et al; 2006). 수술과 함께 Low Level Laser Therapy(LLLT)를 병행할 경우 세균 감소, 치유 촉진, 증상 감소 효과가 좋고 장기간 좋은 예후를 보인다고 보고되었다. 레이저 주파수나 치료 횟수에 대한 정확한 가이드라인은 아직 없지만 수술적 치료가 어려운 환자에서 LLLT와 항생제 치료를 함께 사용하는 것이 좋은 대안이 될 수 있다. Manfredi 등(2011)의 연구에 따르면 레이저로 수술 후 추가로 LLLT로 치료한 22명을 6-36개월 추적한 결과 20명이 완벽히 치유된 반면 전통적인 구강내 수술과 레이저 조사만 한 그룹은 22명 중 10명이 완벽히 치유되었다. Vescoviet 등(2012)의 연구에 의하면 레이저의 도움을 받는 수술 혹은 술후 레이저 조사가 전통적인 수술보다 치료 결과가 좋았다고 보고하였다.

④ Antimicrobial photodynamic therapy (aPDT)

Low-level laser therapy (LLLT)를 이용한 광생체조절(Photobiomodulation)은 발치 후 MRONJ 발생을 예방하거나 이미 이환된 경우에도 치유에 도움이 될 수 있다. 원리는 레이저 조사 시 미토콘드리아의 생체조절을 이용하여 경조직 및 연조직의 치유를 증진시키는 것이다(Kan B, et al; 2011, Statkievicz C, et al; 2018, Vescovi P, et al; 2013). 발치를 하면 골이 직접적으로 구강 환경에 노출되어 바이오필름 형성에 취약하게 되는데 methylene blue-based phenothiazine chloride dye와 같은 광민감제(photosensitizer)를 적용하고 630-880 nm의 레이저를 조사하면 반응성 산소가 형성되어 항균효과를 얻을 수 있다(de Castro MS, et al; 2016, Minamisako MC, et al; 2016, Poli PP, et al; 2018).

⑤ rhBMP-2

Alendronate는 세포 분화에 관여하는 TGF-β1과 BMP-2 발현을 억제시킨다. 그러나 rhBMP-2와 LLLT는 이들의 발현을 회복시키고 type I collagen과 osteopontin의 발현을 촉진시킨다. rhBMP-2는 MRONJ의 병인론 중 하나인 골개조가 억제되는 현상을 해소함으로써 MRONJ의 치유를 촉진시킬 것으로 기대된다(Cicciu M, et al; 2012, Jeong SY, et al; 2018, Min SH, et al; 2020). BMP는 골전구세포의 집결과 분화를 조절하여 골형성을 유도하지만 반감기가 짧고 확산에 의해 빠르게 소실되기 때문에 충분한 기간 동안 적절한 농도를 유지하는 데 한계가 있다. 이를 극복하기 위해 장기간 적절한 농도의 BMP를 방출할 수 있는 국소송달운반체가 필요하다. Lidocaine-Fibrinogen-Aprotinin(LFA)-collagen, 콜라겐 스펀지, 다공성골이식재와 같은 국소송달운반체가 임상에서 활용되고 있다(Kwon KH; 2014).

⑥ Polydeoxyribonucleotide (PDRN)

PDRN은 염증성 사이토카인 분비를 줄이고 치유에 관련된 성장인자들의 분비를 촉진시키면서 소염효과가 우수하고 혈관형성을 촉진시키는 기능이 있다. Stage 2, 3 MRONJ 환자 5명에게 외과적 수술 후 골결손부에 PDRN을 주입하였다. 이후 2주 동안 매일 창상 주변에 PDRN 1 mL를 주입한 결과 수술 한 달 후 노출된 뼈가 연조직에 의해 덮이고 5-14개월의 경과관찰 기간 동안 재발되지 않았다고 보고되었다(Jung J, et al; 2018).

⑦ Platelet-rich fibrin (PRF), Platelet-rich plasma (PRP)

Stage 2, 3 MRONJ 환자 47명을 대상으로 한 임상연구에서 수술과 PRF 치료를 함께한 그룹이 수술만 시행한 그룹에 비해 수술 1개월 후 통증과 감염이 현저히 감소되었으나 6개월, 1년 후에는 큰 차이를 보이지 않았다(Giudice A, et al; 2018). 또한 LPRF는 방사선골괴사증의 외과적 치료에 대한 대체 치료법으로 시도해 볼 수 있다는 의견이 제시된 바 있다(Maluf G, et al; 2020). 수술적 치료 단독보다는 항생제, 수술, PRP 복합치료가 치유와 호전에 큰 효과가 있다. PRP는 자기 몸에서 추출하므로 생체적합성이 좋고 매우 안전하다. 특히 PRP는 신생혈관 형성을 촉진함으로써 MRONJ의 원인 중 하나인 혈행 부족을 개선할 수 있다. 아직 용량, 용법, 기간 등에 있어 정확한 프로토콜이 확립되지 않았지만 수술과 함께 PRP를 적용할 경우 93%가 양호한 치유를 보였으며 수술만 시행한 경우 53%에서만 양호한 치유가 관찰되었다는 연구결과가 있었다(de Souza Tolentino E, et al; 2019).

10. 예후 및 관리

1) 예방

MRONJ 발생을 예방하는 것이 가장 중요하다. 치주질환 관리와 구강 청결이 매우 중요하며 Bisphosphonate, Denosumab, 스테로이드, 혈관형성억제제 등을 투여받고 있는 모든 환자들에게 MRONJ 발생 위험성을 알릴 필요가 있다. 또한 이런 약물들을 투여하기 전에 치과에서 구강검사를 시행한 후 사전 치료(발치, 근관치료, 치주 치료, 보철치료, 구강 소수술 등)를 시행하고 투약 중에도 지속적인 정기검진을 받도록 하는 등 체계적인 환자 관리가 중요하다. 약물치료를 시작하기 전에 보존이 불가능한 치아들은 미리 제거하고 모든 침습적인 치과 술식을 사전에 실행하여 최적의 구강상태를 만들어 주는 것이 좋다(이덕원 등; 2014, Bonacina R, et al; 2011, Khosia S, et al; 2007, Lam DK, et al; 2007, Mucke T, et al; 2016, Patel V; 2019, Song M; 2019, Vandone AM, et al; 2012). MRONJ는 치과치료 후 한 달 이내에는 거의 발병하지 않기 때문에 환자에게 통증, 부종, 감각이상 같은 MRONJ 관련 전구 증상들을 교육시켜 증상 발생 시 즉시 치과의사 및 담당 의사에게 알리도록 해야 한다(Nicolatou–Galitis O, et al; 2019, Ruggiero SL, et al; 2014). Kim 등(2009)은 장기간 Bisphosphonate를 복용한 환자에서 혈청 CTX를 측정하여 골개조 능력이 좋지 않다고 판단되면 광범위한 구강내 수술을 피해야 한다고 언급하였다.

(1) Bisphosphonate, Denosumab, 스테로이드, 혈관형성 억제제 치료 중 관리

심한 감염이나 외상과 같은 응급상황이 아니라면 가급적 침습적인 치과치료는 피해야 한다. 그러나 스케일링이나 흔들리는 치아들을 연결하여 고정해주는 치료, 우식증 수복치료는 시행해도 무방하다. 저위험 환자들에서 발치나 간단한 구강 내 소수술은 금기증이 아니다. 처음 2년 동안은 3개월에 1번씩 경과를 잘 관찰해야 한다(Song M; 2019). 침습적인 치과치료가 불가피한 상황이라면 담당의사와 협진하여 MRONJ 발생 위험성을 재평가해야 한다. 술전 구강청결제를 이용하여 가글을 실시하고 예방적 항생제 및 술후 항생제를 반드시 사용해야 한다. 발치창은 적절하게 봉합되어야 하며 발치 후 세심한 임상검사 및 방사선 촬영을 통해 치유 양상을 자주 확인해야 한다(Nicolatou–Galitis O, et al; 2019).

(2) 예후 관련 임상연구

Bisphosphonate와 같은 약물치료를 받고 있는 완전 무치악 환자들에서 통상적인 총의치를 장착할 경우 유지가 잘 안되고 지속적으로 하방의 점막을 자극하여 손상 및 궤양을 유발할 수 있다. 이것은 하방의 골노출 및 BRONJ 발생 위험성을 증가시키기 때문에 임플란트를 이용한 피개의치와 같은 치료법을 적극 고려할 필요가 있다(Ahn KJ, et al; 2014). Stanton 등(2009)은 33명의 BRONJ 환자들 중 30명에서 외과적 치료를 시행하였으며 25명이 완치되었다. 18명은 1차 수술 후 잘 치유되었고 5명은 1회 재수술이 시행되었다. 1명은 부골이 추가로 발생하여 국소적인 창상처치가 필요하였고 다른 1명은 2회 재수술이 시행되었다.

Kim 등(2008)은 BRONJ에 대한 개념이 잘 정립되지 않았던 시기에 난치성 만성골수염으로 진단하여 장기간 치료하였던 증례를 보고하였다. 당뇨를 보유한 68세 여자 환자에서 임플란트 치료 후 상악과 하악에 다발성 골수염이 발생하였고 수차례의 외과적 치료와 장기간의 약물치료에도 불구하고 재발이 반복되면서 총 2년의 치료기간이 소요되었다. 이 증례는 치료 종료 후 의무기록지 검토와 환자에 대한 정밀 재평가 후

Bisphosphonate 장기 복용 중인 환자임이 확인되었다.

Park 등(2010)은 80세 여자 환자에서 발치 후 하악 구치부에 발생한 Stage 2 BRONJ 환자 증례를 보고하였다. 당뇨, 고혈압, 골다공증을 보유한 환자로서 Bisphosphonate를 장기 복용 중이었다. 식염수와 0.12% chlorhexidine 세정, 2개월간 항생제를 투여하면서 보존적 처치 후 부골절제술을 시행하여 완치시킬 수 있었다. Son 등(2009)은 2년 동안 Fosamax를 경구복용했던 84세 남자 환자에서 #36, 37 부위에 임플란트를 식립한 후 BRONJ가 발생한 증례를 보고하였다. 임플란트 수술 3개월 전부터 Fosamax 복용을 중단하고 수술을 진행하였음에도 불구하고 임플란트 상부 보철물이 완성되고 2주 후부터 #37 임플란트 주위 염증성 종창 및 통증이 발생하였고 1개월 후에는 주변의 골조직이 노출되었다. 결국 #37 임플란트를 제거하면서 주변의 부골을 제거하여 치유시켰으며 #36 임플란트는 잘 생존시킬 수 있었다. 본 증례는 휴약기(drug holiday)를 부여해도 악골괴사증 발생 위험성이 있음을 인지하고 환자에게 사전 설명을 잘하고 치료를 진행하는 것이 중요함을 일깨워 준 증례였다.

Viviano 등(2017)은 69세 여자 환자에서 하악골에 발생한 BRONJ가 경부감염으로 확산되면서 괴사성근막염이 발생하였고 패혈성 쇼크가 발생하여 사망한 치명적인 증례를 보고하였다. 따라서 MRONJ는 조기 진단과 적극적인 내과적 및 외과적 치료가 필요하며 환자의 전신 건강이 불량한 경우엔 각별히 주의해야 한다.

11. MRONJ에 대한 전문가 인식도

가정의학과, 내과(내분비내과, 류마티스내과, 혈액종양내과), 정형외과를 조사한 결과 혈액종양내과가 치과와 협진 필요성에 대한 인식도가 비교적 높았다. 반면 다른 파트의 의사들은 MRONJ에 관한 인식이 매우 부족한 상태였으며, 환자들에게 Bisphosphonate 처방 시 치과 협진을 실행하는 비율은 전체 환자들의 30% 미만이었다(Kim JW, et al; 2015).

2008년 2월 기준 13,405명의 한국 내 치과의사들 중 10%에 해당하는 치과의사들을 무작위 추출법으로 1,341명 선별하여 설문조사를 시행한 연구에서 다음과 같은 결과가 발표되었다(Park YD, et al; 2009).

① 45.1%의 치과의사들이 발치한 부위에서 골노출이 되어 치유가 지연되는 경우를 경험하였으며 Bisphosphonate 복용 여부를 문진한 경우는 15.1%에 불과하였다.

② 한국 치과의사들의 BRONJ에 대한 단순한 인지도는 56.5%였고, Bisphosphonate 복용으로 인해 치과에서 외과적 치료 후 BRONJ 발상 가능성에 대한 인지도는 28.9%에 불과하였다.

③ AAOMS에서 제시한 BRONJ에 대한 내용을 알고 있는 사람은 19.3%, BRONJ의 심각성을 인식하고 있는 치과의사들은 57.2%였다.

④ 임상경력 기간이 짧은 치과의사일수록 BRONJ에 단순한 인지도와 AAOMS에서 제시한 BRONJ에 대한 인지도가 높게 나타났다.

오래전 설문조사 연구이기 때문에 치과의사들의 인식도가 낮은 경향을 보였지만 당시에도 젊은 치과의사들의 인식도가 높게 나타난 것으로 보아 BRONJ에 대한 연구와 교육이 활발히 진행 중임을 짐작할 수 있다. 최근에는 임상에 임하는 거의 모든 치과의사들이 BRONJ, MRONJ에 대해 잘 인식하고 있으며 지속적인 관심과 공부를 통해 안정적인 진료를 해 가고 있다.

12. 약물치료를 받는 암환자에서 발생한 MRONJ
(Barlesi F, et al: 2014, Kollmannsberger C, et al: 2007,
Marx RE: 2022, Zhou Q, et al: 2008)

약물치료를 받고 있는 암환자들에서 악골괴사증 발생 위험도가 훨씬 높으며 치료도 매우 어려운 경향을 보이기 때문에 치과의사들은 이들에 대한 관리법을 잘 숙지하고 있어야 한다.

1) 약물치료를 받고 있는 암환자와 골다공증 환자의 차이

① 암환자들은 Bisphosphonate를 고용량의 정맥주사로 투여받는 경우가 많다.

② 암환자는 골다공증 환자들에 비해 2배 용량의 Denosumab을 투여받는 경우가 많다. 또한 투여 빈도도 6배 더 많다.

③ 암환자는 Antiangiogenic drugs과 함께 치료받는 경우가 많다. Bevacizumab, Sunitinib와 같은 Antiangiogenic drugs을 단독으로 투여하여도 악골괴사증이 발생할 수 있다.

④ 암환자들은 여러 가지 동반질환들을 갖고 있다.

⑤ 암환자들에서 발생한 악골괴사증은 범위가 상당히 넓어서 광범위한 외과적 치료를 필요로 하는 경우가 많다.

2) 약물치료를 받고 있는 암환자들에서 MRONJ의 예방 및 관리

악골괴사증은 심한 통증과 악골기능 장애를 유발하긴 하지만 이 질환 자체가 생명을 위협하진 않는다. 따라서 암치료는 중단 없이 계속되어야 하면 치과의사들은 통증과 감염 조절에 목표를 두고 관리해야 한다.

(1) Phase I: 약물치료 전의 예방적 관리

종양내과전문의와 잘 상의하여 치료가 시작되기 전까지 2개월 정도의 여유 기간이 있는지 확인한다. 가능하다면 이 기간 중에 다음과 같은 예방적 처치를 시행한다.

① 수복 불가능한 치아들과 진행성 치주염에 이환된 치아들을 모두 발치한다.

② 스케일링, 보존적 치주수술 등을 통해 치주염 치료를 시행한다.

③ 전문적인 구강위생관리를 시행한다.

④ 이갈이가 심하거나 유동성 치아들이 다수 존재하는 경우 교합조정과 스플린트 치료를 시행한다.

⑤ 수복 가능한 우식치아들에 대한 수복치료를 시행한다.

(2) Phase II: 약물치료를 받고 있는 환자들의 관리(골조직이 노출되지 않은 경우)

약물치료를 중단하지 말고 계속하면서 구강위생관리와 비외과적 치과치료를 시행한다.

① 악골괴사증을 유발할 수 있는 수술들은 가급적 피해야 한다.

② 우식증 치료

③ 전문가 구강위생관리

④ 유동성 치아들의 고정

⑤ 교합조정

(3) Phase III: MRONJ가 발생하면서 골조직이 노출된 경우

① 환자에게는 현재 사용 중인 약물로 인해 악골괴사증이 발생한 것임을 분명하게 설명한다.

② 종양내과전문의와 상의하여 사용 중인 약물의 교체 여부를 문의한다. 그러나 약물의 교체 유무와 상관없이 통증과 감염을 최소화하기 위한 치료는 적극적으로 시행되어야 한다. 외과적 처치가 불가능한 상황이라면 부골이 노출된 상태로 잘 적응하면서 생활할 수밖에 없다.

③ 외과적 처치가 필요하다면 입원한 상태에서 구강악안면외과-종양내과 협진 하에 수술이 시행되어야 한다. 수술은 약물 휴지기 없이 시행되어야 할 것이며 광범위한 절제 및 재건술이 필요할 것이다.

13. 요약 및 MRONJ 최신 지침

① MRONJ 발생을 방지하기 위한 예방적 조치가 가장 중요하다.

② 경구용 약물을 복용하는 환자들에서 발치 등의 외과적 처치 후 MRONJ 발생 가능성은 상대적으로 낮지만 절대로 안심해선 안 된다. 치료를 시작하기 전에 휴약기를 부여했다 하더라도 MRONJ 발생을 완전히 막을 수 없기 때문에 환자에게 잘 설명하고 치료를 시작해야 한다.

③ 염증성 병변이 존재하는 치아들에 대한 치과치료 혹은 발치를 무한정 연기할 경우 오히려 MRONJ 발생 위험성이 더욱 증가할 수 있다. 따라서 이런 약물치료를 받는다고 해서 무조건 발치 등의 외과적 처치를 피하는 것이 능사가 아니다

④ 골흡수억제제나 혈관형성억제제를 투여받고 있는 환자들에 있어서 발치 등의 외과적 처치를 시행할 경우 MRONJ 발생 위험도 평가가 반드시 필요하며 치료방법, 예후 등에 대해서 잘 숙지하고 환자에게 상세히 설명한 후 동의서를 받고 치료에 임해야 한다.

2022년 미국구강악안면외과학회에서 정리하여 발표한 MRONJ에 대한 최신 지침을 아래와 같이 정리하였으니 참고하기 바란다(Ruggiero SL, et al; 2022).

적절한 치료를 위해 MRONJ 위험성에 대한 환자와 의사 간의 소통이 매우 중요하다. 새로운 약물이 시장에 출시됨에 따라 MRONJ 위험성이 달라질 수 있으며 또한 병태생리학, 위험관련 요인 및 치료 전략은 계속 변화할 것이다. 임상의는 최근의 과학적 증거를 바탕으로 환자에 대한 치료 결정을 내리는 것이 가장 중요하다. 이번 개정 가이드라인은 병인 및 관리 전략에 대한 내용을 포함하고 최근 동향을 알리기 위함이다

1) 병인론

유독 턱에 잘 생기는 이 병의 특징으로 인해 병인론에 관한 가설이 많다. 대표적으로 골개조 억제, 염증 또는 감염, 신생혈관 생성 억제, 선천적 또는 후천적 면역저하, 유전적 소인 등이 있다.

2) 예방책

MRONJ 발생가능성을 환자에게 안내하고 구강위생관리의 중요성을 교육한다. 가급적 항흡수제 치료 전에 발치 등 필요한 치료를 모두 끝내야 한다. 항흡수제 치료 중에는 구내 수술(특히 발치)은 가능한 피해야 한다. 휴약기간에 대해서는 아직 논란이 많다.

3) MRONJ 위험요소

① 항흡수제, tyrosine kinase inhibitors, 면역억제제 복용이 MRONJ 발병률을 높인다.

② 투여기간이 길수록 MRONJ 발병률이 높다.

③ 발치 등 구강내 수술이 MRONJ 발생을 촉진시키며 그중 발치가 가장 위험하다.

④ 상악보다 하악에서 발병률이 3배 높다.

⑤ 치주염과 같은 구강질환이 존재할 경우 MRONJ 발생 위험이 더 높다.

⑥ 흡연은 분명한 위험요소이다.

4) 치료 전략

단계별 치료 전략을 다음과 같이 제시하였다.

(1) 비수술적 치료

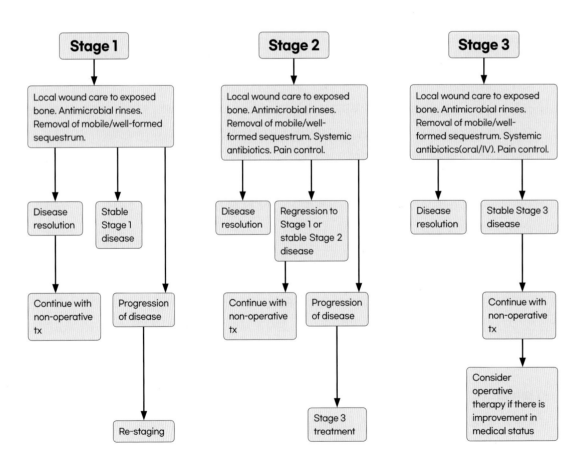

(2) 하악골의 수술적 치료

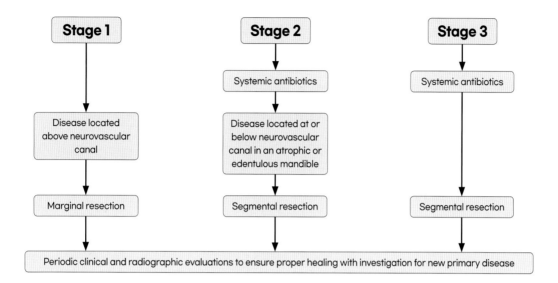

(3) 상악골의 수술적 치료

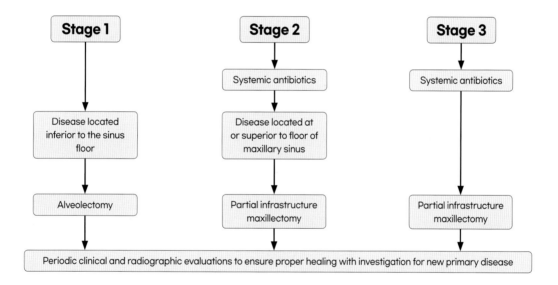

4

필자의 감염 관련 논문들

필자의 감염 관련 논문들

대한구강·악안면외과학회지 : Vol 19, No 1, 1993

치성 감염후 발생한 성인 호흡장애 증후군

김수관*·박인수·여환호·이효빈·이유흥

조선대학교 치과대학 구강악안면외과학 교실

Abstract

ADULT RESPIRATORY DISTRESS SYNDROME(ARDS) FOLLOWING ODONTOGENIC INFECTION

Su - Gwan, Kim, D. D. S., In - Soo, Park, D. D. S., Hwan - Ho, Yeo, D. D. S., M. S. D., Ph, D., Hyo - Bin, Lee, D. D. S., You - Hong, Lee, D. D. S.

Dept. of Oral and Maxillofaeial Surgey, Dental College, Chosun University

We experienced one patient who died of the adult respiratory distress syndrome(ARDS) following odontogenic infection. This syndrome is a common life-threatening process with myriad causes and occurs from a variety of diffuse pulmonary injuries which are either direct or indirect attacks on the lung parenchyma. Once lung damage occurs, exudation of fluid and loss of surfactant activity lead to impaired gas exchange and reduced pulmonary compliance. The syndrome presents clinically nonspecific. Principles of management include adequate support of oxygen transport, ventilation and circulation employing volume respirators with positive end-expiratory pressure(PEEP). For successful management, high index of suspicion and early examination of arterial blood gases are essential.

Key Words : Adult Respiratory Distress Syndrome(ARDS), Odontogenic infection.

대한구강 · 악안면외과학회지 : Vol 19, No 2, 1993

구강악안면외과 영역에서의 사망 환자에 대한 고찰

김수관* · 박인수 · 김영균 · 조세인 · 이유홍 · 설인택

조선대학교 치과대학 구강악안면외과학 교실

—Abstract—

EXPIRED CASES IN ORAL AND MAXILLOFACIAL FIELD :
REPORT OF SIX CASES FROM 1989 TO JULY 1992 AND
REVIEW OF THE LITERATURE

Su - Gwan, Kim, D. D. S., In - Soo, Park, D. D. S., Yong - Gyun, Kim, D. D. S., M. S. D.,
Se - In, Cho, D. D. S., You - Hong, Lee, D. D. S., In - Taek Seol, D. D. S.

Dept. of Oral and Maxillofacial Surgery, College of Dentistry, Chosun University

There were 6 deaths in the last 4 years in our dental clinic.

The patients died from squamous cell carcinoma, odontogenic infection, adult respiratory distress syndrome(ARDS), and general anesthesia.

Each case is analysed and presented, for this subject is rarely dealt in the literature and have relation with a complex medicolegal problem.

Key Words : Death, Carcinoma, Infection, ARDS, Anesthesia

대한구강 · 악안면외과학회지 : Vol. 19, No 2, 1993

파상풍 환자의 치험례

이병준 · 류종회 · 설인택 · 김영균 · 김수관

조선대학교 치과대학 구강악안면외과학교실

— Abstract —

TREATMENT OF TETANUS : A CASE REPORT

Byoung - Jun Lee, D. D. S., Chong - Hoy Ryu, D. D. S.,
In - Taek Seol, D. D. S., Young - Kyun Kim, D. D. S.,
Su - Gwan Kim, D. D. S.

Dept. of Oral and Maxillofacial Surgery, Dental college, Chosun University

Tetanus is a disorder of neurotransmission associated with infection by Clostridium tetani, and is characterized by convulsive spasm. The organisms produce the exotoxin tetanospasmin which involves the neuromuscular organs.

Most of tetanus are caused by wounds, but in some of cases, portal of entry may not be obvious. History and clinical findings suggest the diagnosis.

The most therapeutic maneuver is to insure airway patency, other therapeutic principles include antimicrobial drugs, active and passive immunization and supportive care.

A 51-year-old woman with mouth opening limitation and dysphagia visited our hospital. We had diagnosed her as tetanus and treated successfully.

Key words : Tetanus, Spasm, Airway

하악골 골절의 견고고정에 사용된 monocortical titanium miniplate와 관련된 감염증에 관한 연구

*조선대학교 치과대학 구강악안면외과학교실
**충북대학교 의과대학 치과학교실

김영균* · 여환호* · 이호빈* · 김경원**

Complications Associated with Monocortical Titanium Miniplate used in Rigid Fixation of Mandibular Fractures

Young-Kyun, Kim* · DDS. PhD. Hwan-Ho, Yeo*, DDS. PhD.
Hyo-Bin, Lee*. DDS. MSD. Kyung-Weon, Kim**. DDS. MSD.

*Dept. of Oral and Maxillofacial Surgery, College of Dentistry, Chosun University.
**Dept. of Dentistry, College of Medicine, Chungbug National University

Eighty-nine patients with mndibular fracture were treated by open reduction and internal fixation using the monocortical titanium miniplate(Leibinger Co.). Postsurgical intermaxillary fixation was carried out for 2 to 18 days according to the patient's status. Seven patients developed infections postoperatively(7.9%). Five patients were favorably treated by incision and drainage and/or saucerization. But two patients were not controlled by early surgical intervention and should have been followed by plate removal, saucerization and secondary reconstruction including the bone graft.

This article reports the postoperative infection associated with miniplate fixation of mandibular fractures and discuss the incidence, cause, treatment and prognosis with careful case analyses.

Key Words : Miniplate, Infection

대한악안면성형재건외과학회지 : Vol. 17, No. 3, 1995

악성종양과 감별이 어려웠던 악안면 영역의 감염질환에 대한 치험례

조선대학교 치과대학 구강악안면외과학교실

서재훈 · 여환호 · 김영균

MAXILLOFACIAL INFECTIONS MASQUERADING AS MALIGNANT TUMOR ; CASE REPORTS

Jae-Hoon, Seo, Hwan-Ho Yeo, Young-Kyun Kim

Dept of Oral and Maxillofacial Surgery, College of Dentistry, Chosun University

It is very difficult to differentiate the malignant tumor from the maxillofacial infections that have unclear cause, severe indurated swelling, pain and nonresponsiveness to antibioitic treatment and incision and drainage. Incisional biopsy, CT, and MRI examination may not distinguish between infection and a malignant tumors. And then, the clinicians can make a mistake that they perform a unnecessary radical surgery because of inaccurate diagnosis.

We present three case reports of maxillofacial infectious disease with diagnosis process, treatment and differential diagnosis. The infectious disease were not resolved with antibiotic and surgical drainage. The progression of clinical sign and radiographic ,indings of these disease were masqueraded as malignant tumors.

Key Words : Infectious, malignant tumors.

Oral Biology Research
Vol.20(1), 1996

구강 및 안면부 감염에 대한 임상적 연구

조선대학교 치과대학 구강악안면외과교실

윤 광 철, 김 영 균, 여 환 호

ABSTRACT

A Clinical Study on Orofacial Infection

Kwang-chul Yoon, D.D.S.
Young-Kyun Kim, D.D.S., M.S.D., Ph.D.
Hwan-Ho Yeo, D.D.S., M.S.D., Ph.D.

Department of Dentistry, Graduate School, Chosun University

The author investigated the 241 patients with the orofacial infections who were admitted to the Dept.of Oral and Maxillofacial Surgery, college of dentistry, Chosun university from January 1990 to December 1995. The patient records were reviewed. The factors that were evaluated included etiology of the infection, the fascial spaces involved, the systemic diseases related to the infections, body temperature on admission, white blood cell count on admission, bacterial strains isolated, antibiotics used and the mortality.

The results were as follows.

1. The most frequent cause of infection was odontogenic (197 patients) and the mandibular molars were the most frequent source of the odontogenic infection (109 patients).

2. The fascial spaces that were most commonly involved were the buccal space (95 patients) and the submandibular space (87 patients).

3. Among the 241 patients with orofacial infections, 56 patients (23.2%) had one or more systemic diseases.

4. There was statistically no significant difference between the body temperature and white blood cell counts on admission (P>0.05).

5. Among the 33 patients, 36 strains comprizing 27 aerobic and 9 anaerobic bacteria were isolated and Streptococcus species were the most commonly isolated (21 strains), with *Bacteroides* species followed next (6 strains).

6. Combination antibiotic therapy with cephalosporin and aminoglycoside was most commonly used (62.7%).

7. Among the 241 patients with orofacial infections, 12 patients were diagnosed as Ludwig's angina, of whom 2 patients died with representing a 16.7% mortality rate.

Oral Biology Research
Vol.20(2), 1996

진단이 어려웠던 치성감염 환자의 치험례:증례보고

조선대학교 치과대학 구강악안면외과학교실
박노승, 여환호, 김영균, 김수관, 서재훈, 김용욱

ABSTRACT

A case report of the patient with the pterygomandibular and temporal space abscess, DM

No-Seung Park, D.D.S.

Hwan-Ho Yeo, D.D.S., M.S.D., Ph.D.

Young-Kyun Kim, D.D.S., M.S.D., Ph.D.

Soo-Kwan Kim, D.D.S., M.S.D.

Jae-Hoon Seo, D.D.S., M.S.D.

Yong-Uhk Kim, D.D.S., M.S.D.

Department of Oral and Maxillofacial Surgery, College of Dentistry, Chosun University

A odontogenic infection is the most common difficult problem to manage in dentistry. Also, when it spreads to fascial space in oral and maxillofacial region, it often threatens the patient life. So it must properly be treated early. Otherwise, Patients suffered in physical, economical, psycosocietical aspects, and it results in severe neurologic, respiratory,

hematogenic complication such as cavernous sinus thrombosis, medinastinitis, carotid sheath collapse, ect.

Especially, In patients having the medical problems such as DM, AIDS, chemotherapy, chronic steroid administration, radiation therapy. Infection shoud be carefully controlled concomitantly with such problems.

The principles of treatment in odontogenic infection are proper locailzation, surgical intervention and antibiotics administration. Adequate location and extension of infection can be easily identified via diagnostic device as MRI, CI.

A case of pterygomandibular and temporal space abscess with DM is described with literature review.

Key word : Odontogenic infection.

대한악안면성형재건외과학회지 : Vol. 19, No. 1, 1997

술후 감염조절이 어려웠던 환자의 증례보고

조선대학교 치과대학 구강악안면외과학교실

김수민 · 여환호 · 김영균 · 김수관 · 서재훈 · 박인순 · 박인수 · 김용욱

A CASE REPORT OF UNCONTROLLED INFECTION
IN POSTOPERATIVE PATIENT

Soo-Min Kim, Hwan-Ho Yeo, Young-Kyun Kim, Su-Gwan Kim,
Jae-Hoon Seo, In-Soon Park, In-Soo Park, Young-Uk Kim

Dept. of Oral and Maxillofacial Surgery, College of Dentistry, Chosun University

Treatment of infected mandibular fracture is confronted with various difficult problem, e.g. nosocomial wound infection, non-union of fracture, osteomyelitis. Recently, nosocomial infection has become a major health problem because of excessive morbidity, personal distress, and cost. Frequently, isolated causative microorganisms of nosocomial infection were staphylococcus aureus, pseudomonas aeruginosa, klebsiella species. The various manifestation of the disease related to the pathogenesis and the clinical course tend to give a bad prognosis after operation.

This is a report of case that post-operative infected mandibular fracture in 53-year-old man was not healed even through aggressive I & D and antibiotic treatment.

Key word : nosocomial infection, infected mandibular fracture.

안면부 봉와직염으로 인한 패혈증으로 사망한 증례

대진의료재단 분당제생병원 구강악안면외과
김지홍, 김영균

ABSTRACT

Death according to sepsis due to facial cellulitis: A case report

Oral and maxillofacial surgery, Pundang Jesaeng hospital, DMC.
Ji-Hong, Kim. DDS. Young-Kyun, Kim. DDS. MSD. PhD.

Eighty nine-year-old female patient admitted to our department via emergency room. On initial exam, she showed right facial swelling, trismus, pain, and poor oral hygiene. Tentative diagnosis was facial cellulitis. In spite of aggressive treatment such as antibiotic, incision and drainage, medically intensive therapy, she was dead with cardiopulmonary arrest and sepsis.

Key words : facial cellulitis, sepsis

대한악안면성형재건외과학회지: Vol. 23, No. 2, 2001

Methicillin Resistant Staphylococcal Infection : 증례보고

김인수 · 김영균

대진의료재단 분당제생병원 구강악안면외과

Abstract

METHICILLIN RESISTANT STAPHYLOCOCCAL INFECTION : REPORT OF 2 CASES

In-Soo Kim DDS., Young-Kyun Kim DDS. MSD. PhD.
Department of Oral and Maxillofacial Surgery, Pundang Jesaeng Hospital, DMC

MRSI is the staphylococcal infection having resistance to the methicillin which is semisynthetic penicillinase-resistant agents against penicillinase. These infections are very difficult to treat because they have resistance to almost every antibiotics except for vancomycin.

We experienced MRSE(methicilline-resistant staphylococcal epidermis) infected 56 years old man who developed 2 months after arthroplasty for TMJ ankylosis and MRSA(methicilline-resistant staphylococcal aureus) infected 59 years old man who was performed arthroplasty for traumatic TMJ disc displacement.

Key words : MRSI, MRSE, MRSA

Dental Focus

AIDS환자의 치과감염관리

최혜선 · 배지현 · 김영균 | 분당서울대학교병원 치과

최근 치과에 내원하는 각종 감염환자들이 증가하고 있으며 교차감염을 예방하기 위한 환경소독 및 기구멸균법 등의 중요성이 강조되고 있으며 최근 일부 매스컴에서의 편파적인 보도로 인해 감염관리와 관련하여 치과계의 위상에 심각한 타격을 받은 바 있다. 거의 대부분의 치과의원 및 병원에서 철저한 감염관리를 시행하고 있는 것은 분명하지만 점차 급증하고 있는 AIDS 환자들에 대해 의료인들과 환자들이 아직 잘 모르는 부분이 많으며 이들이 치과에 방문할 경우 당황할 수도 있다. 실재로 필자들이 근무하는 병원에서도 AIDS 환자들이 증가하고 있으며 치과에 방문하는 빈도도 많아지고 있다. 또한 이들이 근처 개인치과의원을 방문할 가능성이 있으며 자신의 질병을 숨길 가능성이 매우 많기 때문에 AIDS에 대해 꼭 알아야 할 내용과 치과감염관리에 대해 간략히 요약하여 기술하고자 한다.

◼ 증례로 살펴보는 임프란트 조기실패의 해결 (Ⅳ)
- 창상열개, 감염 -

김 영 균
분당서울대학교 병원 치과

Ⅰ. 서 론

창상열개는 술후 감염, 창상 치유의 지연, 이식재료의 흡수와 더불어 식립된 임프란트의 실패를 야기할 수도 있다. 따라서 긴장없이 일차적인 연조직 봉합을 시행하는 것은 구강내 수술에 있어서 대단히 중요하다고 할 수 있다. 창상이 벌어지면서 덮개나사가 노출되면 초기 치조정골 흡수가 많이 발생하는 경향을 보이며 부분 노출의 경우가 완선 노출된 경우에 비해 골흡수 가능성이 높으므로 불완전 노출된 덮개나사는 차라리 완전히 노출시키고 치유 지대주로 교체하는 것이 치조정골 흡수를 최소화하는 방법이 될 수 있다.

《 다음과 같은 경우에 창상열개를 유발할 위험성이 크다 》

(1) 전신질환을 보유한 고령환자

(2) 창상의 오염 및 감염

(3) 의치구내염(denture stomatitis) 혹은 방사선 점막염(radiation mucositis)에 의해 손상 받은 점막

(4) 이전에 여러 번 수술을 받았던 부위

(5) 각화치은이 부족하거나 소대가 치조능 상방에 부착되어 있는 경우

(6) 부적절한 봉합
   부적절한 크기의 봉합사 사용, 너무 꽉 쪼이게 혹은 느슨하게 봉합한 경우

(7) 절개선의 부적절한 설계

(8) 피판의 undermining 부족

김영균. 증례로 살펴보는 임프란트 조기실패의 해결(Ⅳ) −창상열개, 감염− 월간치과계. 2006;4:122−127.

Journal of TMJ and Sports Dentistry

Vol 2 No 2, 2011

턱관절장애로 오진된
익돌하악간극 감염:
증례보고

Pterygomandibular space infection which mimicking temporomandibular disorders: A case report

Young-Kyun Kim, D.D.S. PhD.
Department of Oral and Maxillofacial Surgery, Section of Dentistry,
Seoul National University Bundang Hospital

Abstract

30-year-olad male patient suffering from trismus and pain without extraoral swelling was referred from private dentistry under the diagnosis of TMD which was developed after extraction of 3rd molar. At initial exam, parapharyngeal swelling, submandibular tenderness and 5-mm mouth opening were observed. CT showed narrowing of nasopharynx. I diagnosed pterygomandibular space infection and performed incision and drainage and antibiotic medication. His signs and symptoms were eliminated after 10 days. When we diagnose TMD after oral surgery, we must keep in mind the possibility of the inapparent presence of some unseen infection.

Key words : pterygomandibular space infection, TMD

Maxillofac Plast Reconstr Surg 2014;36(2):57-61
http://dx.doi.org/10.14402/jkamprs.2014.36.2.57
ISSN 2288-8101(Print)   ISSN 2288-8586(Online)
Case Report

Reconstruction of Defect after Treatment of Bisphosphonate-related Osteonecrois of the Jaw with Staged Iliac Bone Graft

Kyo-Jin Ahn, Young-Kyun Kim, Pil-Young Yun

Department of Oral and Maxillofacial Surgery, Section of Dentistry, Seoul National University Bundang Hospital

Abstract

Bisphosphonate is used widely for osteoporosis treatment, but a rising concern is the risk of osteonecrosis after long-term bisphosphonate use. Such cases are increasing, suggesting a need for research to prevent and treat bisphosphonate-related osteonecrosis of jaws. A 63-year-old female took bisphosphonate (Fosamax®) for four years for treatment of osteoporosis and stopped medication two months ago because of unhealed wound. She was treated with marginal mandibulectomy maintaining the inferior border, and a metal plate was placed to prevent mandible fracture. Four months after the mandibulectomy, mandible reconstruction surgery using iliac bone and allograft was done. Six months after reconstruction, implant placement and treatment with an overdenture was done without complications. This study presents a case with a successful result.

Key words: Bisphosphonate-related osteonecrosis of jaws, Osteonecrosis, Implant, Overdenture

CASE REPORT

J Korean Dent Sci. 2014;7(2):99-105
http://dx.doi.org/10.5856/JKDS.2014.7.2.99
ISSN 2005-4742

Clinical Diagnosis and Treatment of Herpes Zoster in an Immunocompromised Dental Patient: A Case Report

Hyun-Suk Kim[1], Kyo-Jin Ahn[1], Young-Kyun Kim[1,2]

[1]Department of Oral and Maxillofacial Surgery, Section of Dentistry,
Seoul National University Bundang Hospital, Seongnam, [2]Department of Dentistry and
Dental Research Institute, School of Dentistry, Seoul National University, Seoul, Korea

Herpes zoster (HZ) is an acute, unilateral inflammatory viral infection characterized by a rash with painful blisters in a localized area of the body. HZ is often associated with intense pain in the acute phase and presents postherpetic neuralgia in the chronic phase. During the prodromal stage of the HZ from the trigeminal nerve, however, the only presenting symptom may be odontalgia, which could be particularly difficult to diagnose. This distinctive syndrome occurs predominantly in the immunocompromised or elderly individuals. In this article, we report a case of HZ developed in the trigeminal nerve of a 60-year-old immunocompromised female patient, whose symptoms including atypical, non-odontogenic odontalgia had improved after series of antiviral treatments.

Key Words: Herpes zoster; Toothache

ORAL
BIOLOGY
RESEARCH

Oral Biol Res 2019;43(4):327-334
https://doi.org/10.21851/obr.43.04.201912.327

Case Report

Treatment of intractable orofacial infection: Case reports

Dong-Woo Kang[1], Pil-Young Yun[1], and Young-Kyun Kim[1,2]*

[1]Department of Oral and Maxillofacial Surgery, Section of Dentistry, Seoul National University Bundang Hospital, Seongnam, Republic of Korea
[2]Department of Dentistry and Dental Research Institute, School of Dentistry, Seoul National University, Seoul, Republic of Korea

In severe cases, intractable infections in the orofacial area can lead to breathing difficulties due to closed airway, mediastinitis, and spread of infection along the blood vessels. Moreover, these conditions lead to sepsis, brain abscess, and cavernous sinus thrombosis, which can be life-threatening. The objective of this study was to evaluate the treatment of dental care and emergency situations of patients with intractable infections. In this study, two cases of intractable infection that occurred in multiple orofacial spaces were treated well through incision and drainage under general anesthesia, tracheostomy to secure an emergency airway, and active cooperation with other medical departments. Further, it is important to perform early incision and drainage with a high dose of antibiotics, obtain a discharge route with drainage, and manage infection through daily massive irrigation and dressing.

Key Words: Intractable infection, Odontogenic, Orofacial

Photodiagnosis and Photodynamic Therapy 34 (2021) 102212

Contents lists available at ScienceDirect

Photodiagnosis and Photodynamic Therapy

journal homepage: www.elsevier.com/locate/pdpdt

Case report

Histologic analysis of osteonecrosis of the jaw according to the different aspects on quantitative light-induced fluorescence images

Yesel Kim[a], Hoi-In Jung[a,*], Young-Kyun Kim[b,c], Jeong-Kui Ku[d,*]

[a] Department of Preventive Dentistry and Public Oral Health, Yonsei University college of dentistry, 50-1 Yonsei-ro, Seodaemun-gu, Seoul, 03722, Republic of Korea
[b] Department of Oral and Maxillofacial Surgery, Section of Dentistry, Seoul National University Bundang Hospital, 300, Gumi-dong, Bundang-gu, Seongnam-si, 13620, Republic of Korea
[c] Department of Dentistry & Dental Research Institute, School of Dentistry, Seoul National University, Seoul, 08826, Republic of Korea
[d] Department of Oral and Maxillofacial Surgery, Armed Forces Capital Dental Hospital, Armed Forces Medical Command, 81, Saemaul-ro 117, Bundang-gu, Seongnam-si, 13634, Republic of Korea

ARTICLE INFO

Keywords:
Biopsy
Fluorescent light
Osteomyelitis
Osteonecrosis of jaw
Quantitative light-induced fluorescence

ABSTRACT

Background: Recurrence of osteonecrosis of the jaw has been reported after surgery. It is therefore necessary to develop a real-time diagnostic method, which can clearly distinguish the surgical margin from unaffected bone.
Methods: We analyzed a sequestrum from a patient with medication-related osteonecrosis of the jaw (MRONJ). Quantitative light induced fluorescence (QLF) was applied to the sequestrum.
Results: In this study, QLF demonstrated three types of fluorescence phenomena (Non-red-fluorescence, hyper-red-fluorescence, and hypo-red-fluorescence) on the sequestrum. Histology revealed geographical, microbiological, and immunological differences based on the fluorescence types on QLF. Non-red-fluorescence showed sclerotic and lamellar bone tissue, hyper-red-fluorescence showed an infectious state due to bacterial invasion and osteolysis, and hypo-red-fluorescence indicated predominantly granular tissue with inflammation, and the absence of bone matrix and bacterial colonies. Based on histologic analysis, we speculated that QLF may be a useful real-time diagnostic tool during surgery for MRONJ.
Conclusions: In conclusion, QLF can be useful in distinguishing between lamellar and infected bone, which are visually similar; QLF-guided ONJ surgery, preserving the Non-red-fluorescent areas and removing the hyper- and hypo-red-fluorescent areas of bone may be useful.

참고문헌

참고문헌

- 강민수, 모지훈. 치성 비부비동염의 진단과 치료. 임상이비인후과 2017;28:151-160.

- 국민석, 유선열, 한창훈, 김선국. 구강악안면 감염 질환에서 배양된 세균의 양상과 항생제 감수성. 대한구강악안면 외과학회지 2005;31:322-328.

- 권준호, 윤중호. 구강 악안면 부위 급성감염 환자의 치료경과에 대한 임상적 연구. 대한구강악안면외과학회지 1990;16:47-54.

- 김경원, 남일우. 구강 및 악안면 영역의 감염증에 관한 임상적 연구. 대한구강악안면외과학회지 1990;16:91-100.

- 김동률, 홍광진, 이정구, 최종두. 증례보고: 하악대구치의 치성감염으로 유발된 안와골막하농양의 치험례. 대한악 안면성형재건외과학회지 2000;22:110-116.

- 김동현, 최효근, 김지희 등. 심경부 감염의 세균학적 특징. 대한이비인후과학회지 2014;57:379-383.

- 김문섭, 김수관, 문성용 등. 치성감염으로 인한 패혈증: 증례보고. 대한악안면성형재건외과학회지 2011;33:445-448.

- 김성윤, 강무현, 조형철, 최정섭. 종격동염에 임박한 경부심부감염 1례. 임상이비인후과 2003;14:122-125.

- 김성혁; 이재훈. 구강악안면영역의 치성감염으로 인한 근막간극 감염에 대한 회귀적 연구. 대한악안면성형재건외 과학회지. 2007; 29 42-49.

- 김수관, 박인수, 김영균 등. 구강악안면외과 영역에서의 사망 환자에 대한 고찰. 대한구강악안면외과학회지

- 김수관, 박인수, 여환호 등. 치성 감염후 발생한 성인호흡장애증후군. 대한구강악안면외과학회지 1993;19:105-111.

- 김수민, 여환호, 김영균 등. 술후 감염조절이 어려웠던 환자의 증례보고. 대한악안면성형재건외과학회지 1997;19:87-92.

- 김영균. 턱관절장애로 오진된 익돌하악간극 감염: 증례보고. 대한턱관절협회. 대한스포츠치의학회지 2011;2:1-6.

- 김영균, 여환호, 이효빈, 김경원. 하악골 골절의 견고고정에 사용된 monocortical titanium miniplate와 관련된 감염증에 대한연구. 대한악안면성형재건외과학회지 1994;16:438-446.

- 김영균, 이양진, 윤필영 등. 치과 수술 및 전신적 문제점과 합병증. Complication Q & A in Dentistry. Vol 1, 2, 부록. 대한나래출판사 2015.

- 김영운, 정승룡, 박준아 등. 안면부에 발생한 괴사성 근막염. 대한구강악안면외과학회지 1994;20:547-555.

- 김용진, 변수환, 김준영 등. 증례보고: 치성 협부 봉와직염의 증상으로 발현된 Sweet 증후군. 대한악안면성형재건 외과학회지 2007;29:538-542.

- 김원겸, 이건주, 안병근. 내과적 질환을 수반한 치성감염. 대한악안면성형재건외과학회지 1991;13: 222-230.

- 김의석. "경구항생제 총정리." Korean J Med 2010;78:575-578.

- 김인수, 김영균. Methicillin Resistant Staphylococcal Infection: 증례보고. 대한악안면성형재건외과학회지 2001;23:180-184.

- 김일규, 류문광, 장금수 등. 치성감염에 의한 뇌농양. 대한구강악안면외과학회지 2006;32:174-178.

- 김일규, 이성준, 하수용 등. 당뇨 및 간경변 환자의 상악동과 폐에서 발생한 침윤성 국균증의 치험례. 대한악안면성

형재건외과학회지 1991;13:456-461.

• 김지홍, 김영균. 안면부 봉와직염으로 인한 패혈증으로 사망한 증례. 대한치과의사협회지 2000;38:1172-1177.

• 김진우, 김선종. 골다공증 치료 약제와 턱뼈괴사증의 이해. 대한치과의사협회지 2021;59:660-669.

• 김진호. 항생제 내성균 감염으로 2019년에만 127만명 사망"...말라리아·에이즈 보다 많아. 2022년 01월 20일 16시 54분. https://www.ytn.co.kr/_ln/0104_202201201654306291.

• 김학원, 한성일, 현용휴. 치성감염으로 유래된 패혈증성색전에 의한 뇌졸중. 대한구강악안면외과학회지 1986;12:127-131.

• 김형준, 양현우, 김동욱 등 번역. 임상가를 위한 실전 구강악안면외과. 대한나래출판사 2021.

• 김혜성, 오정규. 항생제 처방 질 관리를 위한 항생제 처방 지침의 개발. 대한치과의료관리학회지 2017;5:45-54.

• 네이버지식백과. 코로나바이러스(Coronavirus) 미생물학백과 2022. 1. 2.

• 대한감염학회. 항생제의 길잡이. 제4판. 군자출판사 2016.

• 대한구강악안면병리학회. 구강악안면병리학. 제2판. 대한나래출판사 2021.

• 대한구강악안면외과학회. 대한구강악안면외과학교과서 제3판. 의치학사 2013.

• 대한천식알레르기학회. 항생제 피부반응검사 지침. 2012년 제1판.

• 라성호. 치과 개원을 위한 감염관리 2018. 도서출판웰 2018.

• 류병길, 윤현중, 이상화. 측두하악관절 장애를 보인 두개저 골수염: 증례보고. 대한악안면성형재건외과학회지 2012;34:484-487.

• 문선준; 조영민. 입원 환자의 인슐린 치료. Journal of Korean Diabetes 2018.

• 박노승, 여환호, 김영균 등. 진단이 어려웠던 치성감염 환자의 치험례: 증례보고. 구강생물학연구 1996;20:281-287.

• 박정현, 김선종. MRONJ 예방과 치료를 위한 최신지견. 대한치과의사협회지 2016;54:274-283.

• 박준, 홍기은, 윤지언 등. 류마티스 관절염이 있는 측두하악관절에서 유래된 두개내 및 악안면 농양: 증례보고. 대한치과의사협회지 2021;59:725-733.

• 박지영, 이정아, 윤성훈 등. 증례보고: 악교정 수술 환자에서 발관 후 발생된 급성 호흡곤란 증후군. 대한악안면성형재건외과학회지 2007;29:79-84.

• 법제처-감염병의 예방 및 관리에 관한 법률-약칭: 감염병예방법 http://www.law.go.kr/lsSc.do?tabMenuId=tab18&query=%EA%B0%90%EC%97%BC%EB%B3%91%EC%9D%98%20%EC%98%88%EB%B0%A9%20%EB%B0%8F%20%EA%B4%80%EB%A6%AC%EC%97%90%20%EA%B4%80%ED%95%9C%20%EB%B2%95%EB%A5%A0#undefined

• 보건복지부, 대한치과의사협회. 치과감염관리 표준정책 매뉴얼. 세종 2020.

• 서재훈, 여환호, 김영균. 악성종양과 감별이 어려웠던 악안면 영역의 감염질환에 대한 치험례. 대한악안면성형재건외과학회지 1995;17:302-308.

• 성민정. 항생제 내성의 분자적 기전. BRIC View 2016-R07.

• 손유동, 임경수, 최욱진 등. 한국인의 항 파상풍 항체의 정성적 조사. 대한외상학회지 2004; 17:27-36

• 신동현, 유호성, 박중호 등. Recently occurring adult tetanus in Korea: emphasis on Immunization and Awareness of Tetanus. J Korean Med Sci 2003;18:6-11.

- 신상훈, 정인교. A clinical study on Ludwig's angina. 대한구강악안면외과학회지 1998;24:68-74.
- 신호성, 안은숙, 조은영 등. 임상 적용을 위한 치과감염관리 제안. 한국보건사회연구원, 대한치과병원협회. 고려문화사 2011.
- 안병근, 이건주, 김원겸. 내과적 질환을 수반한 치성감염. 대한악안면성형재건외과학회지 1991;13:222-230.
- 안신영, 양석진, 김수관 등. 증례보고: 치성기원으로 인한 감염성 심내막염. 대한악안면성형재건외과학회지 2006;28:237-241.
- 양윤수, 이화욱, 김진성 등. 경부에 발생한 괴사성 근막염에 대한 임상적 고찰. 대한이비인후과학회지 2005;48:1020-1026.
- 염문선, 김태희, 김도연 등. 심부 경부 감염 후 합병된 흉강내 감염 2예. 결핵 및 호흡기질환 2000;48:543-549.
- 오성섭, 박은진, 김일규 등. 패혈증으로 진행된 치성 감염: 증례보고. 대한구강악안면외과학회지 1999;25:375-379.
- 오송희, 최용석. 구강악안면영역에서 초음파영상 진단. 대한치과의사협회지 2019;57; 690-699.
- 오승환, 김여갑, 류동목, 이상철. 원발성 상악동 국균증 치험예. 대한악안면성형재건외과학회지 1991;13:462-467.
- 유재하, 최병호, 서창호. 경부의 괴사성 근막염 치험례. 대한구강악안면외과학회지 1993;19:185-194.
- 유진홍. 열, 패혈증, 염증. 군자출판사 2019;65-98.
- 윤광철, 김영균, 여환호. 구강 및 안면부 감염에 대한 임상적 연구. 구강생물학연구 1996;20:273-286
- 윤현중. 구강악안면 부위의 화농성 감염 환자에 대한 임상적 연구. 2015. YUHSpace: 구강악안면 부위의 화농성 감염 환자에 대한 임상적 연구 (yonsei.ac.kr) https://ir.ymlib.yonsei.ac.kr/handle/22282913/116365
- 이덕원 등 Bisphosphonate-related osteonecrosis of the jaw (BRONJ)에 대한 biochemical bone markers와 악골괴사와 연관된 nonbisphosphonate drugs. 대한치과의사협회지 2014;52:203-217.
- 이병준, 류종회, 설인택 등. 파상풍 환자의 치험례. 대한구강악안면외과학회지 1993;19:195-198.
- 이상래, 황의환. 방사성동위원소를 이용한 구강악안면영역 질환의 진단.대한치과의사협회지 1996;34:192-197.
- 이상철, 김여갑, 류동목 등. 치성감염에 의한 종격염 치험예. 대한구강악안면외과학회지 1991;17:34-39.
- 이상철, 김여갑, 류동목, 김현철. 구강 악안면 부위의 감염시 치명적인 신경학적 합병증에 관한 증례보고 및 문헌고찰. 대한구강악안면외과학회지 1986;12:45-55.
- 이상철, 어규식, 김성용. 악골골수염에 관한 임상적 연구. 대한구강악안면외과학회지 1986;12:167-178.
- 이석종. The 쉬운 내과 문제 해설(세균맨). 범문에듀케이션 2018.
- 이성호, 최진호, 김일규 등. 임상 구강악안면 영역의 치성 감염 환자에 대한 세균학적 연구. 대한악안면성형재건외과학회지 2000;22:420-429.
- 이오영. 위장관 운동 조절 약물. 대한의사협회지 2009;52:920-927.
- 이재휘, 황병남, 장동수. 치성의 괴사성 협부 및 측두부 근막염 치험례. 대한구강악안면외과학회지 1994;20:556-562.
- 이주현, 김진수, 이상한, 김철환. 두경부 감염 환자에서 혈청 내 C-Reactive protein의 변화. 대한구강악안면외과학회지 2003;29:5-13.
- 임현대, 이유미. 개구장애 환자에서의 감별진단. 파상풍 환자의 증례보고. J Oral Med Pain 2011;36:117-121.

- 전인성. 임플란트 공리주의. 임플란트 전악회복과 합병증. Quintessence PUBLINSHING Korea 2020.

- 정상일, 조병욱, 이용찬, 이유현. 치성감염으로 발생된 치명적인 종격동 농양 1례. 대한구강악안면외과학회지 1998;24:118-123.

- 조세형, 김성민, 김명진 등. 치과분야 항생제 처방에 대한 국내외 문헌 분석. 대한구강악안면외과학회지 2009;35:164-169.

- 질병관리본부 - 국내 의료관련감염병(다제내성균) 감시현황과 감시체계http://www.cdc.go.kr/CDC/cms/content/mobile/13/12713_view.html

- 질병관리청 국가건강정보포털. 변형코로나바이러스감염증. 2021-01-13. https://health.kdca.go.kr/healthinfo/biz/health/gnrlzHealthInfo/gnrlzHealthInfo/gnrlzHealthInfoView.do?cntnts_sn=5234

- 최은숙, 나승목, 이언경, 고광준. 악골 골수염의 조기 진단. 대한구강악안면방사선학회지 1994;24:479-487.

- 최정임. 골 대사 약물 복용 환자의 MRONJ 위험 인자로의 Implants. 대한치과의사협회지 2022;60:39-47.

- 한국의료분쟁조정중재원. 2019년도 의료분쟁 조정·중재 통계연보

- 허원실, 이민정, 강승우 등. 상악골에 발생한 비뇌감염형 Mucormycosis 1례. 대한악안면성형재건외과학회지 1993;15:21-25.

- 허현아. 심부경감염으로 진행되는 치성감염의 중증도 평가. 대한치과의사협회지 2022;60:48-54.

- AAOM clinical practice statement: Subject: The use of serum C-terminal telopeptide cross-link of type 1 collagen (CTX) testing in predicting risk of osteonecrosis of the jaw (ONJ). Oral Surg Oral Med Oral Pathol Oral Radiol 2017;124:367-368.

- Abu-Id MH, Açil Y, Gottschalk J, Kreusch T. Bisphosphonate-associated osteonecrosis of the jaw. Mund Kiefer Gesichtschir 2006;10:73-81.

- Abubaker AO, Benson KJ. Oral and maxillofacial surgery secrets. Elsevier Mosby 2007.

- Ahn KJ, Kim YK, Yun PY. Reconstruction of defect after treatment of bisphosphonate-related osteonecrosis of the jaw with staged iliac bone graft. Maxillofac Plast Reconstr Surg 2014;36:57-61.

- Akash MSH, Rehman K, Fiayyaz F, et al. Diabetes-associated infections: Development of antimicrobial resistance and possible treatment strategies. Arch Microbiol 2020;202:953-965.

- Akiyama K, Omori K, Kondo H, et al. Root-end resection for preservation of the causative molar in Garre's osteomyelitis of the mandible: A case report. J Oral Maxillofac Surg Med Pathol 2013;25:139-142.

- Allen MR, Iwata K, Phipps R, Burr DB. Alterations in canine vertebral bone turnover, microcrack accumulation, and biomechanical properties following 1-year treatment with clinical treatment doses of riserdronate or alendronate. Bone 2006;39:872-879.

- Alter HJ. To C or not to C: these are the questions. Blood 1995;85:1681-1695.

- American Dental Association, American Academy of Orthopaedic Surgeons. Antibiotic prophylaxis for dental patients with total joint replacements. J Am Dent Assoc 2003;134:895-898.

- American Association of Oral and Maxillofacial Surgeons. Task Force on Bisphosphonate-Related

Osteonecrosis of the Jaws: American Association of Oral and Maxillofacial Surgeons Position Paper on Bisphosphonate-Related Osteonecrosis of the Jaw-2009 Update. Approved by the Board of Trustees [Internet] Rosemont (IL):;[cited 2009 Jan 15]. Available from: http://www.aaoms.org/docs/position_papers/bronj_update.pdf.

• Ando Y, Murai O, Kuwajima Y, et al. Lymphatic architecture of the human gingival interdental papilla. Lymphology. 2011;44:146-154.

• Appelbaum PC, Hunter PA. The fluoroquinolone antibacterials: past, present and future perspectives Int J Antimicrob Agents 2000;16:5-15.

• Appling D, Miller RH. Mycobacterium cervical lymphadenopathy: 1981 update. Laryngoscope 1981;91:1259-1266.

• Antony SJ, Parikh MS, Ramirez R, et al. Gastrointestinal mucormycosis resulting in a catastrophic outcome in an immunocompetent patient. Infect Dis Rep 2015;7:60-65.

• Avidsona A, Alvan G, Angelin B, et al. Ceftriaxone: Renal biliary excretion & effect on colon microflora. J Antimicrob Chemother 1982;10:207-215.

• Azhar EI, Lanini S, Ippolito G, Zumla A. The Middle East Respiratory Syndrome Coronavirus - A Continuing Risk to Global Health Security. Adv Exp Med Biol. 2017;972:49-60.

• Badros A, Weikel D, Salama A, et al. Osteonecrosis of the jaw in multiple myeloma patients: clinical features and risk factors. J Clin Oncol 2006;24:945-952.

• Bagan JV, Bagan L, Poveda R, Scully C. Mitoxantron as a contributing factor in medication-related osteonecrosis of the jaws. Int J Oral Maxillofac Surg 2016;45:377-379.

• Bajpai S, Pazare AR. Oral manifestations of HIV. Contemp Clin Dent 2010;1:1-5.

• Bamberger DM. Osteomyelitis. A commonsense approach to antibiotic and surgical treatment. Postgrad Med 1993;94:177-182.

• Bamias A, Kastritis E, Bamia C, et al. Osteonecrosis of the jaw in cancer after treatment with bisphosphonates: incidence and risk factors. J Clin Oncol 2005;23:8580-8287.

• Bansal A, Miskoff J, Lis RJ. Otolaryngologic critical care. Crit Care Clin 2003;19:55-72.

• Barlesi F, Scherpereel A, Gorbunova V, et al. Maintenance bevacizumab-pemetrexed after first-line cisplatin-pemetrexed-bevacizumab for advanced nonsquamous nonsmall-cell lung cancer: Updated survival analysis of the AVAPERL (MO22089) randomized phase III trial. Ann Oncol 2014;25:1044-1052.

• Bartkowski SB, Zapala J, Heczko P, Szuta M. Actinomycotic osteomyelitis of the mandible: review of 15 cases. J Craniomaxillofac Surg 1998;26:63-67.

• Bashore TM, Cabell C, Fowler V Jr. Update on infective endocarditis. Curr Probl Cardiol 2006;31:274-352.

• Basma HS, Misch CM. Extraction socket grafting and ridge augmentation failures associated with clindamycin antibiotic therapy: A retrospective study. Int J Oral Maxillofac Implants 2021;36:122-

125.

- Bauer M, Gerlach H, Vogelmann T, et al. Mortality in sepsis and septic shock in Europe, North America and Australia between 2009 and 2019-results from a systematic review and meta-analysis. Crit Care 2020;24:239.

- Bedogni A, Blandamura S, Lokmic Z, et al. Bisphosphonate-associated jawbone osteonecrosis: a correlation between imaging techniques and histopathology. Oral Surg Oral Med Oral Pathol Oral Radiol Endod 2008;105:358-364.

- Bentley KC, Head TW, Aiello GA. Antibiotic prophylaxis in orthognathic surgery: A 1-day versus 5-day regimen. J Oral Maxillofac Surg 1999;57:226-230.

- Bertoletti A, Ferrari C. Kinetics of the immune response during HBV and HCV infection. Hepatology 2003;38:4-13.

- Bertossi D, Barone A, Iurlaro A, et al. Odontogenic Orofacial Infections. J Craniofac Surg 2017;28:197-202.

- Darling BA, Milder EA. Invasive Aspergillosis. Pediatr Rev 2018;39:476-478.

- Beveridge TJ. Structures of gram-negative cell walls and their derived membrane vesicles. J Bacteriol 1999;181:4725-4733.

- Bisno AL, Stevens DL. Streptococcal infections of skin and soft tissues. N Engl J Med 1996;334:240-245.

- Bissell V, Felis DH, Wray D. Comparative trial of fluconazole and amphotericin in the treatment of denture stomatitis. Oral Surg Oral Med Oral Pathol 1993;76:35-39.

- Bistrian BR, Blackburn GL, Vitale J, et al. Prevalence of malnutrition in general medical patients. JAMA 1976;235:1567-1570.

- Björkstén B, Gustavson KH, Eriksson B, et al. Chronic recurrent multifocal osteomyelitis and pustulosis palmoplantaris. J Pediatr 1978;93:227-231.

- Blackard JT, Shata MT, Shire NJ, Sherman KE. Acute hepatitis C virus infection: a chronic problem. Hepatology 2008;47:321-331.

- Bodem JP, Schaal C, Kargus S, et al. Surgical management of bisphosphonate-related osteonecrosis of the jaw stages II and III. Oral Surg Oral Med Oral Pathol Oral Radiol 2016;121:367-372.

- Bonacina R, Mariani U, Villa F, Villa A. Preventive strategies and clinical implications for bisphosphonate-related osteonecrosis of the jaw: a review of 282 patients. J Can Dent Assoc 2011;77:b147.

- Bone RC, Balk RA, Cerra FB, et al. Definitions for sepsis and organ failure and guidelines for the use of innovative therapies in sepsis. The ACCP/SCCM Consensus Conference Committee. American College of Chest Physicians/Society of Critical Care Medicine. Chest 1992;101:1644-1655.

- Boonyapakorn T, Schirmer I, Reichart PA, et al. Bisphosphonate-induced osteonecrosis of the jaws: prospective study of 80 patients with multiple myeloma and other malignancies. Oral Oncol

2008;44:857-869.

• Brakstad OG, Johan AM. Mechanisms of methicillin resistance in staphylococci. APMIS ACTA pathologica microbiologica et immunologica scandinavia 1997;105:264.

• Bratzler DW, Dellinger EP, Olsen KM, et al. Clinical practice guidelines for antimicrobial prophylaxis in surgery. Surg Infect (Larchmit) 2013;14:73-156.

• Brown DFJ, Reynolds PE. Intrinsic resistance to beta-lactam antibiotics in staphylococcus aureus. FEBS Lett 1980;122:275.

• Buzby GP, Knox LS, Crosby LO, et al. A radomized clinical trial of total parenteral nutrition in malnourished surgical patient. Am J Clin Nutr 1988;47:357-365.

• Caiazzo A, Canullo L, Pesce P. Consensus report by the Italian Academy of Osseointegration on the use of antibiotics and antiseptic agents in implant surgery. Int J Oral Maxillofac Implants 2021;36:103-105.

• Calandra T, Cometta A. Antibiotic therapy for gram-negative bacteremia. Infect Dis Clin North Am 1991; 5: 817-834.

• Caldroney S, Ghazali N, Dyalram D, Lubek JE. Surgical resection and vascularized bone reconstruction in advanced stage medication-related osteonecrosis of the jaw. Int J Oral Maxillofac Surg 2017;46:871-876.

• Campbell JW, Frisse M. Manual of medical therapeutics. 24th edi. Little Brown Co. Boston/Toronto, 1983.

• Campisi G, Mauceri R, Bertoldo F, et al. Medication-Related Osteonecrosis of Jaws (MRONJ) Prevention and Diagnosis: Italian Consensus Update 2020. Int J Environ Res Public Health 2020;17(16):5998. Doi: 10.3390/ijerph17165998.

• Candamourty R, Venkatachalam S, Ramesh Babu MR, Suresh Kumar G. Ludwig's Angina - An emergency: A case report with literature review. J Nat Sci Biol Med 2012;3:206-208.

• Carlson ER, Basile JD. The role of surgical resection in the management of bisphosphonate-related osteonecrosis of the jaws. J Oral Maxillofac Surg 2009;67:85-95.

• Cartsos VM, Zhu S, Zavras AI. Bisphosphonate use and the risk of adverse jaw outcomes: a medical claims study of 714,217 people. J Am Dent Assoc 2008;139:23-30.

• Ceelen K, Oomens C, Baaijens F. Microstructural analysis of deformation-induced hypoxic damage in skeletal muscle. Biomech Model Mechanobiol 2008;7:277-284.

• Chambers HF. Detection of methicillin-resistant staphylococci. Infect Dis Clin North Am 1993;7:425-433.

• Chang CK, Sue SC, Yu TH, et al. Modular organization of SARS coronavirus nucleocapsid protein. J Biomed Sci 2006; 13: 59-72.

• Chen DK, McGeer A, de Azavedo JC, Low DE. Decreased susceptibility of Streptococcus pneumoniae to fluoroquinolones in Canada. Canadian Bacterial Surveillance Network. N Engl J Med

1999;341:233-239.

- Chen N , Zhou M , Dong X , et al. Epidemiological and clinical characteristics of 99 cases of 2019 novel coronavirus pneumonia in Wuhan, China: a descriptive study. Lancet 2020;395:507-513.

- Choi SM, Lee DG. Principles of selecting appropriate antimicrobial agents. J Korean Med Assoc 2019;62:335-344.

- Choi SY, An CH, Kim SY, Kwon TG. Bone turnover and inflammatory markers of bisphosphonate-related osteonecrosis of the jaw in female osteoporosis patients. J Oral Maxillofac Surg Med Pathol 2013;25:123-128.

- Chong YS. A Case of Sepsis by Bifidobacteriium longum. Korean J Clin Pathol 1998;18:85-89.

- Christensen PJ, Kutty K, Adlam RT, et al. Septic pulmonary embolism due to periodontal disease. Chest 1993;104:1927-1929.

- Choo QL, Weiner AJ, Overby LR. Hepatitis C virus: the major causative agent of viral non-A, non-B hepatitis. Br Med Bull 1990;46:423-441.

- Chossegros C, Cheynet F, Conrath J. Infratemporal space infection after temporomandibular arthroscopy: An unusual complication. J Oral Maxillofac Surg 1995;53:949-951.

- Clarkson E, Mashkoor F, Abdulateef S. Oral Viral Infections: Diagnosis and Management. Dent Clin North Am 2017;61:351-363.

- Clarkson E, Mashkoor F, Abdulateef S. Recombinant human bone morphogenetic protein type 2 application for a possible treatment of bisphosphonates-related osteonecrosis of the jaw. J Craniofac Surg 2012;23:784-788.

- Cleeland R, Squires E. Antimicrobial activity of ceftriaxone: a review. Am J Med 1984; 77: 3-11.

- Cleveland JL, Kohn WG. Antimicrobial resistance and dental care: a CDC perspective. Dental Abstracts 1998;43:108-10.

- Cohen PR, Kurzrock R. Sweet's syndrome: a neutrophilic dermatosis classically associated with acute onset and fever. Clin Dermatol 2000;18:265-282.

- Coleman S, Nixon J, Keen J, et al. A new pressure ulcer conceptual framework. J Adv Nurs 2014;70:2222-2234.

- Comptston J. Pathophysiology of atypical femoral fractures and osteonecrosis of the jaw. Osteoporos Int 2011;22:2951-2961.

- Condon RE, Nyhus LM. Manual of surgical therapeutics. Sixth Edition. A Little Brown Co. 1985. Boston/Toronto P 266.

- Conover MA, Donoff RB. Facial infections: a review of 175 admissions. AAOMS 65th annual meeting. Las Vegas: NV; 1983.

- Correll RW, Jensen JL, Taylor JB, et al. Mineralization of the stylohyoid-stylomandibular ligament complex: A radiographic incidence study. Oral Surg Oral Med Oral Pathol 1979;48:286-291.

- Cotran RS, Kumar V, Robbins SL. Robins pathologic basis of disease. 4th edi. Philadelphia. WB

Saunders. 1989.

- Cox EC, White JR, Flaks JG. Streptomycin action and the ribosome. Proc Natl Acad Sci USA 1964;51:703-9.

- Cramer JA, Mattson RH, Prevey ML, et al. How often is medication taken as prescribed? A novel assessment technique. JAMA 1989;261:3273-3277.

- Cyriac JM, James E. Switch over from intravenous to oral therapy: A concise overview. J Pharmacolo Pharmacother 2014;5:83-87.

- Dinsbach NA. Antibiotics in dentistry: Bacteremia, antibiotic prophylaxis, and antibiotic misuse. Gen Dent 2012;60:200-207.

- Dagogo-Jack S, Alberti GM. Management of diabetes mellitus in surgical patients. Diabetes Spectr 2002;15:44-48.

- Daramola JO, Ajagbe HA. Chronic osteomyelitis of the mandible in adults: a clinical study of 34 cases. Br J Oral Surg. 1982;20:58-62.

- Das, R, Nath, G, Mishra, A. Clinico-Pathological Profile of Deep Neck Space Infection: A Prospective Study. Indian J Otolaryngol Head Neck Surg 2017;69:282-290.

- De Castro MS, Ribeiro NV Jr, de Carli ML, et al. Photodynamically dealing with bisphosphonate-related osteonecrosis of the jaw: successful case reports,Photodiagnosis Photodyn Ther 2016;16:72-75.

- De Souza Tolentino E, de Castro TF, Michellon FC, et al. Adjuvant therapies in the management of medication-related osteonecrosisof the jaws: Systematic review. Head Neck 2019;41:4209-4228.

- DeFloor T. The risk of pressure sores: A conceptual scheme. J Clin Nurs 1999;8:206-216.

- De Benedetti F, Brunner HI, Ruperto N, et al; PRINTO; PRCSG. Randomized trial of tocilizumab in systemic juvenile idiopathic arthritis. N Engl J Med 2012;367:2385-2395.

- Di Marco V, Lo Iacono O, Camma C, et al. The long-term course of chronic hepatitis B. Hepatology 1999;30:257-264.

- Dieperink E, Ho SB, Heit S, et al. Significant reductions in drinking following brief alcohol treatment provided in a hepatitis C clinic. Psychosomatics 2010;51:149-156.

- Dierks EJ, Potter BE. Treatment of an infected mandibular graft using tobramycin-impregnated methylmethacrylate beads: Report of a case. J Oral Maxillofac Surg 1992;50:1243-1245.

- DiPippo AJ, Rausch CR, Kontoyiannis DP. Tolerability of isavuconazole after posaconazole toxicity in leukaemia patients. Mycoses 2019;62:81-86.

- Dixon RB, Tricker ND, Geretto LP. Bone turnover in early canine mandible and tibia [abstract 2549]. J Dent Res 1997;76:336.

- Dolui SK, Das M, Hazra A. Ofloxacin-induced reversible arthropathy in a child. J Postgrad Med 2007;53:144-145.

- Douglas SD, Leeman SE. Neurokinin-1 receptor: Functional significance in the immune system in reference to selected infections and inflammation. Ann N Y Acad Sci 2011;1217:83-95.

• Drew RH. Aminoglycosides 2011, http://www.uptodate.com.

• Dronge AS, Perkal MF, Kancir S, et al. Long-term glycemic control and postoperative infectious complications. Arch Surg 2006;141:375-380.

• Duarte MJ, Kozin ED, Barshak MB, et al. Otogenic brain abscesses: A systematic review. Laryngoscope Investig Otolaryngol 2018;3:193-208.

• Dugan MJ, Lazow SK, Berger JR. Thoracic empyema resulting from direct extension of Ludwig's angina: a case report. J Oral Maxillofac Surg 1998;56:968-971.

• Dundley MN. Overview of gram-negative sepsis, Am J Hosp Pharm 1990; 47: S3-6.

• Dunford CE. Methicillin resistant staphylococcus aureus. Nurs Stand 1997;11:58, 61-62.

• DeWys WD, Begg O, Lavin PT, et al. Prognostic effect of weight loss prior to chemotherapy in cancer patients. Am J Med 1980;69:491-497.

• Dym H. Clinical Pharmacology for Dentists. Dental Clin North Am 2016;60:497-507.

• Dzyak WR , Zide MF. Diagnosis and treatment of lateral pharyngeal space infections. J Oral Maxillofac Surg 1984;42:243-249.

• Earl PD, Lowry JC, Sloan P. Intraoral inflammatory pseudotumors in the buccal tissues of chidren. Oral Surg Oral Med Oral Pathol 1993;76:279-283.

• Edgeworth JD, Treacher DF, Eykyn SJ. A 25-year study of nosocomial bacteremia in an adult intensive care unit, Crit Care Med 1999;27:1421-1428.

• Edwards BJ, Hellstein JW, Jacobsen PL, et al. American Dental Association Council on Scientific Affairs Expert Panel on Bisphosphonate-Associated Osteonecrosis of the Jaw Updated recommendations for managing the care of patients receiving oral bisphosphonate therapy: an advisory statement from the American Dental Association Council on Scientific Affairs. J Am Dent Assoc 2008;139:1674-1677.

• Elledge ES, Whiddon RG, Fraker JT, Stambaugh KI. The effects of topical oral clindamycin antibiotic rinses on the bacterial content of saliva on healthy human subjects. Otolaryngol Head Neck Surg 1991;105:836-839.

• Ellison SJ. The role of phenoxymethylpenicillin, amoxicillin, metronidazole and clindamycin in the management of acute dentoalveolar abscesses a review. Br Dent J 2009;206:357-362.

• Esposito M, Cannizzaro G, Bozzoli P, et al. Efficacy of prophylactic antibiotics for dental implants: a multicentre placebo-controlled randomized clinical trial. Eur J Oral Implantol 2008;1:23-31.

• Esposito M, Grusovin MG, Loli V, et al. Does antibiotic prophylaxis at implant placement decrease early implant failures? A Cochrane systematic review. Eur J Oral Implantol 2010;3:101-110.

• Esposito M, Grusovin MG, Worthington HV. Interventions for replacing missing teeth: Antibiotics at dental implant placement to prevent complications. Cochrane Database Sys Rev 2013;7:CD004152. Doi: 10.1002/14651858.CD004152.pub4.

- Esposito S, Castellazzi L, Tagliabue C, Principi N. Allergyto antibiotics in children: an overestimated problem. Int J Antimicrob Agents 2016;48:361-366.
- Fattahi TT, Lyu PE, van Sickels JE. Management of acute suppurative parotitis. J Oral Maxillofac Surg 2002;60:446-448.
- Fehr AR, Channappanavar R, Perlman S. Middle East respiratory syndrome: Emergence of a pathogenic human coronavirus. Annu Rev Med 2017;68:387-399.
- Fischmann GE, Graham BS. Ludwig's angina resulting from the infection of an oral malignancy. J Oral Maxillofac Surg 1985;43:795-796.
- Fleissig Y, Regev E, Lehman H. Sunitinib related osteonecrosis of jaw: A case report. Oral Surg Oral Med Oral Pathol Oral Radiol 2012;113:e1-e3.
- Flemming T. The patient undergoing implant therapy. EAO 24th Annual Scientific Meeting. Congress Scientific Report. 2016;34-35.
- Fliefel R, Tröltzsch M, Kühnisch J, et al. Treatment strategies and outcomes of bisphosphonate-related osteonecrosis of the jaw(BRONJ) with characterization of patients: a systematic review. Int J Oral Maxillofac Surg 2015;44:568-585.
- Flygare L, Norderyd J, Kubista J, et al. Chronic recurrent multifocal osteomyelitis involving both jaws: report of a case including magnetic resonance correlation. Oral Surg Oral Med Oral Pathol Oral Radiol Endod. 1997;83:300-305
- Flynn T. What are the antibiotics of choice for odontogenic infections, and how long should the treatment course last? Oral Maxillofac Surg Clin North Am 2011;23:519-536.
- Flynn TR, Shanti RM, Hayes C. Severe odontogenic infections, Part 2: Prospective outcomes study. J Oral Maxillofac Surg 2006;64:1104-1113.
- Flynn TR, Shanti RM, Levi MH, et al. Severe odontogenic infections, Part 1: Prospective report. J Oral Maxillofac Surg 2006;64:1093-1103.
- Fooks AR, Banyard AC, Horton DL, et al. Current status of rabies and prospects for elimination. Lancet 2014;384:1389-1399.
- Freeman CD, Klutman NE, Lamp KC. Metronidazole. Drugs 1997;54:679-708.
- Freiberger JJ. Utility of hyperbaric oxygen in treatment of bisphosphonate-related osteonecrosis of the jaws. J Oral Maxillofac Surg 2009;67:96-106.
- Grbic JT, Landesberg R, Lin SQ, et al. Health Outcomes and Reduced Incidence with Zoledronic Acid Once Yearly Pivotal Fracture Trial Research Group Incidence of osteonecrosis of the jaw in women with postmenopausal osteoporosis in the health outcomes and reduced incidence with zoledronic acid once yearly pivotal fracture trial. J Am Dent Assoc 2008;139:32-40.
- Gaeta GB, Rapicetta M, Sardaro C, et al. Prevalence of anti-HCV antibodies in patients with chronic liver disease and its relationship to HBV and HDV infections. Infection 1990;18: 277-279.
- Garre C. Uber besondere Formen und Folgezustande der akuten infektiosen Osteomyelitis. Beitr Klin

Dhir 1893;10:241-298.

• Gatell JM, Ferran F, Araujo V, et al. Univariate and multivariate analyses of risk factors predisposing to auditory toxicity in patients receiving aminoglycosides. Antimicrob Agents Chemother 1987;31:1383-1387.

• Geerdes-Fenge HF, Goetschi B, Rau M, et al, Lode H. Comparative pharmacokinetics of dirithromycin and erythromycin in normal volunteers with special regard to accumulation in polymorphonuclear leukocytes and in saliva. Eur J Clin Pharmacol 1997;53:127-133.

• Genovese MC, McKay JD, Nasonov EL, et al. Interleukin-6 receptor inhibition with tocilizumab reduces disease activity in rheumatoid arthritis with inadequate response to disease-modifying antirheumatic drugs: The tocilizumab in combination with traditional disease-modifying antirheumatic drug therapy study. Arthritis Rheum 2008;58:2968-2980.

• Ghany MG, Nelson DR, Strader DB, et al. An update on treatment of genotype 1 chronic hepatitis C virus infection: 2011 practice guideline by the American Association for the Study of Liver Diseases. Hepatology 2011;54:1433-1444.

• Gish RG, Lau JYN. Hepatitis C virus: eight years old. Viral Hepatitis Reviews 1997;1:17-37.

• Giudice A, Barone S, Giudice C, et al. Can platelet-rich fibrin improve healing after surgical treatment of medication-related osteonecrosis of the jaw? A pilot study. Oral Surg Oral Med Oral Pathol Oral Radiol 2018;126:390-403.

• Gladwin M, Trattler B, Mahan CS. Clinical microbiology: made ridiculously simple. Miami (FL): Medmaster; 2014.

• Gleissner B, Schilling A, Anagnostopolous I, et al. Improved outcome of zygomycosis in patients with hematological diseases? Leuk Lymphoma 2004; 45:1351-1360.

• Goldmann DR. Surgery in patients with endocrine dysfunction. Med Clin North Am 1987;71:499-509.

• Gonzalez JP, Henwood JM. Pefloxacin. A review of its antibacterial activity, pharmacokinetic properties and therapeutic use. Drugs 1989;37:628-668.

• Gorbach SL. Antibiotics-associated diarrhea. N Engl J Med 1999;341:1690-1691.

• Gordon JM, Walker CB. Current status of systemic antibiotic usage in destructive periodontal disease. J Periodontol 1993;64:760-771.

• Gore MR. Odontogenic necrotizing fasciitis: a systematic review of the literature. BMC Ear Nose Throat Disord 2018;18:14.

• Gossling J. Occurrence and pathogenicity of the Streptoccus milleri group. Rev Inf Dis 1988;10:257-285.

• Graves DT, Cochran D. The contribution of interleukin-1 and tumor necrosis factor alpha to periodontal tissue destruction. J Periodontol 2003;74:391-401.

• Greenberg RN, Mullane K, Van Burik JAH, et al. Posaconazole as salvage therapy for zygomycosis.

Antimicrob Agents Chemother 2006;50:126-133.

• Grennan D. Mumps. JAMA. 2019;322:1022.

• Griffiths GK, VandenBurg MJ, Wight LJ, et al. Efficacy and tolerability of cefuroxime axetil inpatients with upper respiratory tract infections. Curr Med Res Opin 1987;10:555-561.

• Grisar K, Schol M, Schoenaers J, et al. Osteoradionecrosis and medication-related osteonecrosis of the jaw: similarities and differences. Int J Oral Maxillofac Surg 2016;45:1592-1599.

• Guan WJ , Ni ZY, Hu Y, et al. Clinical Characteristics of Coronavirus Disease 2019 in China. N Engl J Med 2020;382:1708-1720.

• Guarneri V, Miles D, Robert N, et al. Bevacizumab and osteonecrosis of the jaw: Incidence and association with bisphosphonate therapy in three large prospective trials in advanced breast cancer. Breast Cancer Res Treat 2010;122:181-188.

• Hallmer F, Andersson G, Götrick B, et al. Prevalence, initiating factor, and treatment outcome of medication-related osteonecrosis of the jaw-a 4-year prospective study. Oral Surg Oral Med Oral Pathol Oral Radiol 2018;126:477-485.

• Hammer MM, Madan R, Hatabu H. Pulmonary mucormycosis: radiologic features at presentation and over time. Am J Roentgenol 2018;210:742-747.

• Hammerschlag MR, Sharma R. Use of cethromycin, a new ketolide, for treatment of community-acquired respiratory infections. Expert Opin Investig Drugs 2008;17:387-400.

• Han MD, Lee JW, Ra SJ, Lee ES. Chemical properties of Streptococcus mutans KCTC 3065 polysaccharide purified by fractions. J. Korean Acad Dent Health 2000;24:259-270.

• Hansen T, Kunkel M, Springer E, et al. Actinomycosis of the jaws-hisopathological study of 45 patients shows significant involvement in bisphosphonate-associated osteonecrosis and infected osteoradionecrosis. Vrichows Arch 2007;451:1009-1017.

• Hansen T, Kunkel M, Weber A, James Kirkpatrick C. Osteonecrosis of the jaws in patients treated with bisphosphonates – histomorphologic analysis in comparison with infected osteoradionecrosis. J Oral Pathol Med 2006;35:155-160.

• Hashimoto H, Inoue M, Hayashi I. A survery of staphylococcus aureus for typing and drug-resistance in various areas of japan during 1992 and 1993. Jpn J Antibiot 1994;47:618-626.

• Hasselmann M, Alix E. Tools and procedures for screening for malnutrition and its associated in risks in hospital. Nutr Clin Metab 2003;17:218-226.

• Hay RJ. Overview of studies of fluconazole in oropharyngeal candidiasis. Rev Infect Dis 1990;12:170-174.

• Hedderson SO, Mody T, Groth DE et al, The presentation of tetanus in an emergecy department. J Emerg Med 1998;16:705-708.

• Heimdahl A, Nord CE. Treatment of orofacial infections of odontogenic origin. Scand J Infect Dis Suppl 1985;46:101-105.

- Heimdahl A, von Konow L, Satoh T, Nord CE. Clinical appearance of orofacial infections of odontogenic origin in relation to microbiological findings. J Clin Microbiol 1985;22:299-302.
- Hellstein JW, Marek CL. Bisphosphonate osteochemonecrosis (bis-phossy jaw): Is this phossy jaw of the 21st century? J Oral Maxillofac Surg 2005;63:682-689.
- Hemachudha T, Ugolini G, Wacharapluesadee S, et al. Human rabies: neuropathogenesis, diagnosis, and management. Lancet Neurol 2013; 12: 498-513.
- Henderson SO, Mody T, Groth DE, et al. The presentation of tetanus in an emergency department. J Emerg Med 1998;16:705-708.
- Hibbett DS, Binder M, Bischoff JF, et al. A higher-level phylogenetic classification of the Fungi. Mycol Res 2007;111:509-47.
- Higuchi T, Soga Y, Muro M, et al. Replacing zoledronic acid with denosumab is a risk factor for developing osteonecrosis of the jaw. Oral Surg Oral Med Oral Pathol Oral Radiol 2018;125:547-551.
- Hiramatsu K. Reduced susceptibility of staphylococcus aureus to vancomycin. MMWR 1997;46:624-626.
- Hirsch IB, McGill JB, Cryer PE, White PF. Perioperative management of surgical patients with diabetes mellitus. Anesthesiology 1991;74:346-359.
- Hoefert S, Eufinger H. Relevance of a prolonged preoperative antibiotic regime in the treatment of bisphosphonate-related osteonecrosis of the jaw. J Oral Maxillofac Surg 2011;69:362-380.
- Holmes CJ, Pellecchia. Antimicrobial therapy in management of odontogenic infections in general denstistry. Dent Clin North Am 2016;60:497-507.
- Homrighausen JK. Drug-related fever due to cephazolin: A case report. J Oral Maxillofac Surg 1999;57:1141-1143.
- Hospital Infection Control Practices Advisory Committee. Interim guidelines for prevention and control of staphylococcal infection associated with reduced susceptability to vancomycin. MMWR 1997;46:626.-628.
- Hossaini-zadeh M. Current concepts of prophylactic antibiotics for dental patients. Dent Clin 2016;60:473-482.
- How KY, Song KP, Chan KG. Porphyromonas gingivalis: An Overview of Periodontopathic Pathogen below the Gum Line. Front Microbiol 2016;7:53
- https://ko.wikipedia.org/wiki/%EB%A9%94%ED%8B%B0%EC%8B%A4%EB%A6%B0_%EB%82%B4%EC%84%B1_%ED%99%A9%EC%83%89%ED%8F%AC%EB%8F%84%EC%83%81%EA%B5%AC%EA%B7%A0
- Hudson JW. Osteomyelitis of the jaws: A 50-year perspective. J Oral Maxillofac Surg 1993;51:1294-1301.
- Hupp JR, Tucker MR, Ellis E. Contemporary oral and maxillofacial surgery. Elsevier Health Sciences. 2019.

• Hwang JH, Ham HS, Lee HC, et al. A case of rifampicin induced pseudomembranous colitis. Tuberc Respir Dis 2000;49:774-779.

• Hypp JR, Williams TP, Vallerand WP. The 5 Minute Clinical Consult for Dental Professionals. Williams & Wilkins, 1996. P 482-483.

• Ibrahim AS, Edwards JE, Filler SG. Zygomycosis. In: Dismukes WE, Pappas PG, Sobel JD, eds. Clinical mycology. New York, NY: Oxford University Press, 2003: 241-51.

• Ibrahim AS, Gebremariam T, Liu M, et al. Bacterial endosymbiosis is widely present among zygomycetes but does not contribute to the pathogenesis of mucormycosis. J Infect Dis 2008;198:1083-1090.

• Ibrahim AS, Spellberg B, Walsh TJ, Kontoyiannis DP. Pathogenesis of mucormycosis. Clin Infect Dis. 2012;54 Suppl 1(Suppl 1):S16-S22.

• Inui M, Tagawa T, Mori A, et al. Inflammatory pseudotumor in the submandibular region: Clinicopathologic study and review of the literature. Oral Surg Oral Med Oral Pathol 1993;76:333-337.

• Isaacson G, Chan KH, Heffner RR Jr. Focal myositis. A new cause for the pediatric neck mass. Arch Otolaryngol Head Neck Surg 1991;117:103-106.

• Islam B, Khan SN, Khan AU. Dental caries: From infection to prevention. Med Sci Monit 2007;13:196-203.

• Jacobson IM, McHutchison JG, Dusheiko G, et al. Telaprevir for previously untreated chronic hepatitis C virus infection. N Engl J Med 2011;364:2405-2416.

• Jaspers MT, Little JW. Prophylactic antibiotic coverage in patients with total arthroplasty: current practice. J Am Dent Assoc 1985;111:943-948.

• Jeong SY, Hong JU, Song JM, et al. Combined effect of recombinant human bone morphogenetic protein-2 and low level laser irradiation on bisphosphonate-treated osteoblasts. J Korean Assoc Oral Maxillofac Surg 2018;44:259-268.

• Jeong KH, Cho HJ, Jang KS, et al. Dyspnea due to candida septic pulmonary embolism originated from odontogenic infection. J Korean Dent Soc Anesthesiol 2014;14:115-117.

• Jeong W, Keighley C, Wolfe R, et al. The epidemiology and clinical manifestations of mucormycosis: a systematic review and meta-analysis of case reports. Clin Microbiol Infect 2019;25:26-34.

• Jevons MP. "Cebenin"-resistant staphylococci. Letter. Br Med J 1961;1:124-125.

• Jia L, Han N, Du J, et al. Pathogenesis of important virulence factors of Porphyromonas gingivalis via toll-like receptors. Front Cell Infect Microbiol 2019;9:262.

• Jinno Y, Jimbo R, Hjalmarsson J, et al. Impact of surface contamination of implants with saliva during placement in augmented bone defects in sheep calvaria. Br J Oral Maxillofac Surg 2019;57:41-46.

• Jo DW, Kim YK, Kim MJ, Yi YJ. Deep tissue injury as possible pathogenesis of acute inflammatory swelling or cellulitis after connecting implant super-structures: a case series study. F1000Research

2022;11:795.

- John V, Alqallaf H, De Bedout T. Periodontal disease and systemic diseases: An update for the clinician. J Indiana Dent Assoc 2016;95:16-23.

- Johnstad B, Dahl V. Gram positive septicemia, Tidsskr Nor Laegeforen 1990; 110: 1941-1942.

- Joo HH, Weon DW, Lee SH, Kim IH. A clinic-statistical analysis on the fascial space infections of oral and maxillofacial region. J Korean Assoc Oral Maxillofac Surg 2000;26:490-496.

- Joshi SG, Ghole VS, Niphadkar KB. Neonatal gram-negative bacteremia, Indian J Pediatr 2000;67:27-32.

- Jung J, Lim HS, Lee DW. Polydeoxyribonucleotide, as a novel approach for the management of medication-related osteonecrosis of the jaw: A preliminary observational study. J Korean Dent Sci 2018;11:57-61.

- Juszczyk J. Clinical course and consequences of hepatitis B infection. Vaccine 2000;18(suppl 1):S23-S25.

- Kadanali A, Karagoz G. An overview of Ebola virus disease. North Clin Istanb 2015;2:81-86.

- Kahm SH, Kim SJ. Accidental cheek fistula. Brit Dent J 2016;220:92. https://doi.org/10.1038/sj.bdj.2016.73

- Kakehashi H, Ando T, Minamizato T, et al. Administration of teriparatide improves the symptoms of advanced bisphosphonate-related osteonecrosis of the jaw: preliminary findings. Int J Oral Maxillofac Surg 2015;44:1558-1564.

- Kamal SM. Acute hepatitis C. a systematic review. Am J Gastroenterol 2008;103:1283-1297.

- Kan B, Altay MA, Taşar F, et al. Low-level laser therapy supported teeth extractions of two patients receiving IV zolendronate, Lasers Med Sci 2011;26:569-575.

- Kang SH, Park SJ, Kim MK. The effect of bisphosphonate discontinuation on the incidence of postoperative medication-related osteonecrosis of the jaw after tooth extraction. J Korean Assoc Oral Maxillofac Surg 2020;46:78-83.

- Khan AA, Morrison A, Kendler DL, et al. Case-based review of osteonecrosis of the jaw (ONJ) and application of the international recommendations for management from the international task force on ONJ. J Clin Densitom 2017;20:8-24.

- Khosla S, Burr D, Cauley J, et al. Bisphosphonate-associated osteonecrosis of the jaw: Report of a task force of the American society for bone and mineral research. J Bone Mineral Res 2007;22:1479-1491.

- Kim B. Basic Bacteriology for Infection Control. Korean J healthc assoc Infect Control Prev 2020; 25: 79-85.

- Kim JW, Pang EK. Survey on medical doctors' awareness and perceptions of bisphosphonate-related osteonecrosis of the jaw. J Korean Dent Assoc 2015;53:732-742.

- Kim KM, Rhee Y, Kwon YD, et al. Medication Related Osteonecrosis of the Jaw: 2015 Position

Statement of the Korean Society for Bone and Mineral Research and the Korean Association of Oral and Maxillofacial Surgeons. J Bone Metab 2015;22:151-165.

• Kim KK. The Role of Immune Response in Periodontal Disease. Immune Network 2003;3:261-267.

• Kim KW, Kim BJ, Lee CH. Clinical study of diagnosis and treatment of bisphosphonate-related osteonecrosis of the jaws. J Korean Assoc Oral Maxillofac Surg 2011;37:54-61.

• Kim MK, Allareddy V, Nalliah RP, et al. Burden of facial cellulitis: estimates from the Nationwide Emergency Department Sample. Oral Surg Oral Med Oral Pathol Oral Radiol 2012;114:312-7.

• Kim MK, Nalliah RP, Lee MK, Allareddy V. Factors associated with length of stay and hospital charges for patients hospitalized with mouth cellulitis. Oral Surg Oral Med Oral Pathol Oral Radiol 2012;113:21-28.

• Kim SM, Lee SK. Chronic non-bacterial osteomyelitis in the jaw. J Korean Assoc Oral Maxillofac Surg 2019;45:68-75.

• Kim SM, Yeo HH, Kim YK, et al. A case report of uncontrolled infection in postoperative patient. J Korean Assoc Maxillofac Plast Reconstr Surg 1997;19:87-92.

• Kim SM, Yeo HH, Kim YK, et al. Two cases report of maxillary sinus aspergillosis. J Korean Assoc Maxillofac Plast Reconstr Surg 1996;18:726-733.

• Kim Y, Jung HI, Kim YK, Ku JK. Histologic analysis of osteonecrosis of the jaw according to the different aspects on quantitative light-induced fluorescence images. Photodiagnosis Photodyn Ther 2021;34:102212. doi: 10.1016/j.pdpdt.2021.102212.

• Kim YK, Choe GY, Lee DH, Yun PY. Chronic refractory osteomyelitis of the mandible and maxilla related to dental implant placement. Asian J Oral Maxillofac Surg 2008;20:189-192.

• Kim YM, Kim JJ, Kim M, et al. Identification and antibiotic susceptibility of the bacteria from non-odontogenic infectious lesions. Int J Oral Biol 2014;39:87-95.

• Kim YR, Kwon YD, Lee BS, et al. Maxillary sinusitis as a complication of oral bisphosphonate related osteonecrosis of the jaw: A case report. J Korean Assoc Oral Maxillofac Surg 2009;35:39-40.

• Klein RS, Harris CA, Small CB, et al. Oral candidiasis in high risk patients as the initial manifestation of the acquired immunodeficiency syndrome. N Engl J Med 1984;311:354-358.

• Kollmannsberger C, Soulieres D, Wong R, et al. Sunitinib therapy for metastatic renal cell carcinoma: Recommendations for management of side effects. Can Urol Assoc J 2007;1(2 suppl):S41-S54.

• Korean Endocrine Society. Bisphosphonate Related Osteonecrosis of the JAW (BRONJ), Position Statement of Korea [Internet] Seoul:; [cited 2009 Jun 25]. Available from: http://www.kaoms.org/file/BRONJ_Korea_Position_Statement.pdf. [Google Scholar]

• Kosmidis C, Denning DW. The clinical spectrum of pulmonary aspergillosis. Thorax 2015;70:270-277.

• Kostic AD, Chun E, Robertson L, et al. Fusobacterium nucleatum potentiates intestinal tumorigenesis and modulates the tumor-immune microenvironment. Cell Host Microbe 2013;14: 207-215.

TOUGH CASES

- Kruger GO. Textbook of oral and maxillofacial surgery. 6th ed. St. Louis: CV Mosby; 1986.

- Kubiniwa M, Lamont RJ. Subgingival biofilm formation. Periodontology 2000. 2010;52:38-52.

- Kunchur R, Need A, Hughes T, Goss A. Clinical investigation of C-terminal cross-linking telopeptide test in prevention and management of bisphosphonate-associated osteonecrosis of the jaws. J Oral Maxillofac Surg 2009;67:1167-1173.

- Kura MM, Khemani UN, Lanjewar DN, et al. Kaposi's sarcoma in a patient with AIDS. J Assoc Physicians India 2008;56:262-264.

- Kwon KH. Successful strategy of treatment used to rhBMP-2 and LFA-collagen scaffold for BRONJ. J Korean Dent Assoc 2014;52:218-233.

- Kwon TG, Choi SY, Ahn BC, An CH. Comparison of chronic osteomyelitis versus bisphosphonate-related osteonecrosis of the jaws in female patients without malignant bone disease. J Oral Maxillofac Surg Med Pathol 2013;25:214-220.

- Kwon TG. A review of pathophysiological mechanism of bisphosphonate-related osteonecrosis of the jaw. J Korean Dent Assoc 2014;52:192-202.

- Kwon YD, Kim DY. Role of Teriparatide in Medication-Related Osteonecrosis of the Jaws (MRONJ). Dent J (Basel) 2016;4(4):41. doi: 10.3390/dj4040041.

- Kwon YD, Kim DY, Ohe JY, et al. Correlation between serum C-terminal cross-linking telopeptide of type I collagen and staging of oral bisphosphonate-related osteonecrosis of the jaws. J Oral Maxillofac Surg 2009;67:2644-2648.

- Lafaurie GI, Noriega LA, Torres SC, et al. Impact of antibiotic prophylaxis on the incidence, nature, magnitude, and duration of bacteremia associated with dental procedures: a systematic review. J Am Dent Assoc 2019;150:948-959.

- Lam DK, Sándor GK, Holmes HI, et al. A review of bisphosphonate-associated osteonecrosis of the jaws and its management. J Can Dent Assoc 2007;73:417-422.

- Lamoth F, Chung SJ, Damonti L, Alexander BD. Changing epidemiology of invasive mold infections in patients receiving azole prophylaxis. Clin Infect Dis 2017;64:1619-1621.

- Lamp KC, Bailey EM, Rybak MJ. Ofloxacin clinical pharmacokinetics. Clin Pharmacokinet 1992;22:32-46.

- Lamster IB, Pagan M. Periodontal disease and the metabolic syndrome. Int Dent J 2017;67:67-77.

- Laskin DM. Systemic effects of oral infections : A possible preventive role for the oral and maxillofacial surgeon. J Oral Maxillofac Surg 2001;59:853.

- Lavanchy D. Hepatitis B virus epidemiology, disease burden, treatment, and current and emerging prevention and control measures. J Viral Hepat 2004;11:97-107.

- Leahey AM, Friedman DL, Bunin NJ. Bone marrow transplantation in pediatric patients with therapy-related myelodysplasia and leukemia. Bone Marrow Transplant 1999;23:21-25.

- Lee DW, Lee HW, Kwon YD. Biochemical bone markers of bisphosphonate-related osteonecrosis of the jaw(BRONJ) and nonbisphosphonate drugs in osteonecrosis of the jaw. J Korean Dent Assoc 2014;52:203-217.

• Lee KH, Seo MH, Pang KM, et al. Comparative study on surgical and conservative management of bisphosphonate-related osteonecrosis of the jaw (BRONJ) in disease stage 2. J Korean Assoc Maxillofac Plast Reconstr Surg 2013;35:302-309.

• Lee R, Choi SM, Jo SJ, et al. Clinical characteristics and antimicrobial susceptibility trends in Citrobacter Bacteremia: An 11-year single-center experience. Infect Chemother 2019;51:1-9.

• Lee S, Lee DW, Ryu DM. Acupuncture therapy and herbal medicine accelerating temporal space abscess after tooth extraction: A case report. J Korean Dent Sci 2014;7:94-98.

• Lee SH, Park HW, Kim SH, et al. The current practice of skin testing for antibiotics in Korean hospitals. Korean J Intern Med 2010;25:207-212.

• Lee WG. Resistance mechanism and epidemiology of vancomycin-resistant enterococci. Korean J Clin Microbiol 2008;11:71-77.

• Leroux S, Zhao W, Bétrémieux P, et al. French Society of Neonatology. Therapeutic guidelines for prescribing antibiotics in neonates should be evidence-based: a French national survey. Arch Dis Child 2015;100:394-398.

• Leung AKC, Davies HD. Cervical lymphadenitis: etiology, diagnosis, and management. Curr Infect Dis Rep 2009;11:183-189.

• Levy I, Leibovici L, Drucker M, et al. A prospective study of Gram-negative bacteremia in children, Pediatr Infect Dis J 1996;15:117-122.

• Lewis MA. Why we must reduce dental prescription of antibiotics:European Union Antibiotic Awareness Day. Br Dent J 2008;205:537-538.

• Li FL, Wu CB, Sun HJ, Zhou Q. Effectiveness of laser-assisted treatments for medication-related osteonecrosis of the jaw: a systematic review. Br J Oral Maxillofac Surg 2020;58:256-267.

• Li HM, Hwang SK, Zhou C, et al. Gangrenous cutaneous mucormycosis caused by Rhizopus oryzae: a case report and review of primary cutaneous mucormycosis in China over past 20 years. Mycopathologia 2013;176:123-128.

• Li Q , Guan X, Wu P, et al. Early transmission dynamics in Wuhan, China, of novel coronavirus-infected pneumonia. N Engl J Med 2020;382:1199-1207.

• Lihong W. Pathogenesis of hepatitis B virus infection. Future Virol 2006;1:637-647.

• Lim KS. Effect of short administration bisphosphonate to periosteum and sinus membrane after iliac bone graft into maxillary sinus in rabbit. J Korean Assoc Maxillofac Plast Reconstr Surg 2010;32:16-22.

• Liston SL, Dehner LP, Jarvis CW, et al. Inflammatory pseudotumors in the buccal tissues of children 1981;51:287-291.

• Little JW, Falace DA. Dental management of the medically compromised patient, Sixth edition. Saint

Louis, CV Mosby. 2002. P 332-364, 501-525.

• Littner MM, Kaffe I, Tamse A, Buchner A. New concept in chemoprophylaxis of bacterial endocarditis resulting from dental treatment. Oral Surg Oral Med Oral Pathol 1986;61:338-342.

• Lok AS. Chronic hepatitis B. N Engl J Med 2002;346:1682-1683.

• Longo F, Guida A, Aversa C, et al. Platelet rich plasma in the treatment of bisphosphonate-related osteonecrosis of the jaw: personal experience and review of the literature. Int J Dent 2014; 2014:298945.

• López-González E, Vitales-Noyola M, González-Amaro AM, et al. Aerobic and anaerobic microorganisms and antibiotic sensitivity of odontogenic maxillofacial infections. Odontol 2019;107: 409-417.

• Lu SN, Chen TM, Lee CM, et al. Molecular epidemiological and clinical aspects of hepatitis D virus in a unique triple hepatitis viruses (B, C, D) endemic community in Taiwan. J Med Virol 2003;70:74-80.

• Mader JT, Adams K, Morrison L. Comparative evaluation of cefazolin and clindamycin in the treatment of experimental Staphylococcus aureus osteomyelitis in rabbits. Antimicrob Agents Chemother 1989;33:1760-1764.

• Mainous MR, Deitch EA. Nutrition and infection. Surg Clin North Am 1994;74:659-676.

• Maluf G, Caldas RJ, Fregnani ER, Santos PSDS. Leukocyte- and platelet-rich fibrin as an adjuvant to the surgical approach for osteoradionecrosis: a case report. J Korean Assoc Oral Maxillofac Surg 2020;46:150-154.

• Mandel L, Surattanont F. Bilateral parotid swelling: A review. Oral Surg Oral Med Oral Pathol Oral Radiol Endod 2002;93:221-237.

• Manfredi M, Merigo E, Guidotti R, et al. Bisphosphonate-related osteonecrosis of the jaws: a case series of 25 patients affected by osteo-porosis. Int J Oral Maxillofac Surg 2011;40:277-284.

• Mangundjaja S, Hardjewinata K. Clindamycin versus ampicillin in the treatment of odontogenic infections. Clin Ther 1990;12:242-249.

• Manning SE, Rupprecht CE, Fishbein D, et al. Human rabies prevention-United States, 2008: recommendations of the Advisory Committee on Immunization Practices. MMWR Recomm Rep 2008;57:1-28.

• Marchetti C, Poggi P, Reguzzoni M, et al. Lymphatic vessel system in gingival peri-implant tissues in humans. J Periodontal Res 1999;34:229-231.

• Marks JB. Perioperative management of diabetes. Am Fam Physician 2003;67:93-100.

• Martin GS, Mannino DM, Eaton S, Moss M. The epidemiology of sepsis in the United States from 1979 through 2000. N Engl J Med 2003;348:1546-1554.

• Marsot A, Boulamery A, Bruguerolle B, Simon N. Vancomycin: a review of population pharmacokinetic analyses. Clin Pharmacokinet 2012;51:1-13.

- Martínez-Aguilar VM, Carrillo-Ávila BA, Sauri-Esquivel EA, et al. Quantification of TNF-α in patients with periodontitis and type 2 diabetes. Biomed Res Int 2019;2019:7984891.
- Martinez-Gimeno C, Acero-Sanz J, Martin-Sastre R, Navarro-Vila C. Maxillofacial trauma: influence of HIV infection. J Craniomaxillofac Surg 1992;20:297-302.
- Martins JR, Chagas OL, Velasques BD, et al. The use of antibiotics in odontogenic infections: What is the best choice? A systematic review. J Oral Maxillofac Surg 2017;75:2606.e1-2606.e11.
- Martos-Fernández M, Saez-Barba M, López-López J, et al. Pentoxifylline, tocopherol, and clodronate for the treatment of mandibular osteoradionecrosis: a systematic review. Oral Surg Oral Med Oral Pathol Oral Radiol 2018;125:431-439.
- Marx RE. Pamidronate(Aredia) and zoledronate(Zometa) induced avascular necrosis of the jaws: A growing epidemic. J Oral Maxillofac Surg 2003;61:1115-1117.
- Marx RE. Oral and intravenous bisphosphonate-induced osteonecrosis of the jaws: History, etiology, prevention, and treatment. 2nd edi. Chicago: Quintessence, 2011;45-89.
- Marx RE. Drug-Induced Osteonecrosis of the Jaws. Quintessence Pub. Croatia, 2022.
- Marx RE, Cillo JE Jr, Ulloa JJ. Oral bisphosphonate-induced osteonecrosis: risk factors, prediction of risk using serum CTX testing, prevention, and treatment. J Oral Maxillofac Surg 2007;65:2397-2410.
- Marx RE, Sawatari Y, Fortin M, Broumand V. Bisphosphonate-induced exposed bone (osteonecrosis/osteopetrosis) of the jaws: Risk factors, recognition, prevention, and treatment. J Oral Maxillofac Surg 2005;63:1567-1575.
- McGilvray S. Lymphoedema and cellulitis: A narrative review. Wound Practice & Research: Journal of the Australian Wound Management Association 2013;21(2):56.
- McGowan JE, Terry PM, Nahmias, AJ. Susceptibility of Haemophilus influenzae isolates from blood and cerebrospinal fluid to ampicillin, chloramphenicol, and trimethoprim-sulfamethoxazole. Antimicrob Agents Chemother 1976;9:137-139.
- McLeod NM, Brennan PA, Ruggiero SL. Bisphosphonate osteonecrosis of the jaw: A historical and contemporary review. Surgeon 2012;10:36-42.
- Mealey BL, Rose LF. Diabetes mellitus and inflammatory periodontal disease. Cirr Opion Endocrinol Diabetes Obes 2008;15:135-141.
- Mehra P, Jeong D. Maxillary sinusitis of odontogenic origin. Curr Allergy Asthma Rep 2009;9:238-243.
- Mehrhof AI. Clindamycin an evaluation of its role in dental patients. J Oral Surg 1976;34:811-817.
- Melen I, Lindahl L, Andreasson L, Rundcrantz. Chronic maxillary sinusitis. Definition, diagnosis and relation to dental infections and nasal polyposis. Acta Otolaryngol 1986;101:320-327.
- Melville JC, Tursun R, Shum JW, et al. A technique for the treatment of oral-antral fistulas resulting from medication-related osteonecrosis of the maxilla: the combined buccal fat pad flap and radical

sinusotomy. Oral Surg Oral Med Oral Pathol Oral Radiol 2016;122:287-291.

- Menezes AM, Rocha FA, Chaves HV, et al. Effect of sodium alendronate on alveolar bone resorption in experimental periodontitis in rats. J Periodontol 2005;76:1901-1909.

- Menson S, Bharadwaj R, Chowdhary A, et al. Current epidemiology of intracranial abscesses: a prospective 5 year study. J Med Microbiol 2008;57:1259-1268.

- Mercuri LG. Acute osteomyelitis of the jaws. Oral Maxillofac Surg clin North Am Philadelphia: Saunders. 1991;3:335-366.

- Messini M, Skourti I, Markopulos E, et al. Bacteremia after dental treatment in mentally handicapped people, J Clin Periodontol 1999; 26: 469-743.

- Meyboom RHB, Kuiper H, Jansen A. Ceftriaxone and reversible cholelithiasis. Br Med J 1988;297:858. doi: 10.1136/bmj.297.6652.858.

- Meyers BR, Sherman E, Mendelson MH, et al. Bloodstream infections in the elderly. Am J Med 1989;86:379-384.

- Miiller M. Mode of action of metronidazole on anaerobic bacteria and protozoa. Surgery 1983;93: 165-171.

- Milkovich G, Piazza CJ. Considerations in comparing intravenous and intramuscular antibiotics. Chemotherapy 1991;37 Suppl 2:1-13.

- Min SH, Kang NE, Song SI, Lee JK. Regenerative effect of recombinant human bone morphogenetic protein-2/absorbable collagen sponge (rhBMP-2/ACS) after sequestrectomy of medication-related osteonecrosis of the jaw (MRONJ). J Korean Assoc Oral Maxillofac Surg 2020;46:191-196.

- Minamisako MC, Ribeiro GH, Lisboa ML, et al. Medication-related osteonecrosis of jaws: a low-level laser therapy and antimicrobial photodynamic therapycase approach, Case Rep Dent 2016;2016: 6267406.

- Minju Song. Dental care for patients taking antiresorptive drugs: a literature review. Restor Dent Endod 2019;44:e42.

- Misch CE. 2014. Dental implant prosthetics. Elsevier Health Sciences.

- Mitsuta T, Horiuchi H, Shinoda H. Effects of topical administration of clodronate on alveolar bone resorption in rats with experimental periodontitis. J Periodontol 2002;73:479-486.

- Mohapatra PR, Janmeja, AK. Tuberculous Lymphadenitis. J Assoc Physicians India 2009;57:585-590.

- Montenegro J, González O, Saracho R, et al. Changes in renal function in primary hypothyroidism. Am J Kidney Dis 1996;27:195-198.

- Morgan MP, Szakmany T, Power SG, et al. Sepsis patients with first and second-hit infections show different outcomes depending on the causative organism. Front Microbiol 2016;26 Feb https://doi.org/10.3389/fmicb.2016.00207

- Moskovic E, Fisher C, Westbury G, Parsons C. Focal myositis, a benign inflammatory pseudotumour:

CT appearances. Br J Radiol 1991;64:489-493.

- Mücke T, Deppe H, Hein J, et al. Prevention of bisphosphonate-related osteonecrosis of the jaws in patients with prostate cancer treated with zoledronic acid-a prospective study over 6 years. J Craniomaxillofac Surg 2016;44:1689-1693.

- Muldoon EG, Sharman A, Page I, et al. Aspergillus nodules; another presentation of chronic pulmonary aspergillosis. BMC Pulm Med 2016;16(1):123.

- Muldoon EG, Strek ME, Patterson KC. Allergic and Noninvasive Infectious Pulmonary Aspergillosis Syndromes. Clin Chest Med 2017;38:521-534.

- Murtagh RD, Caracciolo JT, Fernandez G. CT findings associated with Eagle syndrome. AJNR Am J Neuroradiol 2001;22:1401-1402.

- Naik NH, Russo TA. Bisphosphonate-related osteonecrosis of the jaw: The role of Actinomyces. Clin Infect Dis 2009;49:1729-1732.

- Napoli JA, Donegan JO. Aspergillosis and necrosis of the maxilla: A case report. J Oral Maxillofac Surg 1991;49:532-534.

- Neville BW. Oral and maxillofacial pathology. St Louis (MO): Saunders/Elsevier; 2009.

- Newman MG, Takei HH, Klokkevold PR, Carranza FA. Newman and Carranza's Clinical Periodontology. 13th edition. Elsevier 2019;555-563.

- Nisi M, La Ferla F, Karapetsa D, et al. Risk factors influencing BRONJ staging in patients receiving intravenous bisphosphonates: a multivariate analysis. Int J Oral Maxillofac Surg 2015;44:586-591.

- Nicolatou-Galitis O, Schiødt M, Mendes RA, et al. Medication-related osteonecrosis of the jaw: definition and best practice for prevention, diagnosis, and treatment. Oral Surg Oral Med Oral Pathol Oral Radiol. 2019;127:117-135.

- Noble WC, Virani Z, Cree RG. Co-transfer of vancomycin and other resistance genes from Enterococcus faecalis NCTC 12201 to Staphylococcus aureus. FEMS Microbiol Lett. 1992;72:195-198.

- Norden CW, Shinners E, Niederriter K. Clindamycin treatment of experimental chronic osteomyelitis due to Staphylococcus aureus. J Infect Dis 1986;153:956-959.

- Ogi K, Miyazaki A, Abe M, et al. A case of extensive mandibular osteomyelitis in a patient receiving hemodialysis. Asian J Oral Maxillofac Surg 2010;22:233-237.

- Ogi N, Nagao T, Toyama M, Ariji E. Chronic dental infections mimicking temporomandibular disorders. Aust Dent J 2008;47:63-65.

- Ogura M. Surgical intervention of osteonecrosis of the jaws associated with bisphosphonate therapy: Report of two cases. Asian J Oral Maxillofac Surg 2010;22:148-153.

- Oh MD, Choe KW. General principles of antibiotics use. In: The Korean Society of Infectious Diseases. Textbook of guidepost to antimicrobial. 4th ed. Seoul: Koonja; 2016;.53-66.

- Oomens CW, Bader DL, Loerakker S, Baaijens F. Pressure induced deep tissue injury explained. Ann

Biomed Eng 2015;43:297-305.

- Opitz D, Camerer C, Camerer DM, et al. Incidence and management of severe odontogenic infections—A retrospective analysis from 2004 to 2011, J Craniomaxillofac Surg 2015;43:285-289.

- Otero RM, Nguyen HB, Huang DT, et al. Early goal-directed therapy in severe sepsis and septic shock revisited: concepts, controversies, and contemporary findings. Chest 2006;130:1579-1595.

- Park JA. Bisphosphonate related osteonecrosis of jaw on mandibular molar area: a case report. J Korean Assoc Maxillofac Plast Reconstr Surg 2010;32:478-483.

- Park MY, Kim HS, Ko HC, et al. Infratemporal fossa abscess of dental origin: a rare, severe and misdiagnosed infection. J Korean Assoc Oral Maxillofac Surg 2018;44:37-39.

- Park WS, Jung WY, Kim HJ, Kim KD. Considerations during dental implant treatment for patients under bisphosphonate therapy. J Korean Dent Assoc 2011;49:389-397.

- Park YD, Kim YR, Kim DY, et al. Awareness of Korean dentists on bisphosphonate related osteonecrosis of the jaws: Preliminary report. J Korean Assoc Oral Maxillofac Surg 2009;35:153-157.

- Parker MT, Ball LC. Streptococci and aerococci associated with systemic infection in man. J Med Microbiol 1976;9:275-302.

- Patel V, McLeod NM, Rogers SN, Brennan PA. Bisphosphonate osteonecrosis of the jaw-A literature review of UK policies versus international policies on bisphosphonates, risk factors and prevention. Br J Oral Maxillofac Surg 2011;49:251-257.

- Patel V, McLeod NM, Rogers SN, Brennan PA. Bisphosphonate osteonecrosis of the jaw-a literature review of UK policies versus international policies on bisphosphonates, risk factors and prevention. Br J Oral Maxillofac Surg 2011;49:251-7.

- Patterson TF, Thompson GR 3rd, Denning DW, et al. Practice Guidelines for the Diagnosis and Management of Aspergillosis: 2016 Update by the Infectious Diseases Society of America. Clin Infect Dis 2016;63::e1-e60. doi:10.1093/cid/ciw326

- Pautke C, Bauer F, Otto S, et al. Fluorescence-guided bone resection in bisphosphonate-related osteonecrosis of the jaws: first clinical results of a prospective pilot study. J Oral Maxillofac Surg 2011;69:84-91.

- Peedikayil FC. Antibiotics in odontogenic infections-an update. J Antimicrobial 2016;2:2472-1212.

- Peters ES, Fong B, Wormuth DW, Sonis ST. Risk factors affecting hospital length of stay in patients with odontogenic maxillofacial infections. J Oral Maxillofac Surg 1996;54:1386-1391.

- Petersen WC Jr, Clark D, Senn SL, et al. Comparison of allergic reactions to intravenous and intramuscular pegaspargase in children with acute lymphoblastic leukemia. Pediatr Hematol Oncol 2014;31:311-317.

- Peterson LJ. Contemporary management of deep infections of the neck. J Oral Maxillofac Surg 1993;51:226-231.

- Peterson LJ, Ellis III E, Hupp JR, Tucker MR. Contemporary Oral and Maxillofacial Surgery. Mosby Co. 1999.
- Pichardo SEC, Richard van Merkesteyn JP. Evaluation of a surgical treatment of denosumab-related osteonecrosis of the jaws. Oral Surg Oral Med Oral Pathol Oral Radiol 2016;122:272-278.
- Pidaparti M, Bostrom B. Comparison of allergic reactions to pegasparaginase given intravenously versus intramuscularly. Pediatr Blood Cancer 2012;59:436-439.
- Pillai SK, Eliopoulos GM, Moellering RC. Principles of anti-infective therapy. In : Mandell GL, Douglas RG, Bennett JE, Dolin R, Blaser MJ, editors. Mandell, Douglas, and Bennett's principles and practice of infectious diseases. Philadelphia: Churchill Livingstone Elsevier. 2015. p. 224-234.
- Pogrel MA, Ruggiero SL. Previously successful dental implants can fail when patients commence anti-resorptive therapy-a case series. Int J Oral Maxillofac Surg 2018;47:220-222.
- Poli PP, Souza FÁ, Maiorana C. Adjunctive use of antimicrobial photodynamic therapy in the treatment of medication-related osteonecrosis of the jaws: A case report. Photodiagnosis Photodyn Ther 2018;23:99-101.
- Poordad F, McCone J, Bacon B, et al. Boceprevir for untreated chronic HCV genotype 1 infection. N Engl J Med 2011;364:1195-206.
- Proeschold-Bell RJ, Patkar AA, Naggie S, et al. An integrated alcohol abuse and medical treatment model for patients with hepatitis C. Dig Dis Sci 2012;57:1083-1091.
- Quinonez C, Gibson D, Jokovic A, et al. Emergency department visits for dental care of nontraumatic origin. Community Dent Oral Epidemiol 2009;37:366-371.
- Rabaan AA, Al-Ahmed SH, Haque S, et al. SARS-CoV-2, SARS-CoV, and MERS-COV: A comparative overview. Infez Med 2020;28:174-184.
- Rahimi-Nedjat RK, Sagheb K, Pabst A, et al. Diabetes mellitus and its association to the occurrence of medication-related osteonecrosis of the jaw. Dent J (Basel) 2016:4:17.
- Rajab B, Laskin DM, Abubaker AO. Odontogenic infection leading to adult respiratory distress syndrome. J Oral Maxillofac Surg 2013;71:302-304.
- Rams TE, Dujardin S, Sautter JD, et al. Spiramycin resistance in human periodontitis microbiota. Anaerobe 2011;17:201-205.
- Rataru H, Cho M, Lee YC, et al. The clinical features of the infratemporal fossa abscess and their significances. J Korean Assoc Oral Maxillofac Surg 2007;33:40-45.
- Rath E, Skrede S, Mylvaganam H, Bruun T. Aetiology and clinical features of facial cellulitis: A prospective study. Infect Dis 2018;50:27-34.
- Regezi JA. Oral pathology: clinical pathologic correlations. (6th edition), Elsevier, St. Louis (MO) 2012.
- Rehermann B. Immune response in hepatitis B virus infection. Semin Liver, Dis 2003;23:21-37.
- Rhee SH, Park KH, Lee JY et al. The effectiveness of the surgical approach and drug-holiday on the treatment of bisphosphonate related osteonecrosis of the jaw patient. J Korean Dent Assoc

2015;53:120-131.

- Ribes JA, Vanover-Sams CL, Baker DJ. Zygomycetes in human disease.Clin Microbiol Rev 2000; 13:236-301.

- Richards DM. Ceftriaxone, a review of its antibacterial activity, pharmacological properties and therapeutic use. Drugs 1984;27:469-527.

- Richardson D, Schmitz JP. Chronic relapsing cervicofacial necrotizing fasciitis: case report. J Oral Maxillofac Surg 1997;55:403-408.

- Richardson JP. Bacteremia in the elderly J Gen Intern Med 1993;8:89-92.

- Riley TT, Muzny CA, Swiatlo E, Legendre DP. Breaking the mold: a review of mucormycosis and current pharmacological treatment options. Ann Pharmacother 2016;50:747-757.

- Ristow O, Otto S, Geiß C, et al. Comparison of auto-fluorescence and tetracycline fluorescence for guided bone surgery of medication-related osteonecrosis of the jaw: a randomized controlled feasibility study. Int J Oral Maxillofac Surg 2017;46:157-166.

- Rivers E, Nguyen B, Havstad S, et al. Early goal-directed therapy in the treatment of severe sepsis and septic shock. N Engl J Med 2001;345:1368-1377.

- Roden MM, Zaoutis TE, Buchanan WL, et al. Epidemiology and outcome of zygomycosis: a review of 929 reported cases. Clin Infect Dis 2005; 41:634-653.

- Rose LF, Kaye D. Internal medicine for dentistry. 1st edi. St Louis, Mosby Ci. 1983.

- Rosella D, Papi P, Giardino R, et al. Medication-related osteonecrosis of the jaw: Clinical and practical guidelines. J Int Soc Prev Community Dent 2016;6:97-104.

- Rotaru H, Cho M, Lee YC, et al: The clinical features of the infratemporal fossa abscess and their significances. J Korean Assoc Oral Maxillofac Surg 2007;33:40-45.

- Ruhnke-Trautmann M, Trautmann M, Bruckner O, et al. Infection caused by gram-positive and gram-negative bacteria. A comparative study, Fortschr Med 1989;107:477-480.

- Ruggiero S, Gralow J, Marx RE, et al. Practical guidelines for the prevention, diagnosis, and treatment of osteonecrosis of the jaw in patients with cancer. J Oncol Pract 2006;2:7-14.

- Ruggiero SL, Dodson TB, Aghaloo T, et al. American Association of Oral and Maxillofacial Surgeons' Position Paper on Medication-Related Osteonecrosis of the Jaws? 2022 Update. J Oral Maxillofac Surg 2022;80:920-943.

- Ruggiero SL, Dodson TB, Assael LA, et al. American Association of Oral and Maxillofacial Surgeons position paper on bisphosphonate-related osteonecrosis of the jaw-2009 update. Aust Endod J 2009;35:119-130.

- Ruggiero SL, Dodson TB, Assael LA, et al. American Association of Oral and Maxillofacial Surgeons position paper on bisphosphonate-related osteonecrosis of the jaws-2009 update. J Oral Maxillofac Surg 2009;67:2-12.

- Ruggiero SL, Mehrotra B, Rosenberg TJ, Engroff SL. Osteonecrosis of the jaws associated with the use of bisphosphonates: a review of 63 cases. J Oral Maxillofac Surg 2004;62:527-534.

• Şahin O, Odabaşı O, Aliyev T, Tatar B. Risk factors of medication-related osteonecrosis of the jaw: a retrospective study in a Turkish subpopulation. J Korean Assoc Oral Maxillofac Surg 2019;45:108-115.

• Saifeldeen K, Evans R. Ludwig's angina. Emerg Med J 2004;21:242-243.

• Sakamoto H, Kato H, Sato T, Sasaki J. Semiquantitative bacteriology of closed odontogenic abscesses. The Bulletin of Tolyo Dental College 1998;39:103-107.

• Sakamoto M, Saruta K, Nakazawa Y, et al. Two cases of gram-positive sepsis successfully treated with vancomycin in combination with imipenem or cilastatin, Kansenshogaku Zasshi. 1996 ; 70: 490-495.

• Salomo-Coll O, Lozano-Carrascal N, Lazaro-Abdulkarim A, et al. Do penicillin-allergic patients present a higher rate of implant failure? Int J Oral Maxillofac Implants 2018;33:1390-1395.

• Samara E, Siasios I, Katsiardanis K, et al. Brain abscess in a rheumatoid arthritis patient treated with leflunomide-A case presentation and review. Surg Neurol In 2021;12:97.

• Sangiovanni A, Prati GM, Fasani P, et al. The natural history of compensated cirrhosis due to hepatitis C virus: a 17-year cohort study of 214 patients. Hepatology 2006;43:1303-1310.

• Santosh ABR, Muddana K, Bakki SR. Fungal infections of oral cavity: Diagnosis, management, and association with COVID-19. SN Comprehensive Clin Med 2021;3:1373-1384.

• Santosh ABR, Muddana K. Viral infections of oral cavity. J Family Med Prim Care 2020;9:36-42.

• Santosh ABR, Ogle OE, Williams D, Woodbine EF. Epidemiology of oral and maxillofacial infections. Dent Clin 2017;61;217-233.

• Sasaki J. Clinical evaluation of roxithromycin in odontogenic orofacial infections. J Antimicrob Chemother 1987;20(suppl B):167-170.

• Sayd S, Vyloppilli S, Kumar K, et al. Comparison of the efficacy of amoxicillin-clavulanic acid with metronidazole to azithromycin with metronidazole after surgical removal of impacted lower third molar to prevent infection. J Korean Assoc Oral Maxillofac Surg 208;44:103-106.

• Schaad UB, Wedgwood-Krucko J, Tschaeppeler H. Reversible ceftriaxone associated biliary pseudolithiasis in children. Lancet 1988;2:1411-1413.

• Schatz A, Bugie E, Waksman SA. Streptomycin, a substance exhibiting antibiotic activity against gram-positive and gram-negative bacteria. 1944. Clin Orthop Relat Res 2005;437:3-6.

• Schfman ML, Keith FB, Moore EW. Pathogenesis of ceftriaxone-associated biliary sludge: In vitro studies of calcium-ceftriaxone binding and solubility. Gastroenterology 1990;99:1772-1778.

• Schmidt B, Kearns G, Perrot D, Kaban L. Infection following treatment of mandibular fractures in human immunodeficiency virus seropositive patients. J Oral Maxillofac Surg 1995;53:1134-1139.

• Schwartz HC, Kagan RK. Osteoradionecrosis of the mandible: scientific basis for clinical staging. Am J Clin Oncol 2002;25:168-171.

- Schwimmer AM, Roth SE, Morrison SL. The use of computerized tomography in the diagnosis and management of temporal and infratemporal space abscess. Oral Surg Oral Med Oral Pathol 1986;60:207-212.
- Scoggins L, Vakkas TG, Godlewski B. Rapidly progressing bilateral submandibular sialadenitis and suppurative parotitis with concomitant group C streptococcal pharyngitis. J Oral Maxillofac Surg 2010;68:2585-2590.
- Scottish Dental Clinical Effectiveness Programme. Oral health management of patients at risk of medication-related osteonecrosis of the jaws. 2017. Available at: http://www.sdcep.org.uk/published-guidance/medication-related-osteonecrosis-of-the-jaw/ (accessed July 2020).
- Sedghizadeh PP, Stanley K, Caligiuri M, et al. Oral bisphosphonate use and the prevalence of osteonecrosis of the jaw: an institutional inquiry. J Am Dent Assoc 2009;140:61-66.
- Senel FC, Jessen GS, Melo MD, Obeid G. Infection following treatment of mandible fractures: the role of immunosuppression and polysubstance abuse. Oral Surg Oral Med Oral Pathol Oral Radiol Endod 2007;103:38-42.
- Seo MH, Eo MY, Myoung H, et al. The effects of pentoxifyllinend tocopherol in jaw osteomyelitis. J Korean Assoc Oral Maxillofac Surg 2020;46:19-27.
- Seppänen L, Lauhio A, Lindqvist C, et al. Analysis of systemic and local odontogenic infection complications requiring hospital care. J Inf 2008;57:116-122.
- Seppänen L, Rautemaa R, Lindqvist C, et al. Changing clinical features of odontogenic maxillofacial infections. Clin Oral Invest 2010;14:459-465.
- Serefhanoglu K, Bayindir Y, Ersoy Y, et al. Septic pulmonary embolism secondary to dental focus. Quintessence Int 2008;39: 753-756.
- Seyyedi SA, Sanatkhani M, Pakfetrat A, Olyaee P. The therapeutic effects of chamomilla tincture mouthwash on oral aphthae: A Randomized Clinical Trial. J Clin Exp Dent 2014;6:e535-e538.
- Shafer WG, Hine MK, Levy BM. A textbook of oral pathology, 4th de. Philadelphia: Sunders. 1983;498-508.
- Shams N, Ghasemi M, Sadatmansouri S, Bonakdar S. Morphology and differentiation of MG63 osteoblast cells on saliva contaminated implant surfaces. J Detn (Tehran) 2015;12:424-429.
- Shapiro MJ, Applebaum H, Besser AS. Cervical focal myositis in a child. J Pediatr Surg 1986;21:375-376.
- Sharma A, Goel A. Mucormycosis: risk factors, diagnosis, treatments, and challenges during COVID-19 pandemic. Folia Microbiol (Praha) 2022;26:1-25.
- Shoham S, Magill SS, Merz WG, et al. Primary treatment of zygomycosis with liposomal amphotericin B: Analysis of 28 cases. Med Mycol 2010;48:511-517.
- Shukla P, Bansode FW, Singh RK. Chloramphenicol toxicity: A review. J Med Med Sci 2011;2:1313-1316.

• Silhavy TJ, Kahne D, Walker S. The bacterial cell envelope. Cold Spring Harb Perspect Biol 2010;2:a000414.

• Socransky SS, Haffajee AD. Microbial mechanisms in the pathogenesis of destructive periodontal diseases: a critical assessment. J Periodontal Res 1991;26:195-212.

• Socransky SS, Smith C, Haffajee AD. Subgingival microbial profiles in refractory periodontal disease. J Clin Periodontol 2002;29:260-268.

• Sollecito TP, Abt E, Lockhart PB, et al. The use of prophylactic antibiotics prior to dental procedures in patients with prosthetic joints: evidence-based clinical practice guideline for dental practitioners—a report of the American Dental Association Council on Scientific Affairs. J Am Dent Assoc 2015;146:11-16.

• Som PM, Brandwein MS, Maldjian C, et al. Inflammatory pseudotumor of the maxillary sinus: CT and MR findings in six cases. AJR Am K Roentgenol 1994;163:689-692.

• Son HJ, Jang HY, Keum YS, et al. Bisphosphonated indeced osteonecrosis of the mandible: A case report. J Korean Assoc Oral Maxillofac Surg 2009;35:106-111.

• Song JW, Kim KH, Song JM, et al. Clinical study of correlation between C-terminal crow-linking telopeptide of type I collagen and risk assessment, severity of disease, healing after early surgical intervention in patients with bisphosphonate-related osteonecrosis of the jaws. J Korean Assoc Oral Maxillofac Surg 2011;37:1-8.

• Speirs CF, Mason DK. Acute septic parotitis: Incidence, aetiology and management. Scot Med 1972;17:62-66.

• Spellberg B, Edwards J Jr, Ibrahim A. Novel perspectives on mucormycosis: pathophysiology, presentation, and management. Clin Microbiol Rev 2005; 18:556-569.

• Stanton DC, Balasanian E. Outcome of surgical management of bisphosphonate-related osteonecrosis of the jaws: review of 33 surgical cases. J Oral Maxillofac Surg. 2009;67:943-50.

• Starks I, Ayub G, Walley G, et al. Single-dose cefuroxime with gentamicin reduces Clostridium difficile-associated disease in hip-fracture patients. J Hosp Infect 2008;70:21-26.

• Statkievicz C, Toro LF, de Mello-Neto JM, et al. Photomodulation multiplesessions as a promising preventive therapy for medication-related osteonecrosis ofthe jaws after tooth extraction in rats. J Photochem Photobiol B 2018;184:7-17.

• Steiner M, Gould AR, Brooks PJ, Porter K. Postextraction panfacial cellulitis (Sweet's syndrome) mimicking an odontogenic infection. J Oral Maxillofac Surg 2000;58:562-566.

• Stekelenburg A, Gawlitta D, Bader DL, Oomens CW. Deep tissue injury: How deep is our understanding? Arch Phys Med Rehabil 2008;89:1410-1413.

• Stekelenburg A, Strijkers GJ, Parusel H, et al. Role of ischemia and deformation in the onset of compression-induced deep tissue injury: MRI-based studies in a rat model. J Appl Physiol 2007;102:2002-2011.

- St-Hilaire H, William D, Weber et al, Clinicopathologic conference: trismus following dental treatment. Oral surg Oral Med Oral Pathol Oral Radiol Endod 2004;98:261-266.
- Stockmann P, Vairaktaris E, Wehrhan F, et al. Osteotomy and primary wound closure in bisphosphonate-associated osteonecrosis of the jaw: a prospective clinical study with 12 months follow-up. Support Care Cancer 2010;18:449-460.
- Su J, Guo Q, Li Y, et al. Comparison of empirical therapy with cefoperazone/sulbactam or a carbapenem for bloodstream infections due to ESBL-producing Enterobacteriaceae. J Antimicrob Chemother 2018;73:3176-3180.
- Subramanian G, Fritton JC, quek SYP. Osteonecrosis and atypical fractures-common origins? Osteoporos Int 2013;24:745-746.
- Suda KJ, Calip GS, Zhou J, et al. Assessment of the appropriateness of antibiotic prescriptions for infection prophylaxis before dental procedures, 2011 to 2015. JAMA network open 2019;2:e193909-e193909.
- Sweeney LC. Antibiotic resistance in general dental practice—a cause forconcern? J Antimicrob Chemother 2004;53:567-76.
- Swift JQ, Gulden WS. Antibiotic therapy—managing odontogenic infections. Dent Clin North Am 2002;46:623-33.
- Sykes JE. Canine and Feline Infectious Diseases. Elsevier. 2013.
- Takimoto T, Kathoh T, Ohmura T, et al. Inflammatory pseudotumour of the maxillary sinus mimicking malignancy. Rhinology 1990;28:123-127.
- Tavakoli M, Bagheri A, Faraz M, et al. Orbital cellulitis as a complication of mandibular odontogenic infection. Ophthalmic Plast Reconstr Surg 2013;29:e5-e7.
- Tawfig N. Proinflammatory cytokines and periodontal disease. J Den Probl Solut 2016;3:12-17.
- Teng MS, Futran ND. Osteoradionecrosis of the mandible. Curr Opin Otolaryngol Head Neck Surg 2005;13:217-221.
- Terrault NA, Lok ASF, McMahon BJ, et al. Update on prevention, diagnosis, and treatment of chronic hepatitis B: AASLD 2018 hepatitis B guidance. Hepatology 2018;67:1560-1599.
- Thabit AK, Fatani DF, Bamakhrama MS, et al. Antibiotic penetration into bone and joints: an updated review. Int J Infectious Dis 2019;81:128-136.
- Thakar M, Thakar A. Odontogenic orbital cellulitis: report of a case and considerations on route of spread. Acta Ophthalmologica Scandinavica 1995;73:470-471.
- Then RL. Mechanisms of resistance to trimethoprim, the sulfonamides, and trimethoprim-sulfamethoxazole. Rev Infect Dis 1982;4:261-269.
- The Veterans Affairs Total Parenteral Nutrition Cooperative Study Group. Perioperative total parenteral nutrition in surgical patients. N Engl J Med 1991;325:525-532.
- Thornhill MH, Gibson TB, Cutler E, et al. Antibiotic prophylaxis and incidence of endocarditis before

and after the 2007 AHA recommendations. J Am College Cardiol 2018;72:2443-2454.

• Thukral R, Shrivastav K, , Mathur V, et al. Actinomyces: a deceptive infection of oral cavity. J Korean Assoc Oral Maxillofac Surg 2017;43:282-285.

• Thumbigere-Math V, Sabino MC, Gopalakrishnan R,, et al. Bisphosphonate-related osteonecrosis of the jaw: clinical features, risk factors, management, and treatment outcomes of 26 patients. J Oral Maxillofac Surg 2009;67:1904-1913.

• Topazian RG, Goldberg MH. Oral and maxillofacial infection. In: Larry J. Peterson, editor. Principles of antibiotic therapy. 3rd ed. Philladelphia Philladelphia: WB Saunder; 1994. p.160.10.

• Troeltzsch M, Pache C, Probst FA, et al. Antibiotic concentrations in saliva: a systematic review of the literature, with clinical implications for the treatment of sialadenitis. J Oral Maxillofac Surg 2014;72:67-75.

• Unger NR, Stein BJ. Effectiveness of pre-operative cefazolin in obese patients. Surg Infect (Larchmit) 2014;15:412-416.

• Van Damme N, Van Hecke A, Remue E, et al. Physiological processes of inflammation and edema initiated by sustained mechanical loading in subcutaneous tissues: A scoping review. Wound Repair Regen 2000;28:242-265.

• Van Merkesteyn JPR, Groot RH, van den Akker HP, et al. Treatment of chronic suppurative osteomyelitis of the mandible. Int J Oral Maxillofac Surg 1997; 26:450-454.

• Vandone AM, Donadio M, Mozzati M, et al. Impact of dental care in the prevention of bisphosphonate-associated osteonecrosis of the jaw: a single-center clinical experience. Ann Oncol 2012;23:193-200.

• Vescovi P, Giovannacci I, Merigo E, et al. Tooth extractions in high-risk patientsunder bisphosphonate therapy and previously affected with osteonecrosis of thejaws: surgical protocol supported by low-level laser therapy. J Craniofac Surg 2015;26:696-699.

• Vescovi P, Meleti M, Merigo E, et al. Case series of 589 tooth extractions in pa-tients under bisphosphonates therapy. Proposal of a clinical protocol supported byNd:YAG low-level laser therapy. Med Oral Patol Oral Cir Bucal 2013;18:e680-685.

• Vescovi P, Merigo E, Meleti M, et al. Surgical approach and laser applications in BRONJ osteoporotic and cancer patients. J Osteoporosis 2012;2012:585434.7.

• Vescovi P, Merigo E, Meleti M, Manfredi M. Bisphosphonateassociated osteonecrosis (BON) of the jaws: a possible treatment? J Oral Maxillofac Surg 2006;64:1460-1462.

• Viviano M, Addamo A, Cocca S. A case of bisphosphonate-related osteonecrosis of the jaw with a particularly unfavourable course: a case report. J Korean Assoc Oral Maxillofac Surg 2017;43:272-275.

• Wahl MJ. Antibiotic prophylaxis in artificial joint patients. J Oral Maxillofac Surg 2010;68:949.

• Walia H. Undoing border imperialism. Vol. 6. Ak Press, 2014.

- Walter C, Grötz KA, Kunkel M, Al-Nawas B. Prevalence of bisphosphonate associated osteonecrosis of the jaw within the field of osteonecrosis. Support Care Cancer 2007;15:197-202.
- Wang D, Bo Hu, Chang Hu, et al. Clinical characteristics of 138 hospitalized patients with 2019 novel coronavirus-infected pneumonia in Wuhan, China. JAMA 2020;323:1061-1069.
- Wang J, Goodger NM, Pogrel MA. Osteonecrosis of the jaws associated with cancer chemotherapy. J Oral Maxillofac Surg 2003;61:1104-1107.
- Wang JT, Sheng WH, Fang CT, et al. Clinical manifestations, laboratory findings, and treatment outcomes of SARS patients. Emerg Infect Dis 2004;10:818-824.
- Wakasaya Y, Watanabe M, Tomiyama M et al. An Unusual case of chronic relapsing tetanus associated with mandibular osteomyelits. Inter Med 2009;48:1311-1313.
- Warnke PH, Becker ST, Springer IN, et al. Penicillin compared with other advanced broad spectrum antibiotics regarding antibacterial activity against oral pathogens isolated from odontogenic abscesses. J Craniomaxillofac Surg 2008;36:462-467.
- Weiss BR. Infratemporal fossa abscess. Unusual complication of maxillary sinus fracture. Laryngoscope 1977;87: 1130-1133.
- Wessel JH, Dodson TB, Zavras A. Zoledronate, smoking, and obesity are strong risk factors for osteonecrosis of the jaw: A case-control study. J Oral Maxillofac Surg 2008;66:625-631.
- Westenfelder GO, Paterson PY. Life-threatening infection: choice of alternate drugs when penicillin cannot be given. JAMA 1969;210:845-848.
- Whitelaw DA, Rayner BL, Willcox PA. Community-acquired bacteremia in the elderly a prospective study of 121 cases, J Am Geriatr Soc 1992;40:996-1000.
- WHO: Disease Outbreak News: Update 24 February 2020.
- Williams JD. Beta-lactamases and beta-lactamase inhibitors. Int J Antimicrob Agents 1999;12:S3-7.
- Wilson B. Necrotizing fasciitis. Am Surg 1952;18:416-431.
- Wilson W, Taubert KA, Gewitz M, et al. Prevention of infective endocarditis: guidelines from the American heart association: a guideline from the American heart association rheumatic fever, endocarditis, and Kawasaki disease committee, council on cardiovascular disease in the young, and the council on clinical cardiology, council on cardiovascular surgery and anesthesia, and the quality of care and outcomes research interdisciplinary working group. Circulation 2007;116:1736-1754.
- Witt RL. Salivary Gland Diseases Surgical and Medical Management (ed 1). New York, Thieme, 2005
- Wong TY. A nationwide survey of deaths from oral and maxillofacial infections: the Taiwanese experience. J Oral Maxillofac Surg 1999;57:1297-1299.
- Woo SB. Oral pathology: a comprehensive atlas and Text. Elsevier/Saunders, Philadelphia 2012.
- Wood NK, Goaz PW. Differential diagnosis of oral and maxillofacial lesions. Mosby Co. 1997.
- World Health Organization: Hepatitis B Fact sheet no 204. 2000.
- World Health Organization. ICD-10: International Statistical Classification of Diseases and Related

Health Problems, 10th Revision. https://icd.who.int/browse10/2019/en. Accessed 3 March 2021.

- Wright TL. Introduction to chronic hepatitis B infection. Am J Gastroenterol 2006;101:S1-6.

- Xiao D, Feng X, Huang H, Quan H. Severe septic arthritis of the temporomandibular joint with pyogenic orofacial infections: A case report and review of the literature. Exp Ther Med 2017;14:141-146.

- Yamamoto H. Cephalosporin and carbapenem. The Quintessence(Korean) 2011;16:89-94.

- Yamaza T, Kido MA, Wang B, et al. Distribution of substance p and neurokinin-1 receptors in the peri-implant epithelium around titanium dental implants in rats. Cell Tissue Res. 2009;335:407-415.

- Yamaza T, Kido MA. Biological sealing and defense mechanisms in peri-implant mucosa of dental implants. Implant Dentistry-The Most Promising Discipline of Dentistry London, UK: Intech Open.2011;219-242.

- Yenson A, deFries HO, Deeb ZE. Actinomycotic osteomyelitis of the facial bones and mandible. Otolaryngol Head Neck Surg 1983;91:173-176.

- Yonkers AJ, Krous HF, Yarington Jr CT. Surgical parotitis. Laryngoscope 1972;82:1239-1247.

- Yoshiga D, Nakamichi I, Yamashita Y, et al. Prognosis factors in the treatment of bisphosphonate-related osteonecrosis of the jaw-Prognostic factors in the treatment of BRONJ. J Clin Exp Dent 2014;6: e22-28.

- Yrastorza JA. Indications for antibiotics in orthognathic surgery. J Oral Surg 1976;34:514-521.

- Yuvaraj V, Alexander M, Pasupathy S. Microflora in maxillofacial infections-A changing scenario? J Oral Maxillofac Surg 2012;70:119-125.

- Zhanel GG, Wiebe R, Dilay L, et al. Comparative review of the carbapenems. Drugs. 2007;67:1027-1052.

- Zhang Z, Xiao W, Jia J, et al. The effect of combined application of pentoxifylline and vitamin E for the treatment of osteoradionecrosis of the jaws: a meta-analysis. Oral Surg Oral Med Oral Pathol Oral Radiol 2020;129:207-214.

- Zhou Q, Guo P, Gallo JM. Impact of angiogenesis inhibition by sunitinib on tumor distribution of temozolomide. Clin Cance Res 2008;14:1540-1549.

- Zumla A, Hui DS, Perlman S. Middle East respiratory syndrome. Lancet 2015;386:995-1007.

부록

용어

|A|

Abfraction 치경부 치아구조물 소실. Loss of tooth structure where the tooth and gum come together. The damage is wedge-shaped or V-shaped and is unrelated to cavities, bacteria, or infection.

Abscess 농양

Absence epilepsy 소발작 뇌전증, 소발작 간질

Absence seizure 소발작, 실신발작(= Petit mal seizure)

Acquired immune response 획득면역반응

Actinomycotic 방선균의

Acute febrile neutrophilic dermatosis 급성 발열성 호중구성 피부병

Acute myelogenous leukemia 급성 골수성 백혈병

Acute pain 급성 통증

Acute suppurative parotitis 급성 화농성 이하선염

Adams Stokes syndrome 애덤스-스토크스증후군

Adhesion molecule 부착분자

Adynamia 무력증

Adynamic ileus 무력 장폐쇄증

Agitation 초조

Agranulocytosis 무과립구증

Akathisia 좌불안석증

Algometer 통각계

Allergy 알레르기

Allodynia 이질통, 무해자극통증

Altered sensation 변화된 감각

Alveolar distraction 치조골신장술

Amnesia 건망증, 기억상실증

Anarthria 구음장애

Anastomosis 문합

Anesthesia dolorosa 무감각부위 통증

Anesthesia 마비, 무감각(= numbness)

Angular vein 안각정맥

Ankylosing spondylitis 강직성척추염

Antagonist 길항제

Anterograde amnesia 전향기억상실증

Antibiotic sensitivity test 항생제감수성검사, 항생제민감도 검사

Anticonvulsant 항경련제

Antidepressant 항우울제

Antiepileptics 항간질약

Antimicrobial photodynamic therapy 항균 광역학요법

Antipsychotic drug 항정신병제

Anuresis 요폐

Aortic stenosis 대동맥 협착증

Aphasia 실어증

Aphthous ulcers 아프타성 궤양

Arm leaning 팔괴기

ARS (anterior repositioning splint) 전방재위치스플린트

Arterial Blood Gas Analysis 동맥혈가스분석

Arthrography 관절조영술

Arthrotomy 관절절개술

Articular eminence 관절융기

Aspergillosis 아스페르길루스증, 국균증

Assisted muscle stretching 보조적 근육신장

Asterixis 고정자세 불능증

Ataxia 운동실조, 조화운동불능

Atrial fibrillation 심방세동

Atrial flutter 심방조동

Atrial septal defect 심방중격결손

Attachment loss 부착상실

Attrition 교모(증)

Atypical facial pain 비정형 안면통

Atypical toothache 비정형 치통

Auriculoventricular block 방실차단

Axon 축삭

Axonotemesis 축삭절단

|B|

Bicuspid valve disease 이첨판 질환

Biochemical bone markers 생화학적 골표지자

Bilaminar tissue 두겹조직, 두층조직

Biliary tract 담도

Biofilm 생물막

Biomodulation 생체조절

Biopsychosocial model 생물심리사회모델

Bipolar disorder 양극성 장애

Blister 물집

Blood brain barrier 혈뇌장벽

Blunt dissection 무딘 박리

Blurred vision 시력 혼탁, 흐려보임

Botulinum toxin 보툴리눔독소

Bridge 가공의치

BRONJ 비스포스포네이트 관련 악골 괴사증

Burning mouth syndrome 구강작열감증후군

Burning sensation 작열감

| C |

Candidiasis 칸디다증

Canine guidance 견치유도

Cantilever 외팔보, 캔틸레버

Carvenous sinus 해면정맥동

Carvenous sinus thrombosis 해면정맥동 혈전증

Cataract 백내장

Causalgia 작열통

Cellulitis 봉와직염

Cell wall 세포벽

Central sensitization 중추감작, 중추민감화

Cephalometric lateral view (lateral cephalogram) 측모
　　두부규격방사선사진

Cervicofacial necrotizing fasciitis 경안부 괴사성근막염

Chemoattractant 화학유인성

Chemosis 결막부종

Chickenpox 수두

Chill 오한

Chorda tympani nerve 고실끈신경

Chorea 무도병

Chromatolysis 염색질용해

Chronic pain 만성 통증

Chronic recurrent multifocal osteomyelitis 만성 재발
　　성 다발성 골수염

Circulatory collapse 순환허탈

Clammy 축축한

Clouding of consciousness 의식혼탁

Collagenolysis 아교질증, 콜라겐증

Collateral nerve 겉신경

Collateral 겉

Comorbidity 동반질환, 동반질병, 동반이환

Complex regional pain syndrome 복합부위통증증후군

Compliance 순응도

Condylectomy 과두절제술

Condyloplasty 과두성형술

Condylotomy 과두절단술

Confusion 착란

Conjunctival injection 결막충혈

Contracture 구축

Convergence 집합, 수렴

Coronoid process 오훼돌기, 근돌기

Coronoidectomy 오훼돌기절제술

Crack 균열

CR-CO disprepancy 중심위-중심교합 불일치

Cramp 경련

Crepitus 염발음

Cyanosis 청색증

Cryotherapy 냉동요법

Current perception threshold 전류인지역치

Cytomegalovirus 거대세포바이러스

Cytoplasm 세포질

Cytoplasmic membrane 세포질막

| D |

Deafferentation pain 구심로차단통증

Debridement 괴사조직제거, 데브리망

Decortication 피질제거술, 피질골제거술

Deflection 편향

Deltoid muscle 세모근, 삼각근

Delusion 망상

Dental plaque 치태

Dentoalveolar 치아치조

Depersonalization 이인증

Descending pain inhibitory system impairment 하행
　　통증억제체계장애

Deviation 편위

Diagnostic anesthesia 진단용 마취

Digastric muscle 악이복근

Digital Infrared Thermographic Imaging (DITI) 적외
선체열검사

Displacement 전위

Disseminated intravascular coagulopathy(DIC) 파종
성혈관내응고장애

Dizziness 어지럼증, 현기증

Drain 드레인, 배출관

Drowsiness 졸음, 기면

Drug holiday 휴약기간

Dry socket 건성발치와, 발치와골염

Dynamic tactile test 동적촉각검사

Drowning 물에 빠짐, 익사

Dysarthria 구음장애

Dysesthesia 불쾌감각

Dysgeusia 미각이상

Dyskinesia 운동이상증

Dysphagia 연하곤란, 삼킴곤란

Dyspnea 호흡곤란

Dysentery 적리 유행성 또는 급성으로 발병하는 소화기
계통의 전염성 질환

Dystonia 근긴장이상증

| E |

Ecchymosis 반상출혈

Eczema 습진

Effusion 삼출증

Electric pulp test (EPT) 전기치수검사

Electrical acupuncture stimulation therapy (EAST)
전기침자극요법

Electrogustometry (EGM) 전기미각검사

Electromyography (EMG) 근전도검사

Electrophysiologic 전기생리학

Embolic 색전

Embolism 색전증

Emergence profile 출현윤곽

Empyema 농흉

Encephalomeningitis 뇌수막염

Endogenous infection 내인성 감염

Endoneurium 신경내막

Endothelial cell 내피세포

Enterococci 장구균, 장알균

Epineurium 신경외막

Erythema migrans 이동홍반

Erythema multiforme 다형성홍반

Etching 에칭, 부식

Ethmoiditis 사골염

Etiology 병인론

Euphoria 다행증, 도취감, 황홀

Exogenous infection 외인성 감염

Exploratory operation 탐색수술

External decompression 외부 감압법

Extrapyramidal 추체외로

| F |

Fascia lata 넙다리근막, 대퇴근막

Fascial space 근막간극

Fenestration procedure 개창술, 창냄술

Fibrillation 섬유성 연축

Fibroblast 섬유모세포

Fibromyalgia 섬유근육통

Fibrosis 섬유화

Filter paper disk (FPD) test 여과지디스크법

Flagella 편모

Flap 피판

Flatus 방귀

Fluctuation 파동성 종창

Fluorescence—guided surgery 형광유도술

Free radical 자유기

Fulminant 전격성

Fungal infection 진균 감염

Fungiform papillae 버섯유두

| G |

Gingival crevice 치은열구

Glaucoma 녹내장

Glossopharyngeal neuralgia 설인신경통

Glossopharyngeal neuropathic pain 설인신경의 신경
병성 통증

Glossopyrosis 혀작열감, 혀화끈감

Gout 통풍

Greater auricular nerve 대이개신경

Grogginess 휘청거림, 비틀거림

Gumboil 구강누공

Gynecomastia 여성형 유방증

| H |

Hallucination 환각

Healing abutment 치유지대주

Helplessness 무력감

Hematemesis 토혈

Hepatic porphyria 간성포르피린증

Herpangina 포진성구협염

Herpes 헤르페스

Herpes labialis 구순포진, 입술헤르페스

Herpes zoster 대상포진

Heterotopic pain 이소성 통증

High alkaline phosphatase level 고알칼리인산분해효
　　소증

Hirsutism 다모증

Hollow organ 속이 빈 장기

Host Defense Mechanism 숙주 방어 기전

Hydrodipsomania 구갈(증), 목마름증

Hyperacusis 청각과민

Hyperalgesia, Hyperpathia 통각과민증

Hypercarbia 고탄산혈증

Hyperechema 청각과민

Hyperesthesia 감각과민

Hyperexcitability 과다흥분

Hyperoxaluria 고수산뇨증

Hyperplasia 증식, 과형성

Hyperreflexia 반사항진

Hypertrichosis 털과다증

Hypertrophic cardiomyopathy 비후성 심근병증

Hypoalgesia, Hypopathia 통각저하증

Hypoesthesia 감각저하

Hypohidrosis 땀감소증, 땀저하증

Hyponatremia 저나트륨혈증

Hypopharynx 하인두

Hypoprothrombinemia 저프로트롬빈혈증

Hypoxemia 저산소혈증

| I |

Idiopathic facial pain 특발성 안면통증

Idiopathic 특발성

Immunosuppressants 면역억제제

Ileus 장폐쇄증

Iliac bone 장골

Induration 경결감, 경화

Infraorbital canal 안와하관

Infraorbital fissure 안와하열

Infraorbital foramen 안와하공

Infraorbital nerve 안와하신경

Infratemporal fossa 측두하와

Intentional partial odontectomy (IPO) 의도적치관절제술

Internal decompression 내부 감압법

Interpositional bone graft 삽입성골이식술

Intractable osteomyelitis 난치성 골수염

Intratemporal space infection 측두하와간극 감염

Intima 내막

Intubation 삽관

Involucrum 골구, 피막

Iontophoresis 이온삼투요법

Ischemia 허혈

Ischuria 요저류

Isometric exercise 등척성운동

Itching 가려움, 소양증

| J |

Joint stiffness 관절경직, 관절강직

Junctional epithelium 접합 상피

Juvenile arthritis 청소년성 관절염

| K |

Keratopathy 각막병증

Ketosis 케톤증

Kinase 인산화효소, 활성효소

Kyphosis 척추후만증

| L |

Labiomental fold 입술턱주름, 순이주름

Lacrimation 눈물분비

Lactation 유즙분비, 젖분비, 수유

Lactose intolerance 유당불내증

Laryngoscope 후두경

Lateral pharyngeal space infection 측방인두간극감염

Lavage 세척

Leptomeninx 연수막

Lethargy 졸음증, 기면

Leukopenia 백혈구감소증

Leukoplakia 백반증, 백색판증

Lichen planus 편평태선

Linea alba 백선

Lingula 소설, 혀돌기

Lipopolysaccharide 지질다당류

Low level laser therapy (LLLT) 저출력레이저치료

Lupus erythematosus 홍반성낭창

Lymphadenitis 림프절염

Lymph node 림프절

Lysis 용해

| M |

Malformation 기형

Macrocythemia 대적혈구증가증

Macrotrauma 거대외상

Malaise 권태감

Mandible body 하악체

Mandible ramus 하악지

Mania 조증, 조급증

Manipulation 도수조작, 도수교정

Megaloblastic anemia 거대적아구성 빈혈

Marginal mandibulectomy 부분적 하악절제술

Mastoid process 유양돌기

Maxillary sinusitis 상악동염

Mediastinitis 종격동염

Meningitis 뇌수막염

Meniscectomy 관절원판절제술

Meniscoplasty 관절원판성형술

Meniscorrhaphy 관절원판정복술

Mental foramen 이공

Mental nerve neuropathy 이신경병변증(= Numb chin syndrome)

Mental nerve 이신경

Mentum 이부

Micrognathia 소악증

Microtrauma 미세외상

Minimum bactericidal concentration 최소살균농도

Minimum inhibitory concentration 최소억제농도

Mitral valve prolapse 승모판탈출증

Monoclonal antibody 단클론항체

MRONJ 약물 관련 악골 괴사증

Mucormycosis 모균증, 털곰팡이증

Multidisciplinary approach 여러 전문분야적 접근

Multifactorial 다인성

Multiple myeloma 다발성 골수종

Multiple neuritis 다발성 신경염

Murcomycosis 털곰팡이증

Muscle afferent block 근육구심차단술

Muscle conditioning exercise 근육조건화운동

Muscle splinting 보호성 근긴장

Muscular stiffness 근육강직, 근육경직

Myalgia 근육통(= muscle soreness)

Myasthenia 근무력증

Mydriasis 산동, 동공산대

Myelin 수초

Myeloma 골수종

Mylohyoid 악설골

Myoclonia 간대성 근경련

Myofascial pain 근근막통증

Myoglobinuria 미오글로빈뇨증

Myospasm 근육연축, 근육경련

| N |

Narcolepsy 기면증, 발작수면

Nasoantrostomy 비상악동절개술

Nausea 구역, 오심

Neck space 경부간극

Negative nitrogen balance 음성질소평형

Nerve anastomosis 신경문합술

Nerve graft 신경이식술

Nerve sheath 신경초

Nerve sprouting 신경발아

Neurapraxia 생리적신경차단

Neurectomy 신경절제술

Neuroleptic malignant syndrome 신경이완제악성증후군

Neurolysis 신경박리술

Neuroma 신경종

Neuromuscular transmission 근신경전달

Neuronal 신경세포성, 신경원성

Neuropathic disorder 신경병성 장애

Neuropathic pain 신경병성 통증, 신경병변성 통증, 신경병증성 통증

Neurotemesis 신경절단

Neurotoxicity 신경독성

Neurotrophic 신경영양

Neutropenia 호중구감소증

Neutrophil 호중구

Neutrophilia 호중구증가증

Nissl body 니슬소체

Nociceptive 통각수용성, 침해수용성, 침해성

Nondepolarizing muscle relaxant 비탈분극성 근이완제

Non-nociceptive pain 비통각수용성 통증

Numbness 무감각, 마비

Nystagumus 안구진탕

| O |

Ochronosis 갈색증, 흑변증

Odynophagia 삼킴통증, 연하통

Oliguria 요감소, 핍뇨

Open epiphysis 개방성 골단

Ophthalmic vein 안정맥

Opportunistic infection 기회감염

Oral bioavailability 경구생체이용률

Oral hairy leukoplakia 구강모백반증

Orbicularis oculi m. 안륜근

Orbicularis oris m. 구륜근

Orocutaneous fistula 구강-피부 누공

Orofacial dyskinesia 구강안면 운동이상증

Orofacial pain 구강안면통증

Osteoarthritis 골관절염

Osteoarthrosis 골관절증

Osteoblast 골모세포

Osteochondroma 골연골종

Osteomalacia 골연화증

Osteomyelitis 골수염

Osteophyte 골극, 골증식

Osteoradionecrosis 방사선골괴사증

Osteosarcoma 골육종

Outer membrane 외막

Overload 과부하

Oxidative 산화

| P |

Pain score 통증 정도

Palpebral ligament 안검인대

Pancytopenia 범혈구감소증

Papilloma 유두종

Paracentesis 복수천자

Parafunction 이상 기능

Parapharyngeal 인두주위

Paresthesia 감각이상

Paradoxical reaction 역설적 반응

Parotid capsule 이하선낭

Passive muscle stretching 수동적근육신장

Pathogenesis 발병기전

Peptidoglycan 펩티도글리칸

Percutaneous catheter drainage 경피적도관배액술

Perineurium 신경주위막

Perivascular 혈관주위

Petechiae 점상출혈

Phantom pain syndrome 환상통증 증후군

Photobiomodulation 광생물조절

Photophobia 광선공포증

Photosensitivity 광과민성

Photosensitization 광선민감화, 광감작

Photosensitizer 광민감제, 광민감물질

Pili 섬모

Pin pressure nociceptive discrimination test 통각유해감각 구별법

Placebo effect 위약효과

Plaque 플라크, 판

Platelet-rich plasma 자가 혈소판 풍부 혈장 치료술

Polymerization 중합반응

Polypeptide 폴리펩티드

Pore 구멍

Porphyria hepatica 간성포르피린증

Posterior subcapsular cataract 후낭하백내장

Postherpetic neuralgia 포진후 신경통

Posttraumatic Stress Disorder 외상후스트레스장애

Pressure ulcer 압박궤양, 욕창(pressure sore, bedsore, decubitus ulcer)

Pretracheal space 기관전간극

PRF 자가 혈소판 풍부 섬유소

Pricking 따끔거림

primary pain 원발성 통증

Primary stability 일차 안정도

Priming 시동, 초회

Productive cough 젖은 기침

Prolotherapy 증식요법

Proptosis 안구돌출

Protective cocontraction 보호성 상호수축

Provocation test 유발검사

Pruritus 소양증, 가려움증

Pseudogout 가성통풍

Pseudomembranous colitis 위막성대장염

Pseudomonas 녹농균

Psoriatic arthritis 건선관절염

Psychogenic pain 심인성 통증

Psychomotor restlessness 안절부절증

Pterygoid plexus 익돌총

Pterygomandibular 익돌하악의, 날개하악의

Pterygomandibular space 익돌하악간극

Pterygopalatine fossa 익돌구개와

Ptosis 하수증

Purpura 자반증

Purpuric cryopathy 자색반한랭병, 자색반저온병

Purulent exudate 화농성 삼출물

| Q |

Qualitative Sensory Test (QST) 정량적 감각 기능 검사

| R |

Rale 거품소리

Rapport 공감대

Rash 발진

Reciprocal inhibition 상호억제

Red flap symptom 치성 원인이 없는 감각이상 증상

Referred pain 연관통

Reflex relaxation 반사이완

Reflex sympathetic dystrophy syndrome 반사 교감 신경성 위축 증후군

Reinnervation 신경재분포

Relining 첨상, 재이장, 릴라이닝

Resistance exercise 저항운동

Retraction 견인

Retractor 견인기

Retrobulbar 안구후

Retrograde degeneration 퇴행성변성

Retromandibular 후하악

Rheumatic heart disease 류마티성 심질환

Rickets 구루병

Rigor 경직

Risus sardonicus 경련성미소

Root apex 치근단

Rumination 반추, 되새김

| S |

Saturation 포화도

Saucerization 배상형성술

Scab 딱지

Scalene 사각근

Scar 흉터

Schwann's sheath 슈반신경초

Scintigraphy 섬광조영술

Scleroderma 피부경화증

Sclerosis 경화증

Scoliosis 척추측만증

Secondary stability 이차 안정도

Segmental resection 분절절제술

Self-limiting 자기한정적

Sensitivity 민감도

Sensitization 감작, 민감화

Sensory Nerve Conduction Velocity (SCV) 감각신경 전도속도 검사

Sepsis 패혈증

Septate 중격

Sequestrectmy 부골절제술

Shear force (strength) 전단력

Shingles 대상포진(= herpes zoster)

Short gastric artery 단위동맥

Silastic 실라스틱

Sinoatrial block 동방차단

Sinus bradycardia 동서맥

Smear 도말

Somatic pain 몸통증

Somatization disorder 신체화장애(= Somatoform disorder)

Somatization 신체화

Somatosensory evoked potential 체성감각유발전위

Somatosensory evoked potentials (SEP) 체성감각유발전위검사

Somnolence 졸음증, 기면

Spasm 연축

Splenius capitus 두판상근

Splint 스플린트

Sprain 염좌

Squamous papilloma 편평유두종

Stabilization splint 안정위스플린트

Stagnation 울체, 정체

Stainless steel 스테인리스스틸

Staphylococcus 포도상구균, 포도알균

Static tactile test, Static light touch detection 정적촉각검사

Status epilepticus 간질지속상태

Stellate ganglion block (SGB) 성상신경절차단

Sternocleidomastoid muscle 흉쇄유돌근

Streptococcus 연쇄상구균

Stripe disease 선조병

Stylohyoid process 경상설골돌기

Styloid process 경상돌기

Stylomastoid foramen 경유돌공

Subcondylar 과두하, 과두하부

Subdigastric 이복하

Submandibular space 악하간극

Submental space 이하간극

Submucous fibrosis 점막하섬유화증

Sublingual space 설하간극

Subtype 아형

Superinfection 중복감염

Superior laryngeal neuralgia 상후두신경통

Supraorbital vein 안와상정맥

Supratrochlear vein 활차상정맥

Sural nerve 비복신경

Sweat 발한

Sympathectomy 교감신경절제(술)

Sympathetically maintained pain (SMP) 교감신경성 지속 통증

Synovial chondromatosis 활액막연골종증

| T |

Tachypnea 빠른 호흡

Tardive dyskinesia 지발성 운동장애

Taut 팽팽한

Tendon 건

Tendon sheath 건초

Thermocoagulation 열응고

Thermography 체열검사

Throbbing 박동성

Thrush 아구창

Thymosis 격앙

Tibia 경골

Tinel's sign 티넬 징후

Tingling 저림증

Tinnitus 이명

Tolerance 내성

Toxic epidermal necrolysis 독성표피괴사

Traction 견인

Transcranial view 횡두개상

Transcutaneous electrical nerve stimulation 경피전기신경자극

Trapezius muscle 승모근

Traumatic neuroma 외상성 신경종

Tremor 떨림, 진전

Tricyclic antidepressant 삼환계항우울제

Trigeminal neuralgia 삼차신경통

Trigeminal neuropathic pain 삼차신경의 신경병성 통증

Trophic 영양

Two-point discrimination test 이점 식별능 검사

상품명	성분	제조사
485 kit		Osstem Implant
Aclofen	Aceclofenac 100 mg	동아제약
Actifed	Pseudoephedrin/Triprolidin	삼일제약
Acyclovir Tab	Acyclovir 400 mg	한서제약
Admira Protect	Voco GmbH	Germany
Ad-Muc Oint.	에드먹연고	멀츠아시아퍼시픽피티이엘티디
Airtal Tab	Aceclofenac 100 mg	대웅제약
All Bond DS	Bisco	USA
AlloMix	동종골 DBM	CGBIO
Amoclan duo	Amoxicillin hydrate 437.5 mg, potassium clavulanate diluted 106.36 mg	한미약품
Amoclan Duo Tab.	Amoxicillin/clavulanate 500 mg	명문제약
Amoxapen Cap.	Amoxicillin 250 mg	종근당
Anaprox Tab	Naproxen 275 mg	종근당
Andilac-S Cap.	Lactobacillus acidophilus 300 mg	일양약품
Aronamin		일동제약
Asec	Aceclofenac 100 mg	한미약품
Ativan	Lorazepam 1 mg	일동제약
Augmentin Tab. 625 mg	Amoxicillin/Clavulanate 625 mg	일성신약
AutoBT	Autogenous tooth bone graft material, Autogenous demineralized dentin matrix, ADDM	Korea Tooth Bank
Azitops Tab.	Azithromycin 250 mg	일동제약
Baclofen Tab.	Baclofen 10 mg	한독
Bactigra		Smith & Nephew (Hertfordshire, UK)
Banan	Cefpodoxime proxetil 100 mg	에이치케이이노엔
Beecom	Vitamin B, C	유한양행
Beecomhexa Inj.	Vitamin B 2 ml	유한양행
Bio-Arm		ACE Surgical. Supply Company, Inc. (Brockton, MA, USA)
Bio-Gide		Geistlich (Wolhusen, Switzerland)
Biotop high		한올바이오파마
BiteStrip		Scientific Laboratory Products Ltd. (Tel Aviv, Israel)
Bonviva	Ibandronate sodium monohydrate 3 mg	한독약품
Bone wax		Ethicon Inc. (Somerville, NJ, USA)
Botox		Allergan (USA)
Carol-F Tab.	Ibuprofen 200 mg/Arginine 185 mg	일동제약
CAS (Crestal Approack Sinus Kit)		Osstem Implant
Catas Tab.	Diclofenac 50 mg	하나제약
Cefazolin		종근당
Celebrex	Celecoxib 100 mg	한국화이자제약

Cele V	Celecoxib 200 mg	한림제약
Cervical Cement		GC Corporation (Japan)
Cervitec		Ivoclar-Vivadent (Liechtenstein)
Clamoxin	Amoxicillin hydrate 250 mg, potassium clavulanate diluted 125 mg	신풍제약
Clanza Tab.	Aceclofenac 100 mg	한국유나이티드제약
CTi mem		Neobiotech
Cycin	Ciprofloxacin hydrochloride hydrate 400 mg	일동제약
Cymbalta Cap.	Duloxetine 30 mg	한국릴리
Cytoplast (비흡수성 차폐막)		Osteogenics (USA)
Cytoplast RTM collagen membrane (흡수성 차폐막)		Osteogenics (USA)
Cytotec	Misoprostol 200 ug	한국화이자
Deferoxamine Inj.	Deferoxamine mesylate 500 mg	한국 화이자
Dexamethasone Inj.	Dexamethasone 5 mg/ml	유한양행
Diazepam	Diazepam 2 mg	대원제약
Dipental cream	Capsaicin 0.025% 20 g	다림바이오텍
Dormicum	Midazolam 5 mg	한국로슈
Dysport		Ipsen Ltd (Slough, UK)
Efexor-XR SR Cap.	Venlafaxine 37.5 mg	한국화이자제약
Eglandin	lipo-PGE1 10 mcg/2 ml	미쓰비시다나베파마코리아
EMLA Cream 5%	Lidocaine 25 mg/g, Prilocaine 25 mg/g	미쓰비시다나베파마코리아
Encle		한림제약
Endobon		Biomet 3I
Etravil Tab.	Amitriptyline 10 mg	동화약품
ExFuse		HANS Biomed
Exoperine	Eperisone 50 mg	한미약품
Flasinyl Tab.	Metronidazole 250 mg	에이치케이이노엔
Forsteo In.	Teriparatide 250 ug/mL	한국릴리
Fosamax	Alendronate 70 mg	한국오가논
Fullgram Inj.	Clindacycin 300 mg	삼진제약
Fluor Protector		Ivoclar-Vivadent (Liechtenstein)
Gabatin Cap.	Gabapentin 400 mg	고려제약
Gelfoam		Pfizer (New York, NY, USA)
Ganaton	Itopride hydrochloride 50 mg	한국애보트
Gaslong	Irsogladine maleate 2 mg	태준제약
Gaster	Famotidine 20 mg	동아제약
Geworin	Acetaminophen 300 mg + Caffeine 50 mg	삼진제약
Gluma Desensitizer		Heraeus (Kulzer, Germany)
Grandpherol	Vitamin E 400 IU	유한양행
Guardix	Hyaluronic acid & sodium carboxymethyl cellulose	Hanmi pharmacy
Halcion	Triazolam 0.25 mg	한국화이자
Hirax Inj.	Hyaluronidase 1,500 IU/mL	한국비엠아이
Hyal prefilled	Sodium hyaluronate 10 mg/mL 주사제	한국비엠아이
Hynarubonplus	Sodium hyaluronate 10 mg/mL 주사제	일동제약
Hyruan	Hyaluronic acid 60 mg	LG Biosci Co

Ibuprofen Soft Cap.	Ibuprofen 400 mg	유한양행
ICB (Irradiated Cancellous Bone)		Purgo biologics
Imotun Cap.	Avocado-soya unsaponifiables 300 mg	종근당
InduCera		Oscotec Inc.
Innotox Inj. (현재 사용 중지 약품)	Clostridium botulinum toxin-A 40 Unit/mL	Medytox Inc.
InterOss	소뼈로 제조한 이종골	Sigmagraft (CA, USA)
Kamistad-N gel	Chamomilla tinc 185 mg/Lidocaine HCl hydrate 20 mg, 10 g/tube	진양제약
Ketoprofen Inj.	Ketoprofen 100 mg/2 ml	부광약품
Kmoxilin	Amoxicillin 500 mg + Clavula 125 mg	종근당
Lamiart Tab.	Lamotrigine 25 mg	대웅제약
Lamictal Tab.	Lamotrigine 25 mg	글락소스미스클라인
Lexapro	Escitalopram oxalate 10 mg	한국룬드벡
Licaneuro Cap.	Pregabalin 75 mg	대원제약
Lioresal	Baclofen 25 mg	한국노바티스
Luna	SIS	신흥
Lyrica Cap.	Pregabalin 75 mg	한국화이자제약
MBCP, MBCP+	Micro-macro Biphasic Calcium Phosphate	Biomatlante (Vigneux-de-Bretagne, France)
Megaderm		L&C Bio Corp.
Melocox Cap.	Meloxicam 7.5 mg	동아에스티
Mesexin	Methylol cephalexin lysinate 500 mg	한림제약
Methotrexate	Methotrexate 2.5 mg	유한양행
Methycobal	Mecobalamin 0.5 mg	대웅제약
Methylon Tab.	Methylprednisolone 4 mg	알보젠코리아
Microprime		Danville Material Inc. (USA)
Minocure Dental Ointment	Minocycline 20 mg/g	나이벡
Minocline Dental Ointment	Minocycline 20 mg/g	동국제약
Moprid	Mosapride 5 mg	종근당
MS-COAT		Sun Medical (Japan)
Mu-Terasil	Pure water, Polyvinylpyrrolidone K-90, Calcium chlroride, Potassium sorbate, Propylene glycol 12 ml/btl	한국푸앤코
Nabuton	Nabumetone 500 mg tab.	동성제약
Nasonex nasal	Mometasone furoate monohydrate 7 mg	한국오가논
Naxen-F Tab.	Naproxen 500 mg	종근당
Naxen-F CR	Naproxen 1000 mg	종근당
Neurometer		Neurotron Inc. (Baltimore, MD, USA)
Neurontin	Gabapentin 100 mg	한국화이자제약
Newdotop patch, Newdotop Cataplasma		SK Chemicals
Newrica Cap.	Pregabalin 75 mg	동아에스티
Nimotop	Nimodipine 30 mg	Bayer
Nisolone	Prednisolone 5 mg	국제약품공업
Nitroglycerin Sublingual Tab.	Nitroglycerin 0.6 mg	명문제약
NobelBiocare MK III Groovy		Nobelbiocare (Sweden)

Nobel Speedy Groovy		Nobelbiocare (Sweden)
NOVOSIS BMP-2		CGbio
Nu Gauze		Johnson (Virginia, USA)
Oneplant		Warantec
OpenTex®		Prugo Biologics
Oramedy ointment	Triamcinolone 10 g	동국제약
Oropherol soft cap.	Tocopherol 100 mg	신일제약
Orthoblast II		SeaSpine (San Diego, CA, USA)
Ossix Plus		Purgo Dental Biologics, Datum Biotech Ltd. (Telrad Industrial Park, Israel)
Osstell ISQ		Osstell (Gothenburg, Sweden)
OSTEON		GENOSS
Parox Tab.	Paroxetine 20 mg	명인제약
Pedi-Stick		HANS Biomed
Peflacin		비씨월드제약
Peniramin Tab.	Chlorpheniramine 2 mg	유한양행
Penzal	Acetaminophen 250 mg + Caffeine 50 mg	종근당
Pharma Mecobalamin	Mecobalamin 500 ug	한국파마
Phenytoin Tab.	Phynytoin 100 mg	명인제약
Placentex Injection	PDRN: Polydeoxyribonuceotide	Pharma-Research Products
Pontal Cap	Mefenamic acid 250 mg	유한양행
Por-Oss (현재는 판매 중단됨)		Osstem Implant
Pranol	Propranolol 25 mg	현대약품
Prebalin Cap.	Pregabalin 75 mg	한미약품
Prex	Baclofen 20 mg	한국유나이티드제약
Prozac Dispersible Tab.	Fluoxetine 20 mg	한국릴리
Procton	Nabumetone 500 mg	메디카코리아
Prograf	Tacrolimus hydrate 0.5 mg	한국아스텔라스제약
Prolia Prefilled Syringe	Denosumab 60 mg	암젠코리아유한회사
Rapi-Plug		Dalim Tissen
Regenaform		Exactech Inc. (Gainesville, FL, USA)
Relafen	Nabumetone 500 mg	한독약품
Remaix membrane		Metricel GmbH (Herzogenrath, Germany)
Reumel Cap.	Meloxicam 7.5 mg	한림제약
Rheumagel Gel	Ketoprogen 30 mg/g 30 g	한미약품
Rivotril Tab.	Clonazepam 0.5 mg	한국로슈
Ropiva Inj.	Ropivacaine 7.5 mg/mL	한림제약
Rulid	Roxithromycin 150 mg	한독약품
Seal & Protect		Dentsply (USA)
Selbex	Teprenone 50 mg	부광약품
Sensival Tab.	Nortriltyline 10 mg	일성신약
Sirdarud	Tizanidineg	노바티스
Soleton Tab.	Zaltoprofen 80 mg	에이치케이이노엔
Somalgen Tab.	Talniflumate 370 mg	알보젠코리아
Stillen	Artemisia Herb 95%, Ethanol Soft Ext 90 mg	동아에스티

Superline		Dentium Co.
Super Seal		Phoenix Dental Inc. (USA)
Suprax Cap.	Cefixime 100 mg	동아에스티
Surgicel		Ethicon Inc. (Somerville, NJ, USA)
Synthyroid Tab.	Levothyroxine 100 μg	부광약품
Tacenol	Acetaminophen 325 mg	부광약품
Tamoxen	Tamoxifen 10 mg	한국유나이티드
Tantum Solution	Benzydamine 1.5 mg/mL	삼아제약
Tarivid	Ofloxacin 100 mg	제일약품
Taxol	Paclitaxel 30 mg	한국비엠에스제약
Taxotere	Docetaxel 20 mg	사노피아벤티스코리아
Tegretol	Carbamazepine 100 mg	한국노바티스
Teribone	Teriparatide acetate 56.5 ug	동아에스티
Terramycin eye oint.	Tetracycline 5 mg/g 3.5 g	한국화이자제약
The Graft	돼지뼈로 제조한 이종골	Prugo Biologics
Therabite		Atos Medical AB (Hörby, Sweden)
Tiramox	Amoxicillin calvulanated 375 mg	삼진제약
Tisseel		Baxter Healthcare (Deerfield, IL, USA)
Topamax Tab.	Topiramate 100 mg	한국얀센
Topren	Ketoprofen 100 mg	삼성제약
Tramadol HCl Cap.	Tramadol 50 mg	대우제약
Tranexamic Acid Inj.	Tranexamic acid 500 mg	대한약품공업
Transamin Cap.	Tranexamic acid 250 mg	제일약품
Trental SR Tab.	Pentoxifylline 400 mg	한독
Triam Injection	Triamcinolone 40 mg/mL	신풍제약
Trileptal Film Coated Tab. 150 mg	Oxcarbazepine 150 mg	한국노바티스
Trileptal Film Coated Tab. 300 mg	Oxcarbazepine 300 mg	한국노바티스
Trolac Injection	Ketorolac 30 mg	환인제약
Ultracet Tab.	Tramadol 37.5 mg / Acetaminophen 325 mg	한국얀센
Valium	Diazepam 5 mg	한국로슈
VELscope system	VELscope fluorescence lamp	LED Dental (White Rock, British Columbia, Canada)
Venoferrum Inj	Ferric Hydroxide Sucrose Complex 1800 mg	제이더블유중외제약
Vioxx (2004년 판매 중지됨)	Rofecoxib	
Vitamin D3 BON Injection	Cholecalciferol 5 mg/mL	광동제약
Xanax	Alprazolam 2 mg	한국화이자
Xgeva Inj	Denosumab 120 mg	암젠코리아유한회사
Xerova Solution	Carboxymethylcellulose Sodium 10 mg, D-Sorbitol 30 mg, Calcium Chloride Hydrate 0.15 mg, Dibasic Potassium Phosphate 0.34 mg, Magnesium Chloride 0.05 mg, Potassium Chloride 1.2 mg, Sodium Chloride 0.84 mg/ml, 40 ml/btl	한국콜마
Xyzal	Levocetirizine	한국유씨비제약
Unasyn	Ampicillin/Sulbactam 375 mg	한국화이자제약
Yucla Tab. 625 mg	Amoxicillin/Clavulanate 625 mg	유한양행
Zometa	Zolendronate 4 mg	한국노바티스

INDEX

TOUGH CASES

INDEX

TOUGH CASES

TOUGH CASES